प्रेमचन्द :
जीवन, कला और कृतित्व

प्रेमचन्द
जीवन, कला और कृतित्व

(कई भारतीय एवं विदेशी भाषाओं में अनूदित तथा कई विश्वविद्यालयों के हिन्दी विभाग के लिये अनुमोदित पुस्तक)

हंसराज रहबर

साक्षी प्रकाशन
एस-16, नवीन शाहदरा, दिल्ली-110032
फोन : 011-22324833, 09810461412
E-mail : goelbooks@ rediffmail.com

प्रमुख वितरक
किताब घर प्रकाशन
अंसारी रोड़, दरियागंज, नई दिल्ली-110002

ISBN : 81-86265-14-7

प्रथम संस्करण : 1949
संशोधित संस्करण : 2008
11वाँ संस्करण : 2022

प्रकाशक : साक्षी प्रकाशन
एस-16, नवीन शाहदरा, दिल्ली-110032
फोन : 011-22324833, 09810461412
email : goelbooks@rediffmail.com

मुद्रक : राधा ऑफसेट, दिल्ली

टाईप सेटिंग : आकृति ग्राफिक्स, दिल्ली-110032

PREMCHAND : JEEVAN, KALA AUR KRITITVA
by Hansraj Rahbar

तीसरे संस्करण की भूमिका

मैंने यह पुस्तक 1949 में लिखी थी। पहले उर्दू में प्रकाशित हुई और फिर हिन्दी में, बाद में अंग्रेजी और रूसी में। आलोचना की यह मेरी पहली पुस्तक थी। मुझे इसी से ख्याति प्राप्त हुई।

उस समय प्रेमचन्द के बारे में तीन मिथ्या धारणाएं फैली हुई थीं :

—प्रगतिशीलों का दावा था कि प्रेमचन्द सुधारवादी थे, हम क्रान्तिकारी हैं, इसलिए उनसे सौ कदम आगे बढ़ गये हैं।

—प्रयोगवादियों का कहना था कि प्रेमचन्द ने समसामयिक घटनाओं को लेकर प्रचारात्मक साहित्य लिखा है, जो सपाट है, उसमें कला और मनोविज्ञान नहीं। इसलिए दस साल बाद उन्हें कोई नहीं पढ़ेगा।

—गांधीवादियों का कहना था कि प्रेमचन्द गांधीवाद के प्रवक्ता थे। गांधी ने जो राजनीति में किया वही प्रेमचन्द ने साहित्य में किया।

मैंने इन तीनों मिथ्या धारणाओं का खण्डन किया। प्रेमचन्द को जनवादी लेखक के रूप में स्थापित किया।

इस पुस्तक का दूसरा संस्करण सन् 1962 में प्रकाशित हुआ था। उसके बाद साहित्य में जनवाद-विरोधी प्रवृत्तियां छायी रहीं। इस कारण मेरी और मेरी इस पुस्तक की उपेक्षा हुई। अब तीस साल बाद इसका तीसरा संशोधित संस्करण प्रस्तुत है। उस समय मेरे चिन्तन में भी कुछ कमियां थीं जिन्हें अब दूर कर दिया गया है।

आशा है कि यह पुस्तक साहित्य के सुधीजनों को दृष्टि और दिशा प्रदान करेगी।

हंसराज रहबर

एस-16, नवीन शाहदरा,
दिल्ली-110032
24-6-93

प्रेमचन्द का सर्जनात्मक अध्ययन

☐ डॉ. हरदयाल*

हिन्दी के कथाकारों में से प्रेमचन्द के जीवन, व्यक्तित्व और कृतित्व को लेकर जितना आलोचनात्मक साहित्य लिखा गया है उतना और किसी को लेकर नहीं। यह सारा लेखन प्रशंसात्मक हो, ऐसा नहीं है। कारण, प्रेमचन्द अपने जीवन-काल में भी विवादास्पद बने और आज भी बने हुए हैं। इसका सीधा-सा अर्थ यह है कि उनके व्यक्तित्व और कृतित्व में ऐसा कुछ है जो अनुकूल और प्रतिकूल दोनों तरह की प्रतिक्रिया उत्पन्न करता है तथा किसी भी अध्ययन में पूरी तरह से पकड़ में आने से रह जाता है।

प्रेमचन्द के साहित्य के सम्बन्ध में उनके साहित्यिक जीवन के लगभग प्रारम्भ से ही लिखा जाने लगा था; लेकिन उनके जीवन-काल में उनके साहित्य को लेकर लिखी जाने वाली आलोचना या तो पुस्तक-समीक्षाओं के रूप में थी या आलोचनात्मक लेखों के रूप में, जो तत्कालीन पत्र-पत्रिकाओं में प्रकाशित हुई थी। पुस्तक-रूप में उनके जीवनकाल में उन पर लिखी गयी पहली रचना जनार्दनप्रसाद झा 'द्विज' की पुस्तक 'प्रेमचन्द की उपन्यास-कला' है जो दिसम्बर, 1933 में वाणी-मन्दिर, छपरा (बिहार) से प्रकाशित हुई थी। डॉ. रामविलास शर्मा की 'प्रेमचन्द' दूसरी पुस्तक है, जो 1941 में सरस्वती प्रेस, बनारस से प्रकाशित हुई। इसका दूसरा संस्करण 1994 में निकला। यह डॉ. शर्मा की पहली आलोचनात्मक पुस्तक थी। उनकी आत्मकथा 'अपनी धरती : अपने लोग' (1996) से हमें पता चलता है कि इस पुस्तक को लिखवा लेने का श्रेय प्रेमचन्दजी के बड़े सुपुत्र श्रीपतराय को था। प्रेमचन्द पर डॉ. शर्मा की

---

* डॉ. हरदयाल हिन्दी के सुप्रतिष्ठ कवि-आलोचक हैं। अब तक उनकी एक दर्जन से अधिक आलोचनात्मक-शोधात्मक पुस्तकें, तीन कविता-संग्रह और बीस सम्पादित पुस्तकें प्रकाशित हो चुकी हैं। उनकी कविताएं, निबन्ध, संस्मरण, व्यक्ति-चित्र, आलोचनात्मक लेख आदि विभिन्न पत्र-पत्रिकाओं में निरन्तर प्रकाशित होते रहते हैं। इसके साथ ही अनेक महत्त्वपूर्ण सम्पादित सन्दर्भ-ग्रन्थों के वे सहयोगी लेखक रहे हैं। उन्हें दिल्ली की हिन्दी अकादमी का 'साहित्यकार-सम्मान' मिल चुका है। सम्प्रति वे डॉ. गोपाल राय के साथ 'समीक्षा' त्रैमासिक का सम्पादन कर रहे हैं।

दूसरी आलोचनात्मक पुस्तक 'प्रेमचन्द और उनका युग' 1952 में प्रकाशित हुई। 1947 में रमेश वर्मा के सहयोग से लिखी मन्मथनाथ गुप्त की पुस्तक 'कथाकार प्रेमचन्द' प्रकाशित हुई। यह प्रेमचन्द को लेकर लिखी तीसरी आलोचनात्मक पुस्तक थी। बाद में मन्मथनाथ गुप्त ने प्रेमचन्द को लेकर दो आलोचनात्मक पुस्तकें और प्रकाशित कीं–'प्रेमचन्द और उनका साहित्य' (1951) तथा 'प्रेमचन्द : व्यक्ति और साहित्यकार' (1961)। 1949 में प्रेमचन्द पर हंसराज रहबर की पुस्तक 'प्रेमचन्द : जीवन, कला और कृतित्व' प्रकाशित हुई। यह प्रेमचन्द के सम्बन्ध में लिखी गयी चौथी आलोचनात्मक पुस्तक थी और यह रहबर जी की पहली आलोचनात्मक पुस्तक थी। यह पहले उर्दू में प्रकाशित हुई, बाद में हिन्दी में। यह उर्दू और हिन्दी के अतिरिक्त रूसी और अंग्रेजी में भी प्रकाशित हुई। इससे इसका महत्त्व स्पष्ट है। इसका दूसरा संस्करण 1962 में 'प्रेमचन्द : जीवन, कला और कृतित्व' के नाम से प्रकाशित हुआ। इससे स्पष्ट है कि प्रेमचन्द के महत्त्व को जिन लोगों ने बहुत जल्दी जान लिया, उनमें रहबरजी एक अग्रणी रचनाकार हैं।

मैं रहबरजी को आलोचक न कहकर 'रचनाकार' इसलिए कह रहा हूं कि वे मूलतः रचनाकार थे; आलोचक तो गौणतः थे। उर्दू और हिन्दी दोनों में उन्होंने महत्त्वपूर्ण कथाकृतियों की रचना की। इसीलिए उनकी आलोचना 'सर्जनात्मक' है। कोरा आलोचक प्रेमचन्द पर वैसी पुस्तक नहीं लिख सकता जैसी रहबरजी ने लिखी है। इसे पढ़ते समय हमें ऐसा कतई नहीं लगता कि हम कोई आलोचनात्मक-पुस्तक पढ़ रहे हैं। इसे पढ़ते समय हमें ऐसा लगता है जैसे हम कोई अत्यन्त पठनीय कथाकृति पढ़ रहे हैं, जिसमें गजब का प्रवाह है, गजब की पठनीयता है। चाहे प्रेमचन्द का जीवन हो, उनका व्यक्तित्व हो, उनकी कृतियां हों, उनके विचार हों–सब इतनी सहजता से प्रस्तुत किये गये हैं कि प्रस्तुति में आयास का कोई लक्षण ही नहीं दिखाई देता। हम अनुभव करते हैं कि रहबरजी ने जैसे लिखा है, उसके अतिरिक्त और किसी प्रकार लिखा ही नहीं जा सकता था। प्रेमचन्द की रचनाओं, उनके तथा अन्यों के पत्रों, उनके सम्बन्ध में दूसरों के द्वारा लिखे गये संस्मरणों और आलोचनाओं आदि के उद्धरणों को उन्होंने अपनी पुस्तक में इस तरह पिरोया है कि वे मूल पाठ के अभिन्न अंग बन गये हैं। रहबरजी को एक लाभ उर्दू का भी मिला है। हिन्दी में प्रेमचन्द के सम्बन्ध में लिखने वालों में सम्भवतः वे इसीलिए अपवादस्वरूप हैं। प्रेमचन्द पर हिन्दी में लिखने वाले ऐसे लोग बहुत कम हैं जिन्होंने उर्दू के मूल स्रोतों का उपयोग किया हो। इसीलिए उनकी यह पुस्तक औरों से अलग और अनूठी है। इसकी शैली की रवानी और पठनीयता का कुछ श्रेय उर्दू को भी दिया जा सकता है और इसकी भाषा के इस रूप को भी, जो न संस्कृतनिष्ठ हिन्दी है और न ही

अरबी-फारसी-तुर्की के अप्रचलित शब्दों से भरी कृत्रिम, बोझिल और जटिल उर्दू—

"आन्दोलन वाकई समय से पूर्व नहीं था। जनता, सचमुच, लड़ने के लिए तैयार थी। लेकिन जैसे ही आन्दोलन शहरों से निकलकर देहात में फैलने लगा और किसानों ने लगान न देने का अभियान छेड़ा, गांधी ने चट स्विच ऑफ कर दिया। गांधी-इर्विन समझौता हुआ। आजादी तो क्या, जिन ग्यारह माँगों को लेकर डांडी-मार्च शुरू किया था, उनमें से भी एक नहीं मानी गयी।"

छोटे-छोटे वाक्य, सहज बोलचाल में प्रयुक्त होने वाले शब्द, उनका मूल स्रोत चाहे जो हो, और स्पष्ट वक्तव्य—यह है हंसराज रहबर का सहज गद्य, जिसमें कृत्रिमता बिल्कुल नहीं है।

हंसराज रहबर की अन्य पुस्तकों की तरह उनकी इस पुस्तक में भी उनका अनूठा व्यक्तित्व अनुस्यूत है। 1969 से लेकर 1994 में उनके स्वर्गवासी होने तक के समय में मैंने उन्हें बहुत निकट से देखा था। उनके साथ बड़ी घनिष्ठता भी रही। वैचारिक स्तर पर उनसे प्रायः बहस होती थी, लेकिन इस बहस में कभी कटुता उत्पन्न नहीं हुई। इसका कारण यह था कि वैचारिक स्तर पर वे किसी से समझौता करने के लिए तैयार नहीं थे; लेकिन व्यक्तिगत सम्बन्धों का निर्वाह करना भी उन्हें खूब आता था। वे मसिजीवी रहे। परिवार था। स्वाभाविक ही आर्थिक परेशानियां भी आईं। लेकिन उनकी वैचारिक दृढ़ता कभी स्खलित नहीं हुई। उनमें वैचारिक दृढ़ता कितनी और कैसी थी, इसे कुछ दृष्टान्तों से समझा जा सकता है। वे प्रगतिवादी आन्दोलन के साथ थे—विचारधारा से वामपन्थी, क्रान्ति के पक्षधर और सुधारवाद के विरोधी। लेकिन वामपन्थी विचारधारा में भी हमेशा अतिवादी वामपन्थी रहे। विचारधारा के स्तर पर वे किसी से समझौता करने के लिए तैयार नहीं थे। इसीलिए उनकी हिन्दी-उर्दू के प्रगतिवादियों से कभी नहीं पटी। वे वैचारिक स्तर पर उनसे लड़ते ही रहे। डॉ. रामविलास शर्मा से अपनी वैचारिक असहमति प्रकट करने के लिए 'रामविलास शर्मा का खोखला मार्क्सवाद' पुस्तिका लिख डाली। गांधीजी के विचारों से अपनी असहमति व्यक्त करने के लिए उन्होंने गांधीजी को 'बेनकाब' किया। गांधीजी के अतिरिक्त उन्होंने गालिब आदि अन्य कइयों को भी 'बेनकाब' किया। उनमें वैचारिक दृढ़ता कितनी थी और अपने विचारों के लिए वे कोई भी जोखिम उठाने के लिए तैयार थे; इसका एक उदाहरण भारत-चीन संघर्ष के समय सामने आया। उस समय अन्य अनेक वामपन्थियों की तरह रहबरजी भी चीन को आक्रामक मानने के लिए तैयार नहीं थे। लेकिन उस समय औरों ने उस साहस का परिचय नहीं दिया जिसका हंसराज रहबर ने दिया। उस समय जब चीनी दूतावास ने एक आयोजन किया और उसमें भाग लेने के लिए अनेकों साहित्यकारों को

आमन्त्रित किया तब उस आयोजन में रहबरजी के अतिरिक्त और कोई शामिल नहीं हुआ। अकेले रहबरजी वहां गये और अन्दर जाते रहबरजी का चित्र दिल्ली के अनेक अखबारों ने प्रकाशित किया।

विचारों में कितनी शक्ति होती है और सरकारें उनसे कितना आतंकित होती हैं, इसको भी रहबरजी ने उदाहृत किया। आपातकाल की घोषणा होने के पहले ही रात में ही उन्हें गिरफ्तार कर लिया गया और पूरे उन्नीस महीने वे कारावास में रहे। अन्य कई वामपन्थियों की तरह न तो उन्होंने इन्दिरा गांधी का समर्थन किया और न ही क्षमायाचना कर जेल से बाहर आये। शारीरिक स्तर पर एक पैर से अपंग थे। हमेशा छड़ी लेकर चलते थे। तेज दौड़ भी नहीं सकते थे। आपातकाल में ही जब उनकी पुत्री का विवाह हुआ तो कड़ी सुरक्षा में कुछ घण्टों के लिए उन्हें जेल से घर लाया गया। उनके लिए सुरक्षा की जो कड़ी व्यवस्था की गयी थी, उसे देखकर हंसी भी आती थी और आतंकित सरकार पर दया भी। वामपन्थी विचारधारा में वे अतिवादी थे, लेकिन अन्धानुयायी किसी के नहीं थे। उन्होंने माओत्सेतुंग की जीवनी लिखी, लेकिन उन्होंने उनके प्रति अन्ध श्रद्‌धा का परिचय नहीं दिया। उन्होंने जहां उनकी शक्तियों को रेखांकित किया वहीं उनकी दुर्बलताओं को भी।

रहबरजी प्रारम्भ से ही प्रगतिवादी रहे, लेकिन उन्होंने प्रगतिशील लेखक संघ की आलोचना भी निरन्तर की। उन्होंने स्वाधीनता-प्राप्ति के बाद प्रगतिवादी आन्दोलन की परिणति के सम्बन्ध में लिखा है—

"देश के बंटवारे—सत्ता हस्तान्तरण के बाद साहित्यिक आन्दोलन मुख्य रूप से दो खेमों में बंट गया। प्रगतिशील आन्दोलन पर उन अवसरवादियों का कब्जा है जो मार्क्सवाद और फ्रायडवाद को गड्डमड्ड करते हैं।...दूसरा खेमा प्रयोगवादियों का है। कल तक वे भी प्रगतिशील आन्दोलन में शामिल थे, पर उन्होंने मार्क्सवाद को कभी नहीं स्वीकारा। वे विशुद्‌ध रूप से फ्रायडवादी हैं और 'कला कला के लिए' सिद्‌धान्त मानते हैं।"

रहबरजी के इस प्रखर सृजनात्मक व्यक्तित्व और दृढ़ वैचारिक प्रतिबद्‌धता का प्रभाव उनके प्रेमचन्द के अध्ययन पर पड़ा है। उन्होंने प्रेमचन्द के जीवन का इतिवृत्त तो प्रस्तुत किया ही है, साथ ही उनके व्यक्तित्व और कृतित्व का विकासात्मक अध्ययन और मूल्यांकन भी किया है। प्रेमचन्द के जीवन और साहित्य का विवेचन करते समय उन्होंने उनके समय को भी बराबर ध्यान में रखा है। प्रेमचन्द का जीवन संघर्षमय रहा और वह उनकी रचनाओं में प्रतिबिम्बित होता रहा। उनकी प्रारम्भिक दौर की एक कहानी 'सौभाग्य के कोड़े' के दो उद्‌धरण देने के बाद रहबरजी ने लिखा है—

"मानो, यह भी उनकी 'हार की जीत' थी। प्रेमचन्द को भी जीवन में बार-बार पराजय से दो-चार होना पड़ा था। इन्हें वे कल्पना के बल पर जीत में बदल रहे थे; और अपनी कहानियों के द्वारा संघर्ष की मंजिल की ओर बढ़ रहे थे।"

रहबरजी ने अपनी इस पुस्तक में प्रेमचन्द के व्यक्तित्व का चित्र भी उपस्थित किया है। 'अलग्योझा' कहानी का सार और उद्धरण देने के बाद उन्होंने लिखा है कि इस कहानी में रग्घू का चित्र *"वास्तव में प्रेमचन्द का अपना चित्र है। यह निःस्वार्थ सेवा और सज्जनता अपढ़ देहातियों के अंग-अंग में रमी रहती है, जिसका परिचय रग्घू ही नहीं, 'मन्त्र' का बूढ़ा भगत भी देता है और 'महातीर्थ' की गरीब दाया भी देती है।"* देहातियों के साथ जीवन व्यतीत करने के अनुभव और उनकी चारित्रिक विशेषताओं का प्रतिफलन प्रेमचन्द के व्यक्तित्व में हुआ। प्रेमचन्द के ठहाकों की चार्चा रहबरजी ने बार-बार की है। प्रेमचन्द का व्यक्तित्व जीवन के अनुभवों के साथ क्रमशः विकसिल होता गया और उनकी रचनाओं में प्रतिबिम्बित होता गया, इसे रहबरजी ने बड़े विस्तार और सटीक ढंग से प्रस्तुत किया है।

निःसन्देह हंसराज रहबर प्रेमचन्द और उनके साहित्य के प्रशंसक के रूप में सामने आये हैं। प्रेमचन्द की रचनाओं की अनेक त्रुटियों की आलोचकों ने चर्चा की है। एक बड़ा विवादास्पद प्रश्न 'गोदान' के सुगठन को लेकर है। अनेक आलोचकों का मत है कि 'गोदान' का कथानक सुगठित नहीं है। उसमें शहर की कथा व्यर्थ और आरोपित है। रहबरजी इस स्थापना से सहमत नहीं हैं। उनकी स्थापना है—

"यदि ध्यान से देखा जाय तो यह एतराज दुरुस्त नहीं है। लेनिन ने कहा है कि 'समस्त वर्गों की जानकारी प्राप्त करके ही इस वर्ग-विभाजित समाज को समझा जा सकता है।' प्रेमचन्द ने अपने जीवन-अनुभव से इस कथन के मर्म को समझ लिया था। इसलिए उन्होंने प्रत्येक वर्ग के टाइप पात्र लेकर समूचे समाज का सुन्दर चित्रण किया है। जमींदार अमरपाल, उद्योगपति खन्ना, स्वार्थी पत्रकार ओंकारदास, चुनाव विशेषज्ञ तन्खा सभी आकाशबेलें हैं। दूसरों की मेहनत चूसने वाली जोंके हैं। पुरुषों को बेवकूफ बनाने वाली मालती और किताबी फलसफा बघारने वाले मेहता भी जीवन को सुन्दर बनाने के लिए कोई निर्माण-कार्य नहीं करते। मेहनत सिर्फ किसान करता है। इन लोगों की कथित सभ्यता के होंठों पर लाली किसान के खून से आती है। इस कहानी को हटा दीजिए तो होरी का अर्थात इस समाज का चित्र अधूरा रह जायेगा। दुःख को मूर्तिमान करने के लिए यही तो उपयुक्त पृष्ठभूमि है। जमींदार अमरपाल सिंह दोनों के बीच की कड़ी है। इसलिए नगर की कहानी इस उपन्यास का अविभाज्य अंग है।"

इसका यह अर्थ नहीं है कि रहबरजी ने सर्वत्र प्रेमचन्द की प्रशंसा की है।

वे प्रेमचन्द क्या, किसी के भी अविवेकी प्रशंसक हो ही नहीं सकते थे। उन्होंने अनेकशः प्रेमचन्द की सीमाओं, उनके अन्तर्विरोधों, उनकी त्रुटियों आदि को भी रेखांकित किया है। उन्होंने इस बात को ठीक पकड़ा है कि प्रेमचन्द शहरी जीवन के चित्रण में असफल रहे हैं। 'ग़बन' उपन्यास का कथासार प्रस्तुत करने के बाद उस पर आलोचनात्मक टिप्पणी करते हुए लिखा है– *''उपन्यास रमानाथ के कलकत्ते भागने तक तो ठीक चलता है; लेकिन उसके बाद कथानक का ताना-बाना उलझ जाता है और उसमें बहुत-से झोल पड़ जाते हैं। क्रान्तिकारियों के मुकद्दमे और रमानाथ को मुखबिर बनाकर प्रेमचन्द ने पुलिस के हथकण्डों और अदालतों के झूठ की पोल तो ठीक खोली है, लेकिन कहानी उलझ गयी है। एक बार हाई कोर्ट में सजा हो जाने के उपरान्त मुकद्दमा दुबारा सुने जाने की बात जंचती नहीं।''*

'ग़बन' में ही नहीं, प्रेमचन्द के अन्य उपन्यासों में भी कहानी उलझने और अस्वाभाविक हो जाने की दुर्घटना बार-बार घटी है। कारण, प्रेमचन्द को, ग्रामीण जीवन की जैसी पकड़ थी वैसी शहरी जीवन की नहीं। इसीलिए उन्होंने किसानों के जीवन का जितना प्रामाणिक चित्रण किया है उतना शहरी मजदूरों के जीवन का नहीं। रहबरजी ने इस बात को ठीक रेखांकित किया है कि–

''प्रेमचन्द का ध्यान भी लगभग इसी युग में (1930 के आसपास) मजदूर समस्या की ओर आकर्षित हुआ; लेकिन प्रेमचन्द विशेषतः किसानों और मध्य वर्ग के लेखक थे और यथार्थवादी होते हुए भी एक आदर्शवादी दृष्टिकोण रखते थे। इसलिए मजदूरों के प्रति उनका रुख अन्त तक स्पष्ट नहीं हो सका। उन्होंने मजदूरों को ऐतिहासिक सत्य और क्रान्ति के अग्रदूत के रूप में कभी ग्रहण नहीं किया। चूंकि वे मेहनत के शोषण से घृणा करते थे और मजदूर की मेहनत का शोषण होता था; इसलिए वे मजदूर के हित की बात करते थे।...

उद्योगीकरण के प्रति यह दृष्टिकोण ('रंगभूमि' में व्यक्त) सर्वथा अवैज्ञानिक और रूढ़िवादी है। प्रेमचन्द ऐतिहासिक विकास के इस सिद्धान्त को नहीं समझते थे कि उद्योगीकरण से समाज और संस्कृति का विकास होगा और इसमें पतन के बजाय देश का कल्याण निहित है। किसान मजदूर बन जाये, तो उसका रूढ़िवाद और परम्परागत कुसंस्कारों से पिंड छूटता है और नये आर्थिक सम्बन्ध उसे अधिक क्रान्तिकारी बना देते हैं। शोषण से मुक्त जिस समाज का वे स्वप्न देखते आये थे, क्रान्तिकारी मजदूर वर्ग की संगठित शक्ति से ही उसका निर्माण होना सम्भव था। युग के इस अटल सत्य को न समझकर उन्होंने मजदूर को हमेशा दया का पात्र और असहाय समझा।''

विचारधारा के स्तर पर प्रेमचन्द जहां गांधीवाद से प्रभावित थे वहीं रहबरजी

उसके विरोधी रहे। इसलिए प्रेमचन्द की रचनाओं में जहां-जहां गांधीवाद या उससे मिलते-जुलते अन्य किसी विचारवाद की अभिव्यक्ति हुई है, उन्होंने उसका विरोध किया है। अनेक आलोचकों ने 'रंगभूमि' के सूरदास को गांधीवाद का प्रतिरूप माना है। रहबरजी को इसीलिए सूरदास पूर्णतः स्वीकार्य नहीं है। इस सन्दर्भ में उनका कहना है कि—

"लेकिन प्रेमचन्द ने जाने या अनजाने गांधीवाद के इस प्रतिरूप को अन्धा दिखाया है, जो वस्तुस्थिति से आंखें मूंदकर लड़ता है। मगर प्रेमचन्द यथार्थवादी थे; उनकी आंखें बन्द नहीं थीं। इसलिए आदर्शों के मुकाबले अन्त में उन्होंने यथार्थ की ही जीत दिखाई है। बढ़ते हुए पूंजीवाद के सामने सामन्त युग की पुरानी व्यवस्था और उसकी मान्यताएं ठहर नहीं सकतीं। पाण्डेपुर उजड़ जाता है और वहां जान सेवक का कारखाना लगता है। स्वयं सूरदास अपनी हार स्वीकार करता है—'तुम जीते; मैं हारा।' इसके विपरीत गांधीवादी सत्याग्रही हार को हार नहीं मानता। सूरदास की यह असंगति प्रेमचन्द की अपनी असंगति थी।"

हंसराज रहबर ने प्रेमचन्द की जिन शक्तियों और सीमाओं तथा संगतियों और असंगतियों को प्रस्तुत किया है, उनके पीछे एक विशेष दृष्टि है। इस विशेष दृष्टि से किया गया उनका अध्ययन आज और भी महत्त्वपूर्ण और प्रासंगिक हो उठा है। आज हम भूमण्डलीकरण और बाजारवाद के जिस दौर में जी रहे हैं, उसमें किसान और मजदूर दोनों की दुर्गति हो रही है। मध्य वर्ग की स्थिति भी बहुत अच्छी नहीं है। उसका भी अधिकांश वैसे ही शोषित हो रहा है जैसे मजदूर और किसान। अगर उत्तरपूंजीवाद का यही दौर चलता रहता है, जिसके अभी थमने की कोई सम्भावना नहीं दिखाई दे रही है, तो निम्न वर्ग और मध्य वर्ग का भविष्य अन्धकारमय है। बस, शोषण के बल पर उच्च वर्ग ही फले-फूलेगा और 'विकास' का उसी का प्रतिमान सही और प्रामाणिक माना जायेगा। उच्च वर्ग के दलाल मध्यवर्गीय व्यक्ति आज स्वयं को कितना ही निपुण और सौभाग्यशाली मानकर खुश हो लें, भविष्य में रोना उन्हें भी पड़ेगा। प्रेमचन्द ने पूंजीवाद के इस यथार्थ को समझा था। इसीलिए अपने संस्कारों के कारण वे किसान के मजदूर बनने पर दुखी होते हैं, लेकिन 'पूस की रात' कहानी का हल्कू किसान से मजदूर बनने पर खुश होता है। वैचारिक स्तर पर प्रेमचन्द में चाहे जितने अन्तर्विरोध हों, लेकिन अनुभव के स्तर पर वे एकतान हैं, यथार्थ के बिल्कुल करीब। इसलिए वे बराबर प्रासंगिक हैं। आवश्यकता उनके पुनर्पाठ की है। हंसराज रहबर में न वैचारिक स्तर पर कोई अन्तर्विरोध है न अनुभव के स्तर पर। इसीलिए उनके द्वारा किया गया प्रेमचन्द का अध्ययन सटीक है और इतने वर्षों बाद भी वह प्रेमचन्द के पुनर्पाठ जैसा एकदम ताजा और प्रासंगिक है।

हंसराज रहबर ने अपनी पुस्तक के हर अध्याय का प्रारम्भ प्रेमचन्द की एक सूक्ति से किया है। स्पष्ट है कि प्रेमचन्द की अनुभवप्रसूत सूक्तियों का महत्त्व उन्होंने समझा है। इसीलिए परिशिष्ट में उन्होंने प्रेमचन्द की कुछ सूक्तियाँ दी हैं। इनके अतिरिक्त परिशिष्ट में उन्होंने प्रगतिशील लेखक संघ के पहले अधिवेशन के समय दिया गया प्रेमचन्द का अध्यक्षीय भाषण, 'मैं कहानी कैसे लिखता हूं' शीर्षक लेख और 'मृत्यु के पीछे' शीर्षक कहानी दी है। परिशिष्ट की यह सामग्री पूरी पुस्तक के साथ समंजित है। इस सामग्री के कारण इस पुस्तक की उपयोगिता और बढ़ गयी है।

मेरा पूर्ण विश्वास है कि हंसराज रहबर की इस दुर्लभ पुस्तक के इस नये संस्करण का हिन्दी-जगत सोत्साह स्वागत करेगा।

एच-50, पश्चिमी ज्योतिनगर,
दिल्ली-110094
15 अक्तूबर, 2005

अनुक्रम

जीवन

कला

कृतित्व

परिशिष्ट

1. बचपन

> 'मेरा जीवन सपाट, समतल मैदान है; जिसमें गड्ढे तो कहीं-कहीं हैं; पर टीलों, पर्वतों, घने जंगलों, गहरी घाटियों और खंडहरों का स्थान नहीं है।''
>
> —प्रेमचन्द

साहित्यिक संसार, जिस व्यक्ति को 'प्रेमचन्द' के नाम से जानता है, उसका असल नाम 'धनपतराय' था। असल नाम से तात्पर्य वह नाम है, जिसे माता-पिता और सगे-सम्बन्धी रखते हैं, जिसमें उनके स्नेह और ममता की घुलावट रहती है, और जो बचपन से आखिरी उम्र तक मनुष्य के जीवन का अविच्छिन्न अंग बना रहता है।

धनपतराय के पिता 'मुन्शी अजायबलाल' डाकखाने में क्लर्क थे। उस जमाने में क्लर्क को 'मुन्शी' कहते थे। लगातार मुन्शीगिरी करते रहने से 'मुन्शी' खानदानी उपाधि बन जाता था। मुन्शी अजायबलाल प्रारम्भ में पंद्रह-बीस रुपये मासिक वेतन पाते थे, चालीस रुपये तक पहुंचते-पहुंचते उनका देहान्त हो गया। इस अल्प वेतन के अतिरिक्त उनके पास थोड़ी-सी पैतृक भूमि भी थी; लेकिन उसकी आमदनी बहुत-ही मामूली थी। इसलिए बुजुर्गों को मुन्शीगिरी अखत्यार करनी पड़ी थी। मुलाजिमत के बावजूद मध्य वर्ग के साधारण लोगों से उनकी हालत अच्छी न थी। हां, सिर्फ जमीन की आमदनी पर गुजारा करने वाले किसानों से कुछ बेहतर थी। इसलिए धनपतराय और उनके पिता किसान नहीं थे, लेकिन किसानों से दूर भी नहीं थे। वे किसानों के दुःख-दर्द, कठिनाइयों, विपत्तियों और छोटी-छोटी अभिलाषाओं से भली-भांति परिचित थे, बल्कि यह सफेद-पोश वर्ग दिखावे और रस्मो-रिवाज का, किसानों से कुछ अधिक पाबंद

होता है। इसी अनुपात से उसकी कठिनाइयां और दुःख-दर्द भी अधिक होते हैं और अतृप्त अभिलाषायें, दरिद्रता के कीचड़ में कुलबुलाती रहती हैं।

धनपतराय का जन्म 30 जुलाई सन् 1880 अर्थात् संवत् 1937 विक्रमी में 'लम्ही' गांव में हुआ था। यह गांव पांडेपुर के निकट बनारस से पांच-छः मील की दूरी पर स्थित है। पिता चूंकि डाकखाने में मुलाजिम थे; इसलिए डाकखाने का वातावरण और कर्मचारियों की झांकी प्रेमचन्द की कहानियों में प्रायः मिलती है। इन्हीं कहानियों से उनके बचपन के चिह्न भी स्पष्टतया हमारी आंखों के सामने उभर आते हैं। 'कज़ाकी' शीर्षक कहानी में वे लिखते हैं—

"मेरी बाल-स्मृतियों में 'कज़ाकी' एक न मिटने वाला व्यक्ति है। आज चालीस साल गुजर गये, लेकिन कज़ाकी की मूर्ति अभी तक आंखों के सामने नाच रही है...कज़ाकी, जाति का पासी था। बड़ा ही हंसमुख, बड़ा ही साहसी, बड़ा ही जिंदादिल।...रोजाना डाक का थैला लेकर आता ...जब वह दौड़तातो उसकी बल्ल भी झुंझुनी बजती।"

बल्लमी झुंझुनी सुनकर धनपतराय के मन पर क्या गुजरती है, जरा यह भी सुनिये :—

"हर्षातिरेक में मैं भी दौड़ पड़ता और एक क्षण में कज़ाकी का कंधा मेरा सिंहासन बन जाता। वह स्थान मेरी अभिलाषाओं का स्वर्ग था। स्वर्ग के वासियों को भी शायद वह आनन्द न मिलता होगा जो मुझे कज़ाकी के विशाल कंधे पर मिलता था। संसार मेरी आंखों में तुच्छ हो जाता और जब कज़ाकी मुझे कंधे पर लिए हुए दौड़ने लगता; तब तो ऐसा महसूस होता, मानो मैं हवा के घोड़े पर उड़ा जा रहा हूं।"

जिस हरकारे का कन्धा नन्हे धनपतराय का सिंहासन बनता था, उसका नाम कज़ाकी भी हो सकता है; और सम्भव है, कहानीकार प्रेमचन्द ने उसे बदल दिया हो। मगर यह सत्य है कि वह उस डाकखाने का हरकारा था, जिसमें धनपतराय के पिता क्लर्क थे। बच्चे को कज़ाकी का स्नेह प्राप्त था। जब उसे किसी कारणवश नौकरी से अलग किया जाता है तो बच्चे को इसका मानसिक दुःख होता है और वह मां के पास, बाप की फरियाद लेकर जाता है। जब फरियाद से भी कुछ नहीं बनता तो बच्चे की मनोदशा इसी कहानी में इस प्रकार बयान की गई है—*खाना तो मैंने खा लिया। बच्चे शोक में खाना नहीं छोड़ते, खासकर जब रबड़ी भी सामने हो। मगर बड़ी रात तक पड़े-पड़े सोचता रहा—मेरे पास रुपया होता, तो एक लाख रुपये कज़ाकी को दे देता और कहता—बाबूजी से कभी मत बोलना। देखूं कि वह आता है कि*

नहीं! अब क्या करेगा आकर? मगर आने को तो कह गया है। मैं कल उसे अपने साथ खाना खिलाऊंगा...यही हवाई किले बनाते-बनाते मुझे नींद आ गई।"

हवाई क़िले बनाना, बचपन का एक विशेष गुण है। ये हवाई किले ही बचपन को सुन्दर और आकर्षक बनाते हैं; उसे हर्ष और उल्लास से माला-माल करते हैं। प्रेमचन्द अपने बाल-सुलभ उल्लास का वर्णन बहुत ही रोचकता से करते हैं। 'रामलीला' इसी उल्लास की कहानी है, लिखते हैं–

"एक जमाना था, जब मुझे रामलीला में आनन्द आता था। आनन्द तो बहुत हल्का-सा शब्द है। वह आनन्द उन्माद से कम न था।"

जब विमान निकलता है, तो रामचन्द्र के पीछे बैठकर महसूस होता है :–

"मैं स्वर्ग में बैठा हूं।"

लेकिन दूसरी बार विमान निकलता है, तो वे गुल्ली-डंडा खेलने में इतने मस्त हैं, कि उसकी तरफ आंख उठाकर भी नहीं देखते; क्योंकि उन्हें अपना दांव लेना है और वे महसूस करते हैं–

"अपना दांव छोड़ने के लिए उससे कहीं बढ़कर आत्मत्याग की जरूरत थी, जितना मैं कर सकता था।"

कहानियों से उनके घर की स्थिति और पिता की जिंदगी पर भी प्रकाश पड़ता है। 'कप्तान साहब' कहानी में जगतसिंह के पिता का जो परिचय दिया गया है, वह उनके अपने पिता के परिचय से भिन्न नहीं है–

"उसके पिता–भगतसिंह अपने कस्बे के डाकखाने के मुन्शी थे। अफसरों ने उन्हें घर का डाकखाना बड़ी दौड़-धूप करने पर दिया था, परन्तु भगतसिंह जिन इरादों से यहां आये थे, उनमें से एक भी पूरा न हुआ। उल्टी हानि यह हुई कि देहातों में जो भाजी-साग, उपले-ईंधन मुफ्त मिल जाते थे, वे सब यहां बन्द हो गये।"

मुन्शी अजायबलाल भी अपने ही कस्बे में डाकखाने के मुलाजिम थे। उनके इरादे भी पूरे न होते थे। चादर देखकर पांव पसारते थे। थोड़ी तनख्वाह के कारण, बहुत-सी इच्छाओं का खून हो जाता था। अगर 'गबन' के दयानाथ को कुरेदा जाय, तो मुन्शी अजायबलाल के चरित्र और स्वभाव का पता चल जाता है। दयानाथ अपने फैशनपरस्त और फिजूल-खर्च बेटे रमानाथ से कहते हैं–

"तुम्हारा बढ़ता हुआ खर्च देखकर मेरे मन में संदेह हुआ था। मैं इसे छिपाता नहीं हूं; लेकिन जब तुम कह रहे हो कि तुम्हारी नीयत साफ है, तो मैं सन्तुष्ट हूं। मैं केवल इतना ही चाहता हूं कि मेरा लड़का चाहे गरीब रहे;

पर नीयत न बिगड़े।"

प्रेमचन्द ने 'जीवन सार' के नाम से एक छोटे से लेख में आपबीती लिखते हुए पिता के बारे में एक वाक्य लिखा है–

"यों वे बड़े विचारशील, जीवन-पथ पर आंखें खोलकर चलने वाले आदमी थे; लेकिन आखिरी दिनों में एक ठोकर खा ही गये।"

तंगी-तुरशी से जीवन निर्वाह करने वाले मध्य वर्ग का एक विचारशील व्यक्ति अपने बेटे के लिए यही कामना कर सकता है–कि वह चरित्रवान् हो और उसकी नीयत साफ हो, यही उसकी सबसे बड़ी विरासत है। सदाचार और नेक-नीयत का गर्व ही, उसे समस्त विपत्तियां और कठिनाइयां सहन करने के योग्य बनाता है, और वह अपनी तमाम अभिलाषाओं का खून करके भी जीना अपना अधिकार समझता है।

जिस घर में अभाव का नाम बचत हो और सामान्य इच्छायें भी पूरी न होती हों, उसमें बच्चे के जो तौर-तरीके और स्वभाव बन जाता है, उसका पता हमें प्रेमचन्द की कहानियों से लगता है। उदाहरणतः उन्हें बचपन से पैसे जमा करने की आदत थी, जो बाद में छूट गई; क्योंकि बाद में गरीबी इतनी बढ़ गई कि वह पैबंद लगाने से भी फट जाती थी; फिर पैसे कैसे जमा हों! डाकखाने का क्लर्क अपने बेटे को अधिक पैसे देने की सामर्थ्य नहीं रखता। घर का खर्च भी सुगमता से नहीं चलता था; इसलिए धनपतराय दूसरे बच्चों की तरह मनमानी चीजें खाने को तरसता रहा। 'होली की छुट्टी' उनके अपने जीवन ही की एक घटना है, इसका समर्थन शिवरानी देवी ने अपनी पुस्तक 'प्रेमचन्द : घर में' में किया है। कहानी का नायक मां के मायके चले जाने पर घर में पड़ा गुड़ चुराकर खाता है। मीठे और स्वादिष्ट भोजन प्रेमचन्द की खास कमजोरी थी। बचपन के अभावों ने भी उनमें दुर्बलता उत्पन्न की थी, जिससे वे आजीवन छुटकारा नहीं पा सके।

यथार्थ वस्तु का अभाव मनुष्य को कल्पनाशील बना देता है। जीवन में जो पदार्थ प्राप्त नहीं होते, मनुष्य उन्हें कल्पना में ढूंढता है, और हवाई किले बनाता है। नन्हा धनपत जिन महलों के स्वप्न देखा करता था, वे उसे सारी उम्र नसीब नहीं हुए, इस कल्पनाशीलता ने प्रेमचन्द को नये और सुन्दर जीवन का निर्माता बना दिया। बड़े होकर उन्होंने अपनी कहानियों में ये हवाई किले जगह-जगह बनाये हैं; जिन्हें धरती पर उतारने के लिए उन्होंने संघर्ष किया है।

बचपन में जहां वे हवाई किले बनाते थे, वहां उन्हें कहानियां सुनने का

भी बहुत चाव था। 'कुछ विचार' नाम से उनका जो निबन्ध-संग्रह छपा है, उसके 'कहानी-कला' लेख का एक उद्धरण प्रस्तुत है–

"हर एक बालक को अपने बचपन की वे कहानियां याद होंगी, जो उसने अपनी मां या बहन से सुनी थीं। कहानियां सुनने को वह कितना लालायित रहता था, कहानी शुरू होते ही किस तरह सब-कुछ भूलकर सुनने में तन्मय हो जाता था। कुत्ते और बिल्लियों की कहानियों को सुनकर वह कितना प्रसन्न होता था–इसे शायद वह कभी नहीं भूल सकता। बाल-जीवन की मधुर स्मृतियों में कहानी शायद सबसे मधुर है। वह खिलौने, मिठाइयां और तमाशे सब भूल गये; पर वे कहानियां अभी तक याद हैं और उन्हीं कहानियों को आज उसके मुंह से उसके बालक उसी हर्ष और उत्सुकता से सुनते होंगे।"

बच्चे कहानियां प्रायः अपनी दादी से सुनते हैं, प्रेमचन्द ने इस लेख में दादी का नाम न जाने क्यों नहीं लिखा? हालांकि दादी जीवित थीं और उनके अतिरिक्त घर में चार जीव और थे–माता, पिता, बहन और स्वयं धनपतराय। बचपन में कहानियों का विशेष स्थान है, क्योंकि वे बच्चे के विकास और शिक्षा का माध्यम होती हैं। प्रेमचन्द को जब इन कहानियों की मधुर स्मृति आई, तो वे मां और बहन की स्नेह-युक्त याद भी भुला नहीं सके, क्योंकि कहानियों के साथ, कहानी सुनाने वाले के व्यक्तित्व का गहरा सम्बन्ध रहता है, उन पर उसके स्नेह और ममता की छाप लगी रहती है।

प्रेमचन्द स्नेह से प्रायः वंचित रहे। मां शुरू से बीमार रहती थीं। बाप को दवा-दारू से फुरसत नहीं मिलती थी। अभी प्रेमचन्द सात साल के बालक ही थे कि उनकी माता का देहान्त हो गया। मां की अकाल-मृत्यु ने निरीह बालक के मन पर कठोर आघात किया। प्रेमचन्द इस आघात को कभी भुला नहीं सके। उन्होंने कहानियों और उपन्यासों में इस आघात का बहुत ही विषादयुक्त ढंग से उल्लेख किया है। उदाहरणतः 'प्रेरणा' कहानी में, सौ गज का चक्कर काटकर ऐसे लड़के का उल्लेख करते हुए, जिसकी मां उसे सात साल की अवस्था में छोड़कर मर गई थी, लिखा है–

"बच्चों में प्यार की जो एक भूख होती है–दूध, मिठाई और खिलौनों से भी ज्यादा मादक–जो मां की गोद के सामने संसार की निधि की भी परवाह नहीं करती। मोहन की वह भूख कभी सन्तुष्ट न होती थी। पहाड़ों से टकराने वाली सारस की आवाज की तरह वह सदैव उसकी नसों में गूंजा करती थी। जैसे, भूमि पर फैली हुई लता कोई सहारा पाते ही उससे चिपट जाती है, वही हाल मोहन का था।"

मां की गोद के अभाव को स्मरण करते हुए 'घर-जमाई' कहानी में लिखा है–

"बच्चों के लिए बाप एक फालतू-सी चीज है–एक विलास की वस्तु है। जैसे घोड़े के लिये चने और बाबुओं को मोहनभोग...लेकिन मां तो बच्चे का सर्वस्व है। बालक एक मिनट के लिये भी उसका वियोग नहीं सह सकता। पिता कोई हो, उसे परवाह नहीं। केवल उसे एक उछालने-कुदाने वाला आदमी होना चाहिये; लेकिन माता तो अपनी ही होनी चाहिए, सोलहों आने अपनी। वही रूप, वही रंग, वही प्यार, वही सब-कुछ। अगर वह नहीं है, तो बालक के जीवन का स्रोत जैसे सूख जाता है, फिर वह शिव का नंदी है; जिस पर फूल या जल चढ़ाना लाजिमी नहीं, अख्त्यारी है।"

'कर्मभूमि' उपन्यास का नायक अमरकान्त हू-ब-हू प्रेमचन्द न हो; लेकिन वह भी बचपन में मां के स्नेह और वात्सल्य से वंचित हो गया था। प्रेमचन्द लिखते हैं–

"अमरकान्त ने अपने जीवन में माता के स्नेह का सुख न देखा था। जब उसकी माता का अवसान हुआ, तब वह बहुत छोटा था। उस दूर अतीत की कुछ धुंधली-सी और इसलिए अत्यन्त मनोहर और सुखद स्मृतियां शेष थीं।"

इसी उपन्यास में अमरकान्त के मुख से इस 'कभी न भूलने वाले दुःख' को किसी अन्य स्थान पर यों व्यक्त किया है–

"जिन्दगी में वह उम्र, जब इन्सान को मुहब्बत की सबसे ज्यादा जरूरत होती है, बचपन है। उस वक्त पौधे को तरी मिल जाय, तो जिन्दगी-भर के लिये उसकी जड़ें मजबूत हो जाती हैं। उस वक्त खुराक न पाकर उसकी जिन्दगी खुश्क हो जाती है। मेरी माता का उसी जमाने में देहान्त हुआ, और तब से मेरी रूह को खुराक नहीं मिली। वही भूख मेरी जिन्दगी है। मुझे जहां मुहब्बत का एक रेजा भी मिलेगा, मैं बे-अख्तयार उसी की तरफ जाऊंगा। कुदरत का अटल कानून मुझे उस तरफ ले जाता है। इसके लिये अगर मुझे कोई खतावार कहे, तो कहे। मैं इसे अपनी खता तसलीम नहीं करता। दुनिया में सबसे बदनसीब वह है, जिसकी मां बचपन में मर गई हो।"

इससे भी अधिक दुर्भाग्य यह था कि पिता ने तुरन्त दूसरा ब्याह कर लिया और नन्हे धनपत को ऐसी विमाता से पाला पड़ा, जो उसके साथ निठुरता से पेश आती थी। उक्त उपन्यास में लिखा है–

"अमरकान्त की माता का उसके बचपन ही में देहान्त हो गया।

समरकान्त ने मित्रों के कहने-सुनने से दूसरा विवाह कर लिया था। उस सात साल के बालक ने नई मां का बड़े प्रेम से स्वागत किया; लेकिन उसे जल्द मालूम हो गया, कि उसकी माता उसकी जिद और शरारतों को उस क्षमा-दृष्टि से नहीं देखती जैसे उसकी मां देखती थी। वह अपनी मां का अकेला लाड़ला था। बड़ा जिद्दी, बड़ा नटखट। जो बात मुंह से निकल जाती, उसे पूरा ही करके छोड़ता। नई माताजी बात-बात पर डांटती थीं। यहां तक कि उसे माता से द्वेष हो गया। जिस बात को वह मना करतीं, उसे अदबदाकर करता। पिता से भी ढीठ हो गया। पिता और पुत्र में स्नेह का बन्धन न रहा।''

निस्संदेह यह प्रेमचन्द की 'आत्मकथा' है। वे अपनी मां के अकेले लाड़ले बेटे थे। कुछ अधिक स्पष्ट और मार्मिक शब्दों में इस बात का 'अलग्योझा' कहानी में इस प्रकार वर्णन किया है—

''भोला महतो ने पहली स्त्री मर जाने पर दूसरी सगाई की तो उसके लड़के रग्घू के लिये बुरे दिन आ गये। रग्घू की उम्र उस समय केवल दस वर्ष की थी। चैन से गांव में गुल्ली-डण्डा खेलता फिरता था। मां के मरते ही चक्की में जुतना पड़ा। पन्ना रूपवती स्त्री थी और रूप और गर्व में चोली-दामन का नाता है। वह अपने हाथों से कोई मोटा काम न करती। गोबर रग्घू निकालता, बैलों को सानी रग्घू देता। रग्घू जूठे बरतन मांजता। भोला की आंखें कुछ ऐसी फिरीं कि उसे अब रग्घू में बुराइयां-ही-बुराइयां नजर आतीं। पन्ना की बातों को वह प्राचीन-मर्यादानुसार आंखें बन्द करके मान लेता था। रग्घू की शिकायतों की जरा भी परवाह न करता। नतीजा यह हुआ कि रग्घू ने शिकायत करना ही छोड़ दिया। किसके सामने रोये?''

इस मनोव्यथा को 'सौतेली मां' कहानी में बहुत अच्छी तरह मूर्तिमान किया गया है। जिसके एक-एक शब्द में प्रेमचन्द ने अपने बचपन का दर्द भर दिया है; और सबसे करुणाजनक स्थल वह है, जहां बच्चा दीवार की ओर मुंह किये खड़ा रो रहा है; लेकिन बाप के आने पर झट-पट आंखें पोंछ लेता है। जब उसकी आंसुओं से भीगी आंखें देखकर बाप पूछता है—तू रोता क्यों था? क्या तुझे तेरी मां ने पीटा था? तो बच्चा जवाब देता है—

''नहीं वह तो बहुत अच्छी है।''

विचारशील पिता के ठोकर खाने से यह दूसरा ब्याह अभीष्ट था। इस समय उनकी अवस्था चालीस से ऊपर थी। 'स्मृति का पुजारी' कहानी में लिखा है—

''महाशय होरीलाल की पत्नी का जब से देहान्त हुआ वह एक तरह

से दुनिया से विरक्त हो गये थे।...और तब महाशयजी का पैंतालीसवां साल था, सुगठित शरीर था, स्वास्थ्य अच्छा, रूपवान्, विनोदशील और सम्पन्न। चाहते तो तुरन्त दूसरा ब्याह कर लेते।''

महाशय होरीलाल को प्रेमचन्द के पिता का प्रतिरूप नहीं कहा जा सकता; लेकिन ब्याह के समय मुन्शी अजायबलाल की उम्र का अन्दाजा लगाया जा सकता है। मुन्शी होरीलाल ने दूसरा ब्याह नहीं किया, इसलिए वे प्रेमचन्द की श्रद्धा और सम्मान के पात्र हैं। उन्हें इस कहानी में आदर्श व्यक्ति के तौर पर पेश किया गया है। ऐसे व्यक्ति के दूल्हा बनकर बरात चढ़ने का चित्र 'भूत' कहानी में इस प्रकार खींचा है–

''चौबेजी की सजधज आज देखने योग्य है। तनजेब का रंगीन कुरता, कतरी और संवारी हुई मूंछें, खिजाब से चमकते हुए बाल, हँसता हुआ चेहरा, चढ़ी हुई आँखें–यौवन का पूरा स्वाँग था।''

दरिद्रता, विमाता का निष्ठुर व्यवहार, पिता की अवहेलना और उदासीनता; यह वातावरण था, जिमसें प्रेमचन्द का बचपन बीता। फिर भी उन्होंने घर की घुटन से मन को कुंठित नहीं होने दिया। बाहर के खुले और स्वस्थ वायुमंडल में घर के अभाव की पूर्ति ढूंढ ली थी। माता-पिता की भर्त्सना से व्यथित हृदय को पेड़ों की ठंडी छाया में सांत्वना मिलती थी। 'घर-जमाई' कहानी में लिखा है–

''हरिधन को अपना बचपन याद आया, जब वह भी इसी तरह क्रीड़ा करता था। उसकी बाल-स्मृतियाँ उन्हीं चमकीले तारों की भाँति प्रज्वलित हो गईं। वह अपना छोटा-सा घर, वह आम का बाग, जहाँ वह केरियाँ चुना करता था, वह मैदान जहाँ वह कबड्डी खेला करता था, यह सभी उसे याद आने लगा। फिर अपनी स्नेहमयी माता की सदय-मूर्ति सामने खड़ी हो गई।''

बचपन के इस घर और बाग की याद उन्हें अक्सर आती थी। 'चोरी' कहानी में लिखते हैं–

''हाय बचपन! तेरी याद नहीं भूलती। वह कच्चा-टूटा घर, वह पुवाल का बिछौना, वह नंगे बदन, नंगे पाँव खेतों में घूमना; आम के पेड़ों पर चढ़ना–सारी बातें आँखों के सामने फिर रही हैं।''

2. स्कूल

"जीवन को सफल बनाने के लिए शिक्षा की जरूरत है, डिग्री की नहीं।"

—प्रेमचन्द

बच्चे जरा बड़े हों तो उन्हें स्कूल भेज दिया जाता है। उन दिनों स्कूल अधिक नहीं थे। शिक्षा का सूत्रपात आमतौर पर मदरसे से होता था, जो मुगल-काल से चले आये थे। पढ़ाने वाले मौलवी होते थे। और उर्दू-फारसी का रिवाज आम था। मुन्शी प्रेमचन्द जाति के श्रीवास्तव (कायस्थ) थे; चूंकि यह लोग सरकारी नौकरी करके जीविका कमाते थे, इसलिए उर्दू-फारसी से विशेष रुचि रखते थे। मुन्शी प्रेमचन्द ने भी उर्दू-फारसी सीखी, और शिक्षा का आरम्भ मदरसे से हुआ। उन्होंने मदरसे जाने का हाल अपनी एक कहानी 'चोरी' में लिखा है। इस कहानी में जिस घटना का वर्णन किया गया है, उसका उल्लेख शिवरानी देवी ने अपनी पुस्तक 'प्रेमचन्द : घर में' में भी किया है, जिसका मतलब है कि यह कहानी उनके अपने जीवन से सम्बन्धित है। लिखते हैं—

"मैं अपने चचेरे भाई हलधर के साथ दूसरे गाँव में एक मौलवी साहब के यहाँ पढ़ने जाया करता था। मेरी उम्र छः साल की थी।...हम दोनों प्रातःकाल बासी रोटियाँ खा, दोपहर के लिये मटर और जौ का चबैना लेकर चल देते थे। फिर तो सारा दिन अपना था। मौलवी साहब के यहाँ कोई हाजिरी का रजिस्टर तो था नहीं, और न गैरहाजिरी का जुर्माना ही देना पड़ता था। फिर डर किस बात का। कभी तो थाने के सामने खड़े सिपाहियों की कवायद देखते, कभी भालू या बन्दर नचाने वाले मदारी के पीछे-पीछे घूमने में दिन

काट देते, कभी रेलवे स्टेशन की ओर निकल जाते और गाड़ियों की बहार देखते। गाड़ियों के समय का ज्ञान जितना हमें था, उतना शायद टाइम-टेबल को भी न था।...कभी-कभी हम हफ्तों गैरहाजिर रहते; पर मौलवी साहब से ऐसा बहाना कर देते कि, उनकी चढ़ी हुई त्यौरियां उतर जातीं।"

इस उद्धरण से पता चलता है कि धनपतराय के स्वभाव में आवारगी का काफी दखल था। 'कप्तान साहब' कहानी का उल्लेख पहले भी हो चुका है। इस कहानी के नायक, जगतसिंह, का धनपतराय से यह सम्बन्ध है कि उसके पिता ठाकुर भगतसिंह अपने कस्बे के डाकखाने में मुन्शी थे। इस कहानी में प्रेमचन्द ने जगतसिंह का लड़कपन इस प्रकार चित्रित किया है—

"जगतसिंह को स्कूल जाना कुनैन खाने या मछली का तेल पीने से कम अप्रिय न था। वह सैलानी, आवारा, घुमक्कड़ युवक था। कभी अमरूद के बागों की ओर निकल जाता और अमरूद के साथ माली की गालियां बड़े शौक से खाता। कभी दरिया की सैर करता और मल्लाहों की डोंगियों में बैठकर उस पार के देहातों में निकल जाता। गालियां खाने में उसे मजा आता। उसे बैंडबाजा बहुत पसन्द था।"

सम्भव है, इसमें कुछ अतिशयोक्ति हो; फिर भी इन शब्दों में प्रेमचंद के अपने लड़कपन का चित्र दिखाई देता है, क्योंकि वही गांव का वातावरण है, वृक्ष हैं और दरिया का किनारा है। इन दोनों उद्धरणों से यह भी स्पष्ट है कि धनपतराय को मदरसे, मौलवी और किताबों में कोई विशेष रुचि न थी। वह मदरसे की 'तोता रटंत' से खुले वातावरण में घूमना, गालियां खाना और बैंडबाजा सुनना अधिक पसन्द करता था। अपनी इस भावना को, भावी अनुभव के प्रकाश में उन्होंने अपनी 'प्रेरणा' कहानी में भली-भांति प्रस्तुत किया है—

"हमारे देश में योग्य शिक्षकों का अभाव है। अर्द्ध-शिक्षित और अल्पवेतन पाने वाले अध्यापकों से आप यह आशा नहीं रख सकते कि वे कोई ऊंचा आदर्श अपने सामने रख सकें। अधिक-से-अधिक इतना ही होगा कि चार-पांच वर्ष में बालक को अक्षर-ज्ञान हो जायगा। मैं इसे पर्वत खोदकर चुहिया निकालने के तुल्य समझता हूं। वयस्क होने पर यह मरहला एक महीने में आसानी से तय हो सकता है। मैं अनुभव से कह सकता हूं कि युवावस्था में हम जितना ज्ञान एक महीने में प्राप्त कर सकते हैं, उतना बाल्यावस्था में तीन साल में भी नहीं कर सकते, फिर खामख्वाह बच्चों को मदरसे में कैद करने से क्या लाभ? मदरसे के बाहर रहकर उसे स्वच्छ वायु तो मिलती, प्राकृतिक अनुभव

तो होते। पाठशाला में बन्द करके तो आप उसके मानसिक और शारीरिक दोनों विधानों की जड़ काट देते हैं।''

अंग्रेजी अमलदारी में देहातों में सामंतवादी ढंग के मदरसे कायम थे, जिन्हें अर्द्ध-शिक्षित, निकम्मे और आलसी मौलवी चलाते थे। उनके पास न तो कोई रजिस्टर होता था और न उन्हें बच्चों के मानसिक विकास से कोई सरोकार थे। वे कायदे और सिपारे रटाते थे। अगर कोई बच्चा रटकर न आता था तो बुरी तरह पीटते थे। वे शिक्षा को, रचना-शक्ति जगाने और विकसित करने का साधन नहीं, बल्कि एक धार्मिक कर्त्तव्य समझते थे। शिक्षा की यह अप्राकृतिक प्रणाली बच्चे को अपनी विकासशील बुद्धि पर अंकुश मालूम होती है। ऐसे मदरसे और किताबों से नफरत हो जाना अनिवार्य है। यही कारण है, कि भावुक धनपतराय मदरसे से हफ्तों गैरहाजिर रहते थे; और खेतों और बागों में घूमकर प्रकृति से अनुभव प्राप्त करते, सिपाहियों की कवायद देखते और बैंड सुनते थे। इस आवारगी में उनका चचेरा भाई भी उनके साथ होता था, जो उम्र में उनसे दो साल बड़ा था। एक बार उन्होंने घर से चाचा का एक रुपया चुराया और दरिया के किनारे बैठकर मिठाई और फल खाये। बाद में चोरी का पता चल गया और चचेरे भाई की खूब मरम्मत हुई।

इस बीच में मुन्शी अजायबलाल की तरक्की हो गई और उन्हें डाक-मुन्शी बनाकर गोरखपुर भेज दिया गया। धनपतराय भी पिता के साथ देहात से शहर में आ गये और वे मदरसे की बजाय स्कूल में पढ़ने लगे। तब स्कूलों में भी बच्चों के मानसिक विकास का ध्यान नहीं रखा जाता, क्योंकि विदेशी शासक अंग्रेजों का आशय हिन्दुस्तानियों को शिक्षित बनाना नहीं, बल्कि अपनी दफ्तरी हुकूमत के लिये क्लर्क पैदा करना था और उनके बाद कांग्रेस-राज्य में भी वही शिक्षा-प्रणाली जारी है; फिर भी स्कूल, मदरसों से अच्छे थे। यहां प्रेमचंद सचमुच पढ़ने में ध्यान देने लगे।

रघुपतिसहाय फ़िराक़ गोरखपुरी ने एक लेख 'प्रेमचंद' शीर्षक से लिखा है, जो 'जमाना' उर्दू कानपुर में प्रकाशित हुआ था। इसमें उनके गोरखपुर में स्कूल का जीवन इस प्रकार चित्रित किया है—

''इस तब्का (वर्ग) के दूसरे लड़कों की तरह प्रेमचंद भी एक हाई स्कूल में दाखिल हो गये और उनकी तालीम इब्तदाई (प्रारम्भिक) दर्जों को छोड़कर गोरखपुर के एक मिडिल स्कूल में शुरू हो गई, जहां उनके वालिद मुलाजिम थे। प्रेमचंद ने मुझे बताया कि लड़कपन में उनकी दोस्ती अपने दर्जे के एक लड़के से हो गई, जो तम्बाकू-फरोश का बेटा था। रोजाना वे अपने कम-उम्र

दोस्त के साथ स्कूल के बाद उसके मकान पर जाते थे। वहां तम्बाकू के बड़े-बड़े स्याह पिंडों के पीछे तम्बाकू-फरोश और उसके अहबाब (मित्रगण) बैठकर बराबर हुक्का पीते और तिलस्मे-होशरुबा पढ़ते थे।

यहां प्रेमचन्द अपने कमसिन दोस्त के साथ बैठकर तिलस्मे-होशरुबा के अफसाने सुनते थे। यहां तक कि शाम हो जाती, जब वे अपने घर चले जाते। यह सिलसिला तकरीबन एक साल जारी रहा। लेकिन इस असना में (बीच में) प्रेमचंद हमेशा के लिए रूमानी कहानियों में डूब गए। दरहकीक़त इन किस्सों और कहानियों को जिस दिलचस्पी और इश्तयाक़ (चाव) से उन्होंने सुना था, इससे उनके कुव्वते-बयान में रवानी (प्रवाह), वजाहत (स्पष्टता) के अंदाज जज्ब हो गये और इन लजीज हिकायतों (गाथाओं) की रूह उनमें तहलील (विलीन) हो गई। कुछ दिनों बाद यही कुव्वतें (शक्तियां) प्रेमचन्द की तसानीफ (रचनाओं) में किस हुस्न से फली-फूलीं।"

राजा-रानी और परियों के देश की कहानियां सुनाने वाली दादी और मां मुद्दत हुई मर चुकी थीं और देहात की खुली फ़िज़ा भी नहीं थी; लेकिन जीवन में कटुताएं बढ़ गई थीं। अब उन्हें जूठे बरतन ही मांजने नहीं होते थे, विमाता के बच्चों को भी खिलाना होता था। बच्चे को खिलाना पुस्तक पढ़ने से कम रोमांचकारी नहीं है; लेकिन तभी ना, जब उसे अपनी इच्छा और रुचि से खिलाया जाय। लेकिन विमाता उन्हें अपना गुलाम समझकर धौंस से यह काम लेती थी। यही कारण था कि विमाता से उनका मन फटता गया और दिन-दिन द्वेष बढ़ता रहा और वे 'तिलस्मे-होशरुबा' में घर की कटुता का निराकरण ढूंढते रहे, जो उन्हें इस कहानी के कथानक में मिल जाता था। अर्थात् वे तम्बाकू की दुकान पर पुस्तक ही नहीं सुनते थे; अपने दुःख का उपचार भी करते थे। शायद इसीलिए उन्होंने शीघ्र ही इस रहस्य को समझ लिया कि लेखक बनना मानवता की सेवा करना है।

'तिलस्मे-होशरुबा' सुनने के बाद कहानियों और किताबों से उनकी दिलचस्पी बढ़ गई। उन्होंने अपनी इस दिलचस्पी का जिक्र 'मेरी पहली रचना' में विशेष रूप से किया है। लिखते हैं—

"इस वक्त मेरी उम्र कोई तेरह साल की रही होगी। हिन्दी बिलकुल न जानता था। उर्दू के उपन्यास पढ़ने का उन्माद था। मौलाना शरर, पं. रतननाथ सरशार, मिरजा रुसवा, मौलवी मुहमम्दअली हरदोई निवासी उस वक्त के सर्वप्रिय उपन्यासकार थे। इनकी रचनायें जहां मिल जाती थीं, स्कूल की याद भूल जाती थी और पुस्तक समाप्त करके ही दम लेता था। उस जमाने

में रेनाल्ड के उपन्यासों की धूम थी। उर्दू में उनके अनुवाद धड़ाधड़ निकल रहे थे और हाथों-हाथ बिकते थे। मैं भी उनका आशिक था। स्व. हजरत रियाज ने, जो उर्दू के प्रसिद्ध कवि हैं और जिनका हाल में देहान्त हुआ है, रेनाल्ड की एक रचना का अनुवाद 'हरमसरा' के नाम से किया था। उसी जमाने में लखनऊ के साप्ताहिक 'अवध-पंच' के सम्पादक स्व. मौलाना सज्जाद हुसैन ने, जो हास्य-रस के अमर कलाकार थे, रेनाल्ड के दूसरे उपन्यास का अनुवाद 'धोखा या तिलस्मी फानूस' के नाम से किया था। ये सभी पुस्तकें मैंने उसी जमाने में पढ़ीं। और पं. रतननाथ सरशार से तो मुझे तृप्ति ही न होती थी। उनकी सारी रचनायें मैंने पढ़ डालीं। उन दिनों मेरे पिता गोरखपुर में रहते थे और मैं भी वहीं के मिशन स्कूल में आठवीं में पढ़ता था, जो तीसरा दरजा कहलाता था। रेती पर एक बुकसेलर बुद्धिलाल नाम का रहता था। मैं उसकी दुकान पर जा बैठता था और उसके स्टाक से उपन्यास ले-लेकर पढ़ता था; मगर दुकान पर सारे दिन तो बैठ न सकता था, इसलिए मैं उसकी दुकान से अंग्रेजी पुस्तकों की कुंजियां और नोट्स लेकर अपने स्कूल के लड़कों के हाथ बेचा करता था और इसकी एवज में उपन्यास दुकान से घर लाकर पढ़ता था। दो-तीन वर्षों में सैकड़ों ही उपन्यास पढ़ डाले होंगे। जब उपन्यास का स्टाक समाप्त हो गया, तो मैंने नवलकिशोर प्रेस से निकले हुए पुराणों के उर्दू अनुवाद भी पढ़े, और 'तिलस्मे-होशरुबा' के कई भाग भी पढ़े। इस बृहद् तिलस्मी ग्रन्थ के सत्रह भाग उस वक्त निकल चुके थे और एक-एक भाग बड़े सुपर रायल के आकार के दो-दो हजार पृष्ठों से कम न होगा। और इन सत्रह भागों के उपरान्त उसी पुस्तक के अलग-अलग प्रसंगों पर पचासों भाग छप चुके थे। इनमें से भी मैंने कई पढ़े। जिसने इस बड़े ग्रन्थ की रचना की, उसकी कल्पनाशक्ति कितनी प्रबल होगी, इसका केवल अनुमान किया जा सकता है। कहते हैं, ये कथायें मौलाना फैजी ने अकबर के विनोदार्थ फारसी में लिखी थीं। इसमें कितना सत्य है, कह नहीं सकता; लेकिन इतनी बृहद् कथा शायद ही संसार की किसी भाषा में हो। पूरी इंसाइक्लोपीडिया समझ लीजिये। एक आदमी तो अपने साठ वर्ष के जीवन में उनकी पूरी नकल भी करना चाहे, तो नहीं कर सकता। रचना तो दूसरी बात है।"

लेकिन पढ़ते समय धनपतराय जरूर सोचते होंगे कि मैं भी किसी ऐसी ही बृहद् रचना का निर्माण करूं और इस विचार से उनकी कल्पना-शक्ति का विकास होता रहा।

लेकिन वे सिर्फ किस्से-कहानियां ही नहीं पढ़ते थे, इम्तहान पास करने

के लिए स्कूली पुस्तकें भी पढ़नी होती थीं; लेकिन इन पुस्तकों से अधिकांश लड़कों की भांति उन्हें भी कोई विशेष रुचि न थी, तबीयत पर जब्र करके पढ़ते थे, इसलिए जो कुछ पढ़ते थे अकसर भूल जाते थे। अपनी कहानी 'आखिरी हीला' में लिखते हैं–

"मेरी स्मरण-शक्ति अच्छी नहीं थी, पृथ्वी के इतिहास की सारी स्मरणीय तारीखें भूल गईं जिन्हें रातों को जागकर और मस्तिष्क को खपाकर याद किया था।"

इसका कारण यह भी हो सकता है कि उन्हें गणित के अंकों से चिढ़ थी। वे गणित में कमजोर थे। दूसरे स्कूल में जो इतिहास पढ़ा या पढ़ाया जाता है, उसमें सनवात् (संवत और तिथियों) के सिवा और कुछ होता ही नहीं, या फिर सम्राटों, नगरों और लड़ाइयों के नाम गिनवाये जाते हैं और उनसे जो घटनायें जोड़ दी जाती हैं, उन्हें इतना तोड़-मरोड़कर पेश किया जाता है कि उनमें कोई सिलसिला, कोई क्रम नहीं होता, क्योंकि इस वर्ग-विभाजित समाज में इतिहास को चन्द अभिमानी व्यक्तियों अथवा सम्राटों का नाटक मात्र दिखाना अभीष्ट होता है। इस इतिहास के बारे में प्रेमचन्द ने आगे चलकर अपना दृष्टिकोण थोड़े शब्दों में; बड़ी स्पष्टता से व्यक्त कर दिया है। 'कहानी-कला' लेख में लिखा है–

"कहानी में नाम और सन् के सिवा और सब-कुछ सत्य है, और इतिहास में नाम और सन् के सिवा कुछ भी सत्य नहीं।"

इसी लेख में दूसरी जगह लिखते हैं–

"हमारी आत्मा के विकास को शक्ति कहां से मिलती है? शक्ति तो संघर्ष में है। हमारा मन सब बाधाओं को परास्त करके अपने स्वाभाविक कर्म को प्राप्त करने की सदैव चेष्टा करता रहता है। इसी संघर्ष से साहित्य की उत्पत्ति होती है।"

वास्तव में इतिहास भी साहित्य है, क्योंकि मनुष्य ने अपनी दीन-हीन आरम्भिक अवस्था से इस युग तक पहुंचने के लिए घोर संघर्ष किया है और दुनिया को इस युग से भी सुन्दर और सम्पन्न बनाने के लिए अब भी उसका संघर्ष जारी है और जारी रहेगा। इतिहास इसी सतत् संघर्ष की कहानी है। शासक वर्ग ने अपनी हित-रक्षा के लिए इस कहानी को इतना तोड़ा-मरोड़ा है कि उसे सर्वथा शुष्क और असुन्दर बना दिया है। उसे सत्य और रोचक बनाने के लिए नये सिरे से लिखने की आवश्यकता है। फिर उसे विद्यार्थी भी शौक से पढ़ेंगे। जिन देशों से वर्ग-विभाजित समाज का अंत हो गया है, वहां

इतिहास को इस ढंग से लिखा भी गया है। क्योंकि उन्हें मानव संघर्ष को अपने स्वाभाविक कर्म की ओर आगे बढ़ाना अभिप्रेत है।

चूंकि इतिहास की स्कूली पुस्तकों में विकासशक्ति प्रदान करने वाले संघर्ष का अभाव होता था और बेचारे धनपतराय आत्मा को गरमाने वाले मातृ-स्नेह से वंचित थे, इसलिये वे 'तिलस्मे-होशरुबा' की कहानियों में अधिक रस लेते थे। गो वे तिलस्मी और काल्पनिक थीं; पर उनमें स्फूर्ति और प्रेरणा देने वाली शक्ति मौजूद थी। प्रेमचन्द के अपने कथनानुसार–

"आज से दो हजार बरस पहले यूनान के विख्यात दार्शनिक अफलातून ने कहा था, 'हर एक काल्पनिक रचना में मौलिक सत्य मौजूद रहता है'।"

कहानियों के अतिरिक्त आत्मा को स्फूर्ति देने वाले दूसरे उपाय भी थे। शहर में देहात के गुल्ली-डंडा की जगह गेंद ने ले ली थी। 'दीक्षा' कहानी में लिखते हैं–

"जब मैं स्कूल में पढ़ता था, गेंद खेलता था और अध्यापक महोदयों की घुड़कियां खाता था अर्थात् मेरी किशोरावस्था थी। न ज्ञान का उदय हुआ था और न बुद्धि का विकास।"

और मजे की बात यह है कि इसी अवस्था में रूढ़िवादी पिता ने बेटे का विवाह कर दिया। वे अधिकारियों से कह-सुनकर फिर अपने गांव के डाकखाने में तब्दील हो गये थे और धनपतराय प्रतिदिन पैदल चलकर बनारस पढ़ने जाते थे। वे अभी मैट्रिक भी पास नहीं कर पाये थे कि पिता की मृत्यु हो गई। इसके उपरान्त प्रेमचन्द पर जो बीती, उसका उन्होंने मार्मिक शब्दों में उल्लेख किया है। वे अपनी आत्मकथा 'जीवनसार' लेख में लिखते हैं–

"मेरा जन्म संवत् 1937 में हुआ। पिता डाकखाने में क्लर्क थे। माता मरीज, एक बड़ी बहन भी थी। उस समय पिताजी शायद बीस रुपये पाते थे। चालीस तक पहुंचते-पहुंचते उनकी मृत्यु हो गई। यों वह बड़े विचारशील, जीवन-पथ पर आंखें खोलकर चलने वाले व्यक्ति थे लेकिन आखिरी दिनों में एक ठोकर खा ही गये और खुद तो गिरे ही थे, उसी धक्के ने मुझे भी गिरा दिया। पन्द्रह साल की अवस्था में उन्होंने मेरा विवाह कर दिया और विवाह करने के साल ही भर बाद परलोक सिधारे। उस समय मैं नवें दर्जे में पढ़ता था। घर में मेरी स्त्री थी, विमाता थीं, उनके दो बालक थे और आमदनी एक पैसे की नहीं। घर में जो कुछ पूंजी थी वह पिताजी की छः महीने की बीमारी और क्रिया-कर्म में खर्च हो चुकी थी। मुझे अरमान था वकील बनने और एम. ए. पास करने का। नौकरी उस जमाने में भी इतनी ही दुष्प्राप्य थी, जितनी

अब है। दौड़-धूप करके शायद दस-बारह की कोई जगह पा जाता; पर यहां तो आगे पढ़ने की धुन थी—पांव में लोहे की नहीं, अष्टधातु की बेड़ियां थीं और मैं चढ़ना चाहता था पहाड़ पर।"

आगे बढ़ने की धुन में पढ़ना जारी रखा, और स्कूल जाने का चित्र इसी लेख में इस प्रकार खींचा है—

"पांव में जूते न थे, देह पर साबित कपड़े न थे। महंगी अलग थी, 20 सेर के जौ थे। स्कूल से साढ़े तीन बजे छुट्टी मिलती थी। काशी के क्वींस कॉलेज में पढ़ता था। हैडमास्टर ने फीस माफ कर दी थी। इम्तहान सिर पर था और मैं बांस के फाटक, एक लड़के को पढ़ाने, जाता था। जाड़ों के दिन थे। चार बजे पहुंचता था। पढ़ाकर छः बजे छुट्टी पाता। वहां से मेरा घर देहात में पांच मील पर था। तेज चलने पर भी आठ बजे से पहले घर न पहुंच सकता। प्रातःकाल आठ ही बजे फिर घर से चलना पड़ता था, कभी वक्त पर स्कूल न पहुंचता। रात को भोजन करके कुप्पी के सामने पढ़ने बैठता और न जाने कब सो जाता। फिर भी हिम्मत बांधे हुए था।"

३. विद्यालय

"मन पर जितना ही गहरा आघात होता है, उसकी प्रतिक्रिया भी उतनी ही गहरी होती है।" —प्रेमचन्द

जौ की रोटियां खाकर और फटे हालों रहकर धनपतराय ने मैट्रिक तो पास कर लिया, लेकिन उनकी मंजिल थी एम. ए. पास करना और वकील बनना। प्रतिकूल परिस्थितियों में भी उन्होंने साहस नहीं छोड़ा। अपनी इस मंजिल तक पहुंचने के लिये उन्होंने बहुत-से पापड़ बेले, किन्तु फिर भी असफल रहे। अपनी इस असफलता का जिक्र प्रेमचन्द ने स्वयं किया है और बड़े मार्मिक शब्दों में किया है—

"मैट्रिकुलेशन तो किसी तरह पास हो गया लेकन सेकिण्ड डिवीजन आया, क्वींस कॉलेज में भरती होने की आशा न रही। फीस केवल अव्वल दरजे वालों की ही मुआफ हो सकती थी। संयोग से उसी साल हिन्दू कॉलेज खुल गया था। मैंने इस नये कॉलेज में पढ़ने का निश्चय किया। प्रिंसिपल थे मि. रिचर्डसन। उनके मकान पर गया। वह पूरे हिंदुस्तानी वेष में थे। कुरता और धोती पहने फर्श पर बैठे कुछ लिख रहे थे। मगर मिजाज को तब्दील करना इतना आसान न था। मेरी प्रार्थना सुनकर—आधी ही कहने पाया था—बोले कि घर पर मैं कॉलेज की बातचीत नहीं करता, कॉलेज में आओ। खैर, कॉलेज में गया। मुलाकात तो हुई; पर निराशाजनक। फीस मुआफ न हो सकती थी। अब क्या करता? अगर प्रतिष्ठित सिफारिश ला सकता, तो शायद मेरी प्रार्थना पर कुछ विचार होता। लेकिन देहाती युवक को शहर में जानता ही कौन था?

रोज घर से चलता कि कहीं से सिफारिश लाऊं; पर बारह मील की

मंजिल मारकर शाम को घर लौट आता। किससे कहूं?

कई दिनों के बाद सिफारिश मिली। एक ठाकुर इन्द्रनारायणसिंह हिंदू कॉलेज की प्रबंध-कारिणी सभा में थे। उनसे जाकर रोया। उन्हें मुझ पर दया आ गई। सिफारिशी चिट्ठी दे दी। उस समय मेरे आनन्द की सीमा न थी। खुश होता हुआ घर आया। दूसरे दिन प्रिंसिपल से मिलने का इरादा था लेकिन घर पहुंचते ही मुझे ज्वर आ गया और दो सप्ताह से पहले न हिला। नीम का काढ़ा पीते-पीते नाक में दम आ गया। एक दिन द्वार पर बैठा था कि मेरे पुरोहितजी आ गये। मेरी दशा देखकर समाचार पूछा और तुरन्त खेतों में जाकर एक जड़ी खोद लाये और उसे धोकर और सात दाने काली मिर्च के साथ पीसकर मुझे पिला दिया। उसने जादू का असर किया। ज्वर चढ़ने में घंटे भर की देर थी। इस औषधि ने मानो जाकर उसका गला ही दबा दिया। मैंने पंडितजी से बार-बार उस जड़ी का नाम पूछा। पर उन्होंने न बताया, कहा—नाम बता देने से उसका असर जाता रहेगा।

एक महीने के बाद मैं फिर रिचर्डसन से मिला और सिफारिशी चिट्ठी दिखाई। प्रिंसिपल ने मेरी तरफ तीव्र नेत्रों से देखकर पूछा—

'इतने दिनों कहां थे?'

'बीमार हो गया था।''

'क्या बीमारी थी?'

मैं इस प्रश्न के लिए तैयार न था। अगर ज्वर बताता हूं, तो शायद साहब मुझे झूठा समझें। ज्वर मेरी समझ में हल्की-सी चीज थी, जिसके लिए इतनी लम्बी गैरहाजिरी अनावश्यक थी। कोई ऐसी बीमारी बतानी चाहिए, जो अपनी कष्टसाध्यता के साथ दया को भी उभारे। उस समय मुझे और किसी बीमारी का नाम याद न आया। ठाकुर इन्द्रनारायणसिंह से जब मैं सिफारिश के लिए मिला था, तो उन्होंने अपने दिल की धड़कन की बीमारी की चर्चा की थी। यह शब्द मुझे याद आ गया। मैंने कहा—

'पैलपिटेशन ऑफ हार्ट, सर!' (Palpitation of heart, Sir)

साहब ने विस्मित होकर मेरी ओर देखा और कहा—'अब तुम बिलकुल अच्छे हो?'

'जी हां।'

'अच्छा प्रवेश-पत्र भरकर लाओ।'

मैंने समझा बेड़ा पार हुआ। फार्म लिया, खानापूरी की और पेश कर दिया। साहब उस समय कोई क्लास ले रहे थे। तीन बजे मुझे फार्म वापस

मिला। उस पर लिखा था—'इसकी योग्यता की जांच की जाय।'

यह नई समस्या उपस्थित हुई। मेरा दिल बैठ गया। अंग्रेजी के सिवा और किसी विषय में पास होने की मुझे आशा न थी और बीज-गणित और रेखा-गणित से तो मेरी रूह कांपती थी। जो कुछ याद था, वह भी भूल-भाल गया था; लेकिन दूसरा उपाय ही क्या था? भाग्य का भरोसा करके क्लास में गया। प्रोफेसर साहब बंगाली थे। अंग्रेजी पढ़ा रहे थे।

वाशिंगटन इर्विन्ग का 'रिपवान विंकिल' था। मैं पीछे की कतार में जाकर बैठ गया और दो ही चार मिनट में मुझे ज्ञात हो गया कि प्रोफेसर साहब अपने विषय के ज्ञाता हैं। घंटा समाप्त होने पर उन्होंने मुझसे आज के पाठ पर कई प्रश्न किये और मेरे फार्म पर 'सन्तोषजनक' लिख दिया।

दूसरा घंटा बीज-गणित का था। इसके प्रोफेसर भी बंगाली थे। मैंने अपना फार्म दिखाया। नई संस्थाओं में प्रायः वही छात्र आते हैं, जिन्हें कहीं जगह नहीं मिलती। यहां भी यही हाल था। क्लासों में अयोग्य छात्र भरे हुए थे। पहले रेले में जो आया, वह भरती हो गया। भूख में साग-पात सभी रुचिकर होता है। अब पेट भर गया था। छात्र चुन-चुनकर लिये जाते थे। इन प्रोफेसर साहब ने गणित में मेरी परीक्षा ली और मैं फेल हो गया। फार्म में गणित के खाने में 'असन्तोषजनक' लिख दिया।

मैं इतना हताश हुआ कि फार्म लेकर प्रिंसिपल के पास न गया। सीधा घर चला आया। गणित मेरे लिए गौरीशंकर की चोटी थी। कभी उस पर न चढ़ सका। इण्टरमीडिएट में गणित में दो बार फेल हुआ और निराश होकर इम्तहान देना छोड़ दिया। दस-बारह साल के बाद जब गणित की परीक्षा ऐच्छिक हो गई तब मैंने दूसरे विषय लेकर उसे आसानी से पास कर लिया। उस समय तक यूनिवर्सिटी के इस नियम ने कितने युवकों की आकांक्षाओं का खून किया, कौन कह सकता है! खैर, मैं निराश होकर घर तो लौट आया; लेकिन पढ़ने की लालसा अभी तक बनी हुई थी। घर बैठकर क्या करता? किसी तरह गणित को सुधारूं और कॉलेज में भरती हो जाऊं, यही धुन थी। इसके लिए शहर में रहना जरूरी था। संयोग से एक वकील के लड़कों को पढ़ाने का काम मिल गया। पांच रुपये वेतन ठहरा। मैंने दो रुपये में अपना गुजर करके तीन रुपये घर पर देने का निश्चय किया। वकील साहब के अस्तबल के ऊपर एक छोटी-सी कच्ची कोठरी थी। उसी में रहने की आज्ञा ले ली। एक टाट का टुकड़ा बिछा दिया। बाजार से एक छोटा-सा लैम्प लाया और शहर में रहने लगा। घर से कुछ बरतन भी लाया। एक वक्त खिचड़ी पका लेता और बरतन

धो-मांजकर लाइब्रेरी चला जाता। गणित तो बहाना था, उपन्यास आदि पढ़ा करता। पण्डित रतननाथ सरशार का 'फिसाना-आजाद' उन्हीं दिनों पढ़ा। 'चन्द्रकान्ता सन्तति' भी पढ़ी। बंकिम बाबू के उर्दू अनुवाद जितने पुस्तकालय में मिले, सब पढ़ डाले। जिन वकील साहब के लड़कों को पढ़ाता था, उनके साले मेरे साथ मैट्रिक में पढ़ते थे। उन्हीं की सिफारिश से मुझे यह पद मिला था। उनसे दोस्ती थी, इसलिए जब जरूरत होती, पैसे उधार ले लिया करता था। वेतन मिलने पर हिसाब हो जाता था। कभी दो रुपये हाथ आते, कभी तीन। जिस दिन वेतन के दो-तीन रुपये मिलते मेरा संयम हाथ से निकल जाता। तृष्णा हलवाई की दुकान की ओर खींच ले जाती। दो-तीन आने के पैसे खाकर ही उठता। उसी दिन घर जाता और दो-ढाई रुपये दे आता। दूसरे दिन से फिर उधार लेना शुरू कर देता; लेकन कभी-कभी उधार मांगने में भी संकोच होता और दिन-का-दिन निराहार व्रत रखना पड़ जाता।

इस तरह चार-पांच महीने बीते। इसी बीच में एक बजाज से दो-ढाई रुपये के कपड़े लिये थे। रोज़ उधर से निकलता था। उसे मुझ पर विश्वास हो गया था। जब महीने-दो महीने निकल गये और मैं रुपये न चुका सका तो मैंने उधर से निकलना ही छोड़ दिया। चक्कर देकर निकल जाता। तीन साल के बाद उसके रुपये दे सका। उसी ज़माने में शहर का एक बेलदार मुझसे कुछ हिन्दी पढ़ने आया करता था। वकील साहब के पिछवाड़े उसका मकान था। 'जान लो भैया' उसका सुखन तकिया था। हम लोग उसे 'जान लो भैया' ही कहा करते थे। एक बार मैंने उससे भी आठ आने उधार लिये। वह पैसे उसने मुझसे पांच साल बाद मेरे घर गांव में जाकर वसूल किये। मेरी अब भी पढ़ने की इच्छा थी; लेकिन दिन-दिन निराश होता जाता था। जी चाहता था, कहीं नौकरी कर लूं। पर नौकरी कैसे मिलती है और कहां मिलती है, यह न जानता था।

जाड़ों के दिन थे। पास एक कौड़ी न थी। दो दिन एक-एक पैसे का चबैना खाकर काटे थे। मेरे महाजन ने उधार देने से इन्कार कर दिया था। संकोचवश मैं उससे मांग न सका था। चिराग जल चुके थे। मैं एक बुकसेलर की दुकान पर एक किताब बेचने गया। एक चक्रवर्ती-गणित-कुंजी दो साल हुए खरीदी थी, अब तक उसे बड़े जतन से रखे हुए था; पर आज चारों ओर से निराश होकर मैंने उसे बेचने का निश्चय किया। किताब दो रुपये की थी; लेकिन एक रुपये पर सौदा ठीक हुआ। मैं रुपया लेकर दुकान से उतरा ही था कि एक बड़ी-बड़ी मूंछों वाले सौम्य-पुरुष ने, जो उस दुकान पर बैठे हुए

थे, मुझसे पूछा–

'तुम कहां पढ़ते हो?'

मैंने कहा–'पढ़ता तो कहीं नहीं; पर आशा करता हूं कि कहीं नाम लिखवा लूं।'

'मैट्रिकुलेशन पास हो?'

'जी हां।'

'नौकरी करने की इच्छा तो नहीं है?'

'नौकरी कहीं मिलती ही नहीं।'

यह सज्जन एक छोटे से स्कूल के हैडमास्टर थे। उन्हें एक सहकारी अध्यापक की जरूरत थी। अठारह रुपये वेतन था। मैंने स्वीकार कर लिया। अठारह रुपये उस समय मेरी निराशा-व्यथित कल्पना की ऊंची-से-ऊंची उड़ान से भी ऊपर थे। मैं दूसरे दिन हैडमास्टर से मिलने का वायदा करके चला तो पांव जमीन पर न पड़ते थे। यह सन् 1899 की बात है। परिस्थितियों का सामना करने को तैयार था और गणित में अटक न जाता तो अवश्य आगे जाता; पर सबसे कठिन परिस्थिति यूनिवर्सिटी की मनोवैज्ञानिक जानकारी की थी, जो उस समय और उसके कई साल बाद तक उस डाकू का-सा व्यवहार करती थी, जो छोटे-बड़े सभी को एक खाट पर सुलाता था।"

धनपतराय ने निस्संदेह यही समझा होगा कि गणित ने अरमान खाक में मिला दिये और अकस्मात नौकरी मिल जाने से वह प्रारब्ध पर भी विश्वास ले आये थे। विश्वास ले आना स्वाभाविक था, क्योंकि अंधी-दरिद्रता का प्रारब्ध ही एकमात्र सहारा था।

लेकिन बाद में जब आजीवन ही कामनाएं धूलिसात् होती रहीं और प्रेमचन्द बनकर भी प्रतिकूल परिस्थितियों में इच्छा के विरुद्ध काम करना पड़ा, तो मालूम हुआ कि अरमान खाक में मिलाने वाली शक्तियां बहुत ही बलवान हैं, जो गणित के पीछे छिपी हुई हैं; जिनसे लड़ना परमावश्यक है। पांच सौ पृष्ठ का उपन्यास 'गोदान' इन्हीं अरमानों के खाक में मिलने की कहानी है। होरी की असफलताएं प्रेमचन्द की अपनी असफलताएं हैं। इस उपन्यास में उन्होंने एक वाक्य लिखा है, जो सारे उपन्यास का निचोड़ है, और धनपतराय की इस मनोदशा को भली प्रकार व्यक्त करता है–

"जीवन की ट्रेजेडी और इसके सिवा क्या है कि आपकी आत्मा जो काम करना नहीं चाहती, वही आपको करना पड़े।"

इस 'ट्रेजेडी' को अनुभव करते हुए उन्होंने इस जमाने के हालात छोटे-से

लेख में काफी विस्तार से बयान किये हैं। मगर उनके जीवन का यह चित्र अभी अधूरा है। घर पर विमाता थी, जिसे वह चाची कहते थे। पति की मृत्यु से उनके अरमान भी खाक में मिले थे। धनपतराय की अपनी पत्नी थी। जब पति इस प्रकार दीन-हीन दशा में दिन काट रहा था तो इस युवा स्त्री के अरमान भी खाक में मिल रहे थे। उसके बारे में प्रेमचन्द ने सीधे ढंग से कुछ नहीं लिखा; लेकिन पत्नी उनके जीवन का अंग थी, इसलिए उसके अरमानों का खून होता देखें और महसूस न करें, यह सम्भव नहीं था। पिता की मृत्यु के उपरान्त विमाता की भावनाएं 'अलग्योझा' कहानी में भली प्रकार वर्णन की हैं। लेकिन कहानी जीवन-कथा तो नहीं होती। अपने जीवन का चित्रण करते हुए भी कहानी के आग्रह के अनुसार उसमें कुछ-न-कुछ परिवर्तन करना पड़ता है। नाम ही भिन्न नहीं होते, कथानक की सुविधा के अनुसार वातावरण भी बदल दिया जाता है। घटनाएं और पात्र इने-गिने वही नहीं होते, लेकिन उनकी जुबान से जो बात कही जाती है, वह अनुभूत सत्य होती है, यथार्थ होती है। इसलिए उपकरणों के बजाय यथार्थ वस्तु को ध्यान में रखने की आवश्यकता है। लिखते हैं—

"पन्ना के चार बच्चे थे—तीन बेटे और एक बेटी। इतना बड़ा खर्च और कमाने वाला कोई नहीं। रग्घू अब क्यों बात पूछने लगा। यह मानी हुई बात थी कि वह अपनी स्त्री लायेगा और अलग रहेगा। स्त्री आकर और भी आग लगायेगी। पन्ना को चारों ओर अन्धेरा-ही-अन्धेरा दिखाई देता था। पर कुछ भी हो, वह रग्घू की आश्रिता बनकर घर में न रहेगी। जिस घर में उसने राज किया, उसमें लौंडी न बनेगी। जिस लौंडे को अपना गुलाम समझा, उसका मुंह न ताकेगी। वह सुन्दर थी, अवस्था अभी कुछ ज्यादा न थी। जवानी अपनी पूरी बहार पर थी। क्या वह कोई दूसरा घर नहीं कर सकती? यही न होगा, लोग हंसेंगे। बला से! उसकी बिरादरी में क्या ऐसा होता नहीं। ब्राह्मण, ठाकुर थोड़े थी कि नाक कट जायेगी। वह तो संसार को दिखाकर दूसरा घर कर सकती थी। फिर वह रग्घू की दबैल बनकर क्यों रहे?

भोला को मरे एक महीना बीत चुका था। संध्या हो गई थी। पन्ना इसी चिन्ता में पड़ी हुई थी कि सहसा उसे विचार आया, बच्चे घर में नहीं हैं। यह बैलों के लौटने की बेला है, कहीं कोई बच्चा उनके नीचे न आ जाय। अब द्वार पर कौन है; जो उनकी देख-भाल करेगा। रग्घू को मेरे लड़के फूटी आंखों नहीं भाते। कभी हंसकर नहीं बोलता। घर से बाहर निकली, तो देखा, रग्घू सामने झोंपड़े में बैठा—ऊख की गंडेरियां बना रहा है। तीनों लड़के उसे

घेरे खड़े हैं, और छोटी लड़की उसकी गर्दन में हाथ डाले उसकी पीठ पर चढ़ने की चेष्टा कर रही है। पन्ना को अपनी आंखों पर विश्वास न आया। आज तो यह नई बात है। शायद दुनिया को दिखाता है कि मैं अपने भाइयों को कितना चाहता हूं और मन में छुरी रखी हुई है। घात मिले तो जान ही ले ले। काला सांप है, काला सांप। कठोर स्वर में बोली–'तुम सब के सब वहां क्या करते हो? घर में आओ, सांझ की बेला है, गोरू आते होंगे।'

रग्घू ने विनीत नेत्रों से देखकर कहा–'मैं तो हूं ही काकी, डर किस बात का है?'

बड़ा लड़का केदार बोला–'काकी, रग्घू दादा ने हमारे लिये दो गाड़ियां बना दी हैं। यह देख, एक पर हम और खुन्नू बैठेंगे, दूसरी पर लछमन और झुनिया। दादा दोनों गाड़ियां खींचेगा।'

यह कहकर वह एक कोने से दो छोटी-छोटी गाड़ियां निकाल लाया, चार-चार पहिये लगे थे, बैठने के लिए तख्ते और रोक के लिए दोनों तरफ बाजू थे।

पन्ना ने आश्चर्य से पूछा–'यह गाड़ियां किसने बनाईं?'

केदार ने चिढ़कर कहा–'रग्घू दादा ने बनाईं, और किसने। भगत के घर से बसूला और रुखानी मांग लाये थे और झटपट बना दीं। खूब दौड़ती हैं काकी। बैठ खुन्नू, मैं खींचूं।'

खुन्नू गाड़ी में बैठ गया। केदार खींचने लगा। चर-चर का शोर हुआ, मानो गाड़ी भी इस खेल में लड़कों के साथ शरीक हो। लछमन ने दूसरी गाड़ी में बैठकर कहा–'दादा खींचो।'

रग्घू ने झुनिया को भी गाड़ी में बिठा दिया और गाड़ी खींचता हुआ दौड़ा। तीनों लड़के तालियां बजाने लगे। पन्ना चकित नेत्रों से यह दृश्य देख रही थी और सोच रही थी, कि यही वह रग्घू है या और।''

वास्तव में यह प्रेमचन्द का अपना चित्र है। यह निःस्वार्थ सेवा और सज्जनता, अपढ़ देहातियों के अंग-अंग में रमी रहती है, जिसका परिचय रग्घू ने ही नहीं, 'मंत्र' का बूढ़ा भगत भी देता है और 'महातीर्थ' की गरीब दाया देती है।

धनपतराय का जीवन इन्हीं देहातियों में व्यतीत हुआ था; इसलिए त्याग और सेवा उनके जीवन का अंग बन गये थे। और इसी कारण प्रेमचन्द इस नतीजे पर पहुंचे थे। 'गोदान' में लिखते हैं–

''किसान पक्का स्वार्थी होता है, इसमें सन्देह नहीं।...लेकिन प्रकृति में

स्थायी सहयोग है। वृक्षों में फल लगते हैं, उन्हें जनता खाती है। खेतों में अनाज होता है, वह संसार के काम आता है। गाय के थन में दूध होता है, जिसे लोग पीते हैं। बादल से पानी बरसता है, उससे पृथ्वी तृप्त होती है। ऐसी संगति में कुत्सित स्वार्थ के लिए कहां स्थान।"

इसी उपन्यास में दूसरी जगह लिखा है–

"सभी मनस्वी प्राणियों में त्याग की भावना छिपी रहती है और प्रकाश पाकर चमक उठती है।"

धनपत ने भी प्राकृतिक दृश्यों से अपनी आत्मा को सम्पन्न किया था और प्रकाश में रहकर जीवन बिताया था, इसीलिए उनमें यह भावना आप-ही-आप पलती रही, बढ़ती रही, कभी क्षीण न हुई। वे विमाता और उनके बेटों की सहायता हमेशा करते रहे। विमाता अपने छोटे भाई को भी साथ ले लाई थी, जो वहीं रहता और पलता था। जब ट्यूशन में केवल पांच रुपये पाते थे तो ढाई रुपये घर दे आते थे। जब अठारह रुपये की नौकरी मिल गई, तो आधा वेतन या इससे भी अधिक घर भेजते रहे। यह बचत करते समय उन्हें कितनी कठिनाई का सामना होता था, इसका अनुमान 'मांगे की घड़ी' कहानी के नायक के कठिन जीवन से लगाया जा सकता है, जो अपने मित्र की खोई हुई घड़ी का मूल्य चुका देने के लिए अपना जिगर काटकर अल्प वेतन में से प्रतिमास आधे रुपये बचाता है।

धनपतराय मूंछों वाले सज्जन तथा गम्भीर मनुष्य की सहायता से मास्टर हो गये। अब वहां कैसे रहते-सहते थे। इसका चित्रण 'मांगे की घड़ी' में इस प्रकार किया है–

"मैं दूसरे ही दिन एक सस्ते होटल में उठ गया। यहां बारह रुपये में ही प्रबन्ध हो गया। सुबह को दूध और चाय से नाश्ता करता था। अब छटांक-भर चनों पर बसर होने लगी। बारह रुपये तो यों बचे, पान सिगरेट आदि की कीमत में तीन रुपये और कम किये और महीने के अन्त में साफ पन्द्रह रुपये बचा लिये। वह विकट तपस्या थी। इन्द्रियों का निर्दय दमन ही नहीं, पूरा संन्यास था। पर जब मैंने ये 15 रु. ले जाकर दानू बाबू के हाथ में रखे, तो जान पड़ा, मानो मेरा मस्तक ऊंचा हो गया। ऐसे गौरवपूर्ण आनंद का अनुभव मुझे जीवन में कभी न हुआ था।"

यह गौरवपूर्ण आनन्द अनुभव करने वाला व्यक्ति धनपतराय है, जिसने पन्द्रह रुपये नहीं तो कम-से-कम नौ-दस रुपये किसी ढंग से घर भेजे हैं। घड़ी खो जाना तो एक बहाना मात्र है। जो आदमी दिखावे के लिये घड़ी खो दे

और फिर विवश होकर उसका मूल्य चुकाना पड़े, वह ऐसा गौरवपूर्ण आनन्द अनुभव नहीं कर सकता। यह तो प्रेमचन्द का अपना त्याग है, जीवन का अनुभव है। और रुपये भेज देने के उपरान्त की मनोदशा का वर्णन-चित्रण इस प्रकार किया है—

"यहां से लौटा, तो मुझे अपने हृदय में एक नवीन बल, एक विचित्र स्फूर्ति का अनुभव हो रहा था। अब तक जिन इच्छाओं को रोकना कष्टप्रद जान पड़ता था, अब उनकी ओर ध्यान भी नहीं जाता था। जिस पान की दुकान को देखकर चित्त अधीर हो जाता था, उसके सामने से आज मैं सिर उठाये निकल जाता था, मानो अब मैं उस सतह से कुछ ऊंचा उठ गया हूं। सिगरेट, चाय और चाट अब इनमें से किसी पर भी चित्त आकर्षित न होता था। प्रातःकाल भीगे हुए चने, दोनों जून रोटी और दाल। बस, इसके सिवा मेरे लिए और सभी चीजें त्याज्य थीं; सबसे बड़ी बात तो यह थी कि मुझे जीवन में विशेष रुचि हो गई थी। मैं जिंदगी से बेजार, मौत के मुंह का शिकार बनने का इच्छुक न था। मुझे ऐसा आभास होता था कि मैं जीवन में कुछ कर सकता हूं।"

'लाटरी' कहानी के इन शब्दों से भी इस बात का समर्थन होता है—

"मैं उन दिनों स्कूल-मास्टर था। बीस रुपये मिलते थे। दस घर भेज देता था। दस में लस्टम-पस्टम अपना गुजारा करता था। ऐसी दशा में पांच रुपये का टिकट खरीदना मेरे लिए सफेद हाथी खरीदना था।"

इधर प्रेमचन्द घरवालों के लिए त्याग करके अद्वितीय महानता का अवलोकन कर रहे थे, उधर उनकी स्त्री का रवैया बिलकुल भिन्न था। उसके रवैये की व्याख्या के लिए हम फिर 'अलग्योझा' कहानी की ओर लौटते हैं। पन्ना के कहने-सुनने से रग्घू ने पिता की मृत्यु के थोड़े समय बाद विवाह कर लिया। उसकी स्त्री मुलिया के बारे में लिखते हैं—

"मुलिया मैके से ही जली-भुनी आई थी, मेरा शौहर छाती फाड़कर काम करे और पन्ना रानी बनी बैठी रहे। उसके लड़के रईसजादे बने घूमें। मुलिया से यह बरदाश्त न होगा। वह किसी की गुलामी न करेगी। अपने लड़के तो अपने होते ही नहीं; भाई किसके होते हैं। जब तक पर नहीं निकलते हैं, रग्घू को घेरे हुए हैं। ज्योंही जरा सयाने हुए, पर झाड़कर निकल जाएंगे, बात भी न पूछेंगे।

एक दिन उसने रग्घू से कहा—'तुम्हें इस तरह गुलामी करनी है तो करो, मुझसे न होगी।'

रग्घू–'तो फिर क्या करूं, तू ही बता? लड़के तो अभी घर का काम करने के लायक भी नहीं हैं।'

मुलिया–'लड़के रावत के हैं, कुछ तुम्हारे नहीं हैं। यही पन्ना है जो तुम्हें दाने-दाने को तरसाती थी। सब सुन चुकी हूं। मैं लौंडी बनकर न रहूंगी। रुपये-पैसे का मुझे कुछ हिसाब नहीं मिलता। न जाने तुम क्या लाते हो और वह क्या करती है। तुम समझते हो रुपये घर ही में तो हैं; मगर देख लेना तुम्हें जो एक फूटी कौड़ी भी मिले।'

रग्घू–'रुपये-पैसे तेरे हाथ में देने लगूं, तो दुनिया क्या कहेगी, यह तो सोच?'

मुलिया–'दुनिया जो चाहे कहे। दुनिया के हाथों बिकी नहीं हूं। देख लेना झाड़-लीपकर हाथ काला ही रहेगा। फिर तुम अपने भाइयों के लिए मरो, मैं क्यों मरूं'।'

लेकिन प्रेमचन्द ने अपना रवैया नहीं बदला। चाहे उनका अपना भी मुश्किल से पूरा पड़ता था; पर जीवन-भर सौतेली मां और भाइयों की सहायता करते रहे।

4 स्कूल मास्टर

"वह शुभ घड़ियां जिनसे हमारे जीवन में नवयुग का सूत्रपात होता है, हमारी भावनाओं में सहृदयता और विश्वास उत्पन्न करती हैं...।" —**प्रेमचन्द**

अब प्रेमचन्द स्कूल मास्टर थे, पर वह संतुष्ट नहीं थे; नौकरी उन्होंने स्वेच्छा से नहीं की थी, विरोधी परिस्थितियों ने बलात् इस ओर धकेल दिया था। शिक्षा अधूरी रह जाने की फांस मन में अटकी हुई थी। वह किसी-न-किसी बहाने इस जिन्दगी से छुटकारा चाहते थे; लेकिन हैडमास्टर सहृदय व्यक्ति था, उसने समझा-बुझाकर उन्हें काम पर लगाये रखा। प्रेमचन्द ने 'होली की छुट्टी' कहानी में शुरू की कैफियत पर इस प्रकार प्रकाश डाला है—

"मैट्रिकुलेशन पास करने के बाद मुझे एक प्राइमरी मदरसे में जगह मिल गई, जो मेरे घर से ग्यारह मील पर था। हमारे हैडमास्टर को छुट्टियों में भी लड़कों को पढ़ाने का खब्त था...अप्रैल में सालाना इम्तहान होने वाले थे। इसलिए जनवरी से हाय-तौबा मची हुई थी। सहकारी अध्यापकों पर इतनी कृपा थी कि रात की क्लासों में उन्हें नहीं बुलाया जाता था; मगर छुट्टी बिलकुल नहीं मिलती थी। सोमवती-अमावस आई और निकल गई। शिवरात्रि आई और चली गई...इसलिए मुझे कई महीनों से घर जाने का अवसर न मिला था मगर अपने मन में दृढ़ निश्चय कर लिया था कि होली पर अवश्य घर जाऊंगा; चाहे नौकरी से हाथ ही क्यों न धोना पड़े। मैंने एक सप्ताह पहले ही हैडमास्टर को अल्टीमेटम दे दिया कि 20 मार्च को होली की छुट्टी शुरू होंगी और 19 की शाम को मैं चला जाऊंगा। हैडमास्टर साहब ने मुझे समझाया कि अभी लड़के हो, तुम्हें क्या मालूम नौकरी कितनी मुश्किलों से मिलती है और कितनी

मुश्किलों से चलती है। नौकरी पाना इतना कठिन नहीं जितना कि उसका निभाना, अप्रैल में इम्तहान होने वाले हैं। तीन-चार दिन मदरसा बन्द रहा, तो बताओ कितने लड़के पास होंगे? साल-भर की सारी मेहनत पर पानी फिर जायेगा कि नहीं। मेरा कहा मानो इस छुट्टी में न जाओ। इम्तहान के बाद जो छुट्टी आये उसमें चले जाना। ईस्टर की चार छुट्टियां होंगी, मैं एक दिन के लिए भी न रोकूंगा। मैं अपने मोर्चे पर कायम रहा। उपदेश और डर किसी बात का मुझ पर कुछ प्रभाव न पड़ा। 19 को जैसे ही मदरसा बन्द हुआ, मैंने हैडमास्टर को सलाम भी न की और चुपके से अपने निवास-स्थान पर चला आया। उन्हें नमस्ते करने जाता, तो वह एक-न-एक काम निकालकर मुझे रोक लेते। रजिस्टर में फीस का जोड़ करते जाओ, औसत हाज़िरी निकालते जाओ, छात्रों की निबन्ध की कापियां जमा करके, उनमें सुधार कर दो और तारीख आदि डाल दो। जैसे यह मेरी अंतिम यात्रा हो और जीवन के सारे काम भी समाप्त कर देने चाहिए।"

इस उद्धरण में प्रेमचन्द ने स्कूल मास्टर के ऐसे काम गिनवाए हैं, जिनमें उन्हें कोई दिलचस्पी नहीं थी। वह इससे अच्छा और बेहतर काम करना चाहते थे। निबन्ध की कापियों में सुधार करने की अपेक्षा एम.ए. पास करके वकील बनना चाहते थे। अगर यह नहीं हो सका, तो वह यहां क्यों झक मारते रहें। नौकरी से विरक्त कर देने वाली दूसरी बात थी—अल्प वेतन। इससे वह बहुत क्षुब्ध रहते थे। 'बोझ' कहानी में लिखते हैं—

"पण्डित चन्द्रधर ने एक अपर प्राइमरी मुदर्रिसी तो कर ली थी, किन्तु सदा पछताया करते कि कहां से इस जंजाल में आ फंसे। यदि किसी अन्य विभाग में नौकर होते तो अब तक हाथ में चार पैसे होते, आराम से जीवन व्यतीत होता। यहां तो महीने-भर प्रतीक्षा करने के पीछे कहीं पन्द्रह रुपये देखने को मिलते हैं। वह भी इधर आये, उधर गये। न खाने का सुख, न पहनने का आराम। हमसे तो मजूर ही भले।"

खाने-पहनने का सुख न होते हुए हम देख चुके हैं कि उन्हें सौतेली मां और भाइयों की सहायता करके यह सन्तोष प्राप्त हो गया था कि मैं भी दुनिया में कुछ कर सकता हूं। दूसरे हैडमास्टर सज्जन और सहृदय थे। इसलिए नौकरी निभाते रहे, मगर एम. ए. पास करने का अरमान कांटा बनकर मन में खटकता रहा और उन्होंने मानसिक रूप से परिस्थितियों के विरुद्ध संघर्ष जारी रखा। अपनी एक कहानी 'लाल-फीता' में लिखते हैं—

"मगर हरिविलास के मन में पढ़ने की जो उत्कट अभिलाषा थी, वह

गर्मी-सर्दी की परवाह न करती थी। उस दृढ़ निश्चय के साथ, जो प्रायः निर्धन विद्यार्थियों का विशेष गुण है, वह कॉलेज में भरती हो गया था। वह एक रईस के लड़के पढ़ाकर शिक्षा का खर्च पूरा कर लिया करता था। क्रमशः कई बार उसे एक-साथ बड़ी रकमों की जरूरत पड़ती थी।"

प्रेमचन्द अपने मन में आगे पढ़ने की क्या-क्या योजनाएं बनाते थे और उन्हें कौन-कौन-सी कठिनाइयां दीख पड़ती थीं—यह इस उद्धरण से स्पष्ट है। हरिविलास खुद उन्हीं का प्रतिरूप है, जो यथार्थ स्थिति के विरुद्ध अथक संघर्ष जारी रखता है। वह किसी भी परिस्थिति में हार मानने को तैयार नहीं। अंत में उसके दृढ़ निश्चय की जीत होती है। यही हरिविलास हमें फिर 'हार की जीत' कहानी में मिलता है। उस समय वह पढ़ाई समाप्त कर चुका है। एम. ए. पास करके कॉलेज में प्रोफेसर है और सम्पन्न जीवन बिता रहा है। उसके बारे में उसकी बेटी लज्जावती बड़े ही गर्व से कहती है—

"बाबूजी ने केवल अपने अविरल परिश्रम और अध्यवसाय से यह पद प्राप्त किया है।"

'आदर्श विरोधी' कहानी के नायक दयाकृष्ण भी उन्हीं का प्रतिनिधित्व कर रहे मालूम होते हैं। वह वकील बनकर अपनी बुद्धि और अपना यश देश और जनता की सेवा में लगाते हैं। उनके बारे में लिखा है—

"महाशय दयाकृष्ण मेहता के पांव जमीन पर न पड़ते थे। उनकी वह आकांक्षा पूरी हो गई थी जो उनके जीवन का मधुर स्वप्न थी।"

प्रेमचन्द को सम्पन्न जीवन बिताना सारी उम्र नसीब न हुआ पर वह अपने लिए और देश की जनता के लिए सदा सम्पन्न और समृद्ध जीवन के स्वप्न देखते रहे। अपने इन स्वप्नों को साकार बनाने के लिए संघर्ष करते रहे। उन्होंने इस प्राइमरी मदरसे की नौकरी करते हुए दो बार इन्टरमीडिएट का इम्तहान दिया और दोनों बार फेल हो गए।

लेकिन पढ़ाई जारी रखने की शीघ्र ही एक दूसरी सूरत पैदा हो गई। दो-तीन वर्ष की सर्विस के बाद प्राइमरी स्कूल के अध्यापकों को सरकारी तौर पर ट्रेनिंग दी जाती थी। प्रेमचन्द भी सन् 1902 में ट्रेनिंग कॉलेज, इलाहाबाद में भरती हो गए।

प्रेमचन्द के एक सहपाठी बाबू कृष्णलाल ने 'जमाना' (उर्दू) कानपुर के 'प्रेमचन्द अंक' में इस बारे में एक लेख लिखा है, जिसमें वह बताते हैं—

"प्रेपरेटरी क्लास (Preparatory class) *में दाखिल होने वाले इंट्रेंस पास उम्मीदवार एक साल इसी क्लास में तालीम पाते थे और दूसरे साल जूनियर*

क्लास में। उस समय युक्तप्रान्त में एक ही ट्रेनिंग कॉलेज था। उसके प्रिंसिपल सर्वप्रिय मिस्टर कैम्पलस्टर अपने शिष्यों के सच्चे शुभ-चिन्तक और सहायक थे। यहां से 1905 में प्रेमचन्द जूनियर क्लास की परीक्षा दरजा अव्वल में पास करके जूनियर सर्टिफिकेटिड (J.C.). टीचर की सनद लेकर निकले...।

प्रिंसिपल साहब आपसे बहुत प्रसन्न थे। इसलिए उन्होंने आपको ट्रेनिंग कॉलेज के माडल स्कूल का हैडमास्टर नियुक्त कर दिया। उस समय मैं भी ट्रेनिंग कॉलेज सीनियर क्लास में पढ़ता था। हम सब लोग अर्थात् माडल स्कूल के अध्यापक कॉलेज स्कूल के होस्टल में रहते थे। इसको आध्यात्मिक आकर्षण समझना चाहिए कि मेरा मुंशी साहब से ख़ास तौर पर परिचय हुआ और शीघ्र ही मैत्री सम्बन्ध स्थापित हो गया। आप स्वभाव ही से बड़े मननशील और चतुर बुद्धि थे।"

हिन्दुस्तान में जो अंग्रेज आते थे, चूंकि वे शासक वर्ग से सम्बन्ध रखते थे, इसलिए प्रेमचन्द उनसे घृणा करते थे। कहीं भी अच्छे शब्दों में उनका उल्लेख नहीं किया। लेकिन अपनी 'होली की छुट्टी' कहानी में एक अंग्रेज का जिक्र बड़े आदर-सम्मान से किया है। लिखते हैं—

"मिस्टर जैक्सन से कई बार मिल चुका हूं। उसकी सज्जनता ने मुझे उसका अनन्य भक्त बना दिया है। मैं उसे मनुष्य नहीं, देवता समझता हूं।"

यह देव-तुल्य अंग्रेज सम्भवतः ट्रेनिंग कॉलेज का प्रिंसिपल था, जो अपने छात्रों का सच्चा शुभ-चिंतक था। उसने प्रेमचन्द के मन में पढ़ने और आगे बढ़ने की प्रेरणा को उत्साह दिया था।

उनके ट्रेनिंग कॉलेज के जीवन पर कुछ प्रकाश सम्पादक 'जमाना' ने भी डाला है। वह लिखते हैं—

"उन्होंने सन् 1904 में जूनियर इंग्लिश टीचर्स सर्टिफिकेट का इम्तहान अव्वल दरजे में पास किया। उनके सर्टिफिकेट की तारीख पहली जुलाई, 1905 में, जिस पर मिस्टर जे. सी. कैम्पलस्टर प्रिंसिपल और मिस्टर बेकन इंस्पेक्टर मदरसा, इलाहाबाद सरकिल के दस्तखत हैं, ये शब्द उल्लेखनीय हैं—

'Not qualified to teach mathematics, conduct satisfactory and regular. He worked earnestly and well.'

अर्थात् परीक्षकों ने इस सर्टिफिकेट में साफ लिख दिया है कि गणित पढ़ाने की योग्यता नहीं, मगर चाल-चलन संतोषजनक है। समय का पाबन्द रहकर अपना काम बड़े परिश्रम से भली प्रकार करते रहे।

सन् 1904 में ओरियण्टल इलाहाबाद यूनिवर्सिटी का स्पेशल वर्नेकुलर

इम्तहान भी उर्दू-हिन्दी में पास किया। इंटरमीडिएट का इम्तहान कई बार दिया; लेकिन हर बार गणित में असफल रहे। आखिर जब यह विषय आवश्यक नहीं रहा और ऐच्छिक हो गया, तो सन् 1910 में उसे भी सेकिंड डिवीजन में पास कर लिया। इस समय वह गवर्नमेंट स्कूल में सहकारी अध्यापक थे। इंटरमीडिएट में उनके विषय थे—अंग्रेजी, दर्शन, फारसी और वर्तमान काल का इतिहास।

नौ साल के बाद सन् 1919 में जब गोरखपुर में टीचर थे तो इलाहाबाद यूनिवर्सिटी की परीक्षा बी. ए. भी द्वितीय श्रेणी में पास की। इस बार उनके विषय थे—अंग्रेजी, फारसी और इतिहास।"

परीक्षाएं तो उन्होंने जरूर पास कीं; लेकिन वह परीक्षा पास करने के लिए नहीं पढ़ते थे। उनके लिए शिक्षा, जीवन को सफल बनाने का साधन थी। इसलिए पढ़ने के लिए परीक्षा पास करते थे। पढ़ने की लगन का अन्दाजा उनके एक छोटे से उद्धरण से लग सकता है। अपनी 'त्यागी का प्रेम' कहानी में लिखने हैं—

"लाला गोपीनाथ को युवावस्था में ही दर्शन से प्रेम हो गया था। अभी यह इंटरमीडिएट क्लास में थे कि मिल और बर्कले के वैज्ञानिक विचार उनको कंठस्थ हो गये थे।"

बाबू कृष्णलाल ने अपने लेख में आगे लिखा है—

"मुंशी प्रेमचन्द शुरू ही से पुस्तकाध्ययन के बड़े प्रेमी थे। एक दिन मेरे साथ मिस्टर सच्चिदानन्द सिन्हा, बैरिस्टर, से भेंट की, ताकि समय-समय पर उनके पुस्तकालय से लाभ उठाते रहें। एक बार उन्हीं से मौलवी जका-उल्लाह साहब की 'तारीखे हिंद' ले आये और चंद ही रोज में उसके तीनों अथवा चारों बृहद् भाग समाप्त कर डाले, और इतने ध्यान से पढ़े, जैसे इस पर कोई आलोचनात्मक लेख लिखना हो।"

दूसरे स्थान पर लिखा है—

"जिस प्रकार उनका रहन-सहन सादा था, स्वभाव और सदाचार भी सीधा, सच्चा और आडम्बर रहित था। सहृदयता आपके स्वभाव का अंग थी। आवाज बुलन्द थी और खामख्वाह किसी से दबने वाले मनुष्य न थे। होस्टल़ में किसी से लड़ना-झगड़ना तो दूर रहा उन्हें कभी किसी से अशिष्ट और असभ्य बातचीत करते हुए भी नहीं देखा। नौकरों से भी शिष्टता का व्यवहार करते थे।

पढ़ते-लिखते समय प्रायः अपना कमरा भीतर से बन्द कर लिया करते थे और मनोरंजन के समय दिल खोलकर मनोरंजन करते थे।"

फिराक गोरखपुरी ने भी उनके अध्ययन के शौक पर प्रकाश डाला है। लिखते हैं—

"प्रेमचन्द किसी विशेष नियम से पुस्तकें नहीं पढ़ते थे। उन्हें अधिकांश उन्हीं पुस्तकों और उपन्यासों से दिलचस्पी होती थी, जो रस्मो-रिवाज, परम्पराओं, ऐतिहासिक घटनाओं और जीवन के दूसरे पहलुओं को सरल और रोचक ढंग से पेश करती थीं। इससे उनकी जिज्ञासा, खोज और साहित्यप्रियता का भी पता चलता है।"

मिर्जा फ़िदा अली 'खंजर' लखनवी नवलकिशोर प्रेस, लखनऊ में उनके सहकारी थे, वे लिखते हैं—

"वह पुरानी कहानियों और किस्सों को बहुत ज्यादा पसन्द करते थे। चुनांचे जब कभी उनकी रुचि के अनुसार छोटी-मोटी पुस्तक मिल जाती, तो मैं उनकी सेवा में भेंट कर देता। वह प्रसन्न हो जाते और अत्यन्त चाव से पढ़ते। जब वापस करने लगते तो उसके बारे में अपने विचार प्रकट करते। यह विचार उनकी आलोचना-शक्ति का सबूत होते थे।"

ट्रेनिंग कॉलेज की परीक्षा पास करने के बाद, उन्हें वहीं मिडिल स्कूल का हैडमास्टर नियुक्त कर दिया। लड़के उन्हें मास्टर धनपतराय और मित्रगण बाबू धनपतराय कहते थे। लड़कपन चला गया था, जीवन और परिस्थितियों से भली प्रकार परिचित हो गये थे और उन्होंने अपने अनुभव से समझ लिया था, कि मास्टरी करते हुए भी उनके लिए आगे बढ़ने की सम्भावना है। 'कर्मभूमि' का नायक अमरकान्त कहता है—

"मैं अब तक व्यर्थ शिक्षा के पीछे पड़ा रहा। स्कूल और कॉलेज से अलग रहकर भी आदमी बहुत-कुछ सीख सकता है।"

5. पहली रचना

"लिखते तो वे लोग हैं, जिनके अंदर कुछ दर्द है, अनुराग है, लगन है, विचार हैं। जिन्होंने धन और भोग-विलास को जीवन का लक्ष्य बना लिया है, वे क्या लिखेंगे?"
—प्रेमचन्द

शिक्षा अपनी मनोभावनाओं को व्यक्त करने की योग्यता प्राप्त करने का नाम है। प्रेमचन्द ने शुरू जीवन ही में इस बात को समझ लिया था। इसीलिए वे इतने उत्साह से शिक्षा के पीछे पड़े हुए थे, वे पुस्तकें बड़े ध्यान से पढ़ते और जो कुछ पढ़ते उस पर मित्रों से वाद-विवाद करते थे। इससे उनमें तथ्य को पकड़ने और उसे सरल भाषा में व्यक्त करने की सूझ-बूझ उत्पन्न हो गई और वे धीरे-धीरे लेखक बन गए।

उन्हें किस्से-कहानियां पढ़ने का शौक था ही। यह शौक सदा बढ़ता ही रहा। कारण कि किस्से-कहानियां उनके शुष्क और दरिद्र जीवन में रोमांस और रस भरती थीं। 'तिलस्मे-होशरुबा' और 'चन्द्रकान्ता सन्तति' के कल्पित पात्र उन्हें निष्ठुर और विषम परिस्थितियों के विरुद्ध संघर्ष करने पर बाध्य करते थे। उनकी क्रिया-शक्ति को सजग और सचेत रखते थे, उनके भीतर जो आग छिपी हुई थी, उसे एक बिन्दु पर केन्द्रित करके प्रचण्ड ज्वाला का रूप देते थे। फिर उन्होंने जमाने की गर्मी-सर्दी देखी थी। जीवन को सार्थक बनाने के लिए बहुत-सी कठिनाइयां झेली थीं। इन सब बातों ने उन्हें भावुक और मननशील बना दिया। दरिद्रता और कठिनाइयों के बावजूद वे जीवन से प्यार करते थे। उनका मन विचारों से आन्दोलित रहता था और इस भावना ने कि 'मैं दुनिया में कुछ कर सकता हूं,' निश्चय का रूप धारण कर लिया था।

मगर वस्तुस्थिति उनके अरमानों को कुचल रही थी। जीवन की असफलताओं को सफलताओं में बदलने और कुंठित कामनाओं को सन्तुष्ट करने का सिर्फ एक ही साधन था, कि वे लेखक बन जाएं। उन्होंने भावनाओं को व्यक्त करने की योग्यता प्राप्त होते ही, किस्से-कहानियां लिखनी शुरू कर दीं।

उन्होंने कहानियां कब से लिखनी शुरू कीं, इसके लिए कोई दूसरी सनद दरकार नहीं; स्वयं उनके ही शब्दों में–

"मैंने पहले-पहल 1907 में गल्प लिखना शुरू किया। डॉक्टर रवीन्द्रनाथ के कई गल्प मैंने अंग्रेजी में पढ़े थे; जिनका उर्दू अनुवाद कई पत्रिकाओं में छपवाया था। उपन्यास तो मैंने 1901 ही से लिखना शुरू किया। मेरा एक उपन्यास 1902 में निकला और दूसरा 1904 में; लेकिन गल्प सन् 1907 से पहले मैंने एक भी न लिखी। मेरी पहली कहानी का नाम था, 'संसार का सबसे अनमोल रत्न'। वह 1907 में 'जमाना' उर्दू में छपी। उसके बाद मैंने 'जमाना' में चार-पांच कहानियां और लिखीं।"

लेकिन जहां तक लिखने की बात है, 'जमाना' कानपुर में उन्होंने पहले ही से लिखना शुरू कर दिया था। मुन्शी दयानारायण निगम, सम्पादक 'जमाना' लिखते हैं–

"साल-भर के अन्दर-ही-अन्दर प्रेमचन्द से, जिनका असली नाम धनपतराय था, खतो-किताबत शुरू हो गई, जिसका नतीजा यह हुआ कि सन् 1904 के आखिर तक वे भी 'जमाना' के कलमी-मुआवनीन (लेखकों) में शामिल हो गये। जहां तक याद पड़ता है, आपने सबसे पहले एक तनकीदी मजमून (आलोचनात्मक लेख) 1905 में 'जमाना' में शाया होने के लिए और एक नाविल का मसौदा बगरज मशविरा (सलाह के लिये) भेजा था।"

सन् 1902 और 1904 में जो दो उपन्यास प्रकाशित हुए थे उनके नाम शायद 'कृष्णा' और 'हम खुरमा और हम सबाब'' थे। मगर मुन्शी जागेश्वर प्रसाद वर्मा 'बेताब' बरेलवी का कहना है कि उनका पहला उपन्यास 'प्रेमा' था जो हिंदी में प्रकाशित हुआ था। उर्दू में उसका नाम 'प्रतापचन्द्र' था; जिस पर लेखक का नाम धनपतराय था। लेकिन सच यही है कि उनका पहला उपन्यास 'हम खुरमा और हम सबाब' था।

एक बात स्पष्ट है कि प्रेमचन्द ने कहानियों से पहले उपन्यास लिखना शुरू किया, लेकिन उनका साहित्यिक जीवन इससे भी पहले आरम्भ हो चुका था। जो कहानियां आदमी मन में सोचता है; लेकिन लिख नहीं पाता, वे भी तो मस्तिष्क पर अपना प्रभाव छोड़ जाती हैं। फिर शुरू की रचनाएं ऐसी

भी तो होती हैं, जो लिखी जाती हैं और प्रायः प्रकाशित भी हो जाती हैं; पर उनमें कोई साहित्यिक तत्व न रहने के कारण, वे किसी शुमार में नहीं आतीं। लेकिन इमारत की नींव में खप जाने वाली ईंटों की तरह उनका एक महत्त्व तो है ही, और इसी से लेखक को अपनी यह रचनाएं प्रिय जान पड़ती हैं, जिनकी याद उसके मन में हमेशा बनी रहती है। 'पहली रचना' शीर्षक लेख में प्रेमचन्द ने एक ऐसी ही रचना का जिक्र किया है। पहला प्रहसन था, जो उन्होंने अपने मामू के बारे में लिखा था—

"उनके मामू गांव में रहते थे। पैतृक भूमि थी, जिससे खानेभर को आ जाता था। लेकिन वे एकान्त जीवन बिताने पर मजबूर थे। सामाजिक रुकावटों के कारण विवाह नहीं हो सका। इसलिए एक चमारी से, जो उनके घर में गोबर थापने और कूड़ा-करकट उठाने आती थी, इश्क लड़ाने लगे। चमारी चालाक थी। उसने इस समाज के उत्पीड़ित व्यक्ति की दुर्बलता को भांप लिया। इधर उनसे अच्छे-अच्छे वस्त्र उपहारस्वरूप लेती और तर-माल खाती रही, उधर इस प्रेम-अभिनय की चर्चा चमार बस्ती में चली। इसलिए जिस दिन मामू साहब को चिर-संचित कामना पूरी करनी थी, इस अभिनेत्री से मनोवांछित वरदान पाना था, उनकी खूब मरम्मत हुई। चमारी के भीतर आते ही ज्योंही उन्होंने सांकल लगाई कि लट्ठबन्द चमारों ने किवाड़ तोड़ना शुरू कर दिया। वे भय के मारे भूसे वाले कमरे में जा छिपे। पर चमार अपनी-सी करने पर तुले हुए थे। उन्हें अन्दर से निकालकर खूब पीटा।

सारे गांव में खिल्ली उड़ी। वहां रहना दूभर हो गया। इसलिए वे बहनोई के घर उठ आये। पहले भी, जब कभी एकान्त के जीवन से मन उकता जाता था, अक्सर आ जाते थे। प्रेमचन्द की उम्र उस समय बारह-तेरह साल की थी। वे उन पर सदा रौब गांठते थे। प्रेमचन्द का खयाल था कि इस घटना के बाद मामू साहब का रवैया नर्म पड़ जायेगा, पर जब देखा कि यह बात नहीं, मामू साहब बदस्तूर रौब गांठ रहे हैं तो उन्होंने इस घटना के आधार पर एक प्रहसन लिखा, जिसमें चमारों के हाथों मामू साहब की मरम्मत का जिक्र मजे ले-लेकर किया गया था।

वह सुबह स्कूल जाते समय यह नाटक मामू साहब के सिरहाने रख गये। छुट्टी मिलने पर वे यह सोचते हुए लौट रहे थे कि देखें नाटक पढ़ने के बाद उन पर उसकी क्या प्रतिक्रिया हुई है, लेकिन घर पहुंचे तो देखा कि न मामू साहब वहां मौजूद हैं; न वह नाटक। शायद वे जाते समय उनकी 'पहली रचना' को अग्नि-देवता की भेंट कर गये थे।"

इससे प्रेमचन्द की प्रतिभा और मनोवृत्ति का पता चलता है। वे सारी उम्र सामाजिक बुराइयों और निर्मम सत्ता पर चोट करते रहे। इसके एक साल बाद, चौदह वर्ष की अवस्था में उन्होंने एक नाटक लिखा जिसका नाम 'होनहार बिरवान के चिकने-चिकने पात' है। यह इस दृष्टि से दिलचस्प है कि यह नाम खुद उनके अपने ऊपर लागू होता था। चार साल बाद एक उपन्यास 'इसरारे-मुहब्बत' अखबार 'आवाजे-खल्क' में छपा। यह अखबार बनारस से प्रकाशित होता था। प्रेमचन्द की शुरू की कहानियां और उपन्यास, हर नये लेखक की रचनाओं की तरह कला की कसौटी पर पूरी तरह नहीं उतरते। उनकी भाषा अपने से पहले के उर्दू लेखकों की भाषा की तरह कठिन और कृत्रिम थी। उस पर 'किस्साए-चहार-दरवेश' और रतननाथ सरशार के 'फिसानाए-आजाद' का रंग चढ़ा हुआ था।

सय्यद अली जवाद ज़ैदी ने प्रेमचन्द के जीवन और साहित्य पर एक काफी बड़ा लेख लिखा है, जिसमें उनकी शैली के बारे में यह राय प्रकट की है—

"जितने बड़े-बड़े लिखने वाले हैं, वे सब यह कोशिश करते हैं कि वे एक इनफराबी हैसियत (व्यक्तिगत स्थान) हासिल करें। यही वजह है कि अगर मुन्शी प्रेमचन्द की तसानीफ (कृतियों) को इस नुक़्ता नजर (दृष्टिकोण) से देखा जाये तो ऐसा मालूम होगा कि यह तमाम अफसाने एक ही शख्स के लिखे हुए नहीं, बल्कि मुख्तलिफ मुसन्नफीन के ज़ोरे कलम (विभिन्न रचयिताओं की लेखनी) का नतीजा हैं। कहीं सरशार का रंग निखर आयेगा तो कहीं बिशननारायण दर का और कहीं रवीन्द्रनाथ टैगोर का। इसकी वजह यह है, कि प्रेमचन्द का यह अक़ीदा (विश्वास) था कि इबारत और खयालात तथा विचारों में हत्तुलवसा हम-आहंगी (जहां तक सम्भव हो समन्वय) पैदा की जाय। जिस किस्म के खयालात का वे इजहार (व्यक्त) करना चाहते थे उसके लिए वैसे ही तरजे-अदा (रचना-शैली) का इन्तखाब (चुनाव) भी करते थे।"

हर एक लेखक अपने पूर्ववर्ती और समकालीन साहित्यकारों से प्रभावित होता है। पहले-पहल उन्हीं के रंग में लिखता है। अपनी एक विशेष शैली बनाने में समय लगता है, और उसके लिए सतत् और प्रबल प्रयत्न करना पड़ता है। प्रेमचन्द को इस बात का अनुभव था। 'जमाना' के सम्पादक मुन्शी दयानारायण निगम लिखते हैं—

"सन् 1914 तक वे अपनी तहरीर के बारे में दुविधा में थे। 4 मार्च, सन् 1914 का खत उनके दिली जजबात (मनोभावनाओं) का आईना है। लिखते

हैं—मुझे अभी तक यह मालूम नहीं हुआ कि कौन-सी तरजे-तहरीर (रचना-शैली) अख्त्यार करूं? कभी तो बंकिम की नक़ल करता हूं, कभी आज़ाद के पीछे चलता हूं। आजकल टालस्टाय के किस्से पढ़ चुका हूं, तब से कुछ इसी रंग की तरफ तबीयत मायल (प्रवृत्त) है। यह अपनी कमजोरी है, और क्या? यह किस्सा जो मैं लिखकर भेज रहा हूं, इसमें लुत्फे-तहरीर की मुतलक कोशिश नहीं की गई। सीधी-सादी बातें लिखी हैं। मालूम नहीं, आप पसंद करेंगे या नहीं।"

वह किस्सा क्या था, मालूम नहीं। लेकिन यह बात साफ है कि वह कृत्रिम और कठिन शैली से धीरे-धीरे सादा और स्वाभाविक रचना-शैली की तरफ आते गये। प्रेम-पच्चीसी, प्रेम-बत्तीसी और प्रेम-चालीसी की कहानियों में जो वाक्य-विन्यास है, वह बाद की कहानियों में नहीं रहा। बाद में उनकी जबान सादा, मगर अधिक प्रभावशाली और सुन्दर हो गई। दोनों शैलियों के उदाहरण प्रस्तुत हैं। लिखना उन्होंने उर्दू में शुरू किया, इसलिए उर्दू के उद्धरण दिए जाते हैं—

"जाह और सरवत (धन-ऐश्वर्य), कमाल और शोहरत (निपुणता और ख्याति) यह सब सिफली और माद्दी (निकृष्ट तथा सांसारिक) हैं। नफ्स की नाज़-बरदारियां इस काबिल नहीं कि हम उनके सामने फरके-नियाज़ झुकायें। तरक और तस्लीम (त्याग और संतोष) ही वे उलवी सिफ्फात (दैवी गुण) हैं जो जाहो-हशम को बादाए ग़रूर के मुतवालों को, और ताजे मुरस्सा को अपने क़दमों पर गिरा सकती हैं।"

(प्रेम-बतीसी, हिस्सा अव्वल, 'सरे पुर ग़रूर' कहानी)

यह दूसरा उद्धरण बाद की कहानियों से दिया जाता है—

"लोग कहते हैं—जुलूस निकालने से क्या होता है। इससे मालूम होता है, हम जिन्दा हैं, मुस्तैद हैं, मैदान से हटे नहीं। हमें अपनी हार न मानने वाली खुद्दारी (स्वाभिमान) का सबूत देना है। यह दिखा देना है कि हम तशद्दुद (हिंसा) से अपने मुतालबाए आज़ादी से दस्तबरदार होने वाले नहीं। हम इस निजाम को बदल देना चाहते हैं, जिसकी बुनियाद खुदगरजी और खून चूसने पर रखी हुई है।" **(किताब-जादेराह,'आशियां बरबाद' कहानी)**

इसका यह अर्थ कदाचित् नहीं कि 'प्रेम-चालीसी' के उपरान्त भाषा एकदम बदल गई; बल्कि 'प्रेम-चालीसी' में जो भाषा है, 'प्रेम-बत्तीसी' में उससे सरल है; और 'प्रेम-चालीसी' में 'प्रेम-बत्तीसी' से सरल हो गई है। कुछेक कहानियों में बाद में भी भाषा कठिन मिलती है, जिसका कारण कहानियों का

विषय है। इसके विपरीत 'प्रेम-बत्तीसी' हिस्सा अव्वल की कहानी 'पंचायत' अर्थात् 'पंच-परमेश्वर' की भाषा काफी आसान है। एक उद्धरण देखिए–

"घण्टा-भर के बाद जुम्मन शेख, अलगू चौधरी के पास आये और उनके गले लिपटकर बोले–'भैया! जब से तुमने मेरी पंचायत की है, मैं दिल से तुम्हारा जानी दुश्मन था, मगर आज मुझे मालूम हुआ कि पंचायत की मसनद पर बैठकर न कोई किसी का दोस्त होता है और न दुश्मन। इन्साफ के सिवा और उसे कुछ नहीं सूझता।"

विषय, शैली को प्रभावित करता है। मुन्शी प्रेमचन्द जैसे-जैसे जनता के सम्पर्क में आते गये, उनकी शैली सरल, सहज और स्पष्ट होती चली गई। जब उन्होंने अलगू चौधरी और हरिधन या शेख जुम्मन को अपनी कहानियों का पात्र बनाया था, तो उनकी भाषा अपनाना भी आवश्यक था। हम देखते हैं कि 'गोदान' में उन्होंने बहुत ही सरल भाषा प्रयोग की है। लेकिन इससे बहुत साल पहले 'प्रेमाश्रम' की भाषा भी हिन्दी और उर्दू दोनों में समझी जा सकती है; क्योंकि वह किसानों की बोलचाल की भाषा है।

शुरू में जब वे तिलस्मी कहानियों की भाषा प्रयोग करते थे तो उनकी अपनी कहानियाँ भी एक तरह तिलस्मी होती थीं, जिनमें विचित्र और अप्राकृतिक घटनाओं की भरमार रहती थी। उनका प्लाट भी परियों की कहानियों की तरह विचित्र होता था, घटनायें बहुत रहती थीं। उदाहरणार्थ उनकी एक प्रारम्भिक कहानी 'सौभाग्य के कोड़े' है। इसका प्लाट यह है–

"राय भोलानाथ लखनऊ के बहुत बड़े रईस हैं। नथवा नाम का एक लड़का उनका नौकर है जो उनकी लड़की रत्ना के कमरे की सफाई करता है और कभी-कभी उसके साथ खेलता भी है। एक दिन नथवा के दिल में न जाने क्या आई कि वह चादर तानकर रत्ना के पलंग पर सो गया। राय साहब ने उसे देख लिया। बस फिर क्या था–क्रोध के मारे आपे से बाहर हो गये, और कोड़े मार-मार गरीब नथवा की चमड़ी उधेड़ दी।"

इसके बाद किस्सा इस प्रकार चलता है–

"नथवा भंगियों की एक बस्ती में जाकर रहने लगा। वहाँ उसने गाना सीखा। वह इतना निपुण हो गया कि ग्वालियर के एक संगीत सम्मेलन में उसने अपनी योग्यता का लोहा मनवाया और स्कूल में प्रवेश किया। वहाँ से संगीत विद्या में सर्वप्रथम प्रमाण-पत्र प्राप्त करके अपने उस्ताद के साथ यूरोप की यात्रा को चला गया। वहां उसने पश्चिमी संगीत कला का ज्ञान प्राप्त किया। लौटकर हिन्दुस्तान के बड़े-बड़े शहरों का दौरा किया। उसकी प्रसिद्धि

फूल की सुगन्ध की तरह फैल रही थी। हर स्थान पर उसका स्वागत हो रहा था। वह लखनऊ भी आया, रत्ना ने उसे फूल-माला पहनाई और उसकी कला पर मुग्ध भी हुई! अन्त में राय भोलानाथ ने अपनी पुत्री रत्ना का विवाह नत्थूराम संगीताचार्य से कर दिया।''

मानो, यह भी 'हार की जीत' थी। प्रेमचन्द को भी जीवन में बार-बार पराजय से दो-चार होना पड़ा था, इन्हें वे कल्पना के बल से जीत में बदल रहे थे; और अपनी कहानियों द्वारा संघर्ष की मंजिल की ओर आगे बढ़ा रहे थे।

बाद में भी उनकी कहानियों और उपन्यासों में विचित्र और अलौकिक घटनायें प्रायः आती हैं। वे उन्हें जान-बूझकर लाते हैं, क्योंकि वे उनके औचित्य में विश्वास रखते थे। इस सम्बन्ध में सम्पादक 'जमाना' ने एक घटना का उल्लेख किया है–

''मुकर्मी अब्दुला आसफअली खां साहब ने सन् 1918 में लिखा था, प्रेमचन्द से मेरी तरफ से कह दीजिएगा कि 'मैं उनके तरजे-तहरीर का बड़ा मद्दाह (प्रशंसक) हूं। लेकिन उन्हें ऐसे किस्से और नावल लिखने चाहिए, जिनसे कौमी जज्बे की नश्वो-नमा (राष्ट्रीय भावनाओं की अभिवृद्धि) में मदद मिले। फौकल-आदत वाक़आत (अलौकिक घटनाओं) से पाक हों।'

इसका जवाब उन्होंने यह दिया–'मिस्टर अब्दुल्ला की राय पर अमल करूंगा, हालांकि Supernatural Elements *आदमी की ज़िन्दगी में शामिल हैं'।''*

निस्संदेह, वैचित्र्य मनुष्य को घुट्टी में मिला है। वह बहुत ही अजीब और अनोखे स्वप्न देखता है। स्वप्न देखना उसके लिए लाभदायक है। 'अलिफ लैला' के इंसाफ ने जो भव्य-भवन अलादीन के चिराग की सहायता से बनाये थे, वे अब उसने अपने परिश्रम और प्रयत्न से धरती पर निर्माण कर लिये हैं, वह अब परियों की कहानियों के राजकुमार की तरह तख्ते-सुलेमान या जादू के खटोले पर नहीं उड़ता, उसने सचमुच वायुयान का आविष्कार कर लिया है।

प्रेमचन्द ने यथार्थ परिस्थितियों के प्रहारों से आत्मा की रक्षा के लिए अस्वाभाविक और विचित्र घटनाओं के महत्त्व को समझ लिया था लेकिन इसके बारे में वह एक मानवीय दृष्टिकोण रखते थे। अपने 'कहानी-कला' लेख में वह लिखते हैं–

''कहानी का जन्म तो उसी समय से हुआ, जब आदमी ने बोलना सीखा। लेकिन, प्राचीन कथा-साहित्य का हमें जो कुछ ज्ञान है, वह 'कथा-सरित्-सागर',

'ईसप की कहानियां' और 'अलिफ लैला' आदि पुस्तकों से हुआ है। ये सब उस समय के साहित्य के उज्ज्वल रत्न हैं। उनका मुख्य उद्देश्य कथा-वैचित्र्य था। मानव हृदय को घटना-वैचित्र्य से सदा प्रेम रहा है। अनोखी घटनाओं और प्रसंगों को सुनकर हम अपने बाप-दादों की भांति ही आज भी प्रसन्न होते हैं। हमारा खयाल है कि जनरुचि जितनी आसानी से 'अलिफ लैला' की कथाओं का आनन्द उठाती है, उतनी आसानी से नवीन उपन्यासों का आनन्द नहीं उठा सकती। फिर भी यह कहना असत्य नहीं है कि विद्वानों और आचार्यों ने कला के विकास के लिए जो मर्यादायें बना दी हैं, उनमें कला का रूप अधिक सुन्दर और अधिक संयत हो गया है। प्रकृति में जो कला है वह प्रकृति की है, मनुष्य की नहीं। मनुष्य को तो वही कला मोहित करती है जिस पर मनुष्य की आत्मा की छाप हो, जो गीली मिट्टी की भांति मानव हृदय के सांचे में पड़कर परिष्कृत हो जाय।''

इसी लेख में आगे लिखते हैं–

''पुरानी कथा-कहानियां अपने घटना-वैचित्र्य के कारण मनोरंजक तो हैं, पर उनमें उस रस की कमी है जो शिक्षित रुचि साहित्य में खोजती है। अब हमारी साहित्यिक रुचि कुछ परिष्कृत हो गई है। हम हरेक विषय की भांति साहित्य में भी बौद्धिकता की तलाश करते हैं। अब हम किसी राजा की अलौकिक वीरता या रानी के हवा में उड़कर राजा के पास पहुंचने या भूत-प्रेतों के काल्पनिक चरित्रों को देखकर प्रसन्न नहीं होते। हम उन्हें यथार्थ के कांटे पर तोलते हैं और जौ भर भी इधर-उधर नहीं देखना चाहते। आजकल के उपन्यासों और आख्यायिकाओं में अस्वाभाविक बातों के लिए गुंजाइश नहीं है। उनमें हम अपने जीवन का ही प्रतिबिम्ब देखना चाहते हैं। उसके एक-एक वाक्य को, एक-एक पात्र को यथार्थ के रूप में देखना चाहते हैं। उनमें जो कुछ भी लिखा हो, वह इस तरह लिखा हो कि साधारण बुद्धि उसे यथार्थ समझे।

...जो कुछ स्वाभाविक है, वही सत्य है। स्वाभाविकता से दूर होकर कला अपना आनन्द खो देती है; जिसे समझने वाले थोड़े से कलाविद ही रह जाते हैं। उसमें जनता के मर्म को स्पर्श करने की शक्ति नहीं रह जाती।''

प्रेमचन्द ने भी जब जनता के अधिक निकट आकर, जनता के लिए लिखा तो उनकी कहानियों और उपन्यासों में अस्वाभाविक घटनाएं नहीं रहीं। 'नसीहत के ताजियाने' कहानी परियों की कहानी से मिलती-जुलती तो है; पर, नायक रत्ना के पलंग तक पहुंचने के लिए जो संघर्ष करता है, अद्‌भुत और

कौतूहलपूर्ण है; पर अस्वाभाविक नहीं है।

दरअसल कहानी का जन्म आदमी के कौतूहल और उसकी उत्सुकता से हुआ है। अपने सृष्टि-काल से ही उसने सोचना शुरू कर दिया–'बादल क्यों गरजता है? भूचाल क्यों आते हैं?' और उसके सीमित ज्ञान और कल्पना ने इस 'क्यों' का जो उत्तर दिया, वह कहानी बन गया। उसका ज्ञान और अनुभव ज्यों-ज्यों व्यापक होता गया, उसकी कहानी में भी व्यापकता आती गई। कहानी का तथ्य तथा घटनाओं का विस्तार ही मनुष्य की खोज-वृत्ति है। प्रेमचन्द ने यही बात अपनी 'डिग्री के रुपये' कहानी के नायक कैलाश के लेखों की प्रशंसा करते हुए इस प्रकार लिखी है–

"उसके लेखों में विस्तार कम, पर सार अधिक होता।"

सार की प्रधानता ही प्रेमचन्द की कहानियों की विशेषता है।

6. कानपुर में

"हम उस महान् सत्ता के सूक्ष्मांश हैं, जो समस्त संसार में व्याप्त है। अंश में पूर्ण के गुणों का होना लाजिमी है। इसलिए कीर्ति और सम्मान, आत्मोन्नति और ज्ञान की ओर हमारी स्वाभाविक रुचि है।" —प्रेमचन्द

ट्रेनिंग कॉलेज, इलाहाबाद के माडल स्कूल से तबदील होकर प्रेमचन्द 1905 में कानपुर आ गये। यहीं से वास्तव में उनका साहित्यिक जीवन आरम्भ होता है। 'जमाना' के सम्पादक मुन्शी दयानारायण निगम से पहले ही परिचित थे। 1904 में उन्होंने अपना एक आलोचनात्मक लेख 'जमाना' में प्रकाशित कराया था और निगम से पत्र-व्यवहार शुरू हो गया था।

मुन्शी दयानारायण निगम बहुत ही सज्जन और उदार प्रकृति के व्यक्ति थे। 'जमाना' का सम्पादन वे बड़ी मेहनत और ईमानदारी से करते थे। वे जानते थे कि सम्पादक का धर्म साहित्य को संवारना और उसका प्रसार करना है। एक सुयोग्य सम्पादक का ध्येय जहाँ पाठकों की संख्या बढ़ाना है वहाँ नये और होनहार लेखकों को प्रोत्साहन देना भी उसका धर्म है। निगम साहब अपने इस धर्म को भलीभाँति निभा रहे थे। मैं (लेखक) अपने निजी अनुभव से उनकी सहृदयता और मानवता का कायल हूँ। 1937 में मैंने उन्हें अपनी एक कहानी 'पछतावा' प्रकाशनार्थ भेजी। तब मेरी उनसे जान-पहचान नहीं थी। वह मेरे कहानी-लेखन की शुरुआत थी। उन्होंने न सिर्फ वह कहानी 'ज़माना' में प्रकाशित की, बल्कि सफल कहानी लिखने पर बधाई देते हुए प्यार और उत्साह से भरा हुआ खत भेजा और बराबर लिखते रहने का आग्रह किया। फिर जब तक निगमजी जीवित रहे उनसे मेरा पत्र-व्यवहार रहा। वे सिर्फ लेखक को

प्रोत्साहित ही नहीं करते थे अपितु अपने नेक-मशवरे भी देते थे। 1943 में, जब मैं जेल में था; उनका देहान्त हो गया।

बात कुछ असंगत-सी है; लेकिन इसलिए लिख दी कि प्रेमचन्द के साथ उनके व्यवहार को समझने में पाठकों को मदद मिलेगी। उन्होंने प्रेमचन्द की प्रतिभा को पहचान लिया था और उसे संवारने तथा निखारने में, जितनी हो सकी, सहायता करते रहे। बाद के पत्र-व्यवहार से मालूम होता है, वे उनके जीवन का एक अंग बन गये थे। वैसे निगमजी उम्र में प्रेमचन्द से छोटे थे, पर प्रेमचन्द उन्हें बड़े भाई की तरह मानते थे और जिन्दगी के हर मामले में उनसे सलाह-मशवरा करते रहते थे।

प्रेमचन्द की मृत्यु पर 'जमाना' के 'प्रेमचन्द अंक' में उन्होंने 'प्रेमचन्द की बातें' शीर्षक से एक लेख लिखा। शुरू के अंश ही से उनके आपसी सम्बन्ध पर काफी प्रकाश पड़ता है–

"मेरे लिए प्रेमचन्द पर कोई मुदल्लल और मुफ़स्सल (प्रामाणिक और विस्तृत) मजमून लिखना कोई आसान काम नहीं है। उनका खयाल आते ही सालहा-साल की सैकड़ों पुरानी बातें याद आने लगती है; जिनमें मैं गुम-सा हो जाता हूं।

तीन साल के करीब मेरा-उनका दोस्ताना नहीं, बल्कि हक़ीक़ी तौर पर बिरादराना ताल्लुक रहा। जेहनी तौर पर (बौद्धिक रूप से) हम दोनों हर मामले में हमखयाल नहीं तो एक-दूसरे के हमदर्द जरूर थे। वे अक्सर असूली और जरूरी बातों में मेरी राय को बड़ी वक़अत देते थे।

अजीब बात है कि वे उम्र में मुझसे कुछ बड़े थे लेकिन शुरू से आखिर तक वे मुझे बड़े भाई की तरह समझते रहे। जिन दिनों हर वक्त की बेतकल्लुफी और हंसी-दिल्लगी रहती थी, उस वक्त भी वे मेरी बातों की बड़ी कद्र करते और मेरा बहुत लिहाज रखते थे। मेरे अजीज उनके अजीज और मेरे अहबाब (मित्र) उनके अहबाब थे। मुझे भी उनके किसी मामले में दखल देने में कभी पसोपेश नहीं हुआ। बहुत से अमूर (मामलों) में तो जो मेरी राय होती, उसी पर वे कारबन्द होते थे।"

प्रेमचन्द जब 1905 में कानपुर आये तो बहुत दिनों तक मुन्शी दयानारायण निगम के साथ एक ही मकान में रहे और फिर पड़ोस में एक दूसरा मकान किराये पर ले लिया। सन् 1907 तक वे उसी मकान में रहते रहे। इसके बाद उनका तबादला हमीरपुर में हो गया, वे कानपुर से चले गये। यह तीन वर्ष का अल्प समय बहुत ही सुन्दर समय था। 'जमाना' दफ्तर में

साहित्यिक गोष्ठियां होती थीं। खूब वाद-विवाद और आलोचना होती थी। निगम साहब इस सिलसिले में लिखते हैं—

"कई साल एक साथ रहने का इत्तफ़ाक हुआ और यह मेरी जिन्दगी का बेहतरीन जमाना था। प्रेमचन्द, नौबतराय 'नजर', दुर्गासहाय 'हसरत' और कई अहबाब व अज्जा (मित्र और सम्बन्धी) शाम के वक्त दो-तीन घण्टे के लिए यकजा (एकत्रित) हो जाते और जिन्दगी का कोई मरहला और दीन-दुनिया का कोई मसला याराने-बे-तक़ल्लुफ के गौरोफ़िक्र (विचार-विनिमय) से महफूज न रहता। वाकआते-आलम (विश्व घटनाओं) पर बहसें होतीं, हर मामले पर रद्दोकद (वाद-विवाद) होती, हर मसले की छान-बीन की जाती। एक-दूसरे की नुक्ताचीनी होती, खूब मजाक होता, कहकहे पर कहकहे उड़ते...।"

प्रेमचन्द बहुत ही उदारचित्त और विनोद-प्रिय व्यक्ति थे। मित्रगण उनके सौजन्य और नम्रता के कायल थे। बातें करने और मित्रों का जी बहलाने का उनमें विशेष गुण था। मुन्शी प्यारेलाल 'शाकिर' मेरठी इन्हीं दिनों कानपुर आकर रहने लगे थे। उन्हें प्रेमचन्द की मित्रता का सौभाग्य प्राप्त था। उन्होंने प्रेमचन्द से अपनी पहली मुलाकात का जिक्र इस प्रकार किया है—

"प्रेमचन्द से मेरी पहली मुलाकात, कानपुर रेलवे स्टेशन पर जून, सन् 1907 में हुई थी। मुझे मुन्शी दयानारायण निगम ने बन्नू (सीमा-प्रान्त) से बुलाया था। प्रेमचन्दजी मेरे इस्तक़बाल (स्वागत) को स्टेशन पर आये थे। मैं सामान उतरवाने की गरज से ब्रेक की तरफ चल दिया और बीवी-बच्चे एक तरफ प्लेटफार्म पर खड़े होकर मेरा इन्तजार करने लगे। मुन्शी साहब इधर-उधर देखते हुए वहीं आ निकले। मेरी बीवी से, बच्चों के बाप का नाम पूछा। जब मालूम हुआ कि वे मेरे ही बच्चे हैं तो बड़े तपाक से मिले और हंस-हंसकर बातें करने लगे। थोड़ी देर बाद मैं आया तो मेरी बीवी ने उनका तआरुफ (परिचय) कराया—आप मुन्शी नवाबराय हैं। कुछ देर तो प्लेटफार्म पर ही बातें होती रहीं, बाद में बाहर निकलकर गाड़ी पर सवार हुए। स्टेशन से नया चौक काफी दूर था, लेकिन प्रेमचन्द की वजह से दूरी मुतलक महसूस न हुई। वे रास्ते-भर बेतकल्लुफी से बातें करते रहे, गोया पुराने मिलने वाले हों।"

शाकिर साहब आगे लिखते हैं—

"कानपुर में लगभग डेढ़-दो साल तक मेरा-उनका साथ रहा। करीब-करीब हर रोज मुलाकात होती थी और अपने दुःख-दर्द की बात एक-दूसरे से कहते थे। उनकी तबीयत में हर दरजा इनकसार (नम्रता) और इस्तगना (उदारता) था। अगरचे खुद भी कुछ खुशहाल न थे, मगर दूसरों की मदद को

फौरन तैयार हो जाते थे। तसन्ना (आडम्बर) से उनको नफरत थी। साफदिली और साफ-गोई (स्पष्टवादिता), शियार, हददरजा बजलासंजी (लतीफे कहने वाले) और जरीफ-उल्तबा (विनोद-प्रिय) थे। हमेशा कहकहा मारकर हंसते थे और जोर से हंसते थे कि देखने वाले को भी हंसी आ जाती थी।''

उनकी नम्रता, सादगी और मिलनसारी में आगे चलकर भी कोई फर्क नहीं आया। 1930 में जब वे 'माधुरी' हिन्दी, लखनऊ, के संम्पादक थे, कहानीकार जैनेन्द्रकुमार उनसे मिलने गए। गाड़ी प्रातःकाल जाती थी। प्रेमचन्द कैसर बाग में एक मकान की ऊपर की मंजिल में रहते थे। जैनेन्द्रकुमार ने मकान पर नीचे से आवाज दी। फौरन जवाब मिला और धोती-कुर्ता पहने, बिखरे बालों वाला एक पतला-दुबला आदमी नीचे आया और लिवा ले गया। उन्हें एक कमरे में बैठाकर वह स्वयं उनके नहाने-धोने का प्रबन्ध करने चला गया। इस बीच जैनेन्द्रकुमार ने प्रेमचन्द के बड़े लड़के श्रीपतराय से कहा—

'प्रेमचन्दजी कहां हैं? मैं उनसे मिलना चाहता हूं।'

'आप ही तो थे।' लड़के ने उत्तर दिया।

जैनेन्द्रकुमार चकित रह गये।

प्रेमचन्द की उदारता, सहृदयता और मित्रों के प्रति व्यवहार के बारे में दयानारायण निगम ने काफी कुछ लिखा है। एक उद्धरण देखिए—

''दोस्तों से मसलूक होना (सद्व्यवहार करना) चाहते थे। जहां तक हो सकता था, लोगों की हाजतरवाई (आवश्यक पूर्ति) करते थे। मगर इसमें कभी-कभी तकलीफ हो जाती थी। जैसा कि महदूद जराय (सीमित साधन) रखने वाले हर दोस्तनवाज और हमदर्द इन्सान को बारहा तजुरबा हुआ होगा; उन्हें भी खिलाफे-तवक्का (आशा के विपरीत) नुकसान पेश आ जाते थे और वे अजराहे-बशरियत (मानवस्वभाव से) कभी-कभी दिल में पछताने लगते थे; और खुद अपनी नुक्ताचीनी करने लगते थे। चुनांचे एक खत में लिखते हैं—

'ऐसे मौके भी आये हैं, जब मुझे दोस्तों की खातिर अपने ऊपर इन्तहाई जब्र करने पड़ते हैं। लेकिन मैंने अपनी असली हालत को शायद उन पर जाहिर होने नहीं दिया, और उन्हें यह भ्रम रहा कि मैं कोई मुतमव्वल (सम्पन्न) आदमी हूं। फिजूल-खर्ची से मुझे आशनाई नहीं, लेकिन तमव्वल (सम्पन्नता) का इजहार मुझे पनपने नहीं देता।'

दरअसल यह तमव्वल (सम्पन्नता) का इजहार न था, बल्कि इन्सानी गैरत और दूसरों के साथ हमदर्दी का तकाजा था कि कोई खास सरमाया न होने के बावजूद और अपनी आइन्दा जरूरतों को नजर-अन्दाज करके भी वे

जरूरतमन्द दोस्त-आशनाओं की कारबरदारी को तैयार रहते थे।

बीसों दफा ऐसा हुआ कि वे अपने लिए कोई जरूरी चीज खरीदकर लाये; मगर किसी अजीज ने उसे पसन्द किया और वे दम-बखुद (चुप साधना) हो गये। लोगों ने उन्हें धोखा भी दिया, खुद-गरज अहबाब से भी उन्हें साबका पड़ा; मगर वे सबको हंसी-खुशी निभाते रहे।...जब प्रेमचन्द कानपुर में स्कूल मास्टर थे और कलील तनख्वाह पाते थे, वे अपने लिए एक नया कोट सिलवा लाये और एक नया जूता भी खरीद लाये। मगर दोनों चीजें उनके एक नादार अजीज (निर्धन सम्बन्धी), जो उन दिनों उनके साथ रहते थे, बे-पूछे इस्तेमाल करने लगे। प्रेमचन्द ने उसका कोई खयाल न किया और खुशी खातिर से अपना पुराना कोट और पुराना जूता पहनते रहे।..."

प्रेमचन्द की पत्नी, शिवरानी देवी, ने भी अपनी पुस्तक 'प्रेमचन्द : घर में' में कुछ ऐसी ही घटनाओं का उल्लेख किया है, जिनसे उनके त्याग, सहृदयता और सद्व्यवहार का पता चलता है। एक बार शिवरानी देवी ने बड़ी मुश्किल से कुछ रुपये जोड़कर कोट सिलवाने को दिये, लेकिन प्रेमचन्द वे रुपये अपने प्रेस के मजदूरों में बांट आये। उनके लिये कोट सिलवाने का प्रबन्ध फिर से करना पड़ा। 'जो अच्छा इंसान नहीं है, वह अच्छा लेखक भी नहीं हो सकता।' प्रेमचन्द के इस उद्धरण से पता चलता है कि प्रेमचन्द कितने सहृदय और महान् व्यक्ति थे। यही उनके महान् लेखक होने की दलील है। साहित्य में उनकी महानता को समझने के लिए जिन्दगी के इस पहलू को भी समझ लेना जरूरी है।

कानपुर में उन्होंने बहुत कुछ सीखा। पढ़ने का शौक उन्हें पहले ही था, यहां आकर इस शौक को और आगे बढ़ाने, अपने विचारों को एक सांचे में ढालने और संयत करने का अवसर मिला, उनका अध्ययन व्यापक होता गया। शाकिर साहब मेरठी लिखते हैं–

"मुन्शी प्रेमचन्द को मुताला (अध्ययन) का बहुत शौक था। शायद ही कोई ऐसा मौजूअ (विषय) होगा, जिस पर एकआध किताब उनकी नजर से न गुजरी हो। इसके साथ ही हाफिजा (स्मरण-शक्ति) भी बला का था। किस्सा-कहानी की किताबें पढ़ना और उन्हें याद रखना तो कोई काबिले-तारीफ बात नहीं, लेकिन मुन्शी प्रेमचन्द इल्मी व सयासी कुतुब, रयासल के अहम मतालब (विशेष आशय) इस तरह दोहरा दिया करते थे, गोया पढ़कर सुना रहे हैं। सयासी मामलात में उनका दिमाग खूब काम करता था। रिसाला 'जमाना' में अहम सयासी वाकाआतो-हालात (विशेष घटनाओं) पर एक माहाना

तफ़सरा (मासिक-समीक्षा) 'रफ्तारे-जमाना' के नाम स छपा करता था...लोग तवज्जा व शौक से इसको पढ़ते थे। 1907-8 के बाज तफ़सरों का बड़ा जुज़ (भाग) मुन्शी प्रेमचन्द ही लिखते थे। उन्होंने बाज किताबों पर तनकीदें (समीक्षाएं) भी लिखीं, और वे तनकीदें 'जमाना' की बेहतरीन तनकीदों में शुमार की जा सकती हैं।"

सय्यद अली जवाद ज़ैदी लिखते हैं—

"कानपुर में प्रेमचन्द को खुदा-दाद सलाहियतों (ईश्वरदत्त योग्यताओं) के इस्तेमाल के काफी मौके हासिल हुए। 'आजाद' और 'जमाना' के सफहात (पृष्ठ) हमेशा उनके लिए खुले रहते थे और इसी मश्क ने अदारत (सम्पादन) के तमाम मुबादियात (आवश्यक बातें) और असूलों से वाकिफ कर दिया। 'आजाद' मुन्शी दयानारायण निगम का हफ्तावार अखबार था, जो 'जमाना' ही के दफ्तर से निकलता था। प्रेमचन्द इन दिनों 'नवाबराय' के नाम से लिखते थे। मजमून नवीसी (निबन्ध-रचना) का उन्हें ज्यादा शौक न था। लेकिन मुन्शी दयानारायण निगम की सुहबत और हुस्ने-सलूक (सद्व्यवहार) उन्हें ज्यादा लिखने की तरफ मायल करता रहा। जब मुन्शी दयानारायण निगम से भी उनके इतने गहरे ताल्लुकात हो गये थे तो यह दोनों पर्चे भी एक तरह उनके अपने ही थे, इसलिए उनके लिए लिखना जरूरी था।"

प्रेमचन्द से अपने ताल्लुकात की इब्तदा (आरम्भ) की चर्चा करते हुए मुन्शी दयानारायण लिखते हैं—

"...दो ही साल के बाद उनका तबादला गवर्नमेंट हाई स्कूल, कानपुर हो गया...इस तरह बेजाब्ता हैसियत से आपको 'जमाना' की असिस्टेंट एडीटरी की पोजीशन हासिल हो गयी।"

इस बेजाब्ता सम्पादन ने प्रेमचन्द को बहुत कुछ सिखा दिया। यहां उन्होंने जो कुछ लिखा वह उनके साहित्य का अंग भले न हो; पर उनके व्यक्तित्व का विशेष अंग अवश्य बन गया। उन्होंने यहां जो परिश्रम किया, उससे उनका राजनैतिक और सामाजिक ज्ञान बढ़ा, विचार संयत और व्यापक हुए। उन्होंने बहुत बड़ी बात को संक्षेप में कहना सीखा, जो एक लेखक के लिए परमावश्यक है। जब तक भावनाओं को व्यक्त करने की योग्यता न हो, राजनीतिक और सामाजिक ज्ञान पर्याप्त न हो, कोई लेखक, लेखक कहलाने का दावा नहीं कर सकता। प्रेमचन्द में हमें जो जहां-तहां मनोहर उपमायें और सूक्तियां, मुहावरे मिलते हैं, वे इस प्रकार के परिश्रमों के फलस्वरूप हैं।

आम आदतों के बारे में मुन्शी दयानारायण निगम लिखते हैं—

"प्रेमचन्द खाने-पीने में परहेज के आदी न थे। यही कारण है कि पेट के रोग का सफलता से मुकाबला नहीं कर सके। भोजन के बारे में, उनसे देर तक कोई पाबन्दी न होती; तनिक-सी प्रेरणा पर बदपरहेजी कर बैठते थे।

मिजाज भी कभी-कभी चिड़चिड़ा हो जाता था। प्रायः तनिक-सी बात इच्छा के विरुद्ध हो जाने पर खिन्न हो जाते थे। लेकिन अगर दूसरे व्यक्ति ने अपनी गलती मान ली, अथवा खिन्नता का कारण दूर करने की तनिक भी कोशिश की, तो फौरन पानी हो जाते थे। जब उन्हें यह खयाल होता कि दूसरे को उनकी कोई परवाह नहीं तो उनके दिल पर जरूर चोट लगती थी।

शुरू जिन्दगी की धारणाओं और अनुभूतियों के आधार पर प्रेमचन्द ने जीवन की समस्याओं और आवश्यकताओं के बारे में कुछ सिद्धान्त बना लिये थे...शुरू में ये सिद्धान्त इतने स्पष्ट न थे, लेकिन उम्र के साथ सिद्धान्त उनके लेखों, भाषणों और व्यवहार-बरताव का अंग बनते गये।"

7. सोजे-वतन

"वही तलवार, जो केले को भी नहीं काट सकती; सान पर चढ़कर लोहे को भी काट सकती है। मानवजीवन में लाग बड़े महत्व की वस्तु है। जिसमें लाग है, वह बूढ़ा भी जवान है। जिसमें लाग नहीं, गैरत नहीं, वह जवान होकर भी मृतक है।"
—प्रेमचन्द

कानपुर से प्रेमचन्द सन् 1908 में महोबा, जिला हमीरपुर में डिस्ट्रिक्ट बोर्ड के सब-इंसपेक्टर होकर चले गए। महोबा में छः साल तक बराबर रहे, और वहीं उन्होंने अपनी प्रसिद्ध ऐतिहासिक कहानियां 'राजा हरदौल', 'आल्हा', 'रानी सारंधा' और 'विक्रमादित्य का तेगा' आदि लिखीं। इनमें बुन्देले राजपूतों की वीरता और त्याग का चित्रण किया गया है, और उनका संक्षिप्त उपन्यास 'रूठी रानी' भी इन्हीं बुन्देले राजपूतों की निर्भीकता और शूरता से सम्बन्धित है। इन कहानियों के पात्रों के लिए आन पर मर-मिटना मामूली बात है; लेकिन राजपूतों के इस त्याग और बलिदान की प्रशंसा से प्रेमचन्द का अभिप्राय पुनरुत्थान कदापि न था। इन कहानियों द्वारा वे हिन्दुस्तान की जनता के स्वाभिमान और साहस को सजग करते हैं, सोई हुई गैरत को जगाते और उदासीनता को भंग करते हैं।

सन् 1905 में विश्व-व्यापी आर्थिक संकट फैला। पूंजीवादी व्यवस्था का यह सबसे पहला भयानक संकट था। उपनिवेशों का विभाजन पूरा हो चुका था। जर्मनी आदि देशों के नये पूंजीवाद को फैलने के लिए कोई स्थान नहीं रह गया था। इस आर्थिक अव्यवस्था का आन्तरिक विरोध पूर्ण रूप से उभर आया था। आगे चलकर यही विरोध सन् 1914 का विश्व-व्यापी युद्ध बन गया।

इस आर्थिक संकट के साथ ही सन् 1905 में दुनिया-भर में बेकारी फैल गई। नतीजा यह हुआ कि एशिया के देशों में पश्चिमी साम्राज्यवादियों के विरुद्ध स्वतन्त्रता-संग्राम संगठित और तेज होने लगा। हिन्दुस्तान में इस स्वतन्त्रता-संग्राम ने बंग-भंग के विरुद्ध आन्दोलन का रूप धारण किया। कांग्रेस, जिसका काम अब तक प्रस्ताव पास करना और रियायतें मांगना था, 'स्वराज्य' की बातें करने लगी और उसमें गर्म-दल की बुनियाद पड़ गई। अंग्रेज शासकों ने शिक्षणालयों पर कब्जा करके हिन्दुस्तान के इतिहास को सर्वथा विकृत कर दिया था। वे नव-विकसित दिमागों में निरुत्साह की यह भावना भर देना चाहते थे कि हिन्दुस्तानी कौम सदैव से पिछड़ी हुई है, और वह सिर्फ दास बनी रहने के लिए पैदा हुई है। इस भ्रान्तिपूर्ण धारणा का खंडन करने के लिए रानाडे, तिलक और लाजपतराय आदि कांग्रेसी नेताओं और बुद्धिजीवियों ने इतिहास को फिर से लिखा, ताकि इस हीन भावना को दूर किया जाय। इतिहास एक शस्त्र-गृह है, जहां से शासित जातियों को अपने विदेशी शासकों के विरुद्ध लड़ने के लिए संघर्ष की प्रेरणा मिलती है। प्रेमचन्द ने भी शायद इसी उद्देश्य से ऐतिहासिक कहानियां लिखी थीं। लेकिन उनके जेहन की साख्त (मानसिक बनावट) कांग्रेजी नेताओं से मुख्तलिफ थी। वे जनता में से उत्पन्न हुए थे और जनता के लिए संघर्ष को आगे बढ़ाना चाहते थे; इसलिए इतिहास के बारे में उनका दृष्टिकोण नेताओं से भिन्न था। उन्होंने अपनी ऐतिहासिक कहानियों में जनता को मुखातिब किया है।

अगर लेखक अपने समय से आगे न जा सके, तो कम-से-कम अपने समय का साथ देना तो उसका परम कर्त्तव्य है। प्रेमचन्द ने अपनी कहानियों में देश-प्रेम की भावनाओं को उभारा है। 'संसार का सबसे अमूल्य रत्न' में, जिसे वे अपनी पहली कहानी कहते हैं, और जो सन् 1907 में प्रकाशित हुई थी, रक्त के उस बिन्दु को अमूल्य रत्न कहा गया है, जो देश-प्रेम में बहाया जाता है। उनके उपन्यास 'वरदान' का आरम्भ इस प्रकार होता है–

"मां, देवी की पूजा निरन्तर करती है। जब देवी उसकी अर्चना और आराधना से प्रसन्न हो जाती है, तो मां वरदान मांगती है–'मुझे ऐसा बेटा प्रदान कर...।' देवी ने पूछा–'जो बहुत धनवान् हो, बलवान हो, अथवा संसार भर में विख्यात हो?' मां ने उत्तर दिया–'नहीं, अपने देश का उपकार करे'।"

यह उपन्यास इन्हीं दिनों लिखा गया था और 1912-13 में प्रकाशित हुआ था। इस उपन्यास से पहले उनकी एक पुस्तक 'सोजे-वतन' के नाम से उर्दू में छपी थी, जो उनके जीवन में बड़ा महत्त्व रखती है। इस पुस्तक से

विदेशी शासकों के विरुद्ध, उनके संघर्ष का सूत्रपात होता है, जिसे फिर वे आजीवन पूरी लगन के साथ आगे बढ़ाते रहे, एक इंच भी पीछे नहीं हटे, उनका पग सदैव आगे पड़ता रहा। अंत में यह संघर्ष हर प्रकार के राजनीतिक और सामाजिक शोषण और प्रतिक्रियावाद के विरुद्ध संघर्ष बन गया। यह संघर्ष उनकी साहित्यिक रचनाओं को प्रतिभा प्रदान करता रहा।

'सोजे-वतन' में कुल मिलाकर पांच कहानियां संकलित हुई थीं। 'दुनिया का सबसे अनमोल रत्न' के अतिरिक्त चार कहानियां और थीं। यह संग्रह जमाना प्रेस, कानपुर द्वारा मुद्रित हुआ था, मूल्य पांच आने था। ये सब कहानियां देश-प्रेम की भावना से ओत-प्रोत थीं। विदेशी शासक अंग्रेज बहादुर यह कैसे सहन कर सकते थे कि कोई लेखक हिन्दुस्तानियों में देश-प्रेम को जगाने का दुस्साहस करे। उन्होंने सिर्फ किताब ही जब्त न की बल्कि जितनी प्रतियां हाथ लगीं, उन्हें जला दिया गया। यह पहला अवसर था कि किसी लेखक की पुस्तकों को उसकी आंखों के सामने यों अग्नि की भेंट कर दिया गया हो। शायद वे समझते थे कि इससे लेखक की देश-प्रेम की भावना भी जल जाएगी; लेकिन यह गोरे शासकों की भूल थी। इस जब्र से यह शोला और भी भड़क उठा।

'सोजे-वतन' की कहानियां कला की कसौटी पर पूरी नहीं उतरतीं। फ़िराक गोरखपुरी ने लिखा है—

"तीस बरस हुए, उनकी पांच कहानियां 'सोजे-वतन' के नाम से जमाना प्रेस, कानपुर से प्रकाशित हुईं। प्रेमचन्द और उनके समकालीन अन्य लेखकों ने उर्दू-हिन्दी भाषा में कहानी-कला को उस शिखर पर पहुंचा दिया है, जहां आज हम उसे देखते हैं। इस समय की उच्च कोटि की रचनाओं के उज्ज्वल प्रकाश ने, इस पुस्तक के हल्के और धीमे प्रकाश को साये में डाल दिया। मगर कथा-साहित्य में एक उच्च निशान है। देश-प्रेम की उत्कृष्ट भावना इन पृष्ठों में सांस ले रही है। इन कहानियों में कोई बात आपत्तिजनक नहीं है। वे निहायत इत्मीनान से लड़के-लड़कियों की पाठ्य-पुस्तकों में दरज की जा सकती हैं; लेकिन तीस वर्ष पहले की दुनिया और थी। चौकस और अपनी ही करतूतों से डरने वाली सरकार ने लेखक से जवाब-तलबी की। मुझे उनसे परिचित हुए बहुत दिन नहीं बीते थे, जब उन्होंने अपनी स्पष्ट और सादी भाषा में मुझसे बयान किया कि इंसपेक्टर ऑफ स्कूल्ज ने उन्हें किस प्रकार अपनी पुस्तकों की पांच सौ प्रतियों में आग लगा देने के लिए मजबूर किया।"

प्रेमचन्द के मन पर इस घटना का गहरा प्रभाव पड़ा। कोई भी मित्र

और सम्बन्धी ऐसा न होगा, जिससे उन्होंने इस घटना का जिक्र न किया हो और वर्णन करते समय उनके हृदय की वेदना और जलन न उबल पड़ी हो। एक घाव था, जो हर समय रिसता रहता था और निदान का मरहम नहीं मिलता था।

मुन्शी प्यारेलाल शाकिर मेरठी लिखते हैं–

"1910 या 1911 का जिक्र है। मुन्शी साहब उस समय स्कूलों में डिप्टी-इंसपेक्टर थे और हमीरपुर में रहते थे। किसी खास जरूरत से मुझे कानपुर जाना पड़ा। संयोगवश बाजार में मुन्शी प्रेमचन्द से भेंट हो गई। एक घण्टे तक साथ रहा। इसी एक घंटे में दुनिया-भर की बातें हो गईं। मैंने 'सोजे-वतन' के बारे में कैफियत दरियाफ्त की तो कहा–'क्या कहूं? बड़ी मुसीबत में फंस गया था। वह तो खैरियत हुई कि किताबें देकर पीछा छूट गया, वरना जान पर आ बनी थी। जान बची और लाखों पाये।' कहकर बड़े जोर का कहकहा लगाया। इसके बाद फरमाया–'मुन्शी दयानारायण निगम के प्रेस से पहली पुस्तक 'सोजे-वतन' छपी थी, मालूम नहीं किस कारण से पुस्तक पर प्रकाशक और मुद्रक का नाम नहीं छपा। जाहिर है कि ऐसी गलती जान-बूझकर नहीं हुआ करती; मगर सुनता कौन है? जांच-पड़ताल हुई, तो इस सिलसिले में मेरा नाम भी खुल गया। खुद ही सोचो कि एक सरकारी मुलाजिम और 'सोजे-वतन' जैसी विषैली पुस्तक का लेखक! तौबा! तौबा!! वह तो अच्छा हुआ कि पुस्तकों पर बला टल गई, वरना क्या ताज्जुब था कि मांडले की हवा खानी पड़ती।' इतना कहकर फिर जोर का कहकहा लगाया कि बाजार वाले भी हक्का-बक्का रह गये।"

शाकिर साहब आगे लिखते हैं–

"सोजे-वतन छोटी-सी पुस्तक थी। जिसमें पांच-छः कहानियां थीं और कीमत भी पांच-छः आने से अधिक नहीं थी। लेकिन यही पुस्तक है, जिसने उन्हें प्रेमचन्द बना दिया। ये कहानियां, जैसा कि पुस्तक के नाम से विदित है, देश-प्रेम और राष्ट्रीय भावनाओं को व्यक्त करती थीं। आम तौर पर उनको बहुत पसंद किया गया था। मुन्शी साहब शिक्षा विभाग से सम्बन्धित थे। 'सोजे-वतन' पर न सिर्फ ऐतराज हुआ, बल्कि मुलाजिमत तक के लाले पड़ गये। खुदा-खुदा करके वह बला टल गई और उसी के साथ मुन्शी साहब की भी काया पलट गई।"

अब तक वे 'नवाबराय' के नाम से लिखते थे। इस घटना के पश्चात् उन्होंने 'प्रेमचन्द' के नाम से लिखना शुरू किया। नाम बदलते हुए उन्हें

मानसिक वेदना सहन करनी पड़ी। मुन्शी दयानारायण निगम को भी 'सोजे-वतन' पर प्रिंट लाइन न छापने के अपराध में पचास रुपये जुर्माना अदा करना पड़ा था। इस घटना से उनका भी सीधा सम्बन्ध था और 'प्रेमचन्द' नाम उन्होंने तजवीज किया। लिखते हैं—

''प्रेमचन्द' शुरू में 'नवाबराय' के नाम से लिखा करते थे और यह नाम उन्हें बहुत प्रिय था, क्योंकि उनके पिता प्यार से उन्हें 'नवाब' के नाम से पुकारा करते थे। यह नाम हिन्दू-मुसलमानों की सामाजिक एकता की भी याद ताजा रखने वाला था; मगर जब 'सोजे-वतन' की बेजाब्ता-जब्ती के बाद उनके अफसरों ने उन्हें लिखने और किताबें छापने की मनाही कर दी, तो उनको यह नाम छोड़ना पड़ा। संकीर्ण-हृदय अफसरों का बस चलता, तो आज हिन्दुस्तानी साहित्य में प्रेमचन्द का वजूद ही न होता; मगर नदी का प्रवाह किसने रोका है? हवा का रुख कौन बदल सकता है? 'नवाबराय' की आत्मा ने 'प्रेमचन्द' का चोला पहनकर जन्म लिया। यह नाम इन शब्दों के लेखक ने तजवीज किया था और चिरकाल तक वे इस नाम से 'जमाना' ही में लिखते रहे। यह पाबन्दी खुद उनकी मुहब्बत ने उन पर आयद की थी वरना कोई मुतालबा या मुआहिदा (समझौता) न था।

प्रेमचन्द इस बात में विश्वास नहीं रखते थे कि सरकार चाहे जितनी ज्यादती करे और वे उसके साथ ईमानदारी बरतते रहें। 'सोजे-वतन' की जितनी प्रतियां उनके पास थीं, वे उन्होंने अफसरों के हवाले कर दीं; मगर मेरे पास जो स्टाक बाकी रह गया था, उसकी किसी ने खबर न ली, यह पुस्तकें नष्ट होने से बच गईं, और धीरे-धीरे बिकती रहीं। अफसरों ने प्रेमचन्द के लिखने और संकलन आदि के करने पर जो पाबन्दी लगा दी थी, उसे वे उचित नहीं समझते थे। खुले तौर पर विरोध न कर सकने पर 'प्रेमचन्द' का नाम अख्यार करके पहले से भी अधिक उत्साह से लिखने लगे। 'प्रेमचन्द' नाम के विषय में उनके एक पत्र का उद्धरण यहां देना अनुचित न होगा, जो उन्हीं दिनों उन्होंने मुझे लिखा था—

'जनाबेमन! एक कार्ड लिख चुका हूं। अब मुफस्सल ख़त लिख रहा हूं। मैंने 'विक्रमादित्य का तेगा' एक किस्सा लिखना शुरू किया है। बारह-तेरह पृष्ठ लिख चुका हूं। शायद पांच-छः पृष्ठ और चलें, जल्दी ही खतम करके भेजूंगा।

'प्रेमचन्द' अच्छा नाम है, मुझे भी पसन्द है। अफसोस सिर्फ यह है कि पांच-छः साल में 'नवाबराय' को फिरोग देने (प्रसिद्ध करने) की जो मेहनत की गई, वह सब अकारथ (व्यर्थ) गई। यह हजरत किस्मत के हमेशा लंडूरे

रहे, और शायद रहेंगे।

यह किस्सा (विक्रमादित्य का तेगा) मेरे खयाल में कई महीने से था। मैंने अपने खयाल में रवीन्द्रनाथ की तरज़ (शैली) की कामयाबी के साथ पैरवी की है; मगर बुरी नकल नहीं, प्लाट बिल्कुल ओरिजनल (मौलिक) है। मैंने तो कई कलमें तोड़ दीं और दस-पांच वरक भी काले कर डाले। मालूम नहीं, आपको पसन्द आता है या नहीं। यह किस्सा मिलाकर मेरे पांच किस्सों का मजमूआ (संग्रह) निकालने का काफी मसाला जमा हो जायेगा...इस मजमूआ का नाम मैंने 'वर्गे-सब्ज' सोचा है। शायद आं-जनाब को पसन्द आये। इसलिए कि नामों की पसन्द के बारे में आपकी पसन्द का कायल हूं।'

इसके बाद वे 'एजूकेशनल गजट' इलाहाबाद में लेख लिखने का विचार प्रगट करते हैं और उसे दूसरे नाम से भेजना तजवीज करते हैं। लिखते हैं–

'मेरे लिए कलक्टर को हर एक मजमून दिखाने की ऐसी पख लगी है कि एक मजमून महीनों में लौटकर आता है...एजूकेशनल गजट में प्रेमचन्द का नाम नहीं देना चाहता। मालूम नहीं यह हजरत हाथ-पांव संभालने पर क्या लिखें-पढ़ें। इन्हें किस्सा-गो (कहानीकार) ही रहने दीजिये। बैठे-बैठे प्रेम-रस और वीर-रस के किस्से लिखा करें।'

इससे पहले कुलपहाड़ जिला हमीरपुर से लिखा–

'नवाबराय तो कुछ दिनों के लिए इस जहान से गये। दोबारा याददहानी हुई कि तुमने मुआहिदे में गो अखबारी मजामीन (लेख) नहीं लिखे; मगर इसका मंशा हर किस्म की तहरीर से था, गोया खाह मैं किसी उनवान (विषय) पर लिखूं, खाह वह हाथी दांत पर ही क्यों न हो, मुझे पहले जनाब फैज-मआब (माननीय) कलक्टर साहब बहादुर की खिदमत में पेश करना होगा और मुझे छठे-छमाहे लिखना नहीं। यह तो मेरा रोज का धंधा ठहरा। हर माह एक मजमून साहब बहादुर की खिदमत में पहुंचे तो वह समझेंगे कि मैं अपने सरकारी फरायज (कर्तव्य) में खयानत करता हूं। और काम सिर पर थोपा जाएगा, इसलिए नवाबराय मरहूम (स्वर्गवासी) हुए, उनके जांनशीन (उत्तराधिकारी) कोई और साहब होंगे'।''

प्रेमचन्द ने 'जीवन-सार' के नाम से जो संक्षिप्त जीवन-कथा लिखी है, उसमें 'सोजे-वतन' की जब्ती का जिक्र विस्तार से किया है। कॉलेज में पढ़ने का अरमान दिल में रह जाने की तरह इस घटना ने भी उनके मन को विशेष रूप से प्रभावित किया था। लिखते हैं–

''उस वक्त मैं शिक्षा विभाग में सब-डिप्टी इन्सपेक्टर था और हमीरपुर

जिले में तैनात था। पुस्तक को छपे छ महीने हो चुके थे। एक दिन मैं रात को अपनी रावटी में बैठा हुआ था कि मेरे नाम जिलाधीश का परवाना पहुंचा कि मुझसे तुरन्त मिलो। जाड़ों के दिन थे, साहब दौरे पर थे। मैंने बैलगाड़ी जुतवाई और रातों-रात 30-40 मील तय करके, दूसरे दिन साहब से मिला। उनके सामने 'सोजे-वतन' की एक प्रति रखी हुई थी। मेरा माथा ठनका। उस वक्त मैं 'नवाबराय' के नाम से लिखा करता था। मुझे इसका कुछ-कुछ पता मिल चुका था कि खुफिया पुलिस इस किताब के लेखक की खोज में है। समझ गया, उन लोगों ने मुझे खोज निकाला और उसी की जवाबदेही करने के लिए मुझे बुलाया गया है। साहब ने पूछा—'यह पुस्तक तुमने लिखी है?'

मैंने स्वीकार किया।

साहब ने मुझसे एक-एक कहानी का आशय पूछा और अन्त में बिगड़कर बोले—'तुम्हारी कहानियों में 'सिडीशन' (राजद्रोह) भरा हुआ है। अपने भाग्य को बखानो कि अंग्रेजी अमलदारी में हो। मुगलों का राज होता तो तुम्हारे दोनों हाथ काट लिए जाते। तुम्हारी कहानियां एकांगी हैं, तुमने अंग्रेजी सरकार की तौहीन की है' आदि। फैसला यह हुआ कि मैं 'सोजे-वतन' की सारी प्रतियां सरकार के हवाले कर दूं और साहब की अनुमति के बिना कभी कुछ न लिखूं। मैंने समझा, चलो सस्ते छूटे। एक हजार प्रतियां छपी थीं। अभी मुश्किल से तीन सौ बिकी थीं, शेष छः सौ प्रतियां मैंने 'जमाना कार्यालय' से मंगवा, साहब की सेवा में अर्पण कर दीं।

मैंने समझा था, बला टल गई; किन्तु अधिकारियों को इतनी आसानी से सन्तोष न हो सका। मुझे बाद में मालूम हुआ कि साहब ने इस विषय में जिले के अन्य कर्मचारियों से परामर्श किया। सुपरिण्टेण्डेण्ट पुलिस, दो डिप्टी कलक्टर और डिप्टी इन्सपेक्टर—जिनका मैं मातहत था—मेरी तकदीर का फैसला करने बैठे। एक डिप्टी कलक्टर साहब ने गल्पों से उद्धरण निकालकर सिद्ध किया कि इनमें आदि से अन्त तक सिडीशन (राजद्रोह) के सिवा और कुछ नहीं है; सिडीशन भी साधारण नहीं, बल्कि संक्रामक रोग के समान। पुलिस के देवता ने कहा—ऐसे खतरनाक आदमी को जरूर सख्त सजा देनी चाहिए। डिप्टी इन्सपेक्टर साहब मुझसे बहुत स्नेह करते थे, इस भाव से कि कहीं मुआमला तूल न पकड़ ले, उन्होंने यह प्रस्ताव किया कि वे मित्रभाव से मेरे राजनीतिक विचारों की थाह लेंगे और कमेटी में रिपोर्ट पेश करेंगे। उनका विचार था कि मुझे समझा दें और रिपोर्ट में लिख दें कि लेखक केवल कलम का उग्र है, राजनीतिक आन्दोलन से उसका कोई सम्बन्ध नहीं। कमेटी ने उनके

प्रस्ताव को स्वीकार किया, हालांकि पुलिस के देवता उस समय भी पैंतरे बदलते रहे।"

मुआमला रफा-दफा हो गया। लेकिन प्रेमचन्द ने अच्छी तरह समझ लिया कि अंग्रेज यों ही नहीं बिगड़ता। साहित्य, स्वतन्त्रता-संग्राम को आगे बढ़ाने का जबर्दस्त हथियार है और उन्होंने इस हथियार को पहले से अधिक तेज और प्रभावशाली बनाकर लड़ने का दृढ़ निश्चय कर लिया। अब लड़ाई जारी रखने के लिए उन्होंने जो नीति अपनाई, उसका जिक्र उन्होंने अपनी कहानी 'रानी सारन्धा' में किया है। यह कहानी उन्हीं दिनों लिखी गई थी। लिखते हैं–

"संसार एक रण-क्षेत्र है। इस मैदान में उसी सेनापति को विजय-लाभ होता है, जो अवसर को पहचानता है। वह अवसर पर जितने उत्साह से आगे बढ़ता है, उतने ही उत्साह से आपत्ति के समय पीछे हट जाता है। वह वीर पुरुष, राष्ट्र का निर्माता होता है। और इतिहास उसके नाम पर यश की वर्षा करता है।"

४. बम्बूक*

"जीवन को सुखी बनाना ही भक्ति और मुक्ति है, यदि तुम हंस नहीं सकते, रो नहीं सकते, तो तुम इंसान नहीं हो।" —प्रेमचन्द

माता-पिता ने प्रेमचन्द का नाम धनपतराय रखा, यह एक आम रिवाज है, कोई विशेष बात नहीं। सभी माता-पिता अपने बच्चे का एक नाम रखते हैं, लेकिन जब यह नाम सबकी जबान पर चढ़ जाता है, तो मां-बाप अपना प्यार जताने के लिए कोई और नाम रख लेते हैं। अजायबलाल अपने बेटे को दुलार से 'नवाब' कहा करते थे। धनपतराय ने बाद में इसे अपना 'उपनाम' बनाया और देर तक 'नवाबराय' के नाम से लिखते रहे। बाद में वे प्रेमचन्द बन गए। पर इसके अतिरिक्त उनका एक और नाम भी था, जो मित्रों ने रखा था। मित्र जो नाम रखते हैं, वह बहुत ही समझ-सोचकर रखते हैं। उसकी एक कहानी होती है और वह नाम मनुष्य के व्यक्तित्व को अपने भीतर समेटे हुए होता है। प्रेमचन्द का मित्रों द्वारा रखा हुआ नाम था—'बम्बूक'। यह नाम कैसे पड़ा? इसकी कहानी, उनके एक सहपाठी मित्र बाबू कृष्णलाल ने इस तरह कही है—

"पढ़ते-लिखते वक्त अक्सर अपना कमरा अन्दर से बन्द कर लिया करते थे। तफरीह के वक्त दिल खोलकर तफरीह करते। आपकी और मरहूम (स्वर्गीय) बाबू गिरजाकिशोर साहब, असिस्टेण्ट कमिश्नर, आबकारी की वजह से हमारा एक छोटा-सा लाफिंग-क्लब बन गया था, जिसका रोजाना इजलास मेरे ही कमरे में हुआ करता था। इसमें शायद और भी एक-दो साहब थे;

---

* बहुत हंसने और कहकहे लगाने वाला।

लेकिन इस वक्त खयाल नहीं आता। बहरहाल उनमें सभी हंसने वाले थे। मगर धनपतराय गजब करते। जब हंसते तो खूब हंसते, कहकहों पर कहकहे लगाते चले जाते। इसी वजह से हम लोग, खासकर यह अकिंचन, उन्हें 'बम्बूक' कहा करते थे। मुमकिन है, यह लकब (उपाधि) मेरा ही इखतरा (आविष्कार) हो। अक्सर इसी नाम से मेरी उनसे खतोकिताबत भी हुआ करती थी।''

यह उन दिनों की बात है, जब प्रेमचन्द ट्रेनिंग कॉलेज, इलाहाबाद में पढ़ते थे। मुन्शी प्यारेलाल शाकिर कानपुर की एक घटना का जिक्र करते हैं–

''बनावट से उनको घृणा थी। वे साफ बात कहने और सुनने के अभ्यस्त थे। बहुत ही सजीव और विनोदप्रिय व्यक्ति थे। सदा कहकहा मारकर हंसते थे और इतनी जोर से हंसते थे कि देखने वालों को भी हंसी आ जाती थी। एक बार का जिक्र है कि मुन्शी दयानारायण निगम के घर कुछ मित्र जमा थे। मुन्शी नौबतराय 'नजर', मुन्शी प्रेमचन्द और इन पंक्तियों के लेखक आदि मौजूद थे। करीब ही किसी छत पर ग्रामोफोन में बर्ट शेफर्ड का प्रसिद्ध लाफिंग सौंग (I sat in a corner) बजने लगा। कुछ देर मुन्शी प्रेमचन्द खामोश रहे, फिर यह कहकर कि लीजिये इस कहकहे में मैं भी उसका साथ देता हूं, कहकहा मारने लगे।''

यह कहकहे कुछ प्रिय मित्रों और चिरकाल तक साथ रहने वाले लोगों तक ही सीमित नहीं थे, बल्कि जिस व्यक्ति को उनसे पहली बार मिलने का सौभाग्य प्राप्त होता था; वह भी उनकी मनोरंजक और विनोदप्रिय प्रकृति से भली-भांति परिचित हो जाता था। वे जरा मौका मिलते ही, आदमी की उदासीनता को अपने कहकहों से उल्लसित कर देते थे। उनसे भेंट करके लौटने वाला व्यक्ति ऐसा महसूस करता था, जैसे उसके जीवन में किसी असाधारण उल्लास का स्थायी समावेश हो गया है।

श्री बनारसीदास चतुर्वेदी, भूतपूर्व सम्पादक 'विशाल भारत', ने उनसे अपनी भेंट का वर्णन इस प्रकार किया है–

''मुझे सबसे पहले, सन् 1924 में प्रेमचन्दजी से लखनऊ में मिलने का सौभाग्य प्राप्त हुआ।...उस समय वे 'रंगभूमि' उपन्यास लिख रहे थे। फिर भी उन्होंने मुझे काफी समय दिया। हम देर तक विभिन्न साहित्यिक समस्याओं पर बातचीत करते रहे। जो बात उनकी मुझे सबसे अधिक पसन्द आई, वह यह थी कि उनके स्वभाव में बनावट और आडम्बर का नाम भी नहीं था। ...उन्हें अपने मिलने वालों का संकोच दूर करने का विशेष गुण प्राप्त था। थोड़ी ही देर की बातचीत में उनके मिलने वालों की उनसे मित्रता हो जाती थी।

इसके बाद मुझे सन् 1932 में उनसे बनारस में मिलने का संयोग हुआ। और दो दिन तक उन्हीं के मकान पर रहा। इस सहवास के आनन्द को मैं आजीवन न भूल सकूँगा।"

उनके साथ रहने के इस मधुर आनन्द का स्मरण करते हुए चतुर्वेदीजी लिखते हैं—

"प्रेमचन्द बड़े विनोदशील, हाजिर जवाब और सजीव व्यक्ति थे। वे आपके साथ घंटों हँस सकते थे और अपनी बातों पर भी हँस पड़ते थे। ...एक बार बातों-ही-बातों में दिन के दो बज गए और खाना खाने की सुध न रही; यह देखकर प्रेमचन्दजी कहने लगे कि यह अच्छा है—श्रीमती जी के पास घड़ी नहीं; नहीं तो इस देरी के लिए झाड़ लगाती।"

मिर्जा मुहम्मद हसन अस्करी ने, जो बाद में नवलकिशोर प्रेस, लखनऊ में उनके सहकारी रहे, प्रेमचन्द से अपनी पहली मुलाकात का हाल इस प्रकार लिखा है—

"मुन्शी प्रेमचन्द से मेरी पहली मर्तबा मौलाना जफ़रुल मुल्क, एडीटर 'अलमनाजर' की हमराही में मुलाकात हुई। मुन्शी साहब को देखकर मेरे ऊपर एक खास असर पड़ा। दरम्याना कंद, छरहरा बदन, किताबरू (भव्य) चेहरा, नाक-नक्शा निहायत दुरुस्त, आँखें बड़ी और नुमायां, सफेद साफा बाँधे हुए, जो उन पर बहुत तेज देता था। यह साफा मैंने उन्हें अक्सर बांधे देखा है। मुझ पर मुन्शी साहब की जहनियत (मनोवृत्ति) और काबलियत का एक वक्त बड़ा असर हुआ। हरचन्द उन्होंने गुफ्तगू में कम हिस्सा लिया मगर हँसी-मजाक की बातों में हमारे साथ शामिल रहे। अगर सच पूछा जाय तो हम दोनों से ज्यादा हंसे। मुन्शी साहब की यह खसूसीयत (विशेषता) थी, जो उनकी जिंदादिली और नेकदिली की खास इलामत (चिह्न) थी कि अक्सर हँसते थे और जोर से कहकहे के साथ हँसते थे। और बाद में जब एक साथ काम करने का मौका मिला तो मैंने उनको दो-तीन बरस के दौरान में हमेशा शिगुफ्ता (प्रफुल्लित) और हँसमुख पाया। कभी गुस्सा उनके चेहरे पर न देखा। कभी-कभी मैं उनसे मजाक में कहता था, क्यों साहब क्या आपको गुस्सा कभी नहीं आता? क्या आप कभी घर में भी गुस्सा नहीं करते? इस पर वे हँस देते थे।"

उनके एक अन्य सहकारी मिरजा फिदाअली खंजर ने लिखा है—

"मुन्शी साहब बेहद खलीक (सुशील) हँसमुख, मुंकसर (नम्र) आदमी थे। मैंने उन्हें हमेशा मुस्कराते हुए पाया। पब्लिशिंग डिपार्टमेंट में मेरा कयाम 1928 तक रहा; इसलिए वक्तन-फवक्तन मुन्शी साहब से नयाज (भेंट) हासिल करने का शरफ (सौभाग्य) हासिल होता रहा। जब उन्हें कोई काम न होता, तो

पब्लिशिंग डिपार्टमेंट में चले आते और अपनी गुल फिशानियों (उल्लासपूर्ण बातों) से हमारे दिमाग को ताजा कर देते। कलम की तरह उनकी जबान में भी जोर था—गुफ्तगू बहुत सलीस (सरल) और दिलचस्प होती कि उसके सुनने का दिल से इश्तियाक (चाव) रहता।"

यह तो समवयस्क और सहयोगी मित्रों की बातें थीं, लेकिन वे बच्चों और लड़कों से भी इसी विनोदप्रियता का व्यवहार करते थे। क्लास में पढ़ाते समय भी, मुक्त भाव से हंसते थे। जब वे गोरखपुर में मास्टर थे, उस समय के उनके एक शिष्य मुन्शी मंजूरअहलक हकीम लिखते हैं—

"क्लास में उनके आते ही ऐसी जिन्दादिली पैदा हो जाती थी कि हर एक उनकी तरफ मुखातिब (आकृष्ट) हो जाता। यह जरूरी न था कि जो सबक पढ़ाना है, वही पढ़ाया जाए, बल्कि जिस मौजू (विषय) की तरफ उनका रुझान या लड़कों का तकाजा हुआ, बयान फरमाने लगे। अगर क्लास में पढ़ाते समय कोई हंसी की बात आ गई, तो बेअख्त्यार हंसने लगते। किसी का खौफो-हिरास (भय और डर) नहीं था। एक मर्तबा का वाकया है। इंसपेक्टर साहब मुआइने के लिए आए। बाबू बच्चूलाल साहब हैडमास्टर मरहूम, जो बहुत सीधे आदमी थे, कुछ परेशान से थे। तमाम लड़के भी अपनी-अपनी ड्रेस से आरास्ता (सजे हुए) थे। मगर हमारे उस्ताद साहब का वही आलम था, जो पहले लिख चुका हूं। नंगे सिर, बाल परेशान, कोट का कालर खुला हुआ। इन्सपेक्टर साहब क्लास में आए, मगर उसका भी कुछ असर न हुआ।"

ये कहकहे उनके व्यक्तित्व को प्रगट करते हैं। फूल की तरह एक स्वाभाविक मुस्कराहट उनके होंठों पर खेलती रहती थी; जो कभी जुदा नहीं होती थी। जिंदगी में इतनी विपत्तियां और कठिनाइयां सहन करने के बाद भी अगर वे हंस सकते थे, कहकहे बुलंद कर सकते थे, तो यह स्पष्ट है कि उन्होंने जीवन के महत्त्व को समझ लिया था। उनके दृष्टिकोण से जीने का अभिप्राय, रोना नहीं अपितु हंसना था। इसलिए मुसीबतों के बावजूद वे खुद हंसते थे और दूसरों को भी हंसाते थे।

उनकी कहानियों और उपन्यासों के मुख्य पात्र भी जीवन के प्रति यही दृष्टिकोण रखते हैं। 'कर्मभूमि' की मुन्नी पर क्या-क्या मुसीबतें नहीं टूटीं? गोरों ने उसके साथ बलात्कार किया, मुकदमा चला, घर-बार छूटा, पति और बच्चे से सम्बन्ध-विच्छेद हुआ, फिर भी वह हंसती है, मुस्कराती है और उपन्यास के नायक अमरकान्त से कहती है—

"लाला, तुम मुझे रोना सिखाना चाहते हो, मैं तुम्हें नाचना सिखाऊंगी?"

इस उपन्यास में अमर अपने बाप से कहता है—

"दादा, आपके घर में मेरा इतना जीवन नष्ट हो गया, अब मैं उसे और नष्ट नहीं करना चाहता। आदमी का जीवन केवल खाने और मर जाने के लिए नहीं होता, न धन-संचय उसका उद्देश्य है। जिस दशा में मैं हूं, वह मेरे लिए असह्य हो गई है। मैं एक नये जीवन का सूत्रपात करने जा रहा हूं; जहां मजदूरी लज्जा की वस्तु नहीं। जहां स्त्री पति को नीचे की तरफ नहीं घसीटती, उसे पतन की ओर नहीं ले जाती; बल्कि उसके जीवन में आनन्द और प्रकाश का संचार करती है। मैं रूढ़ियों और मर्यादाओं का दास बनकर नहीं रहना चाहता। आपके घर में मुझे नित्य बाधाओं का सामना करना पड़ेगा और उसी संघर्ष में मेरा जीवन समाप्त हो जाएगा।"

यथार्थ के इस ज्ञान, नये जीवन की आशा और भविष्य के अटल विश्वास से यह कहकहे उत्पन्न होते थे। प्रेमचन्द परिस्थितियों से कभी हताश नहीं हुए; उन्होंने हंसते-हंसते प्रसन्न मुख से वस्तुस्थिति और घटनाओं का मुकाबला किया। जीवन खिलाड़ी की भांति व्यतीत किया।

मुन्शी दयानारायण निगम का एक बच्चा छोटी उम्र ही में मर गया था। प्रेमचन्द ने इस सम्बन्ध में उन्हें जो सान्त्वनामय पत्र लिखा था, उससे उनके जीवन-दर्शन और इन कहकहों का सार समझ में आ जाता है। लिखते हैं—

"भाईजान, तस्लीम! कल सुबह एक खत लिखा। शाम को आपका कार्ड मिला, जिसे पढ़कर निहायत सदमा हुआ। बीमारियां और परेशानियां तो जिन्दगी का खासा हैं। लेकिन बच्चे की हसरतनाक मौत एक दिल-शिकन हादसा (हृदय विदारक घटना) है। और बरदाश्त करने का अगर कोई तरीका है तो यही कि दुनिया को एक तमाशागाह या खेल का मैदान समझ लिया जाए। खेल के मैदान में वही शख्स तारीफ का मुस्तहिक (अधिकारी) होता है जो जीत से फूलता नहीं, और हार में रोता नहीं। जीते तब भी खेलता है और हारे तब भी खेलता है। जीत के बाद यह कोशिश होती है कि हारे नहीं, हार के बाद जीत की आरजू होती है। हम सब-के-सब खिलाड़ी हैं, मगर खेलना नहीं जानते। एक बाजी जीती, एक गोल जीता, तो हिप्-हिप् हुर्रे के नारों से आसमान गूंज उठा। टोपियां आसमान में उछलने लगीं। भूल गए कि यह जीत दायमी (स्थायी) फतह की गारंटी नहीं है। मुमकिन है कि दूसरी बाजी में हार हो। अलहजा (किन्तु) हारे तो पस्तहिम्मती पर कमर बांध ली, रोये, किसी को धक्के दिए, फाऊल (गलत) खेला और ऐसे पस्त हो गए गोया फिर जीत की सूरत देखना नसीब न होगी। ऐसे ओछे, तंग-नजर आदमी को मैदान में खड़े होने का भी मजाज (अधिकार) नहीं। उनके लिए गोशाए-तारीक (अन्धेरा कोना) है, और फिक्रेशिक्म (पेट की चिंता)। बस यही उसकी जिन्दगी की कायनात

(दुनिया) है। हम क्यों ख्याल करें कि हमसे जिन्दगी ने बेवफाई की! खुदा का शिकवा क्यों करें? क्यों इस ख्याल से मलूल (उदासीन) हों कि दुनिया हमारी नियामतों से भरी थाली को, हमारे सामने से खींच लेती है। क्यों इस फिक्र से मुतव्वहश (परेशान) हों कि कज्जाक हमारे ऊपर छापा मारने की ताक में है। जिन्दगी को इस नुक्तए-निगाह (दृष्टिकोण) से देखना अपने इत्मीनाने-कल्ब (मन की शान्ति) से हाथ धोना है। बात दोनों तरह एक ही है। कज्जाक (डाकू) ने छापा मारा तो क्या? हार में सारे घर की दौलत खो बैठे तो क्या? फर्क सिर्फ यह है कि एक जब्र है और दूसरा अख्त्यार। कज्जाक जबर्दस्ती माल पर हाथ बढ़ाता है; लेकिन हार जबर्दस्ती नहीं आती। खेल में शरीक होकर हम खुद हार और जीत को बुलाते हैं। कज्जाक के हाथों लूटे जाना जिन्दगी का मामूली हादसा (घटना) नहीं है, लेकिन खेल में हारना और जीतना मामूली बात है। जो खेल में शरीक होगा, वह बखूबी जानता है कि हार और जीत दोनों ही सामने आएँगी। इसलिए उसे हार से मायूसी नहीं होती, न जीत से फूला नहीं समाता। हमारा काम सिर्फ खेलना है, खूब दिल लगाकर खेलना, खूब जी तोड़कर खेलना, अपने को हार से इस तरह बचाना गोया हम कोनैन (संसार) की दौलत खो बैठेंगे; लेकिन हारने के बाद, पटखनी खाने के बाद, गर्द झाड़कर खड़े हो जाना चाहिए और फिर खम ठोककर हरीफ (प्रतिद्वन्द्वी) से कहना चाहिए कि एक हार और!

खिलाड़ी बनकर आपको वाकई इत्मीनान होगा। मैं खुद इस मयार पर पूरा उतरूँगा या नहीं! मगर कम-से-कम अब के पीछे किसी नुकसान पर इतना रंज न होगा, जितना आज से चन्द साल कबल हो सकता था। मैं अब शायद न कहूंगा कि हाय जिन्दगी अकारथ गई। कुछ न किया, जिन्दगी खेलने के लिए मिली थी, खेलने में कोताही नहीं की। आप मुझसे ज्यादा खेले हैं। हार और जीत दोनों देखी हैं। आप जैसे खिलाड़ी के लिए शिकवाए-तकदीर की जरूरत नहीं। कोई गोल्फ और पोलो खेलता है, कोई कबड्डी खेलता है। बात एक ही है। हार और जीत, दोनों ही मैदानों में हैं। कबड्डी खेलने वाले को जीत की खुशी कुछ कम नहीं होती। इस हार का गम न कीजिए। आपने खुद ही न किया होगा। आप मुझसे मश्शाक (निपुण) हैं। मैं पांच या छः मई तक कानपुर आने वाला हूँ, यहाँ की कोई चीज दरकार हो तो बेतकल्लुफ लिखियेगा। दीगर हालात मेरे पहले खत से मालूम हुए होंगे।''

खिलाड़ीपन का फलसफा (दर्शन) समूचे रूप से दुरुस्त नहीं है। फिर भी अगर यह फलसफा प्रेमचन्द के विश्वास का आधार न बन गया होता, तो उन्हें जो विपत्तियाँ सहन करनी पड़ी थीं वे वस्तुस्थिति के विरुद्ध उनके

संघर्ष की कमर तोड़ देतीं और वे निश्चित ही लाखों-करोड़ों विवश और वंचित अन्य देशवासियों की तरह व्यक्तिवादी बन जाते, सामाजिक समस्याओं का हल अपने भीतर ढूंढते, स्वर्ग-नरक और मुक्ति की चाह में जीवन व्यर्थ खो देते। इसके बिलकुल उलट प्रेमचन्द ने समझ लिया था–

"यह मुक्ति और भक्ति तो केवल स्वार्थ है, जो हमारी मानवता को नष्ट किये डालता है।"

और एक दूसरे स्थान पर 'नोंक-झोंक' में वे लिखते हैं–

"स्वर्ग और नरक के खयाल में वे रहते हैं, जो आलसी हैं, मुर्दा हैं। हमारा स्वर्ग और नरक सब इस धरती पर है। हम इस कर्म-प्रधान विश्व में कुछ करना चाहते हैं।"

यह दर्शन और विश्वास प्रेमचन्द के साहित्य की बुनियाद है। उनके पात्र कर्म-शील व्यक्ति हैं, यद्यपि वे निम्न वर्ग के निर्धन और पीड़ित इन्सान हैं। इस शोषण-व्यवहार में उनकी मामूली अभिलाषाएं भी पूरी नहीं होतीं; फिर भी वे जीना अपना अधिकार समझते हैं, हिम्मत से जीते हैं। क्योंकि उन्हें जीवन और कर्म में अटल विश्वास है, इसलिए हमें उनके कहकहे भी कहीं बुलन्द, कहीं धीमे सुनाई देते हैं, कहीं व्यंग्य और उपेक्षा प्रकट करते हैं, कहीं वे आडम्बर और पाखंड पर चोट करके बरबस हंस पड़ते हैं।

उनकी एक कहानी 'बड़े भाई साहब' है जिसमें बड़ा भाई हर समय पढ़ते रहने के बावजूद हर साल फेल होता है; लेकिन छोटा भाई प्रायः खेलते रहने के बावजूद हर साल अच्छे नम्बरों से पास होता है। फिर भी बड़ा भाई छोटे को इसलिए नसीहत करता और रोब गांठता है कि वह बड़ा भाई है। यह कहानी छोटे भाई ने बयान की है और इस प्रकार शुरू होती है–

"मेरे बड़े भाई साहब मुझसे पांच साल बड़े थे; लेकिन केवल तीन दरजे आगे। उन्होंने भी उसी उम्र में पढ़ना शुरू किया था, जब मैंने शुरू किया था, लेकिन शिक्षा जैसे महत्त्व के मामले में वह जल्दबाजी से काम लेना पसन्द न करते थे। इस भवन की बुनियाद खूब मजबूत डालना चाहते थे, जिस पर आलीशान महल बन सके। एक साल का काम दो साल में करते थे। कभी-कभी तीन साल भी लग जाते थे। बुनियाद ही पुख्ता न हो तो मकान कैसे पायेदार बने!"

सारी कहानी पढ़ जाने के लिए मन उतावला होने लगता है। 'विनोद' कहानी में महाशय चक्रधर की वेशभूषा का इस प्रकार उल्लेख किया है–

"महाशय चक्रधर सिर घुटाते थे; किन्तु लम्बी चोटी रख छोड़ी थी, जो चटीयल मैदान के किसी झंकाड़ वृक्ष की तरह दीख पड़ती थी। उनका कथन

था कि चोटी के रास्ते शरीर की अनावश्यक उष्णता बाहर निकल जाती है और विद्युत-प्रवाह शरीर में प्रविष्ट होता है।"

महाशय उस व्यक्ति को कहते हैं, जो वस्तुस्थिति से मुंह मोड़कर अन्तर्मुखी हो जाए। समय के परिवर्तनों को न समझे और उसके साथ चलने से इनकार कर दे। फिर ऐसे लोग निरे मूर्ख और तुच्छ होते हुए भी बड़े दार्शनिक और धर्मात्मा होने की डींग हांकते हैं। प्रेमचन्द ऐसे लोगों की, जैसा कि इस कहानी के नाम 'विनोद' से प्रकट है, खूब खबर लेते थे। उन्हें झूठी साधुता और कट्टरपन से अत्यन्त चिढ़ थी। वे इस पर चोट करने से कभी नहीं चूकते थे। अपनी 'बालक' कहानी में उन्होंने एक ऐसा पात्र प्रस्तुत किया है जो अनपढ़ है और दूसरों का भोजन बनाकर पेट पालता है; लेकिन उसे अपने ब्राह्मण होने पर गर्व है। उसके बारे में लिखा है–

"...वह ब्राह्मण है और चाहता है कि दुनिया उसकी प्रतिष्ठा तथा सेवा करे और क्यों न चाहे? जब पुरखाओं की पैदा की हुई सम्पत्ति पर आज भी लोग अधिकार जमाये हुए हैं, और उसी शान से; मानो खुद पैदा की हो, तो वह क्यों उस प्रतिष्ठा और सम्मान को त्याग दे, जो उसके पुरखाओं ने संचय किया था? यह उसकी बपौती है।"

इस कहानी के पात्र गंगू का यह झूठा गर्व फिर भी क्षम्य है, क्योंकि वह अनपढ़ और अबोध होते हुए भी नेक और भलामानस है और मेहनत-मजूरी करके रोजी कमाता है; लेकिन ऐसे ब्राह्मणों की एक पूरी फौज है, जिन्होंने पुरखाओं की इस प्रतिष्ठा और सम्मान को दुकानदारी बना रखा है, जिनकी दुकान पर पाखंड, आडम्बर, विडम्बना, झूठ और निकृष्टता के अतिरिक्त कोई दूसरी वस्तु नहीं है। बनारस हिन्दू धर्म की इस निकृष्टता का केन्द्र है। प्रेमचन्द के यहां मोटेराम शास्त्री इस निकृष्टता और नीचता का प्रतीक स्वरूप है, जिसे उन्होंने सारी उम्र खूब रगेदा है। उनकी 'निमन्त्रण' कहानी इसीलिए प्रसिद्ध है कि उसमें इस पेटू और डकारू ब्राह्मण की हवस और दुराग्रहता की खिल्ली उड़ाई गई है। 'सत्याग्रह' कहानी में भी इसी लोलुप और पेटू ब्राह्मण को अधिकारी वर्ग ने किराये पर लिया है। उसके स्वांग और नीचता को देखकर ऐसे ब्राह्मणों के पूरे समाज पर हंसी आती है।

'प्रेमाश्रम' में धार्मिक सम्मेलन का जिक्र करते हुए धर्म और सभ्यता के ठेकेदारों का, तिलकधारी पंडितों और संन्यासियों का वास्तविक रूप चित्रित किया है। इन लोगों की प्रतिक्रियावादिता और 'अहं' का खूब मजाक उड़ाया है। लिखते हैं–

"जलसे से एक दिन पहले उपदेशकगण आने लगे। उनके लिए स्टेशन

पर मोटरें खड़ी रहती थीं। इनमें कितने ही महानुभाव संन्यासी थे। वे तिलकधारी पंडितों को तुच्छ समझते थे और मोटर पर बैठने के लिए अग्रसर हो जाते थे। एक संन्यासी महात्मा, जो विद्यारत्न की पदवी से अलंकृत थे, मोटर न मिलने से इतने अप्रसन्न हुए कि बहुत आरजू-मिन्नत करने पर भी फिटन पर न बैठे। सभा-भवन तक पैदल आए।"

और फिर 'अंजुमने-इत्तहाद' के मिर्जा ईजाद अली और पंडितों में जो होड़ चलती है, वह और भी दिलचस्प है—

"एक संन्यासी महात्मा ने चट अपना व्याख्यान शुरू कर दिया। यह महाशय वेदान्त के पंडित और योगाभ्यासी थे। संस्कृत के उद्‍भट विद्वान थे। वे सदैव संस्कृत में ही बोलते थे। उनके विषय में किंवदन्ती थी कि संस्कृत ही उनकी मातृ-भाषा है। उनकी वक्तृता को लोग उसी शौक से सुनते थे, जैसे चण्डूल का गाना सुनते हैं। किसी की भी समझ में कुछ न आता था, उनकी विद्वता और वाक्य प्रवाह का रोब लोगों पर छा जाता था। वे एक विचित्र जीव समझे जाते थे और यही उनकी सर्वप्रियता का मन्त्र था..."

'सेवा सदन' में जब सुमनबाई ने अपने पेशे को छोड़ने का निश्चय कर लिया, तो विट्ठलदास से कहा कि मैं चलते-चलते जरा अपने आशिकों की मिजाजपुरसी तो कर लूं।

अब सुहाने रसिया मियां अब्बुलवफ़ा, भैंसाकद लाला चमनलाल और बगुला भक्त पंडित दीनानाथ एक-एक करके आते हैं और वहां उनकी जो गत बनती है, वह उपन्यास में नाटकीय रंग पैदा कर देती है। हंसते-हंसते पेट में बल पड़ जाते।

कहकहे नश्तर हैं, जो समाज की नसों से गंदा मवाद निकालने के लिए चीरा लगाने का काम देते हैं। यह कहकहे कहीं भी व्यर्थ नहीं हैं। जैसे-जैसे प्रेमचन्द की सूझ बढ़ती और कला में प्रौढ़ता आती गई, ये नश्तर ज्यादा तेज और ज्यादा उपयोगी होते गए। उनके इस्तेमाल का ढंग भी बदल गया।

उन्होंने धार्मिक, सामाजिक और राजनीतिक हर विषय पर लिखा है; लेकिन वे कहीं भी अरुचिकर और शुष्क उपदेशक नहीं बने। विषय जितना गम्भीर और जटिल होता है, शैली उतनी ही सुन्दर और सजीव हो जाती है। आदमी यह निर्णय नहीं कर पाता कि जो कुछ वह पढ़ रहा है, उस पर हंसे या रोये। बड़ी देर तक दुविधा की दशा रहती है और पाठक जितना सोचता है उतना ही अधिक प्रभावित होता है। मजे की बात यह है कि प्रेमचन्द बहुत बड़ी बात अत्यन्त संक्षेप में कह जाते हैं। उदाहरणतः यह बहुत बड़ी बात थी कि गांधी ने चौराचौरी की घटना की आड़ लेकर सविनय-भंग आंदोलन को

एकाएकी बंद कर दिया, जिसका नतीजा यह हुआ कि इतनी बड़ी राष्ट्रीय एकता छिन्न-भिन्न हो गई। स्वतन्त्रता-संग्राम ने शुद्धि और तब्लीग का रूप धारण कर लिया। मुमकिन नहीं राष्ट्र का यह पतन देखकर प्रेमचन्द का भावुक हृदय न रोये; लेकिन उनका रोने का ढंग भिन्न था। 'बड़े बाबू' कहानी पढ़िये तो मालूम होगा कि उन्होंने किस तरह अपने मन की वेदना को हास्य और व्यंग्य में समो दिया है। लिखते हैं—

"अगर देश में ग्रेजुएटों की यह अफसोसनाक कमी न होती, तो सविनय-भंग का आन्दोलन क्यों इतनी जल्दी बंद हो जाता? क्यों बने हुए, रंगे हुए सियार जरपरस्त लीडरों को डाकाजनी के ऐसे मौके मिलते?"

दरअसल यह उनका व्यक्तिगत दुःख नहीं, पीड़ित और भ्रांत मानवता का दुःख था।

छः सौ पृष्ठों का उपन्यास 'गोदान' क्या है? इसी मानवता के दुःख का चित्रण है। गांधी का नमक-सत्याग्रह, जिसका प्रेमचन्द ने प्राणपण से समर्थन किया था, गांधी-इरविन पैक्ट में खत्म हो गया। गांधी अछूतोद्धार में जा लगे और किसान बेचारे को, जो इस आन्दोलन का प्राण था, विवश छोड़ दिया गया। अब उसका दुखड़ा कौन रोये? लेकिन प्रेमचन्द का उद्देश्य रोना नहीं था। रोना अकर्मण्यता की निशानी है, उनके पात्र होरी, गोबर, धनिया और झुनिया भी रोते नहीं, कठिनाइयों के बावजूद हंसते हैं; जीवन-संघर्ष जारी रखते हैं और अपने छोटे-छोटे कृत्यों और संघर्षों द्वारा अनजाने ही मंजिल की ओर बढ़ रहे हैं।

संघर्ष इन पात्रों के जीवन का अविच्छिन्न अंग है। इसी प्रकार कहकहे भी उनके जीवन का सहज स्वभाव बनकर सामने आते हैं। जैसे—झुनिया, गोबर को अपने जीवन की घटनाएं सुना रही है कि वह दूध लेकर जाती थी तो लोग किस तरह लोलुप निगाहों से उसकी रसभरी जवानी को देखते थे। एक बार एक तिलकधारी पंडित तो इतने आगे बढ़े कि झुनिया को जबर्दस्ती पकड़ना चाहा; लेकिन चालाक झुनिया ने दूध की मटकी पंडित के सिर पर पटक दी। यहां प्रेमचन्द लिखते हैं—

"गोबर कहकहा लगाकर बोला—बहुत अच्छा किया तुमने। दूध से नहा गया होगा? तिलक-छापा भी धुल गया होगा। मूंछें भी क्यों न उखाड़ लीं।"

कहकहे संघर्ष को आगे बढ़ा रहे हैं। पाठक प्रेरित होता है कि समाज के रंगे सियारों की सचमुच मूंछें उखाड़ ली जाएं।

इसी उपन्यास की मिस मालती जब बने हुए साधुस्वभाव ओंकारदास को शपथ तोड़कर शराब पिलाने में सफल हो जाती है, तो राय साहब की महफिल में जान-सी पड़ जाती है—

"हाल में ऐसा शोर-गुल मचा कि कुछ न पूछो! जैसे पिटारी में बन्द कहकहे निकल पड़े हों। वाह देवीजी! क्या कहना! कमाल है मिस मालती! कमाल!! नमक का कानून तोड़ दिया, तो धर्म का किला तोड़ दिया, नेम का घड़ा फोड़ दिया।"

जब सम्पादक महोदय खिसियाने होकर दलीलबाजी करने लगे तो चपत पड़ी–

"कानून भी तो बंधन है; उसे क्यों नहीं तोड़ते? बस, वही बंधन तोड़ो, जो अपनी लालसाओं में रुकावट डालते हों। उसको सांप बनाकर पीटो और तीसमारखां बनो।"

प्रेमचन्द की महफिलों में पढ़े-अपढ़े, बड़े-छोटे, मर्द और औरतें सब हंसते हैं। जो हंस नहीं सकते, उनसे प्रेमचन्द को तनिक भी सहानुभूति नहीं। अब जरा औरतों की महफिल देखिये। 'लांछन' कहानी की जुगनूबाई पूरी शैतान की खाला है। लोगों की छोटी-छोटी त्रुटियां और दोष जमा करना और उन्हें इधर-उधर फैलाना उसका काम है। इसी कारण महिलाश्रम की छोटी-बड़ी अध्यापिकाएं सभी उससे डरती हैं; लेकिन नयी हैडमिस्ट्रेस मिस खुरशीद ने उसकी सारी शेखी किरकिरी कर दी। उसे बनाने के लिए विलियम किंग से प्रेम का नाटक रचा। अब जुगनू को यह बात कहां पचती। रातभर बड़ी मुश्किल से काटी। सुबह होते ही आश्रम में यह खबर घुमा दी और लगी मिस खुरशीद पर मनमाने लांछन लगाने। लेकिन जब अन्त में मालूम हुआ कि रात को खुरशीद के पास शराब के नशे में धुत्त, जो विलियम किंग आया था, और जिससे डरकर जुगनूबाई भीगी बिल्ली बनकर कोने में दुबक गई थी, वह वास्तव में आश्रम की डॉक्टर लीलावती थी, और मिस खुरशीद और लीलावती ने सिर्फ जुगनू को बनाने और परास्त करने के लिए यह नाटक खेला था, तो–

"...चारों ओर कहकहे बुलन्द हुए। कोई तालियां बजाती थी, कोई डॉक्टर लीलावती की गर्दन में चिपटी जाती थी, कोई मिस खुरशीद की पीठ पर थपकियां देती थी। कई मिनट हू-हक मचा रहा। जुगनू का मुंह इस रोशनी में जरा-सा निकल आया, जबान बन्द हो गई। ऐसा चरका उसने कभी न खाया था। इतनी जलील कभी न हुई थी।

उस दिन से फिर किसी ने जुगनू की सूरत नहीं देखी। आश्रम के इतिहास में यह घटना आज भी मनोरंजन का विषय बनी हुई है।"

7. नया विवाह

"मैं विवाह को आत्म-विकास का साधन समझता हूं, स्त्री-पुरुष के सम्बन्ध का अगर कोई अर्थ है, तो यही है। वरना मैं विवाह की कोई जरूरत नहीं समझता।" —प्रेमचन्द

देहात में, विशेषतः और बहुधा शहरों में भी, छोटी उम्र में विवाह का रिवाज था। प्रेमचन्द भी इस पुराने रिवाज के शिकार हुए। पिता ने उनका विवाह तेरह-चौदह वर्ष की अवस्था में कर दिया था। प्रेमचन्द को इस बात का बड़ा ही खेद था। जवान पत्नी मन में तरह-तरह के अरमान लेकर आई थी, वे पूरे न हो सके। इधर प्रेमचन्द के अपने ही अरमान पूरे न होते थे; कॉलेज में पढ़ने की साध मन में रह गई थी। वे पत्नी के अरमानों का खयाल क्या रखते? स्कूल मास्टर हुए तो भी विमाता और उसके बच्चों का बोझ ढोते रहे। पत्नी को इस बात की बड़ी डाह थी और वह हमेशा कुढ़ती रहती थी। वह चाहती थी कि पति अब कमाने लगा, वह घर की मालकिन बने, प्रत्येक मास का वेतन उसे लाकर दे और वह उसे अपनी इच्छानुसार खर्च करे। मगर घर में सौतेली मां का राज रहा, वह अपने आपको उसकी आश्रिता समझती रही। क्रोध प्रेमचन्द पर उतरता था।

'मांगे की घड़ी' के नायक में, जैसा कि हम पहले देख चुके हैं, प्रेमचन्द ने बहुत हद तक अपने ही जीवन को अंकित कर दिया है। वह ससुराल जाता है, तो पत्नी से भेंट का हाल इस प्रकार वर्णन किया गया है—

"रात को देवीजी ने पूछा—'सब रुपये उड़ा आये कि कुछ बचा भी है।'

मेरा सारा प्रेमोत्साह शिथिल पड़ गया, न क्षेम-कुशल, न प्रेम की कोई बातचीत, बस, हाय रुपए! हाय रुपए!! जी में आया कि इसी वक्त उठकर

चल दूं। लेकिन जब्त कर गया। बोला—'मेरी आदमनी जो कुछ है, वह तो तुम्हें मालूम है।'

'मैं क्या जानूं, तुम्हारी क्या आमदनी है? कमाते होगे अपने लिए, मेरे लिए क्या करते हो? तुम्हें तो भगवान ने औरत बनाया होता, तो अच्छा होता। रात-दिन कंघी-चोटी किया करते। तुम नाहक मर्द बने। अपने शौक-सिंगार से बचता ही नहीं, दूसरों की फिक्र तुम क्या करोगे!'

मैंने झुंझलाकर कहा—'क्या तुम्हारी यही इच्छा है कि इसी वक्त चला जाऊं?' देवीजी ने भी त्यौरियां चढ़ाकर कहा—'चले क्यों नहीं जाते। मैं तो तुम्हें बुलाने न गई थी या मेरे लिए कोई रोकड़ लाये हो।'

मैंने चिंतित स्वर में कहा—'तुम्हारी निगाह में प्रेम का कोई मूल्य नहीं है, जो कुछ है वह रोकड़ है?'

देवीजी ने त्यौरियां चढ़ाये हुए ही कहा—'प्रेम अपने आपसे करते होगे, मुझसे नहीं करते।'

'तुम्हें पहले तो यह शिकायत कभी न थी।'

'इससे यह तो तुमको मालूम ही हो गया कि मैं रोकड़ की परवाह नहीं करती; लेकिन देखती हूं कि ज्यों-ज्यों तुम्हारी दशा सुधर रही है; तुम्हारा हृदय भी बदल रहा है। इससे तो यही अच्छा था कि तुम्हारी वही दशा बनी रहती। तुम्हारे साथ उपवास कर सकती हूं, फटे चीथड़े पहनकर दिन काट सकती हूं। लेकिन यह नहीं हो सकता कि तुम चैन करो और मैं मैके में पड़ी भाग्य को रोया करूं। मेरा प्रेम इतना सहनशील नहीं है'।''

उस वक्त प्रेमचन्द स्कूल मास्टर नियुक्त हुए थे और अठारह रुपये मासिक वेतन मिलता था। इस कहानी का नायक हू-ब-हू प्रेमचन्द नहीं है, लेकिन उसकी आर्थिक दशा का जो वर्णन किया गया है, वह प्रेमचन्द की अपनी दशा से मिलती-जुलती है, फर्क सिर्फ यह है कि कहानी का नायक अपने मित्र दानू से घड़ी मांगकर और बन-ठनकर ससुराल गया है। लेकिन प्रेमचन्द ने शायद ऐसा न किया हो, मुमकिन है किया भी हो, और इस घटना के उपरान्त ही उन्हें यह नसीहत हुई हो कि दिखावे और आडम्बर की हवस व्यर्थ है। जब तुम वाकई गरीब हो, तो गरीब कहलाने में शर्म क्यों! और यों ही अमीर कहलाने से लाभ?

इस कहानी से यह भी पता चलता है कि पत्नी मैके में या सौतेली सास के पास पड़े रहने की अपेक्षा, उनके पास आकर रहने की इच्छा रखती थी; लेकिन थोड़ी तनख्वाह के कारण प्रेमचन्द ऐसा न कर सके। लाचारी और मजबूरी थी और इन्हीं लाचारियों और मजबूरियों के कारण दिलों में गांठ पड़ती

गई, द्वेष बढ़ता रहा।

'जीवन का शाप' कहानी का मुख्य पात्र कावस जी एक ऐसा व्यक्ति है, जो प्रेमचन्द का जीवन-आदर्श पेश करता है। निर्धन कावसजी की धनी शापूरजी से इस प्रकार तुलना की गई है–

''कावस जी ने पत्र निकाला और यश कमाने लगे। शापूर जी ने रूई की दलाली शुरू की और धन कमाने लगे। कमाई दोनों कर रहे थे। शापूरजी प्रसन्न थे, कावस जी विरक्त। शापूर जी को धन के साथ सम्मान और यश आप-ही-आप मिल रहा था। कावसजी को यश के साथ धन दूरबीन से देखने पर भी दिखाई न देता था; इसलिए शापूर जी के जीवन में शान्ति थी, सहृदयता थी, आशा थी, क्रीड़ा थी। कावस जी के जीवन में अशान्ति थी, कटुता थी, निराशा थी, उदासीनता थी। धन को तुच्छ समझने की वह बहुत चेष्टा करते थे; लेकिन प्रत्यक्ष को कैसे झुठला देते? शापूर जी के घर में विराजने वाले सौजन्य और शान्ति के सामने उन्हें अपने घर के कलह और फूहड़पन से घृणा होती थी। मृदु-भाषिणी मिसेज शापूरजी के सामने उन्हें अपनी गुलशन बानू संकीर्ण और ईर्ष्या की देवी-सी लगती थी। शापूरजी घर में आते, तो शीरींबाई मृदु हास से उनका स्वागत करती। वह खुद दिनभर के थके-मांदे घर आते, तो गुलशन अपना दुखड़ा सुनाने बैठ जाती और उनको फटकारें बताती–तुम भी अपने को आदमी समझते हो! मैं तो तुम्हें बैल समझती हूँ, बैल बड़ा मेहनती है, गरीब है, संतोषी है, माना; लेकिन उसे विवाह करने का क्या हक है?

कावसजी से एक लाख बार यह प्रश्न किया जा चुका था–जब तुम्हें समाचार-पत्र निकालकर अपना जीवन बरबाद करना था, तो तुमने विवाह क्यों किया? क्यों मेरी जिन्दगी तल्ख कर दी? जब तुम्हारे घर में रोटियाँ न थीं, तो मुझे क्यों लाये? इस प्रश्न का जवाब देने की कावस जी में शक्ति न थी। उन्हें कुछ सूझता ही न था। वह सचमुच अपनी गलती पर पछताते थे।''

मगर प्रेमचन्द के मामले में यह गलती खुद उन्होंने नहीं, बल्कि उनके पिता मुन्शी अजायबलाल ने की थी। इसलिए पिता के सम्बन्ध में ठीक ही लिखा है–आखिरी उम्र में खुद भी ठोकर खाई और एक धक्का देकर उन्हें भी गिरा दिया। प्रेमचन्द गल्तियों पर सिर्फ पछताते रहने और निराश हो जाने वाले व्यक्ति नहीं थे। वे मानव-सुलभ दुर्बलताओं को समझते थे और यह भी जानते थे कि प्रेम महज शून्य में नहीं पल सकता, उसके लिए भी भोजन दरकार है। सौजन्य अथवा संकीर्णता भी मनुष्य का जन्मसिद्ध स्वभाव अथवा प्रकृति नहीं, परिस्थितियों की उपज है। कटुता, ईर्ष्या और चिड़चिड़ापन, प्रतिकूल परिस्थितियों से उत्पन्न होता है। इसलिए कटुता और फूहड़पन के लिए वे पत्नी

को दोषी नहीं मानते थे और सदैव मेलजोल और समझौते का प्रयत्न करते रहते थे, लेकिन समझौते की सूरत पैदा न होते देखकर उन्हें वास्तव में दुःख होता था।

जब समझौते और मेल-मिलाप की कोई सम्भावना नहीं, बल्कि इसके विपरीत मन-मुटाव बढ़ रहा था, तो एक ही इलाज था कि वे पत्नी से सम्बन्ध विच्छेद कर लें और हमेशा के लिए अलग-अलग रहें। प्रेमचन्द जैसे सहृदय और सज्जन मनुष्य के लिए यकायक यह कदम उठाना सम्भव नहीं था। इस समाज-व्यवस्था में स्त्री दोहरे शोषण और दोहरी गुलामी का शिकार है। प्रेमचन्द इस बात को समझते थे और अपनी कृतियों में उस पर होने वाले दमन और अत्याचार का विरोध करते थे। फिर यह कैसे सम्भव था कि वे अपनी पत्नी से एकदम सम्बन्ध विच्छेद कर लें। इसी 'जीवन का शाप' कहानी में कावसजी पत्नी के प्रति अपनी उपेक्षा और उदासीनता पर पछताते हुए सोच रहे हैं—

"गुलशन पर वह क्यों बिगड़ जाते हैं? इसीलिए कि वह उनके आधीन है, रूठ जाने के सिवा कोई दण्ड नहीं दे सकती? कितनी नीच कायरता है कि हम सबलों के सामने दुम हिलाएं और जो हमारे लिए अपने जीवन का बलिदान कर रहा है, उसे काटने दौड़ें।"

पत्नी के बारे में उनके मन में प्रश्न उत्पन्न होता था—'छोड़ें या न छोड़ें?' और चिरकाल तक वे इसी दुविधा में पड़े रहे। उनकी मनोदशा को समझने के लिए स्त्री और पुरुष के सम्बन्ध के बारे में उनके दृष्टिकोण को समझ लेना जरूरी है। इसके लिए सिर्फ एक-दो उदाहरण काफी होंगे।

'जीवन का शाप' कहानी ही को लीजिए। इसमें उन्होंने अपने दृष्टिकोण को बड़े ही सुन्दर और स्पष्ट ढंग से पेश किया है। इस कहानी का एक टुकड़ा देखिए। शापूरजी रात-भर रंग-रेलियां मनाने के बाद घर लौटते हैं। वहां कावसजी के पूछने पर बताते हैं कि उन्हें खाने में देर हो गई; लेकिन कावसजी ने, जैसा कि पत्रकारों की आदत है, वे सिर्फ बात ही नहीं पूछते, बात की जड़ भी खोजते हैं, दरियाफ्त किया—

'दावत में मेजबान कौन साहब थे?'

उत्तर मिला—'मिस गौहर।'

'मिस गौहर?'

'जी हां, वही। आप चौंके क्यों? क्या आप इसे तस्लीम नहीं करते कि दिन-भर रुपया-आने-पाई से सिर मारने के बाद मुझे कुछ मनोरंजन करने का भी अधिकार है, नहीं तो जीवन भार हो जाएगा।'

'मैं इसे नहीं मानता।'

'क्यों?'

'इसलिए कि मैं इस मनोरंजन को अपनी ब्याहता स्त्री के प्रति अन्याय समझता हूं।'

शापूरजी नकली हंसी हंसे—'वही दकियानूसी बात। आपको मालूम होना चाहिए; आज के समय कोई ऐसा बन्धन स्वीकार नहीं करता।'

'और मेरा खयाल है कि कम-से-कम इस विषय में आज का समाज एक पीढ़ी पहले के समाज से कहीं परिष्कृत है। अब देवियों का यह अधिकार स्वीकार किया जाने लगा है।'

यही बात कुछ अधिक स्पष्टता के साथ 'दो सखियां' कहानी में कही गई है। इस कहानी का नायक विनोद औरत को बराबर के अधिकार देने का पक्षपाती है। उसका विवाह पढ़ी-लिखी लड़की पद्मा से होता है। पद्मा आत्माभिमानिनी है, और वह इस अभिमान और संकुचित विचारों के कारण, पति को समझने में असमर्थ है; और उसे जान-बूझकर तंग करती है। लेकिन विनोद हमेशा शांति बनाये रखने का प्रयत्न करता है, पत्नी के अशिष्ट, कठोर अन्यायपूर्ण व्यवहार को न सिर्फ सहन करता है, बल्कि बड़ी उदारता से भुला देता है। लेकिन पद्मा की ओर से उपेक्षा बढ़ती जाती है, यहां तक कि इकट्ठे रहने में दुःख और अपमान ही रह जाता है, तो विनोद घर छोड़ देता है। जाते समय पत्नी के नाम जो पत्र छोड़ जाता है, उसके ये शब्द विचारणीय हैं—

''मुझे जाने का लेश-मात्र भी दुःख नहीं है, क्योंकि मैं जानता हूं, तुम खुश होगी। जब तुम मेरे साथ सुखी नहीं रह सकतीं, तो मैं जबरदस्ती क्यों पड़ा रहूं। इससे तो यह कहीं अच्छा है कि हम और तुम अलग हो जाएं। मैं जैसा हूं, वैसा ही रहूंगा। तुम जैसी हो वैसी ही रहोगी। फिर सुखी जीवन की सम्भावना कहां! मैं विवाह को आत्म-विकास का साधन समझता हूं। स्त्री-पुरुष के सम्बन्ध का अगर कोई अर्थ है, तो यही है, वरना मैं विवाह की जरूरत नहीं समझता।...विवाह का उद्देश्य यही है और केवल यही है कि स्त्री और पुरुष एक-दूसरे की आत्मोन्नति में सहायक हों।''

इन शब्दों से प्रेमचन्द के मन की टीस प्रकट है। वे नहीं चाहते थे कि स्त्री पुरुष की उन्नति में बाधक हो। इसलिए वे एक नवजीवन और नवव्यवस्था की अभिलाषा करते थे, जिसमें पति और पत्नी में हार्दिक प्रेम हो, उनका जीवन हर्ष और उल्लास से भरा हो। 'कर्मभूमि' के नायक—अमरकान्त—के वे शब्द, जो उसने घर से अलग होते समय पिता से कहे थे, प्रेमचन्द की इसी अभिलाषा को व्यक्त करते हैं—

''मैं एक नये जीवन का सूत्रपात करने जा रहा हूं...जहां स्त्री पति को

केवल नीचे नहीं घसीटती, उसे पतन की ओर नहीं ले जाती; बल्कि उसके जीवन में आनन्द और प्रकाश का संचार करती है।"

विनोद उक्त पत्र में आगे लिखता है–

"मैं धर्म और नीति का ढोंग नहीं मानता, केवल आत्मा का संतोष चाहता हूं, अपने लिए भी, तुम्हारे लिए भी। जीवन का तत्व यही है, मूल्य यही है।"

और एक दूसरे स्थान पर इससे पहले विनोद ने कहा था–

"मैं वर्तमान वैवाहिक प्रथा को पसन्द नहीं करता। इस प्रथा का आविष्कार उस समय हुआ था, जब मनुष्य सभ्यता की प्रारम्भिक दशा में था। तब से दुनिया बहुत आगे बढ़ी है। मगर विवाह प्रथा में जौ भर भी अन्तर नहीं आया। यह प्रथा वर्तमान काल के लिए उपयोगी नहीं है।"

आखिर कावसजी का गुलशन बानू से और विनोद का पद्मा से समझौता हो गया; क्योंकि पद्मा ने और दूसरे शब्दों में गुलशन बानू ने भी ऐलान किया–

"आज से मेरे जीवन का नवयुग आरम्भ होता है, जिसमें भोग और विलास की नहीं, सहृदयता और आत्मीयता की प्रधानता होगी।"

लेकिन प्रेमचन्द की पत्नी में यह परिवर्तन नहीं आया। उनके जीवन में सहृदयता और आत्मीयता का अभाव ही रहा; इसलिए वह कदम उठाया जो वे उठाना नहीं चाहते थे। इस सिलसिले में मुन्शी दयानारायण निगम लिखते हैं–

"प्रेमचन्द अपनी जिन्दगी अमनो-सकून से बसर करना चाहते थे। वे न खुद किसी के साथ सख्ती करना पसन्द करते थे और न किसी की कोई कड़ी बात बरदाश्त कर सकते थे। निजी मामलात में वे हमेशा एतदाल पर कायम रहना चाहते थे। उनकी सबसे बड़ी आजमायश शादी के मौके पर हुई। जहां तक मालूम हो सका है, उनकी पहली बीवी बहुत बदसलीका थीं, जिसकी वजह से उनकी जिन्दगी तल्ख हो गई थी। आये दिन के झगड़ों के अलावा कुछ और वाकयात भी पेश आये, जिनके सबब से मसालहित (समझौते) का कोई मौका बाकी न रहा। जब उन्होंने मुझे मुफस्सल हालात बतलाये तो मैं भी उन्हें इलजाम न दे सका। इत्तफाक से इस बारे में उनका एक खत महफूज रह गया है, जिस पर कोई तारीख नहीं है। यकीनन सन् 1905 का लिखा हुआ मालूम होता है–'ब्रादरम, अपनी बीती किससे कहूं? जब्त किये कोफ्त हो रही है। ज्यों-त्यों करके एक अशर (पखवाड़ा) काटा था कि खानगी तर्रददात (घरेलू झमेले) का तांता बंधा...बीवी साहबा ने जिद पकड़ी की यहां न रहूंगी, मैके जाऊंगी। मेरे पास रुपया न था। लाचार खेत का मुनाफा वसूल किया। उनकी रुखसती की तैयारी की; वे रो-धोकर चली गईं। मैंने पहुंचाना भी पसन्द न किया। आज उनको गये आठ रोज हो गए। खत न पत्र। मैं उनसे पहले

ही नाखुश था, अब तो सूरत से बेजार हूँ। गालबन उनकी विदाई दायमी (स्थायी) साबित हो। खुदा करे ऐसा ही हो। मैं बिना बीवी के रहूँगा। इधर ननिहाल की तरफ से और वालिदा की तरफ से जिद है कि ब्याह रचे और जरूर रचे। जब कहता हूँ, मुफलिस हूँ...तो वालिदा कहती हैं कि तुम अपनी रजामंदी दे दो, तुमसे एक कौड़ी न माँगी जाएगी। बहरहाल अबके तो गला छुड़ा ही लूंगा, आइन्दा की बात नारायण के हाथ है। जैसी आपकी सलाह होगी, वैसा करूंगा। इस बारे में अभी फिर मशवरा करने की जरूरत बाकी है'।''

इस खत में वालिदा विमाता के लिए लिखा है, जिसका मतलब है कि पत्नी से अधिक उनकी चाची अर्थात् विमाता से पटती थी और उससे पहली-सी घृणा न रह गई थी। 'घर-जमाई' कहानी में भी विमाता के बारे में यही विचार व्यक्त किये हैं। एक किसान हरिधन से कहता है—

''तुम नई अम्मा से नाहक डरते थे। बड़ी सीधी हैं बेचारी, बस अपनी अम्मा ही समझो, तुम्हें पाकर तो गद्‌गद्‌ हो जाएगी।''

हरिधन विमाता को पसन्द नहीं करता था, इसलिए ससुराल में जाकर रहने लगा। जो रुपया-पैसा साथ ले गया था, उसके समाप्त होते ही सास, साले ही नहीं, खुद पत्नी उससे घृणा करने लगी। सारा-सारा दिन घर का और बाहर का काम करता था, फिर भी नौकरों से अधिक बुरा व्यवहार होता था और पेट भर खाने को नहीं मिलता था। तंग आकर उसने ससुराल का घर छोड़ दिया और पत्नी के साथ चलने को कहा; लेकिन वह निर्धन पति का साथ देने को तैयार न हुई। यही किसान, जो हरिधन को ससुराल से लौटते समय रास्ते में मिल गया था, पूछता है—

'अच्छा घरवाली को भी तो लाओगे?'

हरिधन—'उसका मुंह अब न देखूँगा। मेरे लिए वह मर गई, मँगरू (किसान का नाम), —'तो दूसरी सगाई हो जाएगी। अबके ऐसी औरत ला दूँगा कि उसके पैर धोकर पियोगे। पर कहीं पहली आ गई तो?'

हरिधन—'वह न आयेगी।'

प्रेमचन्द ने भी दूसरा विवाह कर लिया। लेकिन इस विवाह में उन्होंने जिस सिद्धान्त का परिचय दिया, वह प्रशंसनीय है। निगम साहब लिखते हैं—

''...विवाह के बारे में सोच-विचार और बहुत कुछ वाद-विवाद के बाद तय पाया कि विवाह हो तो किसी विधवा से। प्रेमचन्द का उस समय चढ़ता यौवन था और वे एक हँसमुख, विनोदशील, सुन्दर, स्वस्थ नौजवान थे। श्रीवास्तव जाति में, जिससे उनका सम्बन्ध था, सगाई पर टीका लेने की प्रथा आम थी, और हजार-दो हजार नकद तो उन्हें आसानी से मिल सकता था।

यह रकम उनके लिए बड़ी रकम थी। उनके सम्बन्धी विधवा-विवाह के खिलाफ थे; मगर वे अपने फैसले पर अटल रहे और जिला फतेहपुर में सलीमपुर (कंवारा) गाँव में श्रीमती शिवरानी देवी के साथ उनकी दूसरी शादी हो गई... ।''

श्रीमती शिवरानी देवी का विवाह इतनी छोटी उम्र में कर दिया गया था कि वे बचपन ही में विधवा हो गई थीं। शिवरानी देवी अब भी जीवित हैं और बड़ी अच्छी तथा साहसी औरत हैं। प्रेमचन्द की उनसे खूब निभी। पहली पत्नी जब तक जीवित रही, वे उसे हर महीने खर्च भेजते रहे, मगर सम्बन्ध-विच्छेद का उन्हें आजीवन खेद रहा। 'जीवन का शाप' और 'दो सखियाँ' बहुत बाद की रचनाएँ हैं। जो समझौता वास्तविक जीवन में न हो सका, वह कल्पित संसार में—इन कहानियों में किया गया है। शिवरानी देवी को जब मालूम हुआ, तो उन्होंने बहुत कोशिश की कि वे पहली पत्नी को भी ले आएँ; लेकिन ऐसा न हो सका। अपनी खुशी से वह न आई और लिवाने प्रेमचन्द नहीं गए।

प्रेमचन्द ने एक कहानी 'नया विवाह' शीर्षक से भी लिखी है। उसका प्लाट तो कुछ और ही है; लेकिन ब्याह के सम्बन्ध में प्रेमचन्द का दृष्टिकोण स्पष्ट हो जाता है। पहली पत्नी लीला से सेठजी की तबीयत न भरी, दूसरी ब्याह लाए। नई पत्नी आशा, उम्र में बहुत छोटी है, उन्हें दादा से कम नहीं समझती और उन्हें 'आप' कहकर सम्बोधित करती है। इससे सेठजी की आत्मा को कष्ट पहुंचता है, वे ऐतराज करते हैं—

''तुम मुझे 'आप' क्यों कहती हो। मैं अपने घर में देवता नहीं, चंचल बालक बनना चाहता हूँ...आशा ने जैसे भीतर से जोर लगाकर कहा 'तुम' और उसका मुख-मण्डल लज्जा से आरक्त हो गया।''

प्रेमचन्द इस प्रकार के बेमेल-विवाह की हमेशा निन्दा करते थे। विधवा से विवाह करके उन्होंने मानसिक संतोष प्राप्त किया और अपने घर में चंचल बालक बनकर रहे। शिवरानी देवी के साथ उनके गृहस्थ-जीवन का जिक्र आगे आएगा, अब जरा इसी 'नया विवाह' कहानी का एक उद्धरण और देखिये—

''विवाह क्या है? जीवन का आनन्द उठाने के लिए झिलमिलाते हुए दीपक में तेल डालना, उसे और तेज करना। अगर दीपक का प्रकाश तेज न हो, तो तेल डालने से लाभ?''

10. इस्तीफा

"हमारे असाधारण कार्य फैसलों से नहीं हुआ करते, हम अन्तिम समय तक असमंजस और दुविधा में पड़े रहते हैं।"
—प्रेमचन्द

हमीरपुर में प्रेमचन्द प्रायः बीमार रहते थे। खाने-पीने का ठीक प्रबन्ध नहीं था, जिस कारण उन्हें एक बार कई दिन तक सूखी घुइयां खानी पड़ीं। एक दिन पेट में ऐसा दर्द हुआ कि तमाम दिन मछली की तरह तड़पते रहे। लिखते हैं—

"फंकियां खाईं, पेट पर गर्म बोतल फेरी, जामुन का अर्क पिया। देहात में जितनी दवाएं मिल सकती थीं, खायीं; मगर दर्द कम न हुआ! दूसरे दिन से पेचिश हो गई। मल के साथ आंव आने लगी, लेकिन दर्द जाता रहा।"

प्रेमचन्द स्वादिष्ट भोजन सामने देखकर संयम नहीं रख सकते थे। इस घटना के एक महीने बाद, जब वह दौरे पर थे, तो एक थाना में ठहरना हुआ। दरोगा ने आव-भगत की। जिमीकन्द पकवाया, दही-बड़े, पकौड़ियां, पुलाव सब-कुछ बनवाया और प्रेमचन्द ने भी जी भरकर खाया। लेकिन जब खा-पीकर सोये तो ढाई घंटे बाद ही पेट में दर्द शुरू हो गया। सोडे की दो बोतलें पीने के बाद कै हुई, तब कहीं दर्द थमा, लेकिन पेचिश सदा के लिए जीवन का रोग बन गई। यह सब जिमीकन्द की कारस्तानी थी। उस दिन से प्रेमचन्द जिमीकन्द और घुइयों के पास तक नहीं फटके, सूरत देखकर कांप जाते थे।

प्रेमचन्द ने इस मर्ज के कारण 1914 में तबादले की दरख्वास्त दी। खयाल था कि किसी अच्छी जगह तबादला होगा; लेकिन उन्हें बस्ती जिला में पटका गया। यह इलाका नेपाल की तराई में स्थित है। यहां आकर पेचिश

का रोग और बढ़ गया। इस दूर स्थान में पढ़े-लिखे लोगों की संगति भी न रही। लेकिन डुमरियागंज के तहसीलदार पं. मन्नन द्विवेदी गजपुरी विनोदशील व्यक्ति थे, साहित्य और ज्ञान सम्बन्धी समस्याओं में दिलचस्पी रखते थे। उनसे खूब वाद-विवाद, खूब साहित्य चर्चा रहती थी। 'अनाथ लड़की', 'खून सफेद', 'शिकारी और राजकुमार', 'गैरत की कटार' और 'मरहम' आदि कहानियाँ यहीं लिखीं। इन कहानियों का प्लाट इतिहास से नहीं लिया गया, उन दिनों की ज्ञान-चर्चा और जिज्ञासा इन रचनाओं में झलकती है।

पेचिश इतनी बढ़ी कि असह्य हो गयी। वह छः महीने की छुट्टी लेकर लखनऊ आये और मेडिकल कॉलेज में इलाज कराते रहे। कुछ लाभ न हुआ, तो बनारस आकर एक हकीम का इलाज शुरू किया। तीन-चार महीने के लगातार इलाज से लाभ तो हुआ; पर रोग जड़ से न गया। छुट्टी समाप्त करके जब बस्ती में आए तो फिर वही हालत हो गई। उनके लिए दौरों पर जाना सम्भव नहीं रहा, इसलिए मुदर्रिसी (अध्यापकी) पर जाने की दरख्वास्त दी।

इसके अलावा घर की चिन्ताएँ भी बढ़ गई थीं। पहले उनके एक सम्बन्धी जयनारायण लाल उनके पास रहा करते थे। उन्हें लिखने-पढ़ने में भी रुचि थी। प्रेमचन्द को उनका बड़ा सहारा था। खुद अक्सर दौरे पर रहना पड़ता था; लेकिन उनके रहते घर की ओर से निश्चिंत रहते थे। थोड़ी-सी बीमारी के बाद महोबा में उनका देहान्त हो गया। 1915 की बात है, प्रेमचन्द ने एक मित्र के नाम खत में लिखा–

"इस सदमे से कमर टूट गई। हिम्मत पस्त हो गई। जिस इन्सपेक्टरी को बड़ी आरजुओं और तमन्नाओं के बाद हासिल किया था, वह अब जी का जंजाल हो रही है। बीवी को तनहा (अकेली) छोड़कर दौरे पर कैसे जाऊँ... ।"

जुलाई, सन् 1915 में वह गवर्नमेण्ट स्कूल, बस्ती के असिस्टेंट टीचर नियुक्त हुए और तीन वर्ष तक उसी स्कूल में रहे। दौरों से अवकाश पाकर उन्होंने साहित्य रचना की ओर ध्यान दिया। 'धोखा', 'दो भाई', 'बेटी का धन', 'पंच-परमेश्वर', 'जुगनू की चमक', 'शंखनाद' इत्यादि कहानियाँ तभी लिखीं। इन कहानियों को पढ़ने से पता चलता है कि जनता से उनका सम्पर्क गहरा होता जा रहा था, जिसकी अच्छाई और महत्ता में उनका विश्वास बढ़ गया था।

अगस्त 1918 में वह बस्ती से गोरखपुर आए। वहाँ उनका परिचय

महावीरप्रसाद पोद्दार से हो गया। वह हिन्दी साहित्य के विख्यात विद्वान, देश-भक्त और कर्मठ व्यक्ति थे। प्रेमचन्द को उनकी संगति से यथेष्ट लाभ हुआ। उन दिनों प्रेमचन्द ने स्वयं भी हिन्दी में लिखना आरम्भ कर दिया था। उनका उपन्यास 'सेवा-सदन' (बाजारे हुस्न), जो 1914 में छपा था, बहुत पसन्द किया गया। इससे पहले भी हिन्दी में उनकी कुछेक कहानियां और दो-तीन छोटे उपन्यास छप चुके थे; लेकिन 'सेवा-सदन' लिखकर उन्होंने अपना लोहा मनवा लिया।

इस प्रोत्साहन और लोकप्रियता से प्रेरित होकर उन्होंने अपना प्रथम लम्बा उपन्यास 'प्रेमाश्रम' लिखना शुरू किया। इस उपन्यास में उस समय के देहात का सही और सच्चा चित्र सामने आ जाता है और यह भी मालूम हो जाता है कि प्रेमचन्द को देश की दरिद्र किसान जनता से कितनी सहानुभूति थी। वे उसके लिए स्वराज्य और सुख की कितनी अभिलाषा रखते थे।

ब्रिटिश साम्राज्य की लूट-खसोट से हमारे देहाती समाज का ढांचा बिलकुल टूट गया था। राज्य पहले भी बदलते रहे, पर उनका देहात पर विशेष प्रभाव नहीं पड़ा, पड़ा तो बहुत मामूली। राज्य आये और चले गये, गांव अलग-थलग बने रहे, बिलकुल आत्मनिर्भर। निस्संदेह इससे रूढ़िवाद, अंधविश्वास और कूपमंडूक प्रवृत्ति बढ़ी, तो भी आर्थिक समृद्धि, परस्पर मेलजोल, सहज सहानुभूति और परम्परागत महानता अक्षुण्ण रही।

ब्रिटिश साम्राज्यवादी यहां व्यापार की नीयत से आए थे। देहात भी अंग्रेज व्यापारियों की लोलुपता से न बच सके। व्यापार को सारे देश में फैलाने और राजसत्ता को दृढ़ बनाने के उद्देश्य से यातायात के साधनों को विस्तृत किया गया। रेल, डाक और तार के महकमे स्थापित किये गए। इन सब बातों का प्रभाव देहात पर भी पड़ा। जाहिर है कि अब वे अलग-थलग नहीं रह सकते थे। एक प्रकार से यह अच्छा ही था, क्योंकि इससे सभ्यता और संस्कृति का रूप निखरता, रूढ़िवाद और अन्धविश्वास टूटता, मशीनों के साथ जो वैज्ञानिक सभ्यता आती है, देहात में भी उसका प्रकाश जाता।

अंग्रेजों ने यह सब-कुछ नहीं होने दिया। सारे देश को अपने आधिपत्य में लाकर देहात में पुरानी सामन्ती व्यवस्था कायम रहने दी। मिलें और कारखाने लगाना तो एक ओर रहा, देहात में जो घरेलू उद्योग-धंधे थे, उन्हें भी नष्ट कर दिया। हिन्दुस्तान को केवल कृषि-प्रधान देश रहने दिया ताकि ब्रिटेन में चलने वाले कारखानों के लिए कच्चा माल उत्पन्न होता रहे, जिसे अंग्रेज शासक वर्ग बहुत ही सस्ते दामों में खरीदता था और उसके मुकाबले में विदेश में

बना हुआ मशीनी माल बहुत महंगा बिकता था। परिणाम यह कि किसानों की आर्थिक अवस्था दिन-दिन खराब होती चली गई। स्वयं अंग्रेज अर्थशास्त्रियों का कथन है कि उन्नीसवीं शताब्दी के अन्त और बीसवीं शताब्दी के आरम्भ तक भारत की पहली सम्पन्नता नष्ट हो गई थी और देहात विशेष रूप से दरिद्र और विपन्न थे। रजनी पामदत्त ने अपनी पुस्तक 'नया भारत' में एक अंग्रेज इतिहासकार एम. एल. डार्लिंग के हवाले से लिखा है–

"हिन्दुस्तान के बारे में, सबसे अचम्भे की बात यह है कि उसकी मिट्टी उपजाऊ है और उसकी जनता निर्धन।"

इसके अतिरिक्त उन पर करों का बोझ भी बढ़ गया था। मुगलों के राज्य-काल में जिन लोगों को भूमि-कर वसूल करने के लिए मुख्तार नियुक्त किया गया था, अंग्रेजों ने उन्हें जमींदार बना दिया। इससे उनकी राजसत्ता दृढ़ होती थी। ये लोग भूमिपति थे और किसान उनके मुजारे। जमींदार तरह-तरह के कर वसूल करते थे। उनके कारिंदे और गुमाश्ते किसानों को अलग लूटते थे। फिर सरकारी अफसर डिप्टी कमिश्नर, तहसीलदार, पटवारी, प्यादा–सभी अपनी लूट-खसोट और घूसखोरी से देहात को दरिद्र बना रहे थे। पटवारियों, छोटे कर्मचारियों, प्यादों और चौकीदारों की तो बात ही जाने दीजिए, वे तो किसान के शरीर से स्थायी रूप से चिपटी रहने वाली जोंकें थीं। इस दशा में किसान कैसे पनप सकता था? उसकी विपत्तियों का क्या ठिकाना! मामूली-मामूली इच्छायें मन में घुटकर रह जाती थीं और ज्वालामुखी धधकता रहता था।

इन बातों का उल्लेख इसलिए आवश्यक था कि इस पृष्ठभूमि को सामने रखकर प्रेमचन्द को समझने में सुविधा होती है। वे देहात में उत्पन्न हुए थे और अब दौरों के कारण देहात में रहना होता था, इसलिए वे अपने देश की देहाती जनता से और उसके सुख-दुःख से भली प्रकार परिचित हो गए थे। एक मित्र के कथनानुसार उन्होंने देश की जनता को सूंघकर देखा था, उसकी आत्मा को पहचान लिया था।

नौकरी के सम्बन्ध में अफसरों और शिक्षित वर्ग से भी उनका वास्ता पड़ता था। जनता के प्रति इस वर्ग की निर्दयता और निष्ठुरता से प्रेमचन्द को बड़ा दुःख होता था। क्या डॉक्टर, क्या वकील, क्या जज–सब पैसों के लिए गरीबों का गला काटने वाले, पैसों के लिए आत्मा का खून करने वाले स्वार्थी लोग थे। 'कर्मभूमि' में लिखते हैं–

"इतनी अदालतों की जरूरत क्या? यह बड़े-बड़े महकमे किसलिए? ऐसा

मालूम होता है, गरीबों की लाश नोंचने वाले गिद्धों का समूह है। जिसके पास जितनी ही बड़ी डिग्री है, उसका स्वार्थ उतना ही बढ़ा हुआ है। मानो लोभ और स्वार्थ ही विद्वता के लक्षण हैं! गरीबों को रोटियां मयस्सर न हों, कपड़ों को तरसते हों; पर हमारे शिक्षित भाइयों को मोटर चाहिए, नौकरों की एक पलटन चाहिए। इस संसार को अगर मनुष्य ने रचा है, तो अन्याय है; ईश्वर ने रचा है, तो उसे क्या कहें।"

नौकरी के अनुभवों से प्रेमचन्द की यह भावना बहुत ही तीव्र हो गई थी। अदालत, अफसर, जमींदार और उनके प्यादे सब किसानों को लूटते थे। फिर सूदखोर थे, जिनकी संरक्षण शक्ति भी यही सरकार और अदालतें थीं। एक ओर किसान थे, जो दिन-रात रचनात्मक श्रम कार्य में व्यस्त रहते थे, दूसरी ओर स्वार्थी और निकम्मे लोगों का यह समूह था, जो हड्डियों तक को चबा जाने के लिए गिद्धों के समान उनके सिरों पर मंडराता था। फिर विश्वव्यापी युद्ध छिड़ गया। युद्ध का विध्वंस-कार्य सिर्फ यही नहीं कि असंख्य मनुष्य मारे जाते हैं, हजारों-लाखों बच्चे अनाथ और स्त्रियां विधवा हो जाती हैं, सुन्दर नगर और भव्य इमारतें खंडहर हो जाती हैं, साहित्य और संस्कृति के खजाने—पुस्तकालय—धूल में मिल जाते हैं, बल्कि समस्त श्रमजीवी वर्ग के लिए जीवन-निर्वाह कठिन हो जाता है। सरकार नोट छापकर उसकी मेहनत पर डाका डालती है। मशीनी माल और महंगा हो जाता है। इस युद्ध में भी ऐसा ही हुआ। यद्यपि अनाज के दाम भी बढ़े थे; पर उससे जमींदार और धनी किसानों को ही लाभ पहुंचा; गरीब किसानों और भूदासों का महंगाई के मारे कचूमर निकल गया। इसी के परिणामस्वरूप देश में स्वतन्त्रता-संग्राम भी तीव्र हो गया और अंग्रेजी सेना की हार से उसकी शक्ति पर से जनता का विश्वास उठ गया। युद्ध जहां जनता का कचूमर निकालता है, वहां उसमें जागृति भी लाता है। जीवनरक्षा के लिए संघर्ष तेज हो जाता है।

प्रेमचन्द ने इस शोषण-व्यवस्था को भली प्रकार समझ लिया था। उनकी सहानुभूति सदैव जन-साधारण के साथ रही। वह सरकारी मुलाजिम होते हुए भी कभी शासक वर्ग के साथी नहीं रहे। शिक्षित वर्ग के जो स्वार्थान्ध लोग आमतौर पर जनता को जाहिल और मूर्ख मानकर उससे घृणा करते हैं, प्रेमचन्द ने उन्हें कभी क्षमा नहीं किया, इनको नीच और अपढ़ जनता को महान बताया। उन्होंने जनसाधारण के निःस्वार्थ प्रेम, त्याग, बलिदान और विपत्ति सहन करने की शक्ति और क्षमता को समझ लिया था। वह सदैव उनकी महत्ता और मानवता को उभारते और प्रेरित करते थे। अगर उनमें कुछ दुर्बलताएं थीं तो

यह उनकी अपनी नहीं थीं, सामाजिक और आर्थिक व्यवस्था की देन थीं। अपनी एक कहानी 'मूढ़' में लिखते हैं–

"जिसे रोटियों के लाले हों, कपड़ों को तरसे, जिसकी आकांक्षा का भवन सदा अन्धकारमय रहा हो, जिसकी इच्छाएं कभी पूरी न हुई हों, उसकी नीयत बिगड़ जाए, तो आश्चर्य की बात नहीं।"

यह सत्य उनकी समस्त कहानियों और उपन्यासों में ओत-प्रोत है। वह प्रकृति के तकाजों को कभी नहीं झुठलाते। वह मानव दुर्बलताओं को समझते हैं और उनसे अपार सहानुभूति रखते हैं। जो समाज इन दुर्बलताओं के लिए जिम्मेदार है, उस पर हर पहलू से भरपूर चोट करते हैं। इन्हीं दिनों की एक कहानी 'अनाथ लड़की' है। उसका एक पात्र कहता है–

"बाप कर्ज खाकर मर जाए, बेटा कौड़ी-कौड़ी भरे, धर्म की दृष्टि में यह न्याय होगा, मैं इसे अत्याचार समझता हूं। इस न्याय की आड़ में गांठ के पूरे महाजन की लूट-खसोट साफ दिखाई देती है।"

संक्षेप में सरकार, धर्म, आडम्बर और सूदखोर सबको लताड़ दिया। सामाजिक, आर्थिक और राजनीतिक शक्तियों और उनके गठबन्धन को समझ लेने के बाद ही यह चेतना उत्पन्न होती है। 'प्रेमाश्रम' में प्रेमचन्द ने इस सजग-चेतना के साथ जीवन के समस्त पहलुओं को चित्रित किया है।

'सेवा-सदन' से यह उपन्यास दो कदम आगे जाता है। इसमें आर्थिक समस्याओं की भली प्रकार विवेचना की गई है, और वर्ग-संघर्ष अपने असल रूप में और पूरी तीव्रता के साथ उभरकर सामने आता है। इसमें दो प्रकार के किसान दिखाये गए हैं। एक समझौता करने वाले और दूसरे लड़ने वाले; लेकिन लूट-खसोट से दोनों ही तंग आ चुके हैं। ज्वाला भीतर-ही-भीतर धधक रही है। लगान-वसूली के दिनों में जमींदार के कारिंदों के अत्याचार देखकर विद्रोह की भावना चरम सीमा पर पहुंच जाती है। लड़ाके किसानों के नेता मनोहर को जब पता चलता है कि जमींदार ज्ञानशंकर के कारिंदे गौस खां ने उसकी स्त्री का अपमान किया है, वह क्रोध के मारे आपे से बाहर हो जाता है, उसके भीतर की ज्वाला फूट निकलती है। सत्ताधारी वर्ग और उसकी संरक्षक सरकार ने उसके भीतर जो झिझक उत्पन्न कर दी थी, वह एकदम दूर हो जाती है। वह अपने बेटे बलराज से कहता है–

"कोई परवाह नहीं। कुल्हाड़ा हाथ में लोगे, तो सब ठीक हो जाएगा। तुम मेरे बेटे हो, तुम्हारा कलेजा मजबूत है। तुम्हें अभी जो डर लग रहा है, वह ताप के पहले का जाड़ा है। तुमने कुल्हाड़ा कंधे पर रखा, महावीर का

नाम लेकर उधर को चले, तो तुम्हारी आंखों से चिनगारियां निकलने लगेंगी।"

अब गौस खां की हत्या के उपरान्त न सिर्फ मनोहर और उसके बेटे को, बल्कि तमाम गांव को बांध लिया जाता है। जमींदार ज्ञानशंकर और उसकी सहायता करने वाली सरकारी सेना और पुलिस उसके बाद किसान पर जो जुल्म ढाती है, स्वार्थी डॉक्टर और पैसे के लोभी वकील जो झूठी शहादतें देते हैं, इससे तमाम समाज दो वर्गों में विभाजित हुआ साफ दिखाई देता है। पाशविक और निर्दय दमन से किसानों के दिल कांप जाते हैं और वे मनोहर को लानत-मलामत करते हैं। लेकिन सबसे बुद्धिमान और विनम्र किसान कादिर उनसे कहता है–

"यारो! ऐसी बातें न करो। बेचारे ने तुम लोगों के लिए, तुम्हारे अधिकारों की रक्षा के लिए यह सब-कुछ किया है। उसके जीवट और हिम्मत की तारीफ तो नहीं करते, उल्टा उसकी बुराई करते हो। हम सब-के-सब डरपोक हैं, वही एक मर्द है।"

कादिर की यह आवाज प्रेमचन्द की आवाज है। यही आवाज आगे चलकर सक्रिय हो जाती है और प्रेमचन्द इस संघर्ष में पूर्ण मनोयोग से किसानों का साथ देते हैं। गांव की औरतें मनोहर की स्त्री बिलासी को उलाहने देती हैं कि तूने हमारे गांव का सत्यानाश कराया। यदि तनिक गम खा जाती, मनोहर से शिकायत न करती, तो यह संकट न आता। बिलासी बेचारी असमंजस में पड़ी हुई है। वह सोचती है कि शायद वाकई बुरा हुआ। जमींदार और सरकार का मुकाबला कौन कर सकता है? लेकिन इस अवसर पर सुक्खू चौधरी आ पहुंचता है और वह बिलासी को सान्त्वना देते हुए कहता है कि तेरा मनोहर सूरमा है, उसने गांव की लाज रखी है, औरतों की मर्यादा बचाई है। मैं यहां एक मन्दिर बनवाऊंगा, जिसमें मनोहर की वीर-मूर्ति की स्थापना की जायेगी। इससे बिलासी को पति के कृत्य की सत्यता और सार्थकता का विश्वास हो जाता है और गर्व से उसकी गर्दन ऊंची उठ जाती है।

गौस खां के बाद फैजुल्लाह को नया कारिंदा नियुक्त किया जाता है। वह अब गांव पर नाना प्रकार के अत्याचार ढा रहा है। वह लगान-वसूली की कुर्की ले आया है और सब-कुछ कुर्क कर रहा है। सुक्खू चौधरी उसे लगान का रुपया देकर जुल्म बन्द करने को कहता है तो वह अदालत के खर्चे के नाम पर बहुत बड़ी रकम तलब करता है। प्रेमचन्द लिखते हैं–

"सत्याग्रह में अन्याय को दमन करने की शक्ति है, यह सिद्धान्त भ्रान्तिपूर्ण सिद्ध हो गया।'

सहसा चौधरी ने अपना चिमटा उठाया और इतनी जोर से फैजुल्लाह के सिर पर मारा कि वह जमीन पर गिर पड़ा, तब बोला—'यही अदालत का खर्चा है; जी चाहे और ले लो। बेईमान, पापी कहीं का! कारिंदा बना फिरता है।...'

समय के साथ प्रेमचंद भी बदल रहे थे, उनके मस्तिष्क में तीव्र संघर्ष चल रहा था। 'सेवा-सदन' में वह सुधारवादी थे और मुख्य रूप से हमारी राजनीति भी सुधारवादी थी। स्वाधीनता-संग्राम का एकमात्र लक्ष्य अंग्रेज को हटाना था, लूट-खसोट पर आधारित समाज-व्यवस्था को बदलने की बात सोची तक नहीं गई थी। देश को सोने की चिड़िया बताकर रामराज्य की और दूध की नदियों की कहानियां सुनाकर यह मिथ्या धारणा उत्पन्न की जा रही थी, कि सिर्फ अंग्रेज को हटा देने अथवा स्वशासन का अधिकार प्राप्त कर लेने ही से पुरानी सम्पन्नता फिर लौट आयेगी, देश में धन-धान्य की कमी न रहेगी। लेकिन प्रेमचन्द इतने से परिवर्तन को इस रोग का इलाज न समझते थे। उनमें उस समय सर्वथा नई चेतना उत्पन्न हो रही थी। वह विद्रोह के मार्ग पर चल रहे थे। उनमें जो मानसिक परिवर्तन आ रहे थे, वह परिवर्तन उन्होंने इस उपन्यास के सुधारवादी लेकिन मानव-प्रेमी पात्र प्रेमशंकर में प्रकट होते दिखाए हैं। लिखा है—

"जीवन उन्हें नये-नये अनुभवों की पाठशाला-सी जान पड़ता था। जीवन के अनुभवों ने उन्हें सिखाया कि सिद्धान्तों की अपेक्षा मनुष्य अधिक आदरणीय है।"

जाहिर है कि पुरानी मान्यताएं टूट रही थीं। उन्होंने समझ लिया था कि समाज के सिद्धान्त कोई सृष्टिकाल से बंधे-टिके नहीं। समाज की आर्थिक व्यवस्था के साथ वे भी बनते-बिगड़ते रहते हैं। जिन दिनों वह यह उपन्यास लिख रहे थे, उन्हीं दिनों एक कहानी 'बलिदान' लिखी थी, जो 1919 में 'जमाना' में प्रकाशित हुई थी। कहानी का आरम्भ यों हुआ है—

"मनुष्य की आर्थिक अवस्था का सबसे ज्यादा असर उसके नाम पर पड़ता है। मौजा बेला में मंगरू ठाकुर जब से कांस्टेबिल हो गए हैं, उनका नाम मंगरूसिंह हो गया है, अब उन्हें कोई मंगरू कहने का साहस नहीं कर सकता। कल्लू अहीर ने जब से हलके के थानेदार से मित्रता कर ली है और गांव का मुखिया हो गया है उसका नाम कालिकादीन हो गया है। अब उसे कोई कल्लू कहे तो आंखें लाल-पीली करता है। इसी प्रकार हरखचन्द्र कुरमी अब हरखू हो गया है। आज से बीस साल पहले उनके यहां शक्कर बनती

थी, चार हल की खेती होती थी और कारोबार खूब फैला हुआ था। लेकिन विदेशी शक्कर की आमद ने उसे मटियामेट कर दिया। धीरे-धीरे कारखाना टूट गया। जमीन टूट गयी, ग्राहक टूट गए और वह भी टूट गया। सत्तर वर्ष का बूढ़ा, जो एक तकियेदार माचे पर बैठा नारियल पिया करता था, अब सिर पर टोकरी लिए खाद फेंकने जाता है।"

हरखू का धन और खेत हाथ से निकल गए तो उसका पहला मान-आदर भी नहीं रहा। यह समाज के, विशेषतः मध्य वर्ग के बनने और बिगड़ने का सही चित्र है। प्रेमचन्द कैसे सड़े-पुराने सिद्धान्तों को मानते रहते? उनकी आंखों के सामने इतनी बड़ी जंग लड़ी गई, रूस में महान् क्रान्ति आई। संसार का एक बड़ा भाग लूट-खसोट की व्यवस्था से मुक्त हो गया।

प्रेमचन्द, जो पग-पग पर परिस्थितियों का निरीक्षण करते थे, रूस की इस महान अक्तूबर-क्रान्ति से बहुत प्रभावित हुए। 'प्रेमाश्रम' का बलराज, जो अखबार आदि पढ़ता है, वह सरकारी कर्मचारियों के मुकाबले में गांव वालों का पक्ष लेते हुए कहता है कि हम क्यों किसी की धौंस सहें, रूस में मजदूरों, किसानों ने अपना राज्य स्थापित कर लिया है।

इस प्रकार की क्रान्ति प्रेमचन्द अपने यहां भी चाहते थे। इस उपन्यास के अन्त में लखनपुर गांव का जो सुन्दर चित्र खींचा है, वह अवश्य ही क्रान्ति के उपरान्त का चित्र है, प्रेमचन्द का मधुर स्वप्न है।

प्रेमचन्द कर्मशील व्यक्ति थे। वह जो स्वप्न देखते थे, उसे पूरा करने के लिए संघर्ष करते थे। सुधारवाद को तिलांजलि देकर, क्रान्ति के पक्षधर बन गए। क्रान्तिकारी अगर नहीं बने तो बन जरूर रहे थे। उन्होंने स्वयं अपने ही अनुभव से यह बात लिखी थी–

"सत्याग्रह में अन्याय का दमन करने की शक्ति होती है, यह सिद्धान्त भ्रान्तिपूर्ण सिद्ध हो गया।"

किसानों पर जो अत्याचार हो रहे थे, उनका इलाज सत्याग्रह नहीं था। मनोहर के गौस खां को कत्ल कर देने से भी कुछ नहीं बनता था। इसके लिए एक सामूहिक संघर्ष की आवश्यकता थी। जब इस संघर्ष का समय आया, तो प्रेमचन्द ने झट नौकरी से इस्तीफा दे दिया और सक्रिय रूप से संघर्ष में सम्मिलित हो गए।

मुन्शी दयानारायण निगम लिखते हैं कि उन्होंने इस्तीफा फरवरी 1921 में दिया। लेकिन प्रेमचन्द खुद अपने लेख में इस्तीफा का जिक्र यों करते हैं–

"यह सन् 1920 की बात है। असहयोग आन्दोलन जोरों पर था।

जलियांवाला बाग का हत्याकांड हो चुका था। उन्हीं दिनों महात्मा गांधी ने गोरखपुर का दौरा किया। गाजी मियां के मैदान में ऊंचा प्लेटफार्म तैयार किया गया। दो लाख से कम का जमाव न था। क्या शहर, क्या देहात, श्रद्धालु जनता दौड़ी चली आती थी। ऐसा समारोह अपने जीवन में मैंने कभी न देखा था। महात्माजी के दर्शनों का यह प्रताप था कि मुझ जैसा मरा हुआ आदमी भी चेत उठा। उसके दो ही चार दिन बाद मैंने अपनी बीस साल की नौकरी से इस्तीफा दे दिया।''

सामाजिक और राजनीतिक ज्ञान रखने पर भी इस्तीफा देने का काम सहज में नहीं हो जाता। बीस साल की नौकरी को एकदम ठुकरा देना बहुत बड़ी बात है। प्रेमचन्द के मन में चिरकाल से मवाद पक रहा था। 'सोजे-वतन' की प्रतियां जलाई गईं, उनकी कलम पर पाबन्दियां लगाई गईं, जिससे उन्हें विश्वास हो गया कि इस राज-सत्ता में साहित्य स्वतन्त्र नहीं है। इसे स्वतन्त्र कराने के लिए परिवर्तन की आवश्यकता है। यही कारण है कि वह सरकारी मुलाजिम होते हुए भी अंग्रेजों को कभी पसन्द नहीं करते थे। एक बार मुन्शी दयानारायण निगम ने अपनी लड़की के विवाह पर दी गई दावत में अन्य मित्रों के साथ कुछ अंग्रेज अफसरों को भी निमन्त्रित किया। प्रेमचन्द को यह बात बुरी लगी और एक पत्र में साफ लिखा—

''आपने अंग्रेजों को नाहक मदअऊ किया (बुलाया)। वे उसे दोस्ती नहीं, हुक्मरां तबके की खुशामद समझते हैं।''

खुशामद से उन्हें चिढ़ रही थी। नौकरी का आधार ही खुशामद है। इसलिए प्रेमचन्द नौकर होते हुए भी नौकरी से घृणा करते थे। दयानारायण निगम के नाम बस्ती से एक पत्र में लिखा था—

''मैं जो आजिज (तंग) हूं, इस मातहती से। काम ऐसा करना चाहता हूं, जिसमें बजुज़ (सिवाय) मेरी तबीयत के और किसी का तकाजा न हो। जी में आवे तो दिन-रात काम करता रहूं, जी चाहे तो छोड़ दूं; और जी में आए तो फौरन करूं। मगर वह सिर्फ मालिकाना हैसियत से हो सकता है।''

मवाद पकता रहा और चेतना-विकास के साथ व्यक्तिगत घृणा, सामूहिक विद्रोह की भावना में परिवर्तित होती रही। आखिर इसी घृणा ने इस्तीफे का रूप धारण कर लिया। इस्तीफे के शब्द जाने क्या थे; पर उनकी कहानी 'लाल-फीता' के नायक हरिबिलास ने भी सरकारी नौकरी से इस्तीफा दिया था। उसके इस्तीफे के शब्द ये हैं—

''श्रीमानजी! मेरा विश्वास है कि राजनीतिक व्यवस्था ईश्वरीय इच्छा का

प्रत्यक्ष रूप है और उसके कानून भी दया, सत्य और न्याय पर कायम हैं। मैंने पन्द्रह साल तक सरकार की सेवा की और अपने सामर्थ्यानुसार अपने कर्त्तव्य का दयानतदारी से पालन किया। सम्भव है कि किसी समय अफसर मुझसे खुश न रहे हों, क्योंकि मैंने व्यक्तिगत आदेशों को मानना कभी अपना कर्तव्य नहीं समझा। जब कभी कानून और अफसर के हुक्म में विरोध हुआ, मैंने कानून का पथ ग्रहण किया। मैं सदा सरकारी नौकरी को देश-सेवा का माध्यम समझता रहा; लेकिन सरकुलर नं....में जो आदेश दिये गए हैं, वे मेरी आत्मा और उसूल के विरुद्ध हैं और मेरे विचार में उनमें असत्य का इतना दखल है कि मैं उनका पालन करने में असमर्थ हूं। वे आदेश प्रजा की स्वतन्त्रता के शत्रु और उसकी राजनीतिक जागृति के लिए घातक हैं।

इस स्थिति में सरकार से सम्बन्ध स्थापित रखना देश और राष्ट्र के लिए हानिकर है। अन्य अधिकारों के अतिरिक्त प्रजा को राजनीतिक संघर्ष का अधिकार भी प्राप्त है और चूंकि सरकार इस अधिकार को कुचलने में तत्पर है, इसलिए मैं हिन्दुस्तानी होने के नाते यह सेवा पालन करने में असमर्थ हूं। और प्रार्थना करता हूं कि मुझे शीघ्रातिशीघ्र इस पद से मुक्त किया जाए।''

(उर्दू से अनूदित)

यह कहानी जुलाई 1921 में 'जमाना' में प्रकाशित हुई थी, जिसका मतलब है कि थोड़े से रद्दो-बदल के साथ ये प्रेमचन्द के अपने इस्तीफे के शब्द हैं। प्रेमचन्द सर्वप्रिय मास्टर थे। इस्तीफे के बाद स्कूल छोड़ने का दृश्य 'प्रेरणा' कहानी में इस प्रकार चित्रित किया है–

''लड़कों ने मुझे विदाई की दावत दी और सब-के-सब मुझे स्टेशन पर पहुंचाने आये। उस समय सभी लड़कों की आंखों में आंसू भरे हुए थे। मैं भी अपने आंसुओं को न रोक सका।...गाड़ी मन्द गति से चली। लड़के कई कदम तक उसके साथ दौड़े। मैं खिड़की के बाहर सिर निकाले खड़ा था। कुछ देर तक मुझे उनके हिलते हुए रूमाल नजर आये।''

इस सम्बन्ध में शिवरानी देवी लिखती हैं–

''इस्तीफा दाखिल करने से पहले प्रेमचन्द दो रात तक सोये नहीं; वे खुद भी नहीं सोईं। सोचते रहे, आखिर उन्हें बहुत बड़ा फैसला करना था। पुराने जीवन से नाता तोड़कर नया पथ ग्रहण करना था। उन्हें असमंजस में पड़े देखकर शिवरानी देवी ने कहा–जब इरादा नेक है तो उस पर अमल करने में ढील क्यों? जो सोचा है वह कर डालो।''

11. घर में

"'घर' कितनी ही पवित्र, कोमल और मनोहर स्मृतियों को जाग्रत कर देता है। घर प्रीत का क्रीड़ा-कुन्ज है। प्रेम ने कड़ी तपस्या करके यह वरदान पाया है।" —प्रेमचन्द

घर इतना परिचित शब्द है कि इसके बारे में कुछ सोचने और कोई परिभाषा ढूंढने की जरूरत महसूस नहीं होती। लेकिन जब से प्रेमचन्द की मां मर गई थीं, तब से घर उनके लिए घर नहीं रह गया था। इसलिए उन्होंने घर के बाबत बहुत कुछ सोचा था। घर से सम्बन्धित उमंगों और अरमानों को उन्होंने अपनी कहानियों और उपन्यासों में बार-बार व्यक्त किया है। 'कर्मभूमि' में घर की व्याख्या इस प्रकार की है—

"जहां अपने विचारों का राज हो, वही अपना घर है। जो अपने विचारों को मानते हों, वही अपने सगे हैं।"

बच्चे के भी विचार होते हैं। मां उनसे सहानुभूति रखती है, उनसे दिलचस्पी रखती है और उसके तकाजों को पूरा करती है। यह उसका स्नेह और ममता है। सौतेली मां से यह ममता नहीं मिली। इसलिए प्रेमचन्द ने कहा—

"मां तो अपनी हो, सोलहों आने अपनी। कोई दूसरी औरत उसका स्थान नहीं ले सकती।"

सौतेली मां को प्रेमचन्द से कोई अनुराग नहीं था। वह उन पर और उनकी पत्नी पर शासन करती थी और एक-दूसरे की चुगलियां करके मनमुटाव बढ़ाती रहती थी। दूसरा विवाह हो जाने के उपरान्त पहली पत्नी का जिक्र करते हुए प्रेमचन्द ने शिवरानी देवी से कहा था—

"अगर चाची न होतीं, तो शायद हम दोनों की आपस में निभ जाती।"

चाची ही के कारण आठ साल तक प्रेमचन्द की शिवरानी देवी से भी नहीं बनी। इस घर में उनका कोई आदर-सम्मान नहीं हुआ। कायस्थ बिरादरी के रिवाज अनुसार वह चाची से पर्दा करती थीं और दबकर रहती थीं। जब चाची के रहते प्रेमचन्द ही इस घर को अपना घर न समझते थे, तो शिवरानी देवी कैसे समझतीं? उन्हें यह घर काटने को आता था। प्रेमचन्द तो फिर भी पुरुष थे, काफी समय घर से बाहर रहते थे, मित्रों से हंस-खेल सकते थे, जी बहला सकते थे। पर्दे वाली औरत के लिए घर ही सब-कुछ था और उसे यहां कुढ़ना पड़ता था। इसलिए वे साल में दस महीने पिता के घर और केवल दो महीने पति के घर रहा करती थीं। शिवरानी देवी की मां भी बचपन ही में मर गई थीं। घर पर पिता थे और एक छोटा भाई, जिसे बहन ने मां की भांति पाला था और घर में उन्हीं का राज था; इसलिए वहां खूब गुजरती थी।

यह बात प्रेमचन्द को पसन्द नहीं थी। दूसरा विवाह इसलिए किया था कि अपना घर बनेगा; लेकिन पत्नी लाकर भी आठ वर्ष बिना घर के बीत गये। पति-पत्नी दोनों चाची के आश्रित थे, जिसके व्यवहार में कुछ अधिक अन्तर नहीं आया था। कमाने वाले प्रेमचन्द थे, लेकिन चाची के लिए बेटा और भाई ही अपने थे; प्रेमचन्द बेगाने थे। अगर अपने थे तो केवल इतने ही कि कमाकर देते थे।

यह बात शिवरानी देवी को भी पसन्द नहीं थी। लेकिन जब कमाने वाला स्वयं कुछ नहीं बोलता, अपने घर में बेगाना होकर रहता है, तो वह बोलने वाली कौन होती हैं? जब बुलावा आता था, वह चुपके से पिता के घर चली जाती थीं। लेकिन एक बार जब पिता ने उन्हें बुलाया तो प्रेमचन्द ने उन्हें भेजने से इनकार कर दिया। इस पर शिवरानी देवी बहुत झल्लाईं और दोनों में अच्छा-खासा झगड़ा हो गया। प्रेमचन्द भी झल्लाये और शिवरानी देवी को दो चपत लगाकर बाहर चले गए। शाम को लौटे, तो मनाने लगे—

"इस प्रकार क्यों झल्लाती हो?'

'मैं झल्लाऊं क्यों?'

'कैसे कहूं कि तुम झल्लाई नहीं हो? न किसी से बोलना, न किसी से कुछ कहना-सुनना।'

'सजा ही देने के लिए तो आपने मुझे अपने घर जाने नहीं दिया। कैदी कैसे सुखी रह सकता है?'

'यह तुम्हारी भूल है, मैंने तुम्हें तकलीफ देने की नीयत से नहीं, बल्कि

मैं तुम्हें जाने देना नहीं चाहता। सच कहता हूं, तुम घर चली जाती हो तो मुझे अच्छा मालूम नहीं होता। मैं चाहता हूं कि तुम अपने घर आराम से रहो। आखिर यह घर तुम्हारा क्यों न बने?'

'मुझे क्या पड़ी है कि दूसरे के घर में घर वाली बनूं।'

'तो घर कैसे चलेगा, मेरी समझ में नहीं आता?'

'जैसा चल रहा है, ठीक है। इस बला को पालना नहीं चाहती। फिर चाची आपको काफी प्यार करती हैं। मेरी बात छोड़िये। मैं जिस हालत में हूं, उस हालत में रह लूंगी। मैं भी मस्त जीव हूं।'

'हां, इसी में मस्त रहती हो कि आनन्द से जाकर बैठती हो, जिसको तुम प्यार समझती हो, वह प्यार नहीं है। मां की मुहब्बत निःस्वार्थ होती है, जब वही मुझे नसीब न हुई, तो उसके पीछे मैं कहां तक पडूं।'

ये शब्द कहते-कहते उनकी आंखों में आंसू उमड़ आये। उस रोज से मुझे उन पर दया आने लगी, उसी दिन से मैं उनमें मिलना चाहने लगी।"

(प्रेमचन्द : घर में, शिवरानी देवी)

अब घर पति-पत्नी की सलाह से चलने लगा। शिवरानी देवी ने पति की बात मान ली और चाची से पर्दा उठाकर मालकिन बनने लगीं और थोड़े ही दिनों में न सिर्फ अपने लिए बल्कि प्रेमचन्द के लिए भी उस घर में जगह बना ली। चाची की चख-चख और जोड़-तोड़ उसके बाद भी जारी रही; लेकिन शिवरानी देवी के सामने एक न चलती थी। पत्नी के इस साहस की प्रशंसा करते हुए प्रेमचन्द ने कहा–

"अगर पहले से तुम्हारे साथ मेरा विवाह होता तो मेरा जीवन इससे आगे होता।"

प्रेमचन्द के जीवन को आगे बढ़ाने में शिवरानी देवी का वाकई बहुत हाथ रहा है। जब कभी उन्होंने कोई महत्त्वपूर्ण कार्य करने का निश्चय किया तो शिवरानी देवी ने उनकी हिम्मत बढ़ाई। इस्तीफा देने से पहले वह कई दिन तक सोचते रहे। उन्हें दो रात नींद नहीं आई। सोचते थे, बच्चे हैं, बीवी है, खुद बीमार रहते हैं, गुजारा कैसे चलेगा? उस समय, अन्तिम निर्णय शिवरानी देवी ने किया था–

"आप गुजारे की चिंता न करें, वह चलता ही रहता है। अगर देश कुर्बानी चाहता है, तो उसे देने में दरेग नहीं करना चाहिए।"

एक बार अलवर के राजा ने अपने पांच-छः आदमी एक चिट्ठी देकर प्रेमचन्द के पास भेजे। राजा साहब को कहानियां और उपन्यास पढ़ने का शौक

था। उन्होंने प्रेमचन्द को अपने पास रहने के लिए बुलाया था और लिखा था कि चार सौ रुपये मासिक वेतन, बंगला और मोटर मिलेगी। उन्होंने राजा को तो लिख भेजा कि मुझे मुआफ रखिए, इतना क्या कम है कि आप मेरी कहानियां और उपन्यास पढ़ लेते हैं। लेकिन घर जाकर शिवरानी देवी से झूठ-मूठ सलाह-मशवरा करने लगे और बोले—

"मेरी इच्छा है कि चलूं, कुछ दिन बंगले-मोटर का शौक तो पूरा कर लूं। मेरी कमाई में इसकी गुंजाइश नहीं।"

शिवरानी देवी ने चट जवाब दिया—

"यह इसी तरह हुआ, जिस तरह कोई वेश्या अपनी जरूरतों को पूरा करने के लिए चकले में बैठे। फिर जिसने मजदूरी करना अपना उद्देश्य बना लिया हो, उसके लिए मोटर-बंगले की इच्छा कैसी!"

'प्रेरणा' कहानी का नायक कहता है—

"माता के प्रसाद और आशीर्वाद से बड़े-बड़े महान् पुरुष कृतार्थ हो गए हैं। मैं जो कुछ हुआ, पत्नी के प्रसाद और आशीर्वाद से हुआ; वह मेरे भाग्य की विधात्री थी। कितना अलौकिक त्याग था, कितना विशाल धैर्य!"

आदमी को वातावरण और परिस्थितियां बनाती हैं और उसमें व्यक्तियों का भी बड़ा हाथ होता है। पता चलता है कि प्रेमचन्द और शिवरानी देवी ने एक-दूसरे के विकास में बहुत-कुछ सहायता की। शिवरानी देवी का जब विवाह हुआ, तो वह मामूली हिन्दी—बिलकुल नहीं के बराबर—जानती थीं। पति से पढ़ने-लिखने और अध्ययन करने की प्रेरणा मिली और वह खुद भी कहानियां लिखने लगीं। प्रेमचन्द जब कोई अखबार या किताब पढ़ते थे तो अंग्रेजी से अनुवाद करके उन्हें सुनाया करते थे। उनके साथ समाज और राजनीति की गम्भीर समस्याओं पर घंटों बहस किया करते थे। जो लोग औरतों को महज मूर्ख समझते हैं, और उन पर अपनी 'श्रेष्ठता' लादते हैं और अपने इस व्यवहार से घर को 'तू-तू मैं-मैं' का अखाड़ा बना लेते हैं, 'खुचड़' और 'गृह-नीति' इत्यादि कहानियों में ऐसे आदमियों की खूब खिल्ली उड़ाई गई है।

उनके तीन बच्चे हैं—एक लड़की और दो लड़के। लड़की का नाम कमला है। वह महुबा में उत्पन्न हुई थी और अगस्त, सन् 1918 में जब वह बस्ती से तब्दील होकर गोरखपुर गए, तो उस दिन उनका बड़ा लड़का श्रीपतराय (धन्नू) उत्पन्न हुआ। वहीं एक लड़का मन्नू नामी उत्पन्न हुआ था, जो जुलाई 1920 में मर गया। प्रेमचन्द को इस बच्चे के मर जाने का बड़ा रंज हुआ; लेकिन पत्नी पर प्रकट नहीं होने दिया। वह खुद उन्हें तसल्ली देते रहे। इसके

उपरान्त अगस्त 1922 में उनका छोटा लड़का अमृतराय (बन्नू) उत्पन्न हुआ।

वे अपने बच्चों से असीम प्यार करते थे और दोनों लड़कों को धन्नू-बन्नू कहकर पुकारते थे। दफ्तर से लौटकर घंटा-भर बच्चों के साथ खेला करते थे। कहते थे कि इससे थकान दूर होती है, रूह में ताजगी आ जाती है। फिर काम पर बैठ जाते थे। जब गांव में थे तो शाम को दरवाजे के बाहर बच्चों के साथ खेला करते और खुद उन्हें तरह-तरह के खेल सिखाते थे। अपनी रचनाओं में भी बच्चों का उल्लेख स्नेह और प्यार से किया है। 'भूत' कहानी में लिखते हैं–

"चौबेजी के सुख-चन्द्र में केवल एक ही कला की कमी थी। उनके कोई कन्या न थी। पहले एक कन्या के बाद फिर कन्या हुई ही नहीं और न अब होने की आशा ही थी। स्त्री और पुरुष, दोनों उस कन्या को याद करके रोया करते थे। लड़कियां बचपन में लड़कों से ज्यादा चोचले करती हैं। उन चोचलों के लिए दोनों प्राणी विकल रहते। मां सोचती, लड़की होती, तो उसके लिए गहने बनवाती, उसके बाल गूंथती। लड़की पैजनियां पहने ठुमक-ठुमक आंगन में चलती तो कितना आनन्द आता! सोचते, कन्यादान के सिवा मोक्ष कैसे होगा! कन्यादान महादान है। जिसने यह दान न दिया, उसका जन्म ही वृथा गया!

आखिर यह लालसा इतनी प्रबल हुई कि मंगला ने अपनी छोटी बहन को बुलाकर कन्या की भांति पालने का निश्चय किया। उसके मां-बाप निर्धन थे। राजी हो गए। यह बालिका मंगला की सौतेली मां की कन्या थी। बड़ी सुन्दर और बड़ी चंचल थी। नाम था बिन्नी। चौबेजी का घर उसके आने से खिल उठा। दो-चार ही दिन में लड़की अपने मां-बाप को भूल गई। उसकी उम्र तो केवल चार वर्ष की थी; पर उसे खेलने की अपेक्षा काम करना अच्छा लगता था। मंगला रसोई बनाने जाती, तो बिन्नी भी उसके पीछे-पीछे जाती, उससे आटा गूंधने के लिए झगड़ा करती। तरकारी काटने में उसे बड़ा मजा आता था। जब तक वकील साहब घर पर रहते थे तब तक वह उनके साथ दीवानखाने में बैठी रहती। कभी किताबें उलटती, कभी दवात-कलम से खेलती। चौबेजी मुस्कराकर कहते–बेटी, मार खाओगी? बिन्नी कहती–तुम मार खाओगे; मैं तुम्हारे कान काट लूंगी, जू-जू को बुलाकर पकड़ा दूंगी। इस पर दीवानखाने में खूब कहकहे उड़ते..."

'मांगे की घड़ी' का नायक जब दानू से घड़ी मांगने जाता है, तो वह उन्हें प्रसन्न करने के लिए, उनके छोटे बच्चे को, जो सामने आंगन में खेल

रहा था, उठाकर लगा भींच-भींचकर प्यार करने। दानू बोले–

"खेलने दो दुष्ट को, तुम्हारा कुरता मैला हुआ जाता है। मैं तो इसे कभी छूता भी नहीं।"

मैंने कृत्रिम तिरस्कार का भाव दिखाकर कहा–'मेरा कुरता मैला हो रहा है न, आप उसकी क्यों फिक्र करते हैं। वाह! ऐसा फूल-सा बालक और उसकी यह कदर! तुम जैसों को तो ईश्वर नाहक संतान देता है। तुम्हें भारी मालूम होता हो, तो लाओ मुझे दे दो।'

यह कहकर मैंने बालक को कन्धे पर बैठा लिया और सेहन में कोई पन्द्रह मिनट तक उचकता फिरा। बालक खिलखिलाता था और मुझे दम न लेने देता था। मालूम नहीं इस सवारी का पहले भी कभी आनन्द प्राप्त हुआ या नहीं; मगर था वह बहुत खुश।"

'कर्मभूमि' में जहां कुंवारे डॉक्टर शान्तिकुमार अमरकान्त के बच्चे को गोद में लेकर प्यार करते हैं, वह दृश्य कितना सजीव और मर्मस्पर्शी है–

"शान्तिकुमार ने बालक को छाती से लगा लिया। उस गर्म और गुदगुदे स्पर्श में उनकी आत्मा ने जिस परितृप्ति और माधुर्य का अनुभव किया, वह उनके जीवन में बिलकुल नया था। अमरकान्त से उन्हें जितना स्नेह था, वह जैसे इस छोटे-से रूप में सिमटकर और ठोस और भारी हो गया था।...आज उन्हें स्वयं अपने जीवन में एक अभाव, एक रिक्तता का आभास हुआ। जिन कामनाओं का वह अपने विचार में सम्पूर्णतः दमन कर चुके थे, वह राख में छिपी हुई चिनगारियों की भांति सजीव हो गईं।

लल्लू ने हाथों की स्याही शान्तिकुमार के मुख पर पोतकर नीचे उतरने के लिए आग्रह किया, मानो इसीलिए वह उनकी गोद में गया था। नैना ने हंसकर कहा–'जरा अपना मुंह तो देखिए, डॉक्टर साहब! इस महान पुरुष ने आपके साथ होली खेल डाली, बड़ा बदमाश है।'

सुखदा भी हंसी रोक न सकी। शान्तिकुमार ने शीशे में मुंह देखा तो, वह भी जोर से हंसे। वह कलंक का टीका उन्हें इस समय यश के तिलक से भी कहीं उल्लासमय जान पड़ा।"

उनका स्नेह बच्चों से खेलने-खिलाने तक ही सीमित नहीं था। वे मां से अधिक बच्चों की परवरिश करते थे। पत्नी के जब दूसरा बच्चा हुआ, तो वह पहले बच्चे को साथ लेकर सोते और जब शिवरानी देवी तीन बच्चों की मां बन गईं तो वे दो बच्चों को अपने साथ सुलाते थे। बच्चे सोते में पेशाब कर ही देते हैं, वे रात को दो बार उठकर बिछावन बदलते, अपने भीगे हुए

कपड़े तब्दील करते और सो जाते।

घर में बीमारियां लगी ही रहती हैं। प्रेमचन्द स्वयं पेट के रोग के कारण अक्सर बीमार रहते थे; लेकिन उन्हें अपनी अपेक्षा घर के दूसरे लोगों की चिन्ता अधिक रहती थी। कोई बच्चा बीमार पड़ जाता, तो उसे कंधे से लगाकर सारी-सारी रात घूमते रहते थे। इस खयाल से कि कहीं ज्यादा मेहनत करने से शिवरानी देवी बीमार न पड़ जाएं, वे हर एक काम में उनका हाथ बटाते थे और जब कभी वे बीमार पड़ जातीं, तो सारा काम स्वयं करते थे। रोटी अपने हाथ से बनाते और बरतन मांजते थे। जब मास्टर थे, तो घर में नौकर भी रहता था लेकिन वे अपना कोई भी निजी काम उससे नहीं कराते थे। उसे डांटने-डपटने का तो सवाल ही पैदा नहीं होता था। पत्नी से कहा करते थे कि नौकर भी घर का एक व्यक्ति है। एक बार नौकर ने उन्हें ऐसा धोखा दिया कि एक हजार रुपये नकद और डेढ़ हजार रुपये के जेवर चुरा ले गया। उन्होंने थाने में रपट तक नहीं लिखवाई। पत्नी से कह दिया–

"उसे जरूरत थी, ले गया। ले जाने दो। हमारा काम भी चलता ही रहेगा।"

चाची का स्वभाव चूंकि कटु था। बहन की चाची से बिलकुल नहीं बनती थी। इसलिए जब से वह ब्याही गई थी, प्रेमचन्द ने उसे अपने घर नहीं बुलाया था। शिवरानी देवी ने कई बार बुलाने के लिए आग्रह भी किया। बुलाने की इच्छा उनके अपने मन में भी थी; लेकिन चाची के खयाल से चुप रहे। जानते थे कि बहन का अपना घर तो है किसी-न-किसी तरह वहां रह लेगी। वह यह भी जानती है कि मां नहीं है, भाई का जोर नहीं चलता। बुलाएंगे, तो चाची को कष्ट होगा; वह कष्ट से बचकर जाना चाहे, तो कहां जाएगी? उसका दूसरा कौन है? यह सोचकर मन को समझा लेते थे।

लेकिन जब चाची का बेटा स्वयं कमाने लगा और वह उसके साथ अलग रहने लगी, तो उन्होंने बहन को बुलाकर अपने मन की साध पूरी की। इसके बाद बहुत ज्यादा दिन तक जीवित नहीं रही। उसकी तीन बेटियां थीं। प्रेमचन्द जो सलूक बहन से न कर सके, उनसे करते रहे। वह उन्हें अक्सर अपने घर बुलाया करते थे।

प्रेमचन्द को गाने का भी शौक था। शिवरानी देवी कहती हैं कि जब मैं ब्याही आई, तो मुझे गाना नहीं आता था। मैंने उनसे गाना सीखा। होली, दिवाली कोई त्योहार आता, बच्चों को साथ लेकर खूब ठाठ से मनाते थे। ऐसे अवसरों पर पति-पत्नी दोनों ही मिलकर गाया करते थे। प्रेमचन्द सबको

उनके मनचाहे उपहार दिया करते थे।

छोटे, बड़े, बच्चे, बूढ़े उन्हें हर एक का ध्यान रहता था। जो अपने थे, उन्हें हमेशा अपना बनाकर रखा। चाची का स्वभाव सारी उम्र नहीं बदला; लेकिन वह प्राणप्रण से उसकी और उसके बेटे की परवरिश करते रहे। चाचा जितने दिन जिये, उन्हें पिता के सदृश मानते रहे। चचेरे भाई पुराने ढब के आदमी थे। शिवरानी देवी तक को डांट देते थे। प्रेमचन्द को यह पसन्द नहीं था कि कोई आदमी औरतों को डांटे; पर भाई की आदत को समझते हुए चुप रहते थे। यह सहृदयता और शिष्टाचार उनकी कहानियों और उपन्यासों की जान है। वह जानते थे कि आदतें पक जाती हैं, उन्हें बदलने का यत्न करना व्यर्थ है। वह बड़ों के निरीह विश्वासों और रूढ़ियों को भी सहन कर लेते थे।

लेकिन बच्चों का जरा भी कुपथ पर जाना उन्हें खलता था। अपने बच्चों की मामूली-मामूली बातों का बड़ा ध्यान रखते थे। एक बार धन्नू और बन्नू घर से विदा होकर इलाहाबाद जा रहे थे। वे दोनों कॉलेज में पढ़ते थे। बन्नू ने तो बड़े आदर के साथ माता-पिता को प्रणाम किया। लेकिन धन्नू वैसे ही चल पड़ा। प्रेमचन्द को उसका यह रवैया अच्छा नहीं लगा। मगर शिवरानी ने कहा, कोई बात नहीं, बच्चा है, बड़ा होकर आप सुधर जाएगा। इससे प्रेमचन्द की तसल्ली नहीं हुई। उन्होंने बड़े दुःख के साथ भविष्यवाणी की–

"इस लड़के का चलन कुछ अच्छा नहीं। मुझे डर है कि यह स्वार्थी और दम्भी बनेगा।"

इसके विपरीत दूसरी घटना है। एक बार उनकी कहारिन का लड़का आग से जल गया था। उसके सारे शरीर पर मरहम का लेप था। उसके कपड़े भी गन्दे थे। छोटे लड़के बन्नू ने उसे कहीं बाहर खड़ा देख लिया। वह उसे उठाकर ऊपर लाया और मां से कहा कि उसे कुछ खाने को दो। प्रेमचन्द इस बात से बहुत खुश हुए, और बोले–

"यह लड़का बहुत ही दयावान मालूम होता है। इस बच्चे को तो मैं भी न ला सकता। तुम देखना, तुम्हारा नाम यह रोशन करेगा।"

वे खुद अपने बच्चों को पढ़ाया करते थे। ट्यूटर रखना उन्हें पसन्द नहीं था क्योंकि जो कुछ वे खुद पढ़ा सकते थे, ट्यूटर कहां पढ़ा सकता था। सिर्फ पुस्तकें पढ़ा देना तो यथेष्ट नहीं था। वह उन्हें आदमी बनाना चाहते थे। इसलिए हर रोज दो-तीन घंटे उन्हें पढ़ाया करते थे।

पढ़ाते जरूर थे लेकिन बच्चों को डांटना-डपटना और उपदेशक बनना

उन्हें कतई गवारा नहीं था। 'शिकवा-शिकायत' कहानी पत्नी के मुख से कहलाई गई है। पति का चरित्र बहुत ही सरल और मनोहर है। ऐसा जान पड़ता है कि शिवरानी देवी ने खुद प्रेमचन्द की कहानी बयान कर दी है। उसमें बच्चों के बारे में पति के व्यवहार का उल्लेख यों आता है–

"आपने एक नई उपज निकाली है कि डांट-डपट से लड़के बिगड़ जाते हैं। इसी का नतीजा है कि लड़के बेमुहारे हो गए हैं...कभी गुल्ली-डंडा है, कभी गोलियां। महाशय आप भी उन्हीं के साथ खेलते हैं।"

जब दोनों लड़के इलाहाबाद में पढ़ते थे, तो उन्हें यह चिंता रहती थी कि कहीं धन्नू, बन्नू पर हकूमत न करता हो। शिवरानी कहतीं कि क्या बुरा है? वह उसका बड़ा भाई भी तो है। लेकिन प्रेमचन्द जवाब देते–

"तुम नहीं जानतीं, इससे बच्चों में हीनता के भाव उत्पन्न हो जाते हैं और वे अपने पिता पर कुढ़ते हैं। प्रेम की हकूमत तो कुछ बुरी नहीं, लेकिन कॉलेज में जाते ही लड़के स्वेच्छाचारी हो जाते हैं। मैं उन्हें आजाद रखना चाहता हूं।"

वह दोनों लड़कों को अलग-अलग पत्र लिखते थे और पत्नी से भी दोनों को अलग-अलग लिखने का आग्रह करते थे।

शिवरानी कहतीं–'तो क्या इससे हकूमत का रुझान कुछ रुक जाएगा?'

प्रेमचन्द–'क्यों नहीं रुकेगा! वह उसे कष्ट देगा, तो वह मुझे लिखेगा, मैं पूछूंगा।'

शिवरानी–'बहुत से पिता तो अपनी जिम्मेदारी छोड़ बैठते हैं।'

प्रेमचन्द–'वे नालायक हैं। लायक पिता कब अपनी जिम्मेदारी दूसरों पर डालेगा; अगर उसमें जिम्मेदारी उठाने की ताकत न हो, तो किसी को दुनिया में लाने की क्या जरूरत है?'

शिवरानी–'दुनिया में आदमियों का आना कब रुकता है?'

'तो फिर दुनिया में ऐसे नालायकों की कमी भी नहीं। सब-कुछ इन्सान करता है इज्जत के लिए। जब अपने ही घर में इज्जत न हो, तो क्या? मुझे ऐसे बापों से कोई सहानुभूति नहीं, जो अपनी जिम्मेदारी दूसरों पर डालते हैं'।

(प्रेमचन्द : घर में)

और भी कितनी जिम्मेदारियां थीं। स्कूल में नौकरी करते थे। परीक्षा पास करने के लिए पढ़ते थे। लिखने के लिए अध्ययन करते थे और फिर कहानियां, उपन्यास तथा लेख लिखते थे। अपनी कार्य सूची का उल्लेख उन्होंने 'लेखक' कहानी में किया है। उन्होंने जो कुछ कहानी में लिखा है, शिवरानी

देवी अपनी पुस्तक में हमें वही कुछ बताती हैं।

वे सुबह पांच बजे उठ बैठते थे। जो कुछ मिलता, खा-पीकर लिखने बैठ जाते थे। कलम हथौड़े की तरह चलती थी। वे अपने आपको लेखक नहीं, मजदूर समझते थे और जी तोड़कर मेहनत करते थे। आराम करने की हवस उन्हें नहीं थी। नौ बजे तक लिखते रहते। फिर उठकर तैयार होते और खाना खाकर स्कूल चले जाते। तीन-चार बजे लौटकर आते। घंटा-डेढ़ घंटा बच्चों से जी बहलाते। फिर दैनिक पत्र 'लीडर' पढ़ते और शाम को भोजन उपरान्त रात गये तक पढ़ते रहते।

जिस दिन किसी कारण लिखना-पढ़ना नहीं होता था, प्रेमचन्द समझते थे कि वह दिन व्यर्थ गया। इसलिए अक्सर बीमारी की हालत में भी लिखना-पढ़ना नहीं छोड़ते थे। 'लेखक' कहानी में लिखते हैं—

"महाशय प्रवीण फिर लिखने लगे। जवानी ही में उन्हें यह रोग लग गया था और आज बीस साल से वह उसे पाले हुए थे। इस रोग में देह घुल गई, स्वास्थ्य घुल गया और चालीस की अवस्था में बुढ़ापे ने आ घेरा। पर, यह रोग असाध्य था। सूर्योदय से आधी रात तक यह साहित्य का उपासक अन्तर्जगत में डूबा हुआ, समस्त संसार से मुंह मोड़े, हृदय के पुष्प और नैवेद्य चढ़ाता रहता था किन्तु भारत में सरस्वती की उपासना, लक्ष्मी का तिरस्कार है। मन तो एक ही था। दोनों देवियों को एक साथ कैसे प्रसन्न करता?"

आगे लिखा है—

"साहित्य-सेवा और स्थूलता में विरोध है। अगर कोई साहित्य-सेवी मोटा-ताजा डबल आदमी है तो समझ लो, उसमें माधुर्य नहीं, लोच नहीं, हृदय नहीं। दीपक का काम है जलना; दीपक वही लबालब भरा होगा जो जला नहीं।"

12. प्रकाशक

"रानी यह हिन्दुस्तान है, इसमें कलम के सहारे जीना मुश्किल है।"

—प्रेमचन्द

इस्तीफा देने के बाद प्रेमचन्द को रोजगार की चिन्ता हुई। पहले पोद्दारजी के साथ साझे में चर्खों की दुकान खुलवाई, जिसमें वांछित सफलता न हुई। मार्च 1922 में वे बनारस चले गए और परिस्थितियों से विवश होकर करघों का काम शुरू करना चाहते थे। इस बारे में जब मुन्शी दयानारायण निगम ने यह सलाह दी कि हमारी यह लाइन नहीं है, तो प्रेमचन्द ने उन्हें उत्तर में लिखा—

"आप फरमाते हैं, तुम्हारी यह लाइन नहीं है। मैं तसलीम (स्वीकार) करता हूं। मगर चारा क्या है? मैं कुर्बानी को अपनी जात तक रखना चाहता हूं। अयाल (बाल-बच्चों) को इस चक्की में पीसना नहीं चाहता। फिलहाल रोटियां मिल जाती हैं, कुछ लिट्रेरी काम कर लेता हूं। यह कुर्बानी है। खुदा और दुनियावदीं, कौम और जात दोनों को साथ लिए मैं लिट्रेरी काम को थोड़ी कुर्बानी नहीं समझता। जो शख्स अपनी फालतू आमदनी का एक हिस्सा किसी मदरसे के लिए खैरात कर देता है, वह हमारी कुर्बानी का सही अन्दाजा नहीं कर सकता, जो अपने लिए सोना तक हराम कर लेती है। आपने मेरे लिए कोई ऐसी तजवीज नहीं निकाली, जिससे फिक्रे-मुआश (रोटी की चिन्ता) से आजाद होकर मैं जिन्दगी काटता। मैं अर्ज कर चुका, इससे ज्यादा नफसकुशी (त्याग) मेरे इमकान (सामर्थ्य) से बाहर है। आपने जब कभी कोई तजवीज की वही हवाई, आकाशी मुआश (जीविका) से मुझे इत्मीनान नहीं होता। जरूरत

के लिए मुस्तकिल सूरत चाहिए। तकल्लुफात (विलास) के लिए तो आकाशी सूरत हो तो मुजायका नहीं।...अखबारी जिन्दगी में किस कदर फिक्र और झंझट हैं...अभी हम ारे यहां वह जमाना नहीं आया कि जर्नलिज्म (पत्रकारिता) को कैरियर (जीविका-साधन) बनाया जा सके।"

प्रेमचन्द से बेहतर लिखने वाला कोई दूसरा लेखक नहीं था फिर भी उन्हें अपनी रचनाओं से आमदनी नहीं के बराबर होती थी। कहानियां लोग मुफ्त छापते थे। किताबें पहले तो छपती ही न थीं, और अगर छप भी जाएं, तो एक हजार का संस्करण बरसों में जाकर बिकता था। उर्दू का हाल तो बहुत ही पतला था और अब तक है। 'बाजारे-हुस्न' अर्थात् 'सेवा-सदन' उपन्यास उन्होंने उर्दू में लिखा था। प्रकाशित पहले हिन्दी में हुआ। कलकत्ता पुस्तक एजेंसी ने उसके पहले संस्करण के लिए एकमुश्त चार सौ रुपए दिए। प्रेमचन्द को अपने साहित्यिक जीवन में इतनी बड़ी रकम पहली बार मिली थी। यह 1914 की बात है। इसके उपरान्त इसी प्रकाशन-गृह ने उन्हें 'प्रेमाश्रम' के लिए तीन हजार रुपये मुआवजे के रूप में दिये। कारण स्पष्ट था। 'सेवा-सदन' को असाधारण ख्याति प्राप्त हुई थी। उसे हिन्दी साहित्य का सर्वश्रेष्ठ उपन्यास माना गया था। इसी कारण प्रेमचन्द का झुकाव हिन्दी की ओर हुआ। 20 अक्तूबर, 1915 को बस्ती से उन्होंने सम्पादक 'जमाना' के नाम एक कार्ड लिखा–

"जमाना के लिए एक किस्सा लिखा है। अब मैं हिन्दी में भी लिख रहा हूं। 'सरस्वती'[1] को एक लेख दिया। 'प्रताप'[2] के लिए लिखा। इससे अधिक काम करने से माजूर हूं।"

1915 ही में बस्ती से एक पत्र में लिखते हैं–

"प्रेम-पच्चीसी के हिन्दी तर्जुमा के लिए कई जगह से इसरार (आग्रह) हो रहे हैं। मैं खुद ही इस काम को हाथ में लूंगा। अब हिन्दी लिखने की मश्क भी कर रहा हूं। उर्दू में अब गुजर नहीं। मालूम होता है, बालमुकुन्द गुप्त मरहूम की तरह मैं भी हिन्दी लिखने में जिन्दगी सर्फ कर दूंगा।"

बनारस से 31 मार्च, 1926 को एक कार्ड लिखा था–

"...जमाना के लिए कुछ नहीं लिख सका। इसकी मुआफी चाहता हूं। उर्दू में कोई पुरसाने हाल (पूछने वाला) तो है ही नहीं। दो नाविलों के तर्जुमे

---

1. इलाहाबाद की प्रसिद्ध मासिक पत्रिका।
2. कानपुर का दैनिक पत्र।

दारुल-अशाअत पंजाब को दिए। अभी कुछ तय नहीं हुआ। और मुन्शी...साहब मारे तकाजों के नाक में दम किये हैं। हालांकि एक सौ पचास रु. दे चुका हूं। लेकिन अभी इतना ही और देना है। इन दोनों किताबों की अशाअत (प्रकाशन) पर ही यह खर्चा वसूल होगा।"

गोया उन्हें अपनी जेब से पैसे खर्च करके पुस्तकें छपवानी पड़ती थीं। 'सेवा-सदन' प्रकाशित होने के छः-सात साल बाद इसका उर्दू संस्करण 'बाजारे-हुस्न' इसी दारुल-अशाअत पंजाब, लाहौर से प्रकाशित हुआ था। इस सम्बन्ध में सय्यद इम्तयाजअली 'ताज' को जो पत्र लिखा था, वह नीचे उद्धृत किया जाता है–

गोरखपुर

22 अप्रैल, 1920

मुशफिके[1] मन तसलीम!

नवाजिशनामा मिला। मश्कूर हूं। 'बाजारे-हुस्न' आप शाया[2] करें। शरायत के मुताल्लक यह अर्ज है कि आप पहले एडीशन के लिए मुझे बीस फीसदी रायल्टी अता फरमाएं। पहला एडीशन बारह सौ नगों का होगा। गालबन एक रुपया आठ आने की कीमत रखी जाए। मुझे दो सौ अस्सी जिल्दें[3] मिलेंगी। यह जिल्दें खाह मुझे जिल्दों की सूरत में दे दें या रुपये की सूरत में। रुपए की सूरत में देने से वही कमीशन, जो मैं दूसरे बुकसेलर मसलन, रसाला 'जमाना' को दूंगा–आपको वजआ कर दूंगा। अगर आप इसे पसन्द न फरमाएं तो मुझे जिल्द ही दे दें। किसी तरह बेच या बिकवा लूंगा। अगर इन दोनों सूरतों में से कोई भी पसन्द न हो तो मुझे पहले एडीशन के लिए दो सौ पचास रुपये अता फरमाएं। हिन्दी में मुझे पांच सौ मिले थे। आप जिस तरह चाहें, फैसला कर लें। दो सौ पचास रुपये गालबन जरूरत से ज्यादा मुतालिबा नहीं है। मेरी डेढ़ साल की मेहनत और खामाफरसाई[4] का नतीजा यह किताब है। अगर यह शर्तें सब आपको नागवार मालूम हों, तो अपनी मर्जी के मुताबिक किताब शाया करके मुझे जो चाहें दे दें। मैं आपका मश्कूर[5] हूंगा। मुझे यह सख्त जिल्लत मालूम होती है कि अपनी किताब के लिए पब्लिशरों की खुशामद करता फिरूं।

'प्रेम-बत्तीसी' हिस्सा दोयम[6] का किस्सा 'खूने अजमत' मिल गया है। पहला हिस्सा अनकरीब तैयार है। दूसरा हिस्सा भी जल्द निकले तो बेहतर।

---

1. प्रिय; 2. प्रकाशित; 3. प्रतियां; 4. कलमघिसाई; 5. कृतज्ञ; 6. दूसरा भाग।

मालूम नहीं कागज दस्तियाब[1] हो या नहीं। मेरे पब्लिशर (हिन्दी) कलकत्ता से आपके लिए हर एक किस्म का कागज सुभीते के साथ भेजने पर आमादा हैं। निस्फ कीमत पेशगी दरकार होगी। अगर आप इसे मंजूर फरमाएं, तो कागज का आर्डर वगैरह इस पते पर दे सकते हैं। मेरा हवाला देना जरूरी होगा।

श्रीयुत महावीरप्रसादजी
बुकसेलरज एण्ड पब्लिशरज
हिन्दी पुस्तक एजेन्सी, 123, हैरीसन रोड,
कलकत्ता।

पत्र से स्पष्ट है कि प्रेमचन्द की नजर से कोई भी बात ओझल नहीं होती थी। हर एक मामले की, चाहे वह कितना ही मामूली हो, तफसील में जाते थे।

'प्रेम-बत्तीसी' का दूसरा भाग इसी दारुल-अशाअत से प्रकाशित हुआ था। 'प्रेम-पच्चीसी' और 'प्रेम-बत्तीसी' का पहला भाग उन्होंने स्वयं प्रकाशित किया था। इस सम्बन्ध में 'प्रेम-बत्तीसी' की भूमिका (दीबाचा) जो उन्होंने खुद लिखी थी, उल्लेखनीय है। लिखते हैं—

"मेरी कहानियों का पहला मजमूआ 'प्रेम-पच्चीसी' कई साल हुए शाया हुआ था। जहां तक मुआसर (समकालीन) अखबारों का ताल्लुक है उन्होंने मेरी नाचीज कोशिश की दाद दी। लेकिन शायकीन पर इसका बहुत कम असर हुआ। पहला एडीशन खत्म होने में कमो-बेश पांच साल लग गए। यह कदरदानी बहुत हौसला-अंगेज (उत्साहजनक) न थी। लेकिन मुसन्नफ (लेखक) को तसनीफ (रचना) के सिवा चारा नहीं। इसलिए यह दूसरा मजमूआ 'प्रेम-बत्तीसी' के नाम से पब्लिक के सामने पेश करता हूं। मुमकिन है कि पहले मजमूए की निस्बत इसका ज्यादा चर्चा हो, या सारा तूमार दफ्तरे अशाअत (प्रकाशन-गृह) के गोदाम में पड़ा सड़े। मैं अपने फर्ज से सुबकदोश हो चुका। अब सिर्फ इतनी आरजू है कि एक मजमूआ प्रेम-चालीसा या प्रेम-पचासा के नाम से और निकल जाए। बस यही जिन्दगी का हासिल (सर्वस्व) होगा, और इसी पर कनात (सन्तोष) करूंगा।

इस सूबे में पब्लिशरों का कहत है। इसलिए यह मजमूआ दो हिस्सों में जुदा-जुदा मुकामों से निकालना पड़ा ताकि ज्यादा तबक्कुफ (विलम्ब) न हो, हालांकि इतनी एहतियात करने पर भी किताबत से अशाअत तक कमो-बेश दो महीने खत्म हो गए।"

इस सिलसिले में सम्पादक 'जमाना' को गोरखपुर से एक खत में

---

1. प्राप्त।

लिखा था—

“क्या हौसला अखबारनवीसी और लिट्रेरी काम का हो। ‘प्रेम-पच्चीसी हिस्सा अव्वल’ को छपे हुए चार साल हुए। मगर अभी तक निस्फ पड़ी हुई है। हिस्सा दोयम की मुश्किल से डेढ़ सौ जिल्दें निकली हैं। मैं इससे बेहतर नहीं लिख सकता और बेहतर कामयाबी की उम्मीद नहीं रखता। आप यह सुनकर खुश होंगे कि मेरे हिन्दी नाविल ने खूब शोहरत हासिल की और अक्सर नक्कादों (आलोचकों) ने उसे हिन्दी जुबान का बेहतरीन नाविल कहा है। यह ‘बाजारे-हुस्न’ का तर्जुमा है। ‘बाजारे-हुस्न’ अब साफ कर रहा हूं।”

उन्हीं के नाम 23 अप्रैल, सन् 1927 का खत है—

“मेरा इरादा एक लीथो प्रेस खोलने का है। लोग कहते हैं बनारस में लीथो प्रेस नहीं चल सकता। लेकिन एक बार कोशिश करके देखना चाहता हूं। मेरी कई किताबें निकलने के लिए तैयार हो रही हैं। ‘प्रेम-पच्चीसी’ खत्म हो गई। ‘गौशाये आफीयत’ (प्रेमाश्रम) महज इसलिए नातमाम (अधूरा) है कि कोई पब्लिशर नहीं है—ताजा ड्रामा ‘संग्राम’ भी उर्दू में निकालना चाहता हूं। जब तक यह किताबें तैयार होंगी गालबन मेरा नाविल तैयार हो जाएगा।”

ये कठिनाइयां थीं, जिनसे हमारे देश के लेखकों को अब भी दो-चार होना पड़ता है। अव्वल तो प्रकाशक मिलता नहीं और अगर मिलता है, तो कोशिश यह होती है कि पुस्तक मुफ्त हाथ लगे। अगर कोई धुन का पक्का लेखक बारह-पन्द्रह प्रतिशत रायल्टी तय कर लेता है, तो वह भी उसे नहीं दी जाती। प्रकाशक लाभ में अपने पत्तीदार बुकसेलरों को तीस-चालीस प्रतिशत कमीशन देता है और बाकी खुद डकारता है। जुल्म होता है बेचारे लेखक पर। यही कुछ प्रेमचन्द के साथ होता था। उर्दू में उनकी अक्सर पुस्तकें लाहौर से प्रकाशित हुई हैं। दारुल अशाअत के अलावा वहां उनके दूसरे प्रकाशक लाजपतराय एंड सन्स भी थे। ‘गबन’, ‘पर्दा-ए-मिजाज’ (कायाकल्प) और कहानी-संग्रह ‘ख्वाबो-खयाल’ उन्हीं के यहां से प्रकाशित हुआ है। प्रेमचन्द को दोनों से शिकायत थी। सम्पादक ‘जमाना’ को इस बारे में 25 फरवरी, सन् 1932 के एक खत में लिखा है—

“पर्दा-मिजाज अभी तक पब्लिशर ने नहीं भेजा। कई खतूत (पत्र) लिख चुका। न रुपए भेजता है न किताबें, न जवाब देता है। मालूम नहीं बीमार है या क्या? इधर ‘गबन’ का तर्जुमा भी शुरू कर दिया है। एक नया नाविल भी शुरू कर दिया है। मगर सर्दबाजारी बलाए-जान हो रही है। किताबों की काफी बिक्री नहीं... ।”

उपेन्द्रनाथ अश्क को एक खत में लिखा था–

"बुकसेलरों का तजुर्बा आपसे ज्यादा मुझे तल्ख हुआ है। एक पब्लिशर मेरे डेढ़ सौ रुपये दबाये बैठा है। लाहौर ही में एक दूसरा पब्लिशर मेरे सात सौ रुपए हजम करना चाहता है। अखबारात का यह हाल है, बुकसेलरों का यह। बेचारा मुसन्नफ (लेखक) क्या करे?..."

किताबें छपने और बिकने के बारे में प्रेमचन्द को यह शिकायत आखिरी उम्र तक रही। कुछ उर्दू की बात नहीं, हिन्दी में भी यही कैफियत थी। उपेन्द्रनाथ अश्क ने बनारस कैंट से 9 जुलाई, 1936 को लिखा हुआ उनका एक पत्र प्रकाशित किया है–

"डियर उपेन्द्रनाथ,

दुआ। तुम ताज्जुब कर रहे होगे कि मैंने तुम्हारे खत का जवाब क्यों नहीं दिया। मैं पन्द्रह दिन से कैदी-ए-बिस्तर (रुग्ण शय्या) हो रहा हूं। हाजमा की शिकायत है, जिगर और मेदा की खराबी। कोई काम नहीं करता। तुम्हारी परेशानियों का किस्सा पढ़कर रंज हुआ। इस महाजनी दौर में पैसे का न होना अजाब (कष्ट) है। जिन्दगी खराब हो जाती है। लेकिन यह भी न भूलना कि गरीबी और मुसीबतों का एक इखलाकी पहलू भी होता है। इन्हीं आजमायशों में इन्सान इन्सान बनता है। उसमें खुद एतमादी (आत्मविश्वास) पैदा होती है।

हिन्दी में भी वही कैफियत है, जो उर्दू में। किताब नहीं बिकती। पब्लिशर कोई नई किताब छापते नहीं।..."

1932 में पंडित बनारसीदास चतुर्वेदी ने तीन प्रश्न पूछ भेजे थे। उनमें से एक यह भी था कि अपनी रचनाओं से आपको कितनी आमदनी हुई। प्रेमचन्द उत्तर में लिखते हैं–

"आमदनी की कुछ न पूछिए। समस्त प्रारम्भिक पुस्तकों का प्रकाशन अधिकार पब्लिशरज को दे दिया। 'सेवा-सदन', 'प्रेमाश्रम', 'सप्त सरोज' और 'संग्राम' के लिये हिन्दी पुस्तक एजेन्सी ने एकमुश्त तीन हजार रुपए दे दिये थे और निबन्ध के लिए अब तक शायद दो सौ रुपये मिले थे। दुलारेलालजी ने 'रंगभूमि' के अठारह सौ रुपए दिए थे। दूसरे संग्रह के लिए सौ-दो सौ रुपये मिल गए होंगे। 'कायाकल्प', 'आजादकथा', 'प्रेमतीर्थ', 'प्रेमप्रतिमा', 'प्रतिज्ञा' मैंने खुद छापीं। मगर मुश्किल से अभी तक छः सौ रुपये वसूल हुए हैं। रचनाओं से फुटकर आमदनी पच्चीस रुपये महीना हो जाती है; मगर कभी-कभी इतनी भी नहीं। अनुवाद से शायद दो हजार से अधिक नहीं मिला। आठ सौ रुपये में 'रंगभूमि' और 'प्रेमाश्रम' दोनों के अनुवादों का मामला हो

गया। 'हंस' और 'जागरण' के प्रकाशन में लगभग दो सौ रुपये महीने का नुकसान हो रहा है।''

प्रकाशकों से उन्हें इस प्रकार दो-चार होना पड़ता था। सूद और मुनाफा पर पलने वाले महाजनी समाज से उन्हें जो घृणा थी, इसमें इन पब्लिशरों और मन्दे का भी बहुत दखल था। अन्य परिस्थितियों की भांति इस परिस्थिति का प्रतिबिम्ब भी उनकी रचनाओं में खूब मिलता है। गरीब लेखक और पूंजीपति पब्लिशर में जो स्वाभाविक विरोध है, 'डिमांसट्रेशन' कहानी में उसका बहुत सच्चा चित्रण मिलता है। इसमें जो अतिशयोक्ति और घटना का विस्तार है, वह उनकी रचना-शक्ति का चमत्कार है वरना यह कहानी निजी अनुभव और निरीक्षण के आधार पर लिखी गई है।

''गुरुप्रसाद को नाटक लिखकर वही आनन्द प्राप्त हुआ जो एक लेखक को अपनी रचना पूर्ण करके हुआ करता है। वह समझता है कि मैंने बहुत महत्त्वपूर्ण काम कर लिया है। जिस उमंग और उल्लास से उसने यह रचना पूर्ण की है, उसी उमंग और उल्लास से प्रकाशक और पाठक उसका स्वागत करेंगे। नाटक लिखने के उपरान्त नाटक-कम्पनी के मालिक के साथ सौदा पटाने की बात आती है तो गुरुप्रसाद के मित्र खूब ठाठ से मोटरों पर जाने का प्रस्ताव करते हैं। लेकिन सरल-स्वभाव गुरुप्रसाद कहता है कि सादे ढंग से तांगों में जाने से क्या बुराई है। इस पर विनोदबिहारी ने कहा—'आप तो घास खा गए हैं। नाटक लिख लेना दूसरी बात है और मामले को पटाना दूसरी बात है। एक रुपया पृष्ठ सुना देगा, अपना-सा मुंह लेकर रह जाओगे'।''

प्रेमचन्द को शायद कई बार रुपया पृष्ठ भी नहीं मिला था। अन्तिम उपन्यास 'गोदान' के उर्दू अनुवाद के लिए, जबकि वे इतनी ख्याति प्राप्त कर चुके थे, रुपया पृष्ठ से अधिक मिलने की आशा नहीं रखते थे। उन्हें प्रायः मामूली रकम के लिए अपनी पुस्तकों के सम्पूर्ण अधिकार बेच देने पड़े थे। उर्दू की लगभग सभी पुस्तकों के अधिकार प्रकाशकों के पास हैं। हिन्दी की अलबत्ता वे पुस्तकें बच रही थीं, जो उन्होंने स्वयं प्रकाशित की थीं। इस लूट-खसोट की व्यवस्था में प्रकाशकों की लूट-खसोट भी बराबर चल रही है। साहित्य का व्यापार करने वाला सेठ होता है, सेठ का दलाल होता है। गरीब लेखक को कैसे मक्खन लगाया जाता है, वह सब इस कहानी में मौजूद है।

गुरुप्रसाद और उसके साथी जब ड्रामा सुनाते हैं, तो सेठजी टस-से-मस नहीं होते, पत्थर की मूर्ति बने बैठे रहते हैं। मुखाकृति से मनोभावनाओं को प्रकट नहीं करते। अन्त में सिर्फ दूसरे दिन आने की दावत देते हैं। जब

गुरुप्रसाद और उनके मित्र दूसरे दिन आते हैं, तो उनकी आवभगत की जाती है। दावत स्वादिष्ट है। आज सेठजी चुप नहीं। नाटक की भूरि-भूरि प्रशंसा करते हुए फरमाते हैं कि आपके इस परिश्रम और लगन का पुरस्कार कौन दे सकता है? पास ही से दलाल बोल उठता है–

'मुमकिन ही नहीं। ऐसी रचनाओं के पुरस्कार की कल्पना करना ही उनका अनादर करना है। इनका पुरस्कार यदि कुछ है तो वह अपनी आत्मा का सन्तोष है और वह सन्तोष आपके एक-एक शब्द से प्रकट है।'

सेठ जी–'आपने बिलकुल सत्य कहा कि ऐसी रचनाओं का पुरस्कार अपनी आत्मा का सन्तोष है।...आपसे ड्रामा ले लीजिये और आज ही पार्ट भी तकसीम कर दीजिये। तीन महीने के अन्दर इसे खेल डालना होगा।...'

ड्रामा ले लिया गया और जब गुरुप्रसाद दीन नेत्रों से सेठजी की ओर देखकर उठे और चलने लगे, सेठजी फिर बोले–'हुजूर को थोड़ी-सी तकलीफ और करनी होगी। ड्रामा का रिहर्सल शुरू हो जाएगा तो आपको थोड़े दिनों कम्पनी के साथ रहने का कष्ट उठाना पड़ेगा।'

चले, तो मित्र सेठ के कौशल की आलोचना करने लगे। गुरुप्रसाद इस आलोचना में शरीक न हुए। वह इस तरह सिर झुकाये चले जा रहे थे, मानो अभी तक वह स्थिति को ही समझ न पाये हों।"

आखिर जिन्दगी में प्रेमचन्द को कहानियों और लेखों का पुरस्कार जरूर मिलने लगा था, जो काफी नहीं था। फिर भी उससे उनकी कुछ जरूरतें पूरी हो जाती थीं। कई बार वे जरूरत के लिए लिखते भी थे। 'त्यागी का प्रेम' कहानी में लिखते हैं–

"लाला गोपीनाथ को अब परवशता ने साहित्य-सेवी बना दिया था।"

'लेखक' कहानी में जब लेखक की स्त्री शिकायत करती है कि आटा तक लाने को घर में पैसे नहीं, तो लेखक कहता है–

"दो-एक पत्रिकाओं से मेरे लेखों के रुपए आने हैं। शायद कल तक आ जाएं।"

एक बार उन्होंने एक बंगाली को घर पर रखा और उसे दो-तीन सौ रुपया दिया। वह अपने आपको लेखक कहता था और बातूनी इतना कि प्रेमचन्द पर खूब रंग चढ़ाया। उसने जब शादी की तो शिवरानी देवी से चोरी-चोरी प्रेमचन्द ने उसकी पत्नी के लिए कपड़े, आभूषण बनवा दिये और फिर चोरी-चोरी कहानियां और लेख लिखकर यह रकम अदा की। बंगाली बहुत गलत आदमी था। अपनी एक कहानी में उसे भली-भांति चित्रित किया है। कहानी का नाम 'ढपोरशंख' है, अर्थात् वह व्यक्ति जो बातें बहुत बनाये; लेकिन करनी में कोरा हो।

13. प्रेस

"साहित्य-सेवा पूरी तपस्या है।" —प्रेमचन्द

चिराग का काम जलना है, वह जलता रहेगा और उजाला फैलाता रहेगा। लेकिन मनुष्य जब चैतन्य रूप से चिराग बनने का कर्त्तव्य पालन करता है तो वह फिर जलने ही पर बस नहीं करता, उसे यह चिन्ता होती है कि जिस उजाले को वह जन्म देता है, उसे अधिक से अधिक लोगों तक पहुंचाए। प्रेमचन्द इस धुन के साथ साहित्य रचना करते थे। वह चाहते थे कि जो कुछ लिखते हैं, वह अधिक से अधिक लोगों तक पहुंच जाए। इसलिए उन्होंने कुछ पुस्तकें आप छापीं, और कुछ मुनाफाखोर पब्लिशरों को औने-पौने दे दीं। फिर भी प्रकाशन और वितरण के बारे में उनकी अभिलाषा पूरी न होती थी। इसलिए वह चाहते थे कि अपना पब्लिशिंग हाउस हो, प्रेस हो, जहां उनकी और दूसरे लिखने वालों की पुस्तकें आसानी से छप सकें, शीघ्र-से-शीघ्र लोगों के हाथों में पहुंचायी जा सकें।

मुलाजिमत के दिनों में ही उनके मन में यह भावना बलवती हो गई थी और सतत प्रेरणा बनती जा रही थी। वह चाहते थे कि अपनी इच्छा के अनुकूल काम करें ताकि अपनी समस्त रचना-शक्ति को कार्यान्वित कर सकें। सम्पादक 'जमाना' को एक खत में बस्ती से लिखा था—

"मैं आजिज हूं, तो मातहती से। काम ऐसा चाहता हूं, जिसमें बजुज मेरी तबीयत के और किसी का तकाजा न हो। जी में आवे तो दिन-रात काम करता रहूं। और जी चाहे तो कुछ न करूं। मगर यह सिर्फ मालिकाना हैसियत से हो सकता है।"

प्रेमचन्द एक बार जब बस्ती से कानपुर गए, तो गणेशशंकर विद्यार्थी

से भेंट हुई। उन्होंने नया प्रेस लगाया था और अपना अखबार निकाला था। वे विद्यार्थीजी के अपने दफ्तर में काम-काज के ढंग से बहुत प्रभावित हुए। घर लौटकर शिवरानी देवी से इस भेंट का जिक्र करते हुए कहा कि गणेशशंकर विद्यार्थी बड़े पुरुषार्थी हैं। प्रेस और अखबार का सारा काम खुद देखते हैं। मुझे उनकी सफलता में तनिक सन्देह नहीं, क्योंकि ऐसा आदमी जरूर कामयाब हो जाता है। जी चाहता है कि मैं भी इसी लगन से काम करूं।

मुलाजिमत छोड़ देने के उपरान्त भी उन्हें प्रेस खोलने और मालिक के तौर पर काम करने का अवसर नहीं मिला। उसके लिए पैसा दरकार था। चर्खों की दुकान खोली जो चल न सकी। उसके बाद कानपुर के मारवाड़ी स्कूल में अध्यापक लगे। इस स्कूल के मैनेजर एक महाशय काशीनाथ थे। अपने को कांग्रेसी और देशभक्त कहते थे। प्रेमचन्द उन्हें सज्जन और सुशील समझते थे लेकिन तजुर्बे से तन के उजले और मन के मैले सिद्ध हुए। वह अध्यापकों के साथ अत्यन्त कटुता और क्रूरता से पेश आते थे। स्कूल के मैनेजर क्या थे, पूरे डिक्टेटर थे। प्रेमचन्द उनका कुटिल व्यवहार सहन न कर सके। जल्द ही अनबन हो गई। मार्च 1922 में यहां से भी इस्तीफा दे दिया। वह फिर बनारस चले गये और अपनी जन्म-भूमि लम्ही में जाकर रहने लगे। वहां उन्होंने तीन-चार हजार रुपया खर्च करके पुराने मकान के स्थान पर पक्का मकान बनवाया और खयाल था कि बाकी सारी उम्र यहीं बिता देंगे। इस्तीफा देकर गांव जाने तक के ये सारे हालात 'प्रेरणा' कहानी में भली प्रकार चित्रित हुए हैं।

काशीनाथ मारवाड़ी के स्थान पर कहानी में कॉलेज का जिक्र है; पर बात वही है—

"मुझ पर जा-बे-जा आक्रमण होने लगे। अमुक को क्यों नहीं परीक्षा में भेजा गया, अमुक के बदले अमुक को क्यों नहीं छात्रवृत्ति दी गई। अमुक अध्यापक को अमुक कक्षा क्यों नहीं दी जाती? इस तरह के सारहीन आक्षेपों ने मेरा नाक में दम कर दिया था...मैंने इस्तीफा दे दिया।...संसार का ऐसा कटु अनुभव मुझे अब तक न हुआ था।"

और उसके उपरान्त गांव में रहने की बात इस कहानी में यों लिखी है—

"मैं संसार से विरक्त हो गया और एकान्तवास में जीवन व्यतीत करने का निश्चय करके एक छोटे-से गांव में जा बसा। चारों तरफ ऊंचे-ऊंचे टीले थे, एक ओर गंगा बहती थी। मैंने नदी के किनारे एक छोटा-सा घर बना लिया और उसमें रहने लगा।"

मगर गांव में वह बहुत दिन नहीं रहे। शिवप्रसाद गुप्त बनारस से हिन्दी का एक मासिक पत्र 'मर्यादा' निकालते थे, जिसके सम्पादक बाबू सम्पूर्णानन्द थे। वह असहयोग आन्दोलन में गिरफ्तार होकर जेल चले गए। उनकी अनुपस्थिति में प्रेमचन्द को 'मर्यादा' का सम्पादक बना दिया गया। डेढ़ साल बाद जब बाबू सम्पूर्णानन्द जेल से छूटकर आए तो यह काम फिर उन्हें सौंप दिया गया।

'मर्यादा' में प्रेमचन्द को डेढ़ सौ रुपये मासिक मिलते थे। उसके बाद सवा सौ रुपये महीना पर काशी विद्यापीठ में अध्यापक लग गये। यह काम भी उनके स्वभावानुकूल नहीं था। सिर्फ एक साल बाद विद्यापीठ की नौकरी भी छोड़ दी।

अब उन्होंने प्रकाशन कार्य आरम्भ करने का निश्चय कर लिया। चुनांचे रघुपतिसहाय फिराक गोरखपुरी और अपने दो प्रियजनों के साझे में बनारस में सरस्वती प्रेस स्थापित किया। इसमें खुद उन्होंने साढ़े चार हजार रुपया लगाया। लेकिन जब मुनाफा की जगह उल्टा नुकसान हुआ तो धीरे-धीरे प्रेस की सारी जिम्मेदारी खुद उन्हीं पर आ पड़ी। दूसरे साझीदार एक-एक करके अलग हो गये।

किसी काम को अधूरा छोड़ना, हार मानना, प्रेमचन्द की आदत नहीं थी। वह पूर्ण मनोयोग से एक काम के पीछे पड़ जाते थे और मेहनत तथा लगन से असफलता को सफलता में बदलने की कोशिश करते थे। प्रेस के काम में वह पूरी तन्मयता से लग गए। दिन सारा प्रेस में लग जाता था, फिर मिलने वाले आ जाते थे। पढ़ने-लिखने का काम प्रायः रात को करते थे। सेहत खराब थी इसलिए शिवरानी देवी कड़े परिश्रम से मना करती रहती थीं। कम-से-कम उनका रात को जागना कतई पसन्द नहीं था।

एक दिन शिवरानी ने ऐतराज किया, तो प्रेमचन्द हंसकर बोले–

"भाई, तब क्या करूं? सुबह घूमना भी जरूरी होता है। घूमकर आते ही नाश्ता करके अपने कमरे में काम करने बैठ जाता हूं। खुद भी लिखता-पढ़ता हूं साथ ही तुम्हारे बच्चों को लिखाता-पढ़ाता हूं। इसके बाद फिर उठता हूं। नहाता-धोता हूं। उसके बाद प्रेस जाता हूं। प्रेस से आकर एक घंटा तक बच्चों के साथ बात करता हूं। नहीं तो वे भी सब बिल्ले हो ज़ाएंगे, फिर इसी के साथ-साथ अपनी भी तो थकान मिट जाती है। इसके बाद प्रेस का मुन्शी आ जाता है। उससे कुछ-न-कुछ बोलना ही पड़ता है। नौ बजे उठकर खाना खाता हूं। एक घंटा ही बाकी बचता है। इतनी ही देर में चाहे जो कुछ पढ़ूं-लिखूं। इस पर सरकारी हुक्म है कि दस बजे सो जाओ। सरकारी हुक्म टाला भी जा सकता है; पर तुम्हारा तो टाला भी नहीं जा सकता। अब तुम्हीं

बताओ कि इसमें कितना समय मैं निकाल सकता हूं। 'लीडर' तो मैं प्रेस में पढ़ता हूं। मेरा तो एक-एक क्षण बंटा हुआ है। मैं तो ईश्वर से मनाता रहता हूं कि रात छोटी हुआ करे, दिन बड़ा।''

(प्रेमचन्द : घर में)

प्रेस में उन्होंने एक प्रकार से अपनी आत्मा डाल दी थी। बीमारी तक की परवाह नहीं करते थे। एक बार शिवरानी देवी गांव में थीं और उन्हें पेचिश हो गई थी। जो पैसे पत्नी दवा के लिए देती थीं, वे आप प्रेस में खर्च कर देते थे। दो महीने बीमारी की हालत में ही बीत गए। तब शिवरानी देवी ने उन्हें गांव चलने को कहा—

आप बोले—'प्रेस का काम कौन करेगा?'

शिवरानी—'जब तबीयत अच्छी नहीं हो रही है तो क्या कीजिएगा?'

आप—'काम भी तो मुझे बहुत करना है।'

शिवरानी—'काम भाड़ में जाए। एक-न-एक तो लगा ही रहेगा।'

आप—'क्या भाड़ में काम चला जाएगा? इसे तो पूरा करने ही से छुट्टी है।'

फरवरी सन् 1933 को प्रेस में हड़ताल हो गई। शिवरानी देवी ने अपनी पुस्तक में उसका जिक्र इस प्रकार किया है—

''मेरे प्रेस में हड़ताल हो गई। आप वहां से आये और सुस्त-से बैठ गये। मैं उन्हें उदास देखकर पूछ बैठी कि आपकी तबीयत कैसी है?

आप बोले—'तबियत तो बहुत अच्छी है।'

मैं बोली—'तो उदास क्यों हो?'

आप बोले—'इस प्रेस के कारण मुझे बड़ी परेशानी रहती है।'

मैं बोली—'क्या है? बताएं तो!'

'क्या बताऊं, मैनेजर और मजदूरों में पटती ही नहीं।'

'वे काम न करते होंगे। मैनेजर बेचारा क्या करे।'

'भाई, मैनेजर भी तो अपने को खुदा से कम नहीं समझता।'

'खुदा क्यों न समझेगा अपने को? अगर ठीक-ठीक काम न कराये तो आप भी तो उस पर बिगड़ेंगे।'

'जरा-सी बात पर तो लोगों को गैर-हाजिर करता है, पैसे काटता है।'

'तो फिर उसका क्या दोष?'

'नहीं, सब मैनेजर की शरारत है। घड़ी को कभी सुस्त कर देता है, कभी तेज कर देता है। मैंने एकान्त में भी बीसियों बार समझा दिया है, बाबा ऐसा

मत करो। पर, माने तब ना। फिर प्रेस में तो तरह-तरह के घाटे हैं। क्या इन्हीं मजदूरों के बल पर घाटे पूरे होंगे। हम लोगों को तो ज्यादा रुपए मिलते हैं; पर खर्च भर का पूरा नहीं पड़ता। तब गरीबों को कैसे पूरा पड़ेगा? पैसों की मुसीबत तो इन लोगों के सिर पर है। इन लोगों की तनख्वाह तो तब नहीं कटती, जब यह हफ्तों गायब रहते हैं। तब क्यों मजदूरों ही की तनख्वाह चार मिनट देर में आएं तो कट जाए? जरा भी देर हुई, चट निकाल दूसरे को बुला लिया। हमारे यहां पढ़ा-लिखा समाज सबसे अधिक स्वार्थी हो गया है।'

'एक के पीछे आप सारे समाज को बदनाम कर रहे हैं।'

'मेरा कहना तुम सच मानो।'

'तो फिर आप अपने को दोष दीजिए। मैनेजर को क्यों दोषी ठहराते हो।'

आप बोले–'मैं तो कभी नहीं अपने छोटों से लड़ता। हर जगह यही अत्याचार है। अगर यह अपने से छोटों को बराबर का समझे तो झगड़ा-हड़ताल कभी न हो। हरकतों से तो इनकी हड़ताल हो, पर बदनामी और हार मेरी! अब जब तक हड़ताल खत्म न होगी, सारा काम रुका पड़ा है। तबीयत उधर लगी रहती है, काम क्या होगा खाक?'

मैं बोली–'आपकी तरह मैनेजर भी बैठा रहेगा। यह मजदूर भी किसी से कम थोड़े ही हैं।'

उन्होंने कहा–'नहीं जी, वह मजदूरों से बढ़कर है। देखता हूं, बराबर नुकसान हो रहा है, पर बोलता नहीं हूं। काम लेने के ढंग भी होते हैं'।''

(प्रेमचन्द : घर में)

यह उनका ढंग था। ये कठिनाइयां थीं। लेकिन नुकसान उठाते हुए भी प्रेस को चला रहे थे। बीच में नौकरी भी करनी पड़ी; लेकिन एक बार शुरू करके प्रेस बन्द नहीं किया। 'कायाकल्प', 'गबन', 'कर्मभूमि' और 'गोदान' इसी प्रेस से प्रकाशित किए। 'मानसरोवर' और 'प्रेम-द्वादशी' इत्यादि कहानी-संग्रह भी इस प्रेस में छपे।

अब इतना हो गया कि जो कुछ वे लिखते थे, कम-से-कम हिन्दी में तुरंत छप जाता था। लेकिन मन्दे के कारण किताबें बिकती नहीं थीं। स्टाक पड़े रहते और बुकसेलर भी पैसा जल्दी नहीं लौटाते थे। समीक्षा आदि कराने में भी काफी झंझट रहता था। पर वह किसी काम को भी नजर-अन्दाज नहीं करते थे। हरेक बात का ध्यान रखना अपना कर्त्तव्य समझते थे। इस सम्बन्ध में उनका एक पत्र उल्लेखनीय है। 'गोदान' की एक प्रति 'माधुरी' में समीक्षा

के लिए भेजी। सम्पादक बांकेबिहारीलाल ने दो प्रतियां मांगीं। जवाब में जो पत्र लिखा, वह निम्नलिखित है—

"प्रिय बांकेबिहारीलालजी,

आप 'गोदान' की आलोचना कर रहे हैं। यह जानकर बड़ा आनन्द पाया। साहित्य की आजकल जो दुर्गति हो रही है, उसकी कुछ-न-कुछ जिम्मेदारी पत्रकारों पर भी आती है, जिनमें एक मैं भी हूं। चाहिए तो यह कि कोई अच्छी चीज निकले, उसका स्वागत किया जाए, लेखक को प्रोत्साहन दिया जाए तथा प्रयत्न किया जाए कि पुस्तक की खपत हो और लेखकों और प्रकाशकों का दिल बढ़े। मगर प्रकाशक तो यहां है ही नहीं। आप आज कोई पुस्तक लिखकर प्रकाशक खोजने निकलें तो आपको समूचे भारतवर्ष में एक भी न मिलेगा, जो आपकी मेहनत का कुछ मुआवजा दे या रायल्टी पर ही छापे। रायल्टी पर छाप भी देगा तो कभी मिलेगी नहीं। आप जब मांगेंगे तो जवाब मिलेगा—'पुस्तक की बिक्री नहीं होती।' इसलिए मेरे जैसे दो-चार लेखकों ने खुद अपनी पुस्तक छापनी शुरू कीं, क्योंकि हमारा जीवन-व्यवसाय यही है। अगर कोई प्रकाशक ढंग का मिलता, तो हमें पुस्तक का रोजगार क्यों करना पड़ता? लेकिन परिस्थितियों में पड़कर यह झंझट उठाती पड़ी। अगर सभी सम्पादक या मैनेजर दो-दो प्रतियां मांगें तो इस गरीब का तो पोस्टेज में ही दीवाला पिट गया। 'गोदान' की एक प्रति पर महसूल बारह आने है। दो प्रतियों का महसूल डेढ़ रुपया होगा। अगर पचास कापियां भी भेजनी पड़ीं तो चालीस रुपए महसूल हो जाएगा। बहुत से सज्जन तो आलोचना करते ही नहीं। यही देखकर कुछ प्रकाशक पत्रों के पास अपनी पुस्तकें नहीं भेजते।"

इस भावना से प्रेमचन्द ने प्रेस लगाया था। जीते-जी उन्हें इससे कुछ भी लाभ नहीं हुआ। वे जो काम करना चाहते थे लाभ की दृष्टि से हो ही नहीं सकता था। साथ ही उन्होंने मासिक पत्र 'हंस' और साप्ताहिक 'जागरण' भी जारी कर दिया था। प्रेस में जो थोड़ा-बहुत लाभ होता, वह इन पत्रों में उठ जाता था। फिर भी खर्च नहीं चलता था तो इधर-उधर नौकरी करते थे। पारिश्रमिक पर लेख और कहानियां लिखते थे। पर जो काम उन्होंने अपने जिम्मे ले लिया था, उसे प्राणपण से निभाते जा रहे थे और अन्तिम समय तक निभाते रहे।

14. सम्पादक

> ''साहित्यकार मानवता, दिव्यता और भद्रता का बाना बांधे होता है। जो दलित है, पीड़ित है, वंचित है—चाहे वह व्यक्ति हो या समूह, उसकी हिमायत और वकालत करना उसका फर्ज है। उसकी अदालत समाज है, इसी अदालत के सामने वह अपना इस्तगासा पेश करता है।'' —प्रेमचन्द

प्रेमचन्द का एम. ए. पास करके वकील बनने का अरमान तो पूरा न हुआ; पर इस बात को जल्द समझ लिया कि पेशेवर वकील बनने की अपेक्षा जनता का सच्चा पक्षधर वकील बनना कहीं बेहतर है। साहित्य द्वारा इस कर्त्तव्य का पालन करने का काम उन्होंने अपने जिम्मे ले लिया। कहानियां और उपन्यास लिखकर तो वे उत्पीड़ित की वकालत करते ही थे; पर चाहते थे कि जिस अदालत में उन्हें अपना इस्तगासा पेश करना है, उसके क्षेत्र को और विस्तृत किया जाए। इसलिए उनके मन में चिरकाल से किसी मासिक पत्रिका का सम्पादक बनने की साध थी। उनके जीवन का यह भी एक सुनहरा स्वप्न था।

1907 में जब वे नवाबराय के नाम से लिखते थे, इण्डियन प्रेस, इलाहाबाद के संचालक चिन्तामणि घोष ने उन्हें कानपुर से बुलाया था। उनका इरादा एक मासिक पत्रिका निकालने का था और वह उसका सम्पादन मुन्शी नवाबराय के सुपुर्द करना चाहते थे। मामला तय करके प्रेमचन्द कानपुर लौटे तो मित्रों ने सलाह दी कि नौकरी छोड़ना ठीक नहीं होगा। एक साल की छुट्टी ले लीजिए। अगर इस बीच में पत्र चल निकले तो रहें, नहीं तो फिर आकर मास्टरी करें। सलाह उन्हें पसन्द आई। रिसाले का नाम उन्होंने 'फिरदौस' तजवीज किया था। पर कुछ कारणों से योजना स्थगित हो गई। पत्र निकल

नहीं सका।

वैसे वे उन दिनों मासिक 'जमाना' और साप्ताहिक 'आजाद' के अवैतनिक सहायक सम्पादक थे। मुन्शी दयानारायण निगम की मित्रता और भद्रता की खातिर उन्हें उनके लिए बहुत-कुछ लिखना पड़ता था। इस प्रकार उन्होंने सम्पादक के कार्य का काफी अनुभव प्राप्त कर लिया था और एक सम्पादक के कर्त्तव्य और महत्त्व को भी भली प्रकार समझ लिया था। 'डिग्री के रुपये' कहानी में लिखते हैं–

"पत्र का सम्पादक परम्परागत नियमों के अनुसार जाति का सेवक है। वह जो कुछ देखता है, जाति की विराट दृष्टि से ही। वह जो कुछ विचार करता है, उस पर भी जातीयता की छाप लगी होती है। जातीयता के विस्तृत क्षेत्र में सदैव विचरण करते रहने से व्यक्ति का महत्त्व उसकी दृष्टि में अत्यन्त संकीर्ण हो जाता है। वह व्यक्ति को क्षुद्र, तुच्छ, नगण्य समझने लगता है। व्यक्ति को जाति पर बलि देना उसकी नीति का प्रथम अंग है। यहां तक कि वह बहुधा अपने स्वार्थ को भी जाति पर वार देता है। उसके जीवन का लक्ष्य महान और आदर्श पवित्र होता है। वह उन महान आत्माओं का अनुगामी होता है जिन्होंने राष्ट्रों का निर्माण किया है, जिनकी कीर्ति अमर हो गई है तथा जो दलित राष्ट्रों का उद्धार करने वाली हो गई हैं। वह यथाशक्ति कोई ऐसा काम नहीं कर सकता, जिससे उसके पूर्वजों की उज्ज्वल विरुदावली में कालिमा लगने का भय हो।"

प्रेमचन्द ने हमेशा इस आदर्श को सम्मुख रखा। 'जीवन का शाप' कहानी के नायक कावसजी भी इसी आदर्श के मानने वाले हैं। पर आदर्श हवा में नहीं पलते; हर एक मनुष्य को अपनी भौतिक आवश्यकताएं भी पूरी करनी पड़ती हैं। अगर वे पूरी न हों तो आदर्श डगमगा जाता है। कावसजी अखबार निकालते हैं और जाति की सेवा करके ख्याति प्राप्त करते हैं, पर धन से वंचित रहते हैं। रोटियों तक के लाले हैं। फिर, पत्नी से भी नहीं बनती। वह कटु स्वभाव की स्त्री है। उसे कावसजी के आदर्शों से तनिक भी सहानुभूति नहीं। सिर्फ भौतिक आवश्यकताओं पर नजर रहती है। इस स्थिति से ऊबकर कावसजी अपने पड़ोसी शापूरजी के धन-दौलत और उनकी सभ्य सुन्दर पत्नी शीरीं को ललचाई हुई निगाहों से देखते हैं। प्रेमचन्द ने उनके चरित्र की इस कमजोरी को यथार्थ के प्रकाश में यों प्रस्तुत किया है–

"हलवे की जगह चुपड़ी रोटियां भी मिलें तो आदमी सब्र कर सकता है। रूखी भी मिल जाएं तो वह सन्तोष कर लेगा; लेकिन घास-फूस सामने

देखकर तो ऋषि-मुनि भी जामे से बाहर हो जाएँगे।''

प्रेमचन्द अपने नायक की इस स्वाभाविक दुर्बलता को छिपाते नहीं। आगे बढ़ने की छूट देते हैं। आखिर जब शीरीं अपने धनवान पति की उच्छृंखलता से व्यथित होकर अपना हाथ कावसजी के हाथ में देने को तैयार हो जाती है; कहती है, मुझे अपने साथ ले चलो, अब मैं इस घर में रहना नहीं चाहती, तो सम्पादक सहसा होश में आता है। उसकी अन्तरात्मा प्रताड़ना करती है। उसे अपनी दरिद्रता और पत्नी की निष्ठा स्मरण हो आती है। वह अपनी कमजोरी पर आप ही चौंक जाता है और उसे यथार्थबोध होता है कि विलासिता में पली हुई रंगीन तितली—शीरीं—उसके साथ कुटिया में कैसे रहेगी! लिखते हैं—

''बुढ़िया माँ जब मुँह लटकाये उसके सामने रोटियाँ और सालन परोस देगी, तब शीरीं के मुख पर कैसी विदग्ध विरक्ति छा जाएगी!...अभाव की पूर्ति सौजन्य से नहीं हो सकती। शीरीं का वह रूप कितना विकराल होगा।''

और अपनी पत्नी गुलशन के साथ किये गये दुर्व्यवहार का ध्यान आता है—

''अपनी टिप्पणियों में वह कितनी शिष्टता का व्यवहार करते हैं। कलम जरा भी गर्म पड़ गया तो गर्दन नापी जायगी! गुलशन पर वह क्यों बिगड़ जाते हैं? इसीलिए कि वह उनके आधीन है और उन्हें रूठ जाने के सिवा कोई दण्ड नहीं दे सकती। कितनी कायरता है कि हम बलवानों के सामने दुम हिलाएँ और जो हमारे लिये जीवन का बलिदान कर रही है, उसे काटने दौड़ें।''

प्रेमचन्द कावसजी सरीखे सज्जन व्यक्ति की दुर्बलता और लोलुपता को प्राकृतिक तकाजा समझकर क्षमा कर देते हैं, उसके प्रति पूर्ण सहानुभूति दर्शाते हैं और उसके हाथ में आदर्श की ज्योति थमाकर उसकी मानवता के पद को कई गुना बढ़ा देते हैं।

इसके विपरीत जो लोग महज नाम और धन की लालसा में अखबार निकालते हैं, सम्पादक बनने की उनमें तनिक भी योग्यता नहीं, आत्म-सुधार का लेशमात्र भी ध्यान नहीं, ऐसे लोगों को प्रेमचन्द खूब लताड़ते हैं। 'गोदान' का ओंकारदास एक ऐसा ही सम्पादक है। उसके निकट अखबारनवीसी का उद्देश्य धन और विलासिता के साधन जुटाने के अतिरिक्त और कुछ नहीं। वह अपने अखबार द्वारा ब्लैक-मेलिंग भी करता है, पर देशसेवा, जनसेवा और सच्चरित्रता की डींग हाँकता है। प्रेमचन्द मिस मालती के हाथों उसकी झूठी पवित्रता और साधुता का मजाक उड़वाकर बेअख्त्यार कहकहा बुलंद करते हैं।

उसे कावसजी की तरह रास्ते से नहीं लौटाते। स्वभाव ही से वह नीच और दुष्ट है, लौट ही नहीं सकता। उसे अपने असली स्थान और नीचता के गड्ढे की ओर फिसलता देखकर और धकेल देते हैं। उसे शराब पिलाकर कहते हैं–

"कानून भी तो बंधन है, उसे क्यों नहीं तोड़ते? बस वही बंधन तोड़ो जो अपनी लालसाओं में रुकावट डालते हों...।"

प्रेमचन्द ने अपने सामने सम्पादक का जो आदर्श रखा था, उस पर वे अमल भी करना चाहते थे, यह तभी सम्भव था, जब वे मालिक की हैसियत से अपना अखबार निकालते। कारोबारी ढंग से और लाभ की नीयत से जो अखबार और रिसाले निकल रहे थे, उनका सम्पादक बनकर आदर्श का पालन सम्भव नहीं था। फिर भी कुछ न होने से सम्पादक होना अच्छा था। इसलिए नौकरी से इस्तीफा देने के बाद जब उन्हें 1922-23 में 'मर्यादा' का सम्पादक बनने को कहा गया, तो उन्होंने सहर्ष स्वीकार कर लिया और डेढ़ साल तक इस पत्रिका को योग्यता से चलाते रहे। पर व्यवसायी पत्रों में गुणों की अपेक्षा कुछ दूसरी बातें अधिक देखी जाती हैं। चुनांचे इस व्यवस्था में जैसे पिता की सम्पत्ति पुत्र को अवश्य मिलती है, बाबू सम्पूर्णानन्द के जेल से रिहा होते ही उन्हें 'मर्यादा' का सम्पादन सौंप दिया गया।

प्रेस लगाने का आशय यही था कि अपनी पुस्तक छापने के अतिरिक्त अपना अखबार और मासिक पत्र भी निकालेंगे। लेकिन आर्थिक कठिनाइयों के कारण यह स्वप्न जल्द पूरा न हो सका। बल्कि प्रेस चलाना भी मुश्किल था। उन्हें खुद अपनी रोजी कमाने के लिए लखनऊ जाना पड़ा। वहां वे गंगा पुस्तक माला के दफ्तर में मिर्जा मुहम्मद अस्करी आदि के साथ स्कूली पुस्तकें तैयार करने का काम करते रहे। यहां वे दस महीने से अधिक न रह सके। एक तो तनख्वाह थोड़ी थी, सिर्फ सौ रुपये महीना मिलते थे। इसमें गुजारा नहीं होता था। फिर काम भी इच्छा के अनुकूल नहीं था। स्कूलों के लिए जिस किस्म की पुस्तकें तैयार की जाती थीं वे उन्हें पसंद नहीं थीं। अप्रैल 1926 में वे फिर बनारस लौट आये और दो वर्ष अर्थात् जून 1928 तक वहीं रहकर प्रतिकूल परिस्थितियों से जूझते रहे। प्रेस में कुछ भी लाभ नहीं हुआ।

जुलाई 1929 में नवलकिशोर प्रेस के मालिक मुन्शी बिशननारायण ने उन्हें फिर लखनऊ बुलाया। उनके प्रेस से 'माधुरी' मासिक पत्रिका निकलती थी। प्रेमचन्द को इसका सम्पादक बना दिया गया और वे नवम्बर 1931 तक प्रकाशन सम्बन्धी विभिन्न कार्य करते रहे। इस बीच में मुन्शी बिशननारायण का देहान्त हो गया। उनकी जायदाद कोर्ट ऑफ वार्ड में चली गई। प्रेमचन्द

को इस संस्था से अपना सम्बन्ध-विच्छेद करना पड़ा।

'माधुरी' फिर भी निकलती रही। लेकिन प्रेमचन्द के सम्पादन-काल में इसे जो लोकप्रियता और सफलता प्राप्त हुई, वह इस पत्रिका के इतिहास में स्मृति बनकर रह गई। फिर कभी वह बात नहीं बनी। पत्रिका को लोकप्रिय बनाने के सम्बन्ध में एक कहानी का उल्लेख जरूरी भी है और दिलचस्प भी। प्रेमचन्द ने मोटेराम शास्त्री पर जितना लिखा है, उतना महात्मा गांधी पर भी नहीं लिखा होगा। 1929 में उनकी एक कहानी 'मोटेराम शास्त्री' के नाम से प्रकाशित हुई, जिसे पढ़कर एक शास्त्री महाशय ने उन पर और उनके साथी सम्पादक कृष्णबिहारी मिश्र पर मुकदमा दायर कर दिया। इस कहानी से 'माधुरी' के मालिक बिशननारायण भी खुश थे। मुकदमा ठाठ से लड़ा गया। दो बैरिस्टर हर एक पेशी पर देहरादून से आते थे। कहानी की और मुकदमे की खूब चर्चा हुई। शास्त्री महाशय मुकदमा हार गये। जज ने उनसे कहा—

"आपको और तो कुछ नहीं कहना? बेहतर है कि आप खिड़की के रास्ते चुपके से बाहर निकल जाएं।"

प्रेमचन्द यह सुनकर मुस्कराये। 'माधुरी' का यह अंक हाथों-हाथ बिक गया।

जब वह माधुरी के सम्पादक थे तभी उन्होंने जनवरी 1930 में अपना पत्र 'हंस' निकालना शुरू कर दिया था, जो उनके अपने सरस्वती प्रेस, बनारस से प्रकाशित होता था। 'हंस' निकालने का एक निश्चित उद्देश्य था। 31 दिसम्बर, 1929 को कांग्रेस ने पूर्ण स्वतन्त्रता का प्रस्ताव पास किया और तय पाया कि इसके बाद 26 जनवरी हर साल स्वाधीनता दिवस के तौर पर मनाया जाए। जुलूस निकलें और लोग जलसे करके पूर्ण स्वाधीनता की शपथ ग्रहण करें। यह दिन पहली बार 26 जनवरी, 1930 को मनाया गया और उसी दिन 'हंस' का जन्म हुआ। प्रथम अंक में 'हंस के जन्म पर' नाम का जो अग्रलेख प्रकाशित हुआ था उसमें प्रेमचन्द लिखते हैं—

" 'हंस' के लिए यह परम सौभाग्य की बात है कि उसका जन्म ऐसे शुभ अवसर पर हुआ है, जब भारत में एक नए युग का आगमन हो रहा है, जब भारत पराधीनता की बेड़ियों से निकलने के लिए तड़पने लगा है। इस तिथि की यादगार एक दिन देश में कोई विशाल रूप धारण करेगी। बहुत छोटी-छोटी तुच्छ विजयों पर बड़ी-बड़ी शानदार यादगारें बन चली हैं। इस महान विजय की यादगार हम क्या और कैसे बनाएंगे, यह तो भविष्य की बात है पर यह विजय एक ऐसी विजय है, जिसकी नजीर संसार में नहीं मिल सकती

और उसकी यादगार भी वैसी ही शानदार होगी। हम भी इस नए देवता की पूजा करने के लिए, उस विजय की यादगार कायम करने के लिए, अपना मिट्टी का दीप लेकर खड़े होते हैं। और हमारी बिसात ही क्या है। शायद आप पूछें, संग्राम शुरू होते ही विजय का स्वप्न देखने लगे! उसकी यादगार बनाने की भी सूझ गई! मगर स्वाधीनता केवल मन की एक वृत्ति है। इस वृत्ति का जागना ही स्वाधीन हो जाना है... ।"

प्रेमचन्द ने इस वृत्ति को जगाने और दृढ़ बनाने के लिए ही 'हंस' निकाला था। यह दीपक जलाया था और इस दीपक को रोशन रखने के लिए वह आजीवन उसमें अपने दिल का खून उंडेलते रहे। 'हंस' का उद्देश्य स्वाधीनता संग्राम को आगे बढ़ाना था और उन्होंने कभी भी इस उद्देश्य को दृष्टि से ओझल नहीं होने दिया।

जब किसी देश में स्वाधीनता और क्रान्ति का आन्दोलन तेज होता है तो संस्कृति और साहित्य में भी नया उभार आता है। राष्ट्र के सर्वश्रेष्ठ तत्व उसका अंग बन जाते हैं। नए-नए लेखक पैदा होते हैं। प्रेमचन्द जानते थे कि सम्पादक का काम नए लेखकों को प्रोत्साहन देना और उनकी रचना-शक्तियों को विकसित करना और सही दिशा देना है। इसलिए वे नए लेखकों की रचनाएं बड़ी मेहनत से सुधारकर छापते थे। उन्हें मित्रवत सलाह-मशवरा देते और उनमें पढ़ने का शौक बढ़ाते थे। इस सिलसिले में निम्नलिखित पत्र देखिए, जो उन्होंने उपेन्द्रनाथ अश्क के नाम लिखे थे। अश्क ने उन दिनों लिखना शुरू ही किया था और 'हंस' में अपनी चीजें भेजा करते थे—

(1)

गणेशगंज, लखनऊ,
25 फरवरी, 1932

प्रिय बन्धु,

आशीर्वाद! मुआफ करना, तुम्हारे दो खत आये। 'भिश्ती की बीवी' मैंने पढ़ा और बहुत पसन्द किया था। तुमने उर्दू का एक और छोटा-सा चुटकला भेजा था। मैं उसे हिन्दी में दे रहा हूं। मगर हिन्दी में जो चीजें तुमने अब तक भेजी हैं, उनमें अभी जबान की बहुत खामी है। हिन्दी के पत्र देखते रहोगे, तो साल-छः महीने में यह त्रुटियां दूर हो जाएंगी। कोई कहानी हमारे लिए हिन्दी में लिखो; मगर कहानी हो फैंसी। नहीं, किसी महान व्यक्ति का जीवन-चरित्र हो, तो उससे भी काम चल सकता है। मगर मेरी सलाह तो यही

है कि बहुत लिखने के मुकाबले में लिट्रेचर और फिलासफी का अध्ययन करते जाओ। क्योंकि इस वक्त का अध्ययन जिन्दगी-भर के लिए उपयोगी होगा।

और तो सब खैरियत है।

शुभेच्छुक
धनपतराय

(2)

गणेशगंज, लखनऊ,
23 मार्च, 1932

डियर उपेन्द्र,

आशीर्वाद! कई दिन हुए तुम्हारी हिन्दी कहानी मिल गई। इससे पहले 'फूल का अंजाम' उर्दू की चीज मिली थी। मैं इस हिन्दी कहानी में जरूरी सुधार करके 'हंस' में दे रहा हूं। लेकिन तुमने नरेन्द्र को बिला काफी कारणों के शादी करने पर आमादा कर दिया। वह शादी से बेजार है। विवाहित जीवन का दृश्य देखकर उसकी तबीयत और उदासीन हो जाती है। फिर यकायक वह शादी करने पर तैयार हो जाता है। लेकिन यह कौन कह सकता है कि जिन मियां-बीवी को उसने लड़ते देखा था, उनका जीवन भी यौवन की पहली मधु-ऋतु में इतना ही आकर्षक न रहा होगा? तुम्हें कोई ऐसा सीन दिखाना चाहिए था, जिसमें इन्सान को अपना अकेलापन असह्य हो जाता या मियां-बीवी में जंग होने के बावजूद भी उनमें ऐसा चारित्रिक सौन्दर्य होता, जो इन्सान को शादी की तरफ झुकने पर विवश करता। मौजूदा हालत में किस्सा (Convincing) विश्वास पैदा करने वाला नहीं है। 'फूल का अंजाम' इससे अच्छा है। इसमें एक नुक्ता है, एक चिरन्तन सत्य है। लेकिन उर्दू लेकर मैं क्या करूं।

पढ़ने के लिए लाइब्रेरी से मनोविज्ञान की कोई किताब ले लो, स्कूली कोर्स की किताब नहीं। अभी एक किताब निकली है The Aspects of Novel इस विषय पर अच्छी पुस्तक है। मतलब सिर्फ यह है, इन्सान उदार विचार वाला हो जाए। उसकी सम्वेदनाएं व्यापक हो जाएं। डॉक्टर टैगोर के साहित्यिक और दार्शनिक निबन्ध बहुत ही आला दर्जे के हैं। रोमांरोलां का विवेकानन्द जरूर पढ़ो। उनकी 'गांधी' भी पढ़ने के काबिल है। मारले के साहित्यिक जीवन लाजवाब हैं। डॉक्टर राधाकृष्णन की दर्शन सम्बन्धी किताबें, टालस्टाय का What is Art वगैरह किताबें जरूर देखनी चाहिएं।

अख्तर साहब से मेरा सलाम कहना। मैं एक हिन्दी किस्सा लिख रहा

हूं और वह आपके लिए वक्फ है।

तुम्हारा खैर अंदेश
धनपतराय

खत और भी हैं; लेकिन दिखाना यह अभिप्रेत था कि प्रेमचन्द नये लिखने वालों का खास ध्यान रखते थे। उन पर मेहनत करते थे। खतों में ही नहीं, जो लेखक घर पर अपनी चीजें दिखाने या सुनाने आया करते थे, वे उन्हें साहित्यिक नुक्ते बड़े धैर्य और सहानुभूति से समझाया करते थे। उन्हें यों समय नष्ट करते देखकर शिवरानी देवी ने एक बार चिढ़कर कहा था—"तुमने क्या तमाम दुनिया को सिखाने का ठेका ले लिया है?" प्रेमचन्द ने हंसकर जवाब दिया था कि यही लोग तो आगे चलकर साहित्य की बागडोर संभालेंगे। जब वे साहित्य की उपयोगिता को समझते थे, तो क्यों न उसे आन्दोलन बनाने का प्रयत्न करते। 'हंस' इसी उद्देश्य से निकाला था।

'हंस' और 'जागरण' के लेख वह बड़ी मेहनत से लिखते थे और उन्हें हमेशा बाकायदगी और पाबन्दी के साथ निकालने का ध्यान रखते थे।

1935 की बात है। कई दिन से वे बीमार थे। रात-भर ज्वर रहा। खाना तो क्या, दूध तक नहीं पिया। सुबह चार बजे ज्वर उतरा, तो आप हमेशा की तरह हाथ-मुंह धोकर 'हंस' के लिए सम्पादकीय लिखने बैठ गये। थोड़ी देर बाद जब शिवरानी देवी ने आकर उन्हें लिखते देखा, तो बहुत नाराज हुईं। प्रेमचन्द स्वभावानुसार हंसकर बोले—

'लेख नहीं लिखूंगा तो 'हंस' कैसे छपेगा? 'हंस' अगर समय पर नहीं निकलेगा, तो ग्राहक को परेशानी होगी। वह यह थोड़े ही जानता है कि मैं बीमार हूं। उसने पैसे दिये हैं और वह वक्त पर 'हंस' चाहता है।'

लेकिन शिवरानी देवी ने कहा—'अब लिखोगे तो कलम तोड़ दूंगी, कागज फाड़ दूंगी।' प्रेमचन्द ने लाचार होकर कम्पोजीटर को एक घण्टा में दोबारा आने की बात कहकर लौटा दिया। शिवरानी से फिर बोले—'तुमने मुझे लिखने नहीं दिया, आदमी बेकार बैठे हैं।'

शिवरानी—'तो 'हंस' कौन मोती उगल रहा है?'

प्रेमचन्द हंसकर बोले—'साहब, 'हंस' मोती उगलता नहीं, चुगता है।'

बहस फिर जारी रही। बीवी ने कहा—'तुम इतना त्याग किसलिए कर रहे हो?'

प्रेमचन्द सादगी से बोले—'त्याग नहीं, नशा है, अगर मैं यह काम न करूं तो तस्कीन नहीं मिलती।'

'मृत्यु के पीछे' कहानी में भी लगभग यही बात रही है। उसके नायक ईश्वरचन्द्र एक अखबार के सम्पादक हैं। उनमें भी वही त्याग, वही लगन और वही कर्त्तव्य-निष्ठा है। लिखते हैं—

"एक दिन रात के दस बज गए थे। सरदी खूब पड़ रही थी। मानकी दबे पैर उनके कमरे में आई। दीपक की ज्योति में उनके मुख का पीलापन और भी स्पष्ट हो गया। वह हाथ में कलम लिये किसी विचार में मग्न थे। ...मानकी एक क्षण तक उन्हें वेदनायुक्त नेत्रों से ताकती रही। तब बोली, 'अब तो यह पोथा बन्द करो। आधी रात होने को आई। खाना पानी हुआ जाता है।'

ईश्वरचन्द्र ने चौंककर सिर उठाया और बोले—'क्यों, क्या आधी रात हो गई? नहीं, अभी मुश्किल से दस बजे होंगे। मुझे जरा भी भूख नहीं है।'

मानकी—'कुछ थोड़ा-सा खा लो न!'

ईश्वरचन्द्र—'एक ग्रास भी नहीं। मुझे इसी समय अपना लेख समाप्त करना है।'

मानकी—'मैं देखती हूं, तुम्हारी दशा दिन-दिन बिगड़ती जाती है। दवा क्यों नहीं करते? जान खपाकर थोड़े ही काम किया जाता है?'

ईश्वरचन्द्र—'अपनी जान को देखूं या इस संघर्ष को देखूं जिसने समस्त देश में हलचल मचा रखी है। हजारों-लाखों की हिमायत में एक जान न भी रहे तो क्या चिन्ता?"

इस विषय पर प्रेमचन्द की यह सबसे सुन्दर कहानी है। सच तो यह है कि जीवन में जितना ऊंचा कोई रहता है, उतना ही ऊंचा वह लिख सकता है। आदर्श जीवन के बिना सुन्दर और स्थायी साहित्य का निर्माण सम्भव नहीं।

वे इस धुन में जान खपाकर 'हंस' को चला रहे थे। हर महीने लगभग दो सौ रुपए का घाटा रहता था। कई बार लेखकों को पारिश्रमिक का वादा करके लेख मंगवाते थे, इससे नये लिखने वालों का उत्साह बढ़ाना भी अभिप्रेत था। पर नुकसान के कारण दे न पाते तो लिखने वाले नाराज हो जाते थे। वे उन्हें प्यार से समझा देते थे।

इस खर्च के कारण उन्होंने 'हंस' बीच में हिन्दी परिषद् वालों को भी दे दिया था। सम्पादक प्रेमचन्द खुद थे, पैसा वे लोग लगाते थे। पर यह व्यवस्था चल नहीं सकी। तय पाया कि 'हंस' प्रेमचन्द से बिलकुल ले लिया जाए और परिषद् अपने प्रबन्ध में निकाले। इस बात का प्रेमचन्द को जो दुःख हुआ, वह अख्तर हुसैन रायपुरी के नाम एक खत से विदित है। तारीख नहीं है,

मालूम होता है कि सन् 1936 में लिखा गया है, क्योंकि उस समय 'गोदान' छप गया था और परिषद् ने 'हंस' अक्तूबर 1935 में अपने प्रबन्ध में लिया था–

"डियर अख्तर,

तुम्हारा खत मिला। मैं इस फिक्र में था कि तुमने अब तक मेरे खत का जवाब क्यों नहीं दिया। अब मालूम हुआ कि तुम पहाड़ों की सैर कर रहे हो।

अब मेरा किस्सा सुनो। मैं करीब एक माह से बीमार हूं। मेदा (आमाशय) में गैस्ट्रिक अल्सर की शिकायत है। मुंह से खून जाता है इसलिए कोई काम नहीं करता। दवा कर रहा हूं। मगर अभी तक तो कोई इफ़ाका (लाभ) नहीं। अगर बच गया तो 'बीसवीं सदी' रिसाला आप लोगों के खयालात की अशाअत के लिए जरूर निकालूंगा। 'हंस' से तो मेरा ताल्लुक टूट गया। मुफ्त की सर-मग्जी, बनियों के साथ काम करके यह सिला मिला कि तुमने 'हंस' में ज्यादा रुपया खर्च कर दिया। इसके लिए मैंने दिलोजान से काम किया। बिलकुल अकेला अपने वक्त और सेहत का कितना खून किया, इसका किसी ने लिहाज न किया। मैंने 'हंस' इन लोगों को इस खयाल से दिया था कि वह मेरे प्रेस में छपता रहेगा और मुझे प्रेस की तरफ से गूना (एक प्रकार की) बेफिक्री रहेगी। लेकिन अब देहली में सस्ता साहित्य मण्डल की तरफ से निकलेगा और इस तबादले में परिषद् को अन्दाजन पचास रुपए महीने की बचत हो जाएगी। मैं भी खुश हूं।

जिस लिट्रेचर की अशाअत कर रहा था, वह हमारा लिट्रेचर नहीं है, वह तो वही भक्तनी वाला महाजनी लिट्रेचर है, जो हिन्दी जुबान में काफी है...

मेरा नाविल 'गोदान' हाल ही में निकला है। उसकी एक जिल्द (प्रति) भेज रहा हूं। उर्दू में रिव्यू करना। 'मैदाने अमल' का नुस्खा तो तुम्हारे यहां पहुंचा ही होगा, उस पर भी लिखना। 'गोदान' के लिए एक पब्लिशर की तलाश कर रहा हूं। मगर उर्दू में तो हालत जैसी है, तुम जानते ही हो, बहुत हुआ तो एक रुपया सफा कोई दे देगा।

और सब खैरियत है। मौलवी अब्दुल हक़ किब्ला की खिदमत में मेरा आदाब कहना।

मुखलिस
धनपतराय"

हिन्दी परिषद् और सस्ता साहित्य मंडल गांधी की देख-रेख में चल रहे थे। 'हंस' लेने का फैसला वर्धा की एक बैठक में हुआ था, जिसमें प्रेमचन्द को भी बुलवाया गया था।

मगर पचास रुपये महीना की बचत देखने वाले बनिये 'हंस' को मोती कहां खिला सकते थे? यह तो प्रेमचन्द ही का बूता था। जून 1936 के 'हंस' में सेठ गोविन्ददास का एक लेख प्रकाशित हुआ, जिसे सरकार ने आपत्तिजनक समझा और 'हंस' से जमानत मांग ली। परिषद् ने जमानत देने से इनकार करके पत्र बन्द करने की घोषणा कर दी। प्रेमचन्द उस वक्त बीमार थे। उन्हें परिषद् का यह बनियापन बहुत नागवार मालूम हुआ। तुरन्त जमानत दाखिल कराई और पत्र अपने अधिकार (मलकियत) में लेकर जारी रखा।

इससे पहले भी सरकार ने 'हंस' पर कई हमले किये थे। उसके प्रकाशन के छः महीने बाद ही जून 1930 में पहली बार जमानत मांगी गई, जिसके कारण पत्र बन्द हो गया। जनवरी 1931 में आर्डिनेंस खत्म हो गया तो फिर निकालने लगे। दो-तीन अंक ही निकले थे कि प्रेमचन्द की 'कातिल' कहानी प्रकाशित होने पर फिर जमानत मांगी गई; लेकिन बनारस के कलक्टर की सिफारिश पर सरकार ने हुक्म वापस ले लिया और 'हंस' बदस्तूर निकलता रहा।

प्रेमचन्द ने किसी भी मूल्य पर 'हंस' को जारी रखने का निश्चय कर लिया था। मरते दम भी अगर उन्हें कोई चिन्ता थी तो यही कि मेरे बाद 'हंस' कैसे जीवित रहेगा। वे उसे अपने बेटे की तरह प्यार करते थे। 'हंस' और 'जागरण' को जीवित रखने के लिए उन्हें 1934 में फिल्म की नौकरी स्वीकार करनी पड़ी थी।

उनके बाद शिवरानी देवी और उनके बेटे अमृतराय ने 'हंस' को बदस्तूर जारी रखा। और वह प्रेमचन्द की प्रगतिशील परम्परा का प्रतिनिधि था, जिसके कारण पाठक उससे अनुराग रखते हैं। आर्थिक कठिनाइयों के कारण अमृतराय ने दिसम्बर, सन् 1947 में छः महीने के लिए 'हंस' को बंद रखने की घोषणा की थी। पाठकों ने इस फैसले का जबर्दस्त विरोध किया और प्रोटेस्ट के खत लिखे। पटना के एक पाठक का खत देखिए—

"मैं एक अरसे से 'हंस' का पाठक रहा हूं। 'हंस' जो नीति बरतता रहा है, उसका मैं कायल हूं। 'हंस' कांग्रेस के ढंग से जनता की सेवा करने का ढोंग नहीं करता रहा है। उसने वर्ग विभाजन को समझा है और जनता की सेवा करने की उसमें सच्ची लगन है। आज जब हमें प्रतिक्रियावाद पर,

जो हमारे चारों तरफ मौजूद है और जो अपना खूनी पंजा और मजबूत करना चाहता है, चौतरफा हमला करना है। 'हंस' प्रतिक्रियावाद के हल्के को तोड़ने के लिए हमारे हाथ में एक मजबूत हथौड़ा है।"

हथौड़े की इन चोटों से घबराकर संयुक्त प्रान्त की कांग्रेस सरकार ने मई 1949 में 'हंस' के सम्पादक को नोटिस दिया, जिसमें 'हंस' पर साम्प्रदायिकता और लोगों को भड़काने का आरोप लगाकर पत्र को बन्द करने की धमकी दी थी। हिन्दी और उर्दू के तमाम गम्भीर और मानवता-प्रेमी लेखकों और सम्पादकों ने कांग्रेस सरकार के इस हुक्म की निन्दा की और 'हंस' को इस आक्रमण से सुरक्षित रखा।

इसके बावजूद 'हंस' बहुत दिनों तक जारी न रह सका।

दरअसल वह प्रेमचन्द के व्यक्तित्व का ही एक अंग था और उसका उद्देश्य स्वाधीनता के संघर्ष को तेज करना था। अब प्रेमचन्द नहीं रहे थे और उत्तराधिकारियों ने विचार और चिंतन में परिवर्तन की दिशा को नहीं समझा था। परिणाम यह कि प्रगतिशील साहित्यिक आन्दोलन की परम्परा-विरोधी और समाज-विरोधी प्रवृत्तियों से जो आंतरिक असंगतियां उत्पन्न हुईं, उनका प्रभाव 'हंस' पर पड़ना अनिवार्य था। फिर मिट्टी के इस दीये में प्रेमचन्द की तरह अपने दिल का खून कौन जलाता?

15. समर यात्रा

"आदमी आपसी संघर्ष से घबराए तो कायर है।" —प्रेमचन्द

प्रेमचन्द ने 'सोजे-वतन' की कहानियां उस समय लिखी थीं जब देश में बंग-भंग आन्दोलन चल रहा था। उद्देश्य इस आन्दोलन को आगे बढ़ाना और देशवासियों में देश-प्रेम की भावना को पुष्ट करना था। सरकार ने पुस्तक जब्त कर ली। बाईस-तेईस साल बाद कहानियों की एक और पुस्तक 'समर यात्रा' नाम से छपी। इस समय देश में सविनय-अवज्ञा आन्दोलन चल रहा था। उद्देश्य आन्दोलन को गति प्रदान करना था। इस पुस्तक को भी सरकार ने जब्त कर लिया।

1909 में आजादी और देशभक्ति एक रूमानवादी भावना थी। मनुष्य के मन में यह भावना इसलिए उत्पन्न होनी चाहिए कि उसे नायक बनना है, अपने व्यक्तित्व को ऊंचा उठाना है। जिसके मन में यह भावना नहीं, वह अधम है; मनुष्य के वेष में पशु है। आजादी एवं स्वराज्य मनुष्य का जन्मसिद्ध अधिकार है। बस ऐसी ही बातें और नारे इस भावना का आधारमात्र थे। यह भावना मैजिनी और गैरीबाल्डी इत्यादि देशभक्तों से उधार ली जा सकती थी। चुनांचे प्रेमचन्द ने 'सोजे-वतन' की भावना-प्रधान कहानियों की तरह मैजिनी, गैरीबाल्डी और रंजीतसिंह आदि के जीवन-चरित्र भी लिखे थे। उस समय स्वतन्त्रता-आन्दोलन के आर्थिक पहलुओं पर बिलकुल ध्यान नहीं दिया जाता था। जिस तरह आजादी और देशभक्ति का यह आकाशी-विचार नाकिस है, उसी तरह यह कहानियां भी कला की दृष्टि से कमजोर थीं।

पर 1930-32 तक हमारा स्वतन्त्रता-संग्राम कई मंजिलें तय कर चुका

था। वह सिर्फ बहस करने वाले वकीलों, अंग्रेज से अधिकारों की भीख मांगने वाले शिक्षित वर्ग का आन्दोलन नहीं रह गया था। आर्थिक संकट मेहनतकश जनता की कमर तोड़ रहा था। मजदूर-किसान स्वतन्त्रता-संग्राम में खिंचे चले आ रहे थे। संसार में बड़े-बड़े परिवर्तन हो रहे थे। रूस की समाजवादी क्रान्ति बूर्जुआई वर्ग के समस्त विरोध और षड्यन्त्रों को कुचलकर दुनिया-भर से मजदूर और श्रमजीवी वर्ग की संगठित शक्ति का लोहा मनवा चुकी थी और अब रूस पंच-वर्षीय आर्थिक योजनाएं बनाकर समृद्धि और सम्पन्नता की ओर बढ़ रहा था। दुनिया-भर के पढ़े-लिखे नौजवान और मानवता प्रेमी बुद्धिजीवी रूस की नई व्यवस्था से प्रभावित हुए थे। हमारे देश में भी गर्म दल नौजवानों की पार्टियां ऐसी ही क्रान्ति के लिए प्रयत्नशील थीं।

प्रेमचन्द पहले ही इस क्रान्ति का स्वागत कर चुके थे। वे मनुष्य द्वारा मनुष्य की लूट-खसोट को समाप्त करने के लिए रूसी ढंग की सामाजिक और राजनीतिक व्यवस्था का समर्थन करते थे।

गालबन नवम्बर 1928 की बात है। प्रेमचन्द लखनऊ में थे। वायसराय वहां आया। यू. पी. के जमींदारों ने उसका स्वागत किया और उसके आगमन की खुशी में रात को चालीस हजार रुपए की आतिशबाजी जलाने का आयोजन किया। प्रेमचन्द ने घर जाकर इस बात की चर्चा की तो शिवरानी देवी बोलीं, "हमने तो इतनी बड़ी आतिशबाजी कभी नहीं देखी, क्या आप देखने चलेंगे?" प्रेमचन्द बोले, "हां, क्यों नहीं चलूंगा। गरीबों का घर-फूंक तमाशा देखा जाएगा।"

शिवरानी देवी उस समय यह नहीं समझती थीं कि इसमें गरीबों का घर फुंकता है। उनका खयाल था कि बड़े-बड़े जमींदार, रायबहादुर और खान-बहादुर यह सारा समारोह करते हैं और उन्हीं का पैसा खर्च होता है। लेकिन प्रेमचन्द ने उन्हें बताया कि देश में जो अस्सी फीसदी किसान और कुछ दूसरे लोग बसते हैं, उनकी मेहनत से यह दौलत पैदा होती है। एक ओर तो मेहनत करने वालों को दो जून रूखी रोटियां भी मयस्सर नहीं और दूसरी ओर यह लोग सिर्फ इस आशा में कि वायसराय खिताब देगा, चालीस-चालीस, पचास-पचास हजार रुपए आतिशबाजी में फूंक देते हैं। अंग्रेज और उनके देशी पिट्ठू नाहक गरीबों का खून चूसते हैं।

इसके बाद जो बहस हुई, उसे शिवरानी देवी अपनी पुस्तक 'प्रेमचन्द : घर में' में इस प्रकार उद्धृत करती हैं—

"मैं बोली—'जब स्वराज्य हो जाएगा, तब क्या शोषण बन्द हो जाएगा?'

आप बोले—'थोड़ा-बहुत तो हर जगह होता है। यही शायद दुनिया का नियम हो गया है कि कमजोर का शोषण बलवान करे। हां, रूस है, जहां कि बड़ों को मार-मारकर दुरुस्त कर दिया गया, अब वहां गरीबों को आनन्द है। शायद यहां भी कुछ दिनों के बाद रूस जैसा ही हो।'

मैं बोली—'क्या आशा है कुछ?'

आप बोले—'अभी जल्दी इसकी आशा नहीं।'

मैं बोली—'मान लो कि जल्दी हो जाए, तब आप किसका साथ देंगे?'

आप बोले—'मजदूरों और काश्तकारों का। मैं पहले ही सबसे कह दूंगा कि मैं भी मजदूर हूं। तुम फावड़ा चलाते हो, मैं कलम चलाता हूं। हम दोनों बराबर हैं।'

मैं हंसकर बोली—'इस तरह कहने से काम नहीं चलेगा। वे तुम्हारा विश्वास नहीं करेंगे।'

आप बोले—'तब तक सब लोग पढ़ जाएंगे। क्या रूस में लेखक नहीं हैं? वहां के लेखकों की हालत यहां के लेखकों की हालत से कई गुना अच्छी है। मैं तो उस दिन के लिए मरता हूं कि यह दिन जल्दी आये।'

मैं बोली—'तो रूस वाले यहां भी आएंगे?'

आप बोले—'वे यहां नहीं आएंगे, हमीं लोगों में वह शक्ति आयेगी। वह हमारे सुख का दिन होगा, जब यहां मजदूरों और काश्तकारों का राज होगा। मेरा खयाल है कि आदमियों की जिन्दगी औसतन दूनी हो जाएगी।'

मैं बोली—'वह कैसे?'

आप बोले—'सुनो, वह इस तरह होगा कि अभी हमको रात-दिन मेहनत करने पर भी भरपेट आराम से रोटियां नहीं मिलतीं। रात-दिन कुछ-न-कुछ फिक्र हमेशा रहती है।'

मैं बोली—'तो फिक्र हम लोग अपने आप ही तो करते हैं। मजदूरों का राज होने पर क्या हम लोगों को फिक्रों से छुट्टी मिल जाएगी?'

आप बोले—'क्यों नहीं छुट्टी मिलेगी? हमको आज मालूम हो जाए कि हमारे मरने के बाद भी हमारे बीवी-बच्चों को कोई तकलीफ नहीं होगी और उनकी जिम्मेदारी हमारे सिर पर नहीं, बल्कि राष्ट्र के सिर पर है तो हमारा क्या सिर फिर गया है कि हम अपनी जान खपाकर दिन-रात मेहनत करें और आमदनी का कुछ-न-कुछ हिस्सा काटकर अपने पास जमा करने की कोशिश करें? हमको आज मालूम हो जाए कि हमारे मरने के बाद हमारे बाल-बच्चों को कोई तकलीफ नहीं होने पाएगी, तो ऐसा कौन आदमी है कि आराम से

खाना-पहनना नहीं चाहेगा' ?''

स्पष्ट है कि प्रेमचन्द के मन में मनुष्य के महान् भविष्य का विश्वास बढ़ गया था और उनके मस्तिष्क में आजादी का सही और स्पष्ट रूप अंकित हो गया था। अब वह उसी आजादी के लिए लिख रहे थे और संघर्ष कर रहे थे। पंडित बनारसीदास चतुर्वेदी, सम्पादक 'विशाल भारत', ने उनसे दरियाफ्त किया था कि आपकी अभिलाषाएं क्या हैं? इसके जवाब में उन्होंने जून 1930 में लिखा था–

''मेरी अभिलाषाएं बहुत सीमित हैं। इस समय सबसे बड़ी अभिलाषा यही है कि हम अपने स्वतन्त्रता-संग्राम में सफल हों। मैं दौलत और शोहरत का इच्छुक नहीं हूं। खाने को मिल जाता है। मोटर और बंगले की मुझे हवस नहीं है। हां, यह जरूर चाहता हूं कि दो-चार उच्चकोटि की रचनाएं छोड़ जाऊं, लेकिन उनका उद्देश्य भी स्वतन्त्रता प्राप्ति ही हो...मैं जड़-जीवन को भी नापसंद करता हूं। साहित्य और देश-सेवा का मुझे हमेशा से ध्यान है।

सोने और रुपये से लदा हुआ व्यक्ति किसी भी हैसियत से बड़ा नहीं होता। धनी मनुष्य को देखते ही कला और शिक्षा के बारे में उसके बड़बोलों को मैं दूसरे कान से निकाल देता हूं। मुझे यह लगता है कि इस व्यक्ति ने उस सामाजिक व्यवस्था का समर्थन किया है; जो अमीरों के हाथों गरीबों का खून चूसने पर कायम है। ऐसा कोई बड़ा नाम मुझे प्रभावित नहीं कर सकता, जो धन का पुजारी हो। मुमकिन है कि मेरे असफल जीवन ने मेरी भावनाओं को इतना कटु बना दिया हो और यह भी मुमकिन है कि बैंक में कोई मोटी रकम जमा करने के बाद शायद मैं भी उन जैसा हो जाता और लालच का मुकाबिला न कर सकता। लेकिन मुझे गर्व है कि प्रकृति और सौभाग्य ने मेरी सहायता की और मुझे गरीबों के दुःख का भागी बना दिया। इससे मुझे आध्यात्मिक संतोष मिलता है।''

जब नान-कोआपरेशन (असहयोग आन्दोलन) के अन्तिम दिनों में स्वराज्य पार्टी बनी और कांग्रेस दो दलों में विभाजित हो गई, तो 27 फरवरी, 1923 को सम्पादक 'जमाना' के नाम एक पत्र में लिखा–

''आपने मुझसे पूछा था कि मैं किस पार्टी के साथ हूं, मैं किसी पार्टी में नहीं हूं। इसलिए कि इस वक्त दोनों में कोई पार्टी असली काम नहीं कर रही है। मैं उस आने वाली पार्टी का मेम्बर हूं, जो अवाम-अलनास (जनसाधारण) की सियासी तालीम को अपना दस्तूरुल-अमल (विधान) बनाएगी।''

इन सब बातों से विदित है, वे चाहते थे कि जनता उभरे। जब देखते थे कि अपने ही देश का शिक्षित समुदाय और पूंजीवादी वर्ग उसे जाहिल बनाकर लूट रहा है, तो वे उसके मुकाबले में जनता की हिमायत करते थे, और हर तरह की लूट-खसोट खत्म करना चाहते थे। धनी वर्ग का स्वार्थ देखकर उन्हें विश्वास होता जा रहा था कि आजादी की लड़ाई भी जनता ही लड़ेगी। इस लड़ाई में धनी वर्ग कभी जनता का साथ नहीं दे सकता। वह उनसे धोखा करेगा। 'रंगभूमि' में कुंवर भरतसिंह जब सम्पत्ति के मोह में आन्दोलन से गद्दारी कर गया तो प्रेमचन्द ने डॉक्टर गांगुली के मुख से कहलाया है–

"अब आपको विदित हुआ होगा कि हम क्यों सम्पत्तिशील पुरुषों पर भरोसा नहीं करते। वह तो अपनी सम्पत्ति का गुलाम है। वह कभी सत्य के समर में नहीं आ सकता। जो सिपाही सोने की ईंट गर्दन में बांधकर लड़ने चले, वह कभी नहीं लड़ सकता। उसको तो अपनी ईंटों की चिंता लगी रहेगी।"

स्वतंत्रता-संग्राम का यह नया दृष्टिकोण था, जो 'सोजे-वतन' की देश-भक्ति से सर्वथा भिन्न था। इस विचारधारा का स्रोत जनता की लूट-खसोट और विवशता थी और उन्हीं को अपनी कठिन समस्याओं का हल करने के लिए यह लड़ाई लड़नी थी। स्वराज्य का अर्थ था लूट-खसोट और जुल्म का अन्त करना। 'समर यात्रा' की कहानियों को देखा जाय तो उनमें यही विचारधारा स्पष्ट रूप से उभरकर सामने आती है।

'समर यात्रा' कहानी ही को लीजिये। दल का नायक देहातियों को समझा रहा है। वह उनकी भावनाओं से नहीं खेलता, धर्म के नाम पर अपील नहीं करता बल्कि वस्तुस्थिति को आधार बनाकर कहता है–

"आपको भोग-विलास से मतलब नहीं। अपना काम करना और अपनी दशा पर संतोष रखना, यह आपका आदर्श है। लेकिन आपका यही देवत्व, आपका यही सीधापन आपके लिए घातक हो रहा है।...खेतों का लगान बरसाती नाले की तरह बढ़ता जाता है, आप चूं तक नहीं करते। अमले और अहलकार आपको नोचते रहते हैं, आप जबान नहीं हिलाते। इसका यह नतीजा हो रहा है कि आपको लोग दोनों हाथों से लूट रहे हैं, पर आपको खबर नहीं। आपके हाथों से सभी रोजगार छिनते जा रहे हैं, आपका सर्वनाश हो रहा है; पर आप आंखें खोलकर नहीं देखते...।"

एक दूसरी कहानी 'जेल' है। इस कहानी में मृदुला और क्षमा देवी दो महिलाएं हैं, जो सविनय अवज्ञा आन्दोलन में जेल जाती हैं। मृदुला पहले ही जेल में है और क्षमा देवी बाद में आकर उसे बाहर के हालात सुनाती है।

उसने एक ठंडी सांस ली और सजल नेत्रों से बोली—

"तुम्हें बाहर की खबरें क्या मिली होंगी। परसों शहर में गोलियां चलीं। देहातों में आजकल संगीनों की नोक से लगान वसूल किया जा रहा है। किसानों के पास रुपये नहीं हैं, दें तो कहां से दें! अनाज का भाव दिन-दिन गिरता जा रहा है। पौने दो रुपये में मन-भर गेहूं आता है। मेरी उम्र भी अभी क्या है। अम्माजी भी कहती हैं कि अनाज इतना सस्ता कभी न था। खेत की उपज से बीजों तक के दाम नहीं आते। मेहनत और सिंचाई इसके ऊपर। गरीब किसान लगान कहां से दें। उस पर सरकार का हुक्म है कि लगान कड़ाई के साथ वसूल किया जाए। किसान इस पर भी राजी है कि हमारा जमा-जत्था नीलाम कर लो, घर कुर्क कर लो, अपनी जमीन ले लो; मगर यहां तो अधिकारियों को अपनी कारगुजारी दिखाने की फिक्र पड़ी हुई है। वह चाहे प्रजा को चक्की में पीस ही क्यों न डालें, सरकार उन्हें मना नहीं करेगी। सरकार को तो अपने कर से मतलब है। प्रजा जिये या मरे, इससे कोई प्रयोजन नहीं। अक्सर जमींदारों ने तो लगान वसूल करने से इनकार कर दिया है। अब पुलिस उनकी मदद पर भेजी गई है। भैरवगंज का सारा इलाका पीसा जा रहा है।"

'कर्मभूमि' उपन्यास भी इसी स्वतंत्रता-संग्राम के बारे में लिखा गया था। इसमें भी किसानों की यही तस्वीर खींची गई है। देखिए—

"इस साल अनायास ही जिन्सों का भाव गिर गया। इतना गिर गया, जितना चालीस साल पहले था। जब भाव तेज था, किसान अपनी उपज बेच-बाचकर लगान देता था। लेकिन जब दो और तीन की जिन्स एक में बिके तो किसान क्या करे। कहां से लगान दे, कहां से दस्तूरियां दे और कहां से कर्ज चुकाये। विकट समस्या आ खड़ी हुई, और यह दशा कुछ इसी इलाके की न थी। सारे प्रान्त, सारे देश, यहां तक कि सारे संसार में यह मंदी थी। चार सेर का गुड़ कोई दस सेर में भी नहीं पूछता। आठ सेर का गेहूं डेढ़ रुपये मन भी महंगा है। तीस रुपये मन की कपास दस रुपये में जाती है, सोलह रुपये मन का सन चार रुपये में। किसानों ने एक-एक दाना बेच डाला, भूसे का एक तिनका भी न रखा; लेकिन यह सब-कुछ करने पर भी चौथाई लगान से अधिक अदा न कर सके।..."

उस समय के आर्थिक संकट की कितनी सीधी, सच्ची तस्वीर है। जब अनाज कौड़ियों के भाव बिकता था तो किसान लगान कहां से देते? उधर विश्वव्यापी मंदी के कारण दुकानदार और मध्यम वर्ग की कमर टूट रही थी। बेकारी दिन-दिन बढ़ती जा रही थी जिससे बेचैनी फैल रही थी। लावा उबलता

है, तो भूचाल आता है, जड़ता टूटती है। देश में भूख का लावा उबल रहा था और सत्ताधारी वर्ग का सिंहासन डोल रहा था।

इन्हीं परिस्थितियों में गांधी ने नमक सत्याग्रह शुरू किया था और डांडी को मार्च करते हुए घोषणा की थी—"मैं लौटूंगा तो आजादी लेकर, वरना मेरी लाश समुन्दर में तैरती नजर आएगी।"

जनता ने इस बात को सच समझा और सारा देश हरकत में आ गया। नमक कानून तोड़ा जाने लगा, विलायती कपड़े जलाये जाने लगे, विदेशी कपड़े और शराब की दुकानों पर पिकेटिंग होने लगी और जेलें भरी जाने लगीं। प्रेमचन्द भी जेल जाने को तैयार थे; लेकिन उनसे पहले शिवरानी देवी चली गईं। अब अगर प्रेमचन्द भी जाएं, तो पीछे बच्चों को कौन संभाले, घर का क्या बने? इसलिए जेल जाने की हसरत मन में रह गई।

उनके दिल में स्वतन्त्रता-संग्राम में सम्मिलित होने की जो उत्कट भावना थी—उसे उन्होंने 'समर यात्रा' की कहानियों में बदल दिया। चाहे यह आंदोलन भी गांधी के नेतृत्व में अहिंसा के सिद्धान्त पर चलते हुए लड़ा जा रहा था और प्रेमचन्द ने इस नेतृत्व को स्वीकार लिया था; लेकिन आश्चर्य की बात है कि इन कहानियों से ऐसा लगता है कि उन्हें गांधीवाद पर विश्वास नहीं रह गया था। उनके मन में शंका ही नहीं, बल्कि उन्हें साफ दिखाई दे रहा था कि सिर्फ अहिंसा से और महेज जुलूस निकालकर आजादी नहीं आएगी। 'कातिल' कहानी में मां-बेटे का संवाद सुनिए। मां अहिंसा को मानने वाली और बेटा आतंकवादी है—

"धर्मवीर—'मुझे आशा नहीं कि पिकेटिंग और जुलूसों से हमें आजादी प्राप्त हो सके। यह अपनी कमजोरी और मजबूरी का खुला ऐलान है। झंडियां निकालकर और गीत गाकर देश आजाद नहीं हुआ करते। मुझे तो यह सब-कुछ बच्चों का-सा खेल मालूम होता है। लड़कों को रोने-धोने से मिठाइयां मिला करती हैं, वही इन लोगों को मिल जाएगा। असली आजादी जभी मिलेगी, जब हम उसका मूल्य चुकाने को तैयार होंगे।'

मां—'मूल्य क्या हम नहीं दे रहे हैं, हमारे लाखों आदमी जेल नहीं गए? हमने डंडे नहीं खाए? हमने अपनी जायदादें नहीं जब्त करायीं?'

धर्मवीर—'इससे अंग्रेज का क्या नुकसान हुआ। वे हिन्दुस्तान उस वक्त छोड़ेंगे, जब उन्हें विश्वास हो जाएगा कि हम यहां अब एक क्षण भी जिन्दा नहीं रह सकते। आज अगर हिन्दुस्तान के एक हजार अंग्रेज कत्ल कर दिये जाएं तो आज स्वराज्य मिल जाए। रूस इस तरह आजाद हुआ, आयरलैंड इस

तरह आजाद हुआ, हिन्दुस्तान भी इसी तरह आजाद होग'... ।"

इस कहानी के कारण 1931 में 'हंस' से जमानत मांगी गई थी।

प्रेमचन्द इस बात को नहीं मानते थे कि लाठियां और गोलियां खाते जाओ, आखिर अंग्रेज का हृदय परिवर्तन होगा और वे सत्ता हमें सौंपकर चले जाएंगे।

'जेल' कहानी में पहले दिन जुलूस निकलता है, गोलियां चलती हैं, बहुत-से लोग मारे जाते हैं। जुलूस दूसरे दिन फिर निकलता है। प्रेमचन्द उसका समर्थन करते हैं–

"लोग कहते हैं, जुलूस निकालने से क्या होता है। इससे यह सिद्ध होता है कि हम जीवित हैं, अटल हैं और मैदान से हटे नहीं हैं। हमें अपने हार न मानने वाले आत्माभिमान का प्रमाण देना है। हमें यह दिखाना था कि हम गोलियों और अत्याचारों से भयभीत होकर अपने लक्ष्य से हटने वाले नहीं और हम उस अवस्था का अन्त करके रहेंगे, जिसका आधार स्वार्थपरता और खून पर है।

उधर पुलिस ने भी जुलूस को रोककर अपनी शक्ति और विजय का प्रमाण देना आवश्यक समझा। शायद जनता को धोखा हो गया हो कि कल की दुर्घटना ने नौकरशाही के नैतिक ज्ञान को जाग्रत कर दिया है। इस धोखे को दूर करना उसने अपना कर्त्तव्य समझा। वह यह दिखा देना चाहती थी कि हम तुम पर शासन करने आये हैं और शासन करेंगे।"

उन्हें कांग्रेसी लीडरों की नीति की तह में समझौताबाजी भी नजर आने लगी थी और उन्हें सन्देह होने लगा था कि इन लोगों के लाए जो स्वराज्य आएगा, उसमें भी लूट-खसोट ज्यों की त्यों बनी रहेगी। कहानी 'आहुति' की नायिका रूपमणि कहती है–

"अगर स्वराज्य आने पर भी सम्पत्ति का यही प्रभुत्व रहे और पढ़ा-लिखा समाज यों ही स्वार्थान्ध बना रहे, तो मैं कहूंगी कि ऐसे स्वराज्य का न आना ही अच्छा। अंग्रेजी महाजनों की धनलोलुपता और शिक्षितों का सब हित ही आज हमें पीसे डाल रहा है। जिन बुराइयों को दूर करने के लिए आज हम प्राणों को हथेली पर लिए हुए हैं, उन्हीं बुराइयों को क्या प्रजा इसलिए सिर चढ़ायेगी कि वे विदेशी नहीं, स्वदेशी हैं? कम-से-कम मेरे लिए तो स्वराज्य का यह अर्थ नहीं कि जॉन की जगह गोविन्द बैठ जाए।"

यह भविष्यवाणी थी। 1947 में यही कुछ हुआ। व्यवस्था ज्यों की त्यों बनी रही। देश की एक भी समस्या हल नहीं हुई।

'समर यात्रा' की कहानियों से सिर्फ अंग्रेज सरकार पर ही नहीं, देशी निहित स्वार्थों और उनके प्रतिनिधि कांग्रेस हाईकमान पर भी गहरी चोट पहुंचती थी। अंग्रेज सरकार ने समझ लिया था कि गांधी के नमक सत्याग्रह से यह किताब ज्यादा खतरनाक है। इसलिए उसे जब्त कर लिया।

'कर्मभूमि' उपन्यास में भी आन्दोलन का भौतिक धरातल वही है, जो इन कहानियों में; लेकिन उस पर गांधीवाद की छाप कुछ अधिक है। सारे आन्दोलन का नेतृत्व ऊंचे वर्ग के लोग करते हैं और अहिंसावादी ढंग से करते हैं। फिर आश्चर्य की बात यह है कि चोरी का माल खाने वाले समरकान्त और धनीराम जैसे सेठों का हृदय परिवर्तन भी हो जाता है। शायद प्रेमचन्द ने अभी तक इस वर्ग से कुछ आशाएं लगा रखी थीं। शायद उन्हें गांधीवाद का समर्थन करना अभिप्रेत था, वरना इसी उपन्यास में लिखते हैं–

"धन ही तो संसार में हर प्रकार की गुलामी को कायम रखे हुए है।"

16. फिल्म

"अपने मन को समझाने के लिए युक्तियों का अभाव नहीं होता। संसार में सबसे आसान काम अपने आपको धोखा देना है।" —प्रेमचन्द

एक बार प्रेमचन्द और उनकी पत्नी शिवरानी ड्योढ़े दर्जे में सफर कर रहे थे। आजकल की तरह उन दिनों भी गाड़ियों में बड़ी भीड़ रहती थी। बहुत-से किसान उनके डिब्बे में घुस आए। पूछने पर मालूम हुआ कि वे शीतलादेवी के दर्शन करने गए थे और एक-एक आदमी के कम-से-कम पन्द्रह रुपए खर्च हुए थे। किसान के लिए उन दिनों पन्द्रह रुपए बड़ी चीज थी।

प्रेमचन्द समझाने लगे—इसका यह मतलब है कि तुम लोगों ने चार-चार महीने के खाने का अनाज बेच दिया। इससे अच्छा होता कि देवीजी की पूजा तुम लोग घर पर ही कर लेते। देवी-देवता तभी खुश होते हैं जब तुम आराम से रहो।

"शिवरानी देवी चाहती थीं कि किसान किसी तरह तीसरे दर्जे के डिब्बे में चले जाएं, क्योंकि भीड़ अधिक हो गई थी। वह बोलीं—'फिर समझा लेना, मेरा तो दम घुटा जा रहा है।'

प्रेमचन्द ने जवाब दिया---'उन्हीं के लिए जेल जाती हो, लड़ाई लड़ती हो, और उन्हीं को हटा रही हो। मुझे तो इन गरीबों पर रहम आ रहा है। बेचारे धर्म के पीछे भूखों मर रहे हैं।'

शिवरानी---'तो गाड़ी में बैठे नहीं सीख जाएंगे।'

प्रेमचन्द---'आखिर तब कब समझाया जाए?'

शिवरानी---'आप इन्हीं के लिए तो पोथा का पोथा लिख रहे हैं।'

प्रेमचन्द---'यह किताबें लेकर थोड़े ही पढ़ते हैं, हां, मेरे नाविलों के फिल्म तैयार करके गांव-गांव में मुफ्त दिखाये जाते, तो लोग देखते'।"

(प्रेमचन्द : घर में)

यह 1929 की घटना थी। उसके उपरान्त 1934 में बम्बई की अजन्ता सिनेटोन फिल्म कम्पनी ने उन्हें बुलाया। प्रेमचन्द ने सोचा, अच्छा अवसर मिला है। बम्बई जाने के लिए तैयार हो गए। इससे माकूल आमदनी की आशा थी। 'हंस' और 'जागरण' दो पत्र निकल रहे थे। खर्च सामर्थ्य से बढ़ा हुआ था। उन्हें चलाना मुश्किल हो रहा था। शिवरानी देवी से सलाह की तो उन्होंने मना कर दिया।

"आप बोले—'तुम्हीं सोचो, बिना जाए काम भी तो नहीं चल सकता। यहां जो कुछ आमदनी होती है; अपने पर खर्च हो जाती है। यह 'हंस' और 'जागरण' कैसे चलें?'

शिवरानी—'तो फिर इनके लिए भी मैं बम्बई जाना ठीक नहीं समझती।'

वह बोले--'अब जो इन हाथियों को गले से बांधा है, तो क्या उनको चारा नहीं दोगी? आखिर उनको भी तो जिंदा रखना है।'

शिवरानी—'आप जो काम करते हैं, जान की आफत मोल ले लेते हैं।'

वह बोले—'अरे साहब! इन बातों का रोना तो पचासों बार हो चुका है। अब जब इनको बांध लिया है तो इनको चलाना भी होगा और एक बात बताता हूं, जो वहां जाने का खास लाभ होगा, वह यह कि उपन्यास और कहानियां लिखने में जो लाभ नहीं हो रहा, इससे कहीं ज्यादा फिल्म दिखाकर हो सकता है। कहानियां और उपन्यास जो लोग पढ़ेंगे, वे तो उनसे लाभ उठा सकेंगे, फिल्म से हर जगह के लोग लाभ उठा सकते हैं।'

शिवरानी--'लोग लाभ उठा सकते हैं, मुझे क्या लाभ होगा?'

प्रेमचन्द---'यह तो तुम्हारी गलती है, लोगों के फायदे के लिए मैं थोड़े ही लिखता हूं? अपनी आत्मा के संतोष के लिए जो कुछ लिखता हूं, उसे जितने ही लोग तादाद में ज्यादा समझ सकें, देख सकें तथा पढ़ सकें, उतना ही मुझे अधिक संतोष मिलेगा। उसके बाद दूसरा फायदा यह होगा कि 'हंस' और 'जागरण' को चलाने के लिए मैं अधिक रुपया दे सकूंगा। आठ हजार रुपये साल वे देने का वादा करते हैं और उसके साथ यह भी है कि बम्बई में एक साल रहने के बाद वे मुझे दस हजार घर बैठे देंगे'...।"

(प्रेमचन्द : घर में)

इस आशा में वह बम्बई चले गए और दादर में एक मकान किराये पर

लेकर रहने लगे। 10 जुलाई, 1934 को सम्पादक 'जमाना' के नाम एक पत्र लिखा–

"मैं यकम जुलाई को बम्बई चला आया, इस कम्पनी से एक मुआहिदा (करारनामा) कर लिया है। साल-भर में छः किस्से उसे देने होंगे। रिसालों से मुतवातर (लगातार) नुकसान हो रहा था। बुकसेलरों से रुपये वसूल न होते थे। कागज वगैरह का बार (बोझ) बढ़ता जाता था। मजबूर होकर मैंने यह मुआहिदा कर लिया। छः किस्से लिखना मुश्किल नहीं। हां, डायरेक्टरों के मशवरा से लिखना जरूरी है। क्या चीज फिल्म के लिए मौजूं (उचित) होगी, इसका बेहतरीन फैसला वही कर सकते हैं...।"

प्रेमचन्द को इस वक्त कागज के लिए लगभग दो हजार रुपये के करीब जमा करने थे। बम्बई जाने से पहले जैनेन्द्रकुमार के नाम एक खत में इन्हीं आर्थिक कठिनाइयों का उल्लेख यों किया–

"बम्बई की एक फिल्म कम्पनी मुझे बुला रही है। वेतन की बात नहीं, कंट्राक्ट की बात है। 8,000 सालाना । मैं उस अवस्था को पहुंच गया हूं, जब मुझे इसके सिवा कोई उपाय नहीं रह गया है, या तो वहां चला जाऊं या अपने उपन्यास को बाजार में बेचूं।...कम्पनी वाले हाजरी की कोई कैद नहीं रखते । मैं जो चाहूं लिखूं, जहां चाहे चला जाऊं। वहां साल-भर रहने के बाद ऐसा कंट्राक्ट कर लूंगा, यहीं (बनारस में) बैठे-बैठे मैं चार कहानियां लिख दिया करूंगा। और चार-पांच हजार रुपये मिल जाय करेंगे, जिनसे 'जागरण' व 'हंस' दोनों मजे में चलेंगे और पैसों का संकट कट जाएगा।"

इन दिनों बेकारी और मन्दी खूब फैल रही थी, जिसके कारण मजदूरों और मिल मालिकों में टक्कर हो रही थी। प्रेमचन्द समय की इस जटिल समस्या से उदासीन कैसे रह सकते थे और मजदूरों तक अपना संदेश पहुंचाने के लिए फिल्म एक अच्छा माध्यम थी। इसलिए अपनी पहली कहानी 'मिल मजदूर' लिखी।

लिखने के बाद यह कहानी फिल्म के रूप में कैसे तैयार हुई, इस विषय में एक साहब ललितकुमार ने लिखा है। वह प्रेमचन्द की सहायता से कम्पनी के एक्टरों में भरती हुए थे और प्रेमचन्द से लगभग प्रतिदिन का मिलना होता था। 'मिल मजदूर फिल्म कैसे बनी' लेख में वह लिखते हैं–

"उस उक्त वह अपनी कहानी 'मिल मजदूर' समाप्त करने में व्यस्त थे। कहानी समाप्त करते ही उन्हें उसका उर्दू अनुवाद भी करना पड़ा क्योंकि कम्पनी के मैनेजिंग डायरेक्टर, फिल्म डायरेक्टर मिस्टर भूटानी और उनके साथी मिस्टर

खलील आफताब हिन्दी न जानते थे। फिर सीनेरियो की सुविधा और भूटानी साहब की सम्मति के अनुसार कहानी में कई परिवर्तन करने पड़े। कुछ नई बातें जोड़ीं और कुछ हटायी गईं। जो शक्ल पहले निश्चित की गई थी, उसके तमाम भाग अलग कर दिये गए और कहानी को नया रूप दे दिया गया। इससे प्लाट में सिर्फ तब्दीली ही नहीं हुई, बल्कि कई स्थानों पर वास्तविक अर्थ और भाषा का माधुर्य भी जाता रहा। इसके बाद शूटिंग शुरू हुई। तस्वीर तैयार की जाने लगी और कई स्थानों पर तब्दीलियां हुईं। खैर, दिन-रात मेहनत करके तीन महीने में फिल्म तैयार हुई।...इस फिल्म से कम्पनी को बड़ी-बड़ी आशाएं थीं, क्योंकि इसमें एक ऐसी सामयिक समस्या पर प्रकाश डाला गया था, जिसमें धनियों अर्थात् मिल मालिकों और मजदूरों का संघर्ष दिखाया गया था। प्रेमचन्द की इस जोशीली तस्वीर ने इस समस्या पर बहुत ही सुन्दर रीति से प्रकाश डाला है। मालिकों के स्वार्थपूर्ण व्यवहार, अत्याचार, दमन और मनमाना बरताव, मजदूरों की दुर्दशा, उनकी बहू-बेटियों की दीन दशा और उसका कुपरिणाम आदि सब बातें बड़ी स्पष्टता और योग्यता से दिखाई गई हैं... ।"

इस फिल्म में एक पंचायत भी है, जिसके प्रधान प्रेमचन्द खुद हैं। इस पंचायत का काम मिल मालिकों और मजदूरों में समझौता कराना है, अर्थात् फिल्म में गांधीवाद की समझौता-नीति मौजूद है जिसका आशय वर्ग-संघर्ष को वर्ग-समन्वय में ढालना है, जो मिल मालिकों और मिल मजदूरों को मिल-जुलकर–पिता-पुत्र के समान–रहने का उपदेश करती है।

लेकिन गांधीवाद की यह हड़ताल-तोड़ नीति अपनाने के बावजूद प्रेमचन्द की यह विशेषता है कि वे भौतिक परिस्थितियों को दृष्टि से ओझल नहीं करते। वे मजदूरों, किसानों और श्रमजीवी वर्ग के संघर्ष की जड़ें सदा आर्थिक समस्याओं में ढूंढते हैं और उसे ठीक ढंग से उभरते हुए दिखाते हैं।

उनकी एक कहानी 'डामल का कैदी' है, जिसमें गांधीवाद के अनुसार मिल मालिक का सिर्फ हृदय परिवर्तन ही नहीं होता, बल्कि आवागमन की भूल-भुलैयां भी मौजूद हैं, जिससे असल सवाल उलझन में पड़ जाता है फिर भी वर्ग-संघर्ष काफी तीव्रता से उभरकर सामने आता है। प्रेमचन्द ने एक ओर सेठ की लोलुपता और पाखण्ड का चित्रण किया है, दूसरी ओर छटनी और पगार में कटौती के परिणामस्वरूप हुई हड़ताल और संघर्ष भली प्रकार दर्शाया है।

कहानी के कुछ उद्धरण प्रस्तुत हैं–

"सेठजी के जीवन का मुख्य काम धन कमाना था, और उसके साधनों की रक्षा करना उनका मुख्य कर्त्तव्य। उनके सारे व्यवहार इसी सिद्धान्त के अधीन थे।"

"अन्य धनियों की भांति सेठजी ने भी एक मन्दिर बनवाया था। सेठजी ने पूजा के लिए एक पुजारी नौकर रख लिया था और नित्यप्रति दर्शन किया करते थे, रात को संसार के धन्धों से निपटकर।"

"सेठ खूबचन्द का स्वदेशी मिल देश के बहुत बड़े मिलों में है। जब से स्वदेशी आन्दोलन चला है, मिल के माल की खपत दूनी हो गई है। सेठजी ने कपड़े की दर में दो आने रुपया बढ़ा दिये हैं। फिर भी बिक्री में कोई कमी नहीं है; लेकिन इधर अनाज कुछ सस्ता हो गया है, इसलिए सेठजी ने मजदूरी घटाने की सूचना दे दी है। कई दिन से मजदूरों के प्रतिनिधियों और सेठजी में बहस होती रही! सेठजी जौ-भर भी न दबना चाहते थे। जब उन्हें आधी मजूरी पर नये आदमी मिल सकते हैं, तब वह क्यों पुराने आदमियों को रखें। वास्तव में यह चाल पुराने आदमियों को भगाने के लिए ही चली गई थी।"

फिर जब हड़ताल होती है, तो सेठजी और सरकार का गठबंधन देखिये–

"प्रातःकाल का समय है, मिल के हाते में मजदूरों की भीड़ लगी हुई है। कुछ लोग चहारदीवारी पर बैठे हैं, कुछ जमीन पर; कुछ इधर-उधर मटरगश्ती कर रहे हैं। मिल के द्वार पर कांस्टेबलों का पहरा है। मिल में पूरी हड़ताल है।"

मजदूरों का प्रतिनिधि लाख मिन्नत-आरजू करता है, पर सेठजी एक नहीं सुनते। वह हारकर अपने मजदूर साथियों से कहता है–

"वह मजूरी घटाने पर तुले हुए हैं, चाहे कोई काम करे या न करे। इस मिल को इस साल दस लाख का फायदा हुआ है। धन वालों का पेट कभी नहीं भरता। व्यापार मंडल उनकी ओर है, सरकार उनकी ओर है, मिल के हिस्सेदार उनकी ओर हैं। हमारा कौन है?...साथियो! प्रण कर लो कि किसी बाहरी आदमी को मिल में नहीं घुसने देंगे, चाहे वे अपने साथ फौज लेकर ही क्यों न आएं। कुछ परवाह नहीं, हमारे ऊपर लाठियां बरसें, गोलियां चलें..."

लड़ाई भी होती है, खून भी बहता है और कहानी इस प्रकार आगे चलती है। फिल्म की कहानी भी इसी प्रकार आगे चली होगी। कतर-ब्योंत के बावजूद कम्पनी को उम्मीद थी कि फिल्म खूब चलेगी। लेकिन सेंसर की कैंची ने उम्मीदों पर पानी फेर दिया। इस निर्दयता से काट-छांट की कि फिल्म की धज्जियां

उड़ा दीं। कितने ही प्रभावशाली सीन काट दिए गए और कई छोटे कर दिए। फिल्म का उद्देश्य नष्ट और चेहरा विकृत हो गया।

कम्पनी को फिर से मेहनत करके कितनी ही तस्वीरें दोबारा लेनी पड़ीं। फिर भी सेंसर की तसल्ली न हुई। बम्बई सरकार ने फिल्म का प्रदर्शन रोक दिया। अलबत्ता पंजाब में चूंकि वहां कारखाने और मजदूर नहीं थे, यह फिल्म कुछ दिनों दिखाई गई; पर बम्बई सरकार का अनुकरण करते हुए पंजाब सरकार ने भी इसे बन्द कर दिया । फिर मिस्टर भूटानी ने डेढ़ साल की कोशिश के बाद उसे 'गरीब मजदूर' के नाम से दिखाने की आज्ञा प्राप्त की; क्योंकि गरीब मजदूर को तो सरमायेदार देख सकता है, उस पर दया दर्शा सकता है; लेकिन लड़ाका मजदूर देखना उसे गवारा नहीं। भय लगता है।

इस बात ने प्रेमचन्द को निराश कर दिया। वे जो अरमान लेकर बम्बई आए थे, पूरा नहीं हुआ। एक और कहानी 'नवजीवन' या 'शेरदिल औरत' लिखी; उसकी फिल्म भी उनकी इच्छा के अनुसार नहीं बनी। डायरेक्टरों के व्यवहार ने उन्हें बिलकुल निराश कर दिया। एक दिन शिवरानी देवी से कहा—''यहां जो कुछ है, सिनेमा के मालिक लोगों के हाथों में है। लेखक को कोई महत्त्व नहीं दिया जाता, वह तो पैसा कमाना जानते हैं।''

और साल-भर भी बम्बई आये नहीं हुआ था कि जैनेन्द्रकुमार के नाम 30 अप्रैल, 1935 को एक खत लिखा—

''मैं जिन इरादों से आया था, उनमें एक भी पूरा होता नजर नहीं आता। यह प्रोड्यूसर जिस ढंग की कहानियां बनाते आये हैं, उस लीक से जौ-भर नहीं हट सकते। अश्लील मजाक को यह लोग तमाशे की जान समझते हैं। अद्भुतता ही में उनका विश्वास है। राजा-रानी, उनके मंत्रियों के षड्यंत्र, नकली लड़ाई आदि ही उनके मुख्य साधन हैं। मैंने सामाजिक कहानियां लिखी हैं, जिन्हें शिक्षित समाज भी देखना चाहे। लेकिन उनकी फिल्म बनाने में इन लोगों को संदेह होता है कि चलें या न चलें। यह साल तो पूरा करना है ही। कर्जदार हो गया हूं। कर्ज पटा दूंगा, मगर और कोई लाभ नहीं, उपन्यास (गोदान) के अन्तिम पृष्ठ लिखने बाकी हैं। इधर मन ही नहीं जाता। अपने पुराने अड्डे पर जा बैठूं। वहां धन नहीं है, मगर संतोष अवश्य है। यहां तो जान पड़ता है, जीवन नष्ट कर रहा हूं।''

जयाउद्दीन बरनी के नाम एक खत में लिखा है—

''बम्बई में मुझे हम-मजाक आदमी नहीं मिलता। इसलिए आपसे मिलने का मुझे कितना शौक है, वह आप समझ सकते हैं।''

बम्बई आने से पहले महालक्ष्मी सिनेटोन को 'सेवा-सदन' फिल्म बनाने की अनुमति दे दी थी। इस बीच में वह भी फिल्म बनकर सामने आयी तो बड़े दुःखी हुए। ललितकुमार लिखते हैं–

"यह फिल्म पहले-पहल बम्बई के इम्पीरियल सिनेमा हाउस में चलाई गई। उसमें मैं मौजूद था। बड़ी निराशा हुई। प्रेमचन्द से मुलाकात होने पर मैंने इसका कारण पूछा।–'भाई, मुझसे किताब का कापीराइट मांगा गया, मैंने उसे दे दिया। अब यदि फिल्म बनाने वाले उसे अच्छी तरह न बना सकें तो मेरा क्या दोष?' "

बम्बई में उनकी सेहत भी अच्छी न रहती थी और अजंता सिनेटोन की आर्थिक स्थिति बिगड़ गई थी; इसलिए उन्होंने साल-भर पूरा होने से पहले ही बम्बई छोड़ने का निश्चय कर लिया।

बम्बई टाकीज के डायरेक्टर दिनेश राय ने चाहा कि वह उनकी कम्पनी के लिए कहानियाँ लिखें। लेकिन प्रेमचन्द ने बम्बई की जलवायु को अपने स्वास्थ्य के अनुकूल न बताते हुए कहा कि बस अब मैं बनारस ही जाकर रहना चाहता हूँ। जब उनसे कहा गया कि बनारस ही से कहानियां भेज दिया करें, तो उन्होंने विवशता व्यक्त की और अपनी जगह दूसरे आदमी की सिफारिश कर दी।

वे फिल्म लाइन से निराश हो चुके थे। अब अपने आपको धोखा देने की गुंजाइश नहीं थी। अपने इन अनुभवों के आधार पर कुछ लेख भी लिखे। 'फिल्म और साहित्य' नाम के एक लेख की यह पंक्तियां देखिए–

– *"सिनेमा हमारी कुत्सित भावनाओं को स्पर्श करके हमें मतवाला बनाता है और इसकी दवा प्रोड्यूसर के पास नहीं। जब तक एक चीज की माँग है, वह बाजार में आयेगी और कोई उसे रोक नहीं सकता। अभी वह जमाना बहुत दूर है, जब सिनेमा और साहित्य का एक रूप होगा। लोक-रुचि जब इतनी परिष्कृत हो जाएगी कि वह नीचे ले जाने वाली चीजों से घृणा करेगी, तभी सिनेमा में साहित्य की सुरुचि दिखाई पड़ सकती है।"*

17. सभापति

"हमारी परिषद्, साहित्य को उद्योग और कर्म का सन्देशवाहक बनाने की दावेदार है।"

—प्रेमचन्द

ये शब्द प्रेमचन्द ने प्रगतिशील लेखक संघ के बारे में कहे थे, जिसका पहला अधिवेशन अप्रैल 1936 में लखनऊ में हुआ था, और जिसके वे अध्यक्ष थे। उन्होंने अध्यक्ष-पद से अपना भाषण जिस आनन्द और उल्लास से शुरू किया है, इससे विदित होता है कि इस अधिवेशन पर उन्हें कितना गर्व था और संघ से उन्होंने क्या-क्या आशाएं लगा रखी थीं। लिखते हैं—

"सज्जनो! यह सम्मेलन हमारे साहित्य के इतिहास में एक स्मरणीय घटना है। हमारे सम्मेलनों और अंजुमनों में अब तक आमतौर पर भाषा और उसके प्रचार पर ही बहस की जाती है। यहां तक कि उर्दू और हिन्दी का जो आरम्भिक साहित्य मौजूद है, उसका उद्देश्य विचारों और भावों पर असर डालना नहीं, किन्तु केवल भाषा का निर्माण करना है। वह भी एक बड़े महत्त्व का कार्य था। जब तक भाषा एक स्थानी रूप न धारण कर ले, उसमें विचारों और भावों को व्यक्त करने की शक्ति ही कहां से आयेगी? हमारी भाषा के 'पायनियरों' ने—रास्ता साफ करने वालों ने, हिन्दुस्तानी भाषा का निर्माण करके जाति पर जो एहसान किया है, उसके लिए हम उनके कृतज्ञ न हों, तो यह हमारी कृतघ्नता होगी।

भाषा साधन है, साध्य नहीं। अब हमारी भाषा ने वह रूप प्राप्त कर लिया है कि हम भाषा से आगे बढ़कर भाव की ओर ध्यान दें और इस पर विचार करें कि जिस उद्देश्य से यह निर्माण कार्य आरम्भ किया था, वह क्योंकर

पूरा हो। वही भाषा, जिसमें आरम्भ में 'बाग़ो-बहार', और 'बैताल-पचीसी' रचना ही सबसे बड़ी साहित्य-सेवा थी, अब इस योग्य हो गई है कि उसमें शास्त्र और विज्ञान के प्रश्नों की भी विवेचना की जा सके और यह सम्मेलन इस सच्चाई की स्पष्ट स्वीकृति है।''

सम्भवतः सन् 1924 की बात है। प्रेमचन्द और दयानारायण निगम हिन्दुस्तानी एकेडमी खुलवाने की फिक्र में थे। आखिर हिन्दुस्तानी एकेडमी खुली, तो प्रेमचन्द उसके सक्रिय सदस्य थे। उसकी मीटिंगों से लौटने के बाद शिवरानी देवी उनसे अक्सर एकेडमी के बारे में पूछा करतीं। एक दिन प्रेमचन्द ने कहा–

'''जिस प्रकार की हम अंजुमन कायम करना चाहते थे वह तो नहीं हुई।'

शिवरानी–'तब इन लोगों ने यह क्या खोला है?'

प्रेमचन्द–'कुछ-न-कुछ तो जरूर होगा।'

शिवरानी–'तो आप लोग सन्तुष्ट नहीं हैं।'

प्रेमचन्द–'काम करने का यह कोई तरीका नहीं है। हम तो चाहते थे कि हिन्दुस्तान की हर जबान का एक-एक लेखक हो इस कमेटी में। जिस किसी विषय पर कोई पुस्तक निकलती, उसे पहले लेखकों की यह कमेटी देख लेती। इस प्रकार कोई भद्दी पुस्तक न निकल सकती। इससे इन लेखकों के गुणों के विकास को हानि न पहुंचती। अपने यहां साहित्य की उन्नति भी होती, और साथ-साथ इन लेखकों का विकास भी होता; जिस चीज की कमी होती, उसे बढ़ाया जाता। लेखकों को इधर-उधर भटकने की जरूरत न रहती, नये लेखकों के गुण-दोष कोई बताता नहीं, बस 'नहीं ठीक है' कहकर लौटा दिया जाता है। यह न्याय थोड़ा है। नये लेखकों के प्रति, विद्वानों का कर्त्तव्य यह है कि वे उनके गुण-दोष समझा दें। इस ढंग से एकेडमी आपका काम करती। रहा मुआवजे का सवाल, रायल्टी पर भी ले सकती थी, यकमुश्त देकर भी ले सकती थी।'

शिवरानी–'लेखकों की रचनाएं कहीं पड़ी थोड़े ही रहती हैं?'

प्रेमचन्द–'ऐसे पब्लिशरों की जरूरत नहीं है जो अपना ही पेट भरें, लेखकों को भी कुछ मिलना चाहिए। एकेडमी और लेखकों का तो कुटुम्ब का-सा सम्बन्ध होना चाहिए। जब तक दोनों में ऐसा सम्बन्ध नहीं होगा, कुछ भी नहीं होने का। इस तरह लेखक को जब कुछ भी लाभ नहीं होता, तो वह निराश होकर बैठ जाता है और साहित्य की प्रगति रुक जाती है।'

शिवरानी–'साहित्य की प्रगति और कैसे हो?'

प्रेमचन्द–'अभी 'प्रगति' का तो नाम तक नहीं; बल्कि कहना तो यह

चाहिए कि काम से अधिक आपस में 'तू-तू मैं-मैं' है। 'तू-तू मैं-मैं' में कहीं काम होता है?'

शिवरानी–'तब काम कैसे होगा?'

प्रेमचन्द–'जब तक यहां का साहित्य तरक्की नहीं करेगा, तब तक समाज और राजनीति, सब-के-सब ज्यों-के-त्यों पड़े रहेंगे।'

शिवरानी–तब क्या आप इन तीनों की एक माला-सी पिरोना चाहते हैं?'

प्रेमचन्द–'और क्या, यह चीजें माला जैसी ही हैं। जिस भाषा का साहित्य अच्छा होगा, उसका समाज भी अच्छा होगा। समाज के अच्छा होने पर मजबूरन राजनीति भी अच्छी होगी। ये तीनों साथ-साथ चलने वाली चीजें हैं।'

शिवरानी–'तो क्या जरूरी है कि तीनों को साथ लेकर ही चला जाए?'

प्रेमचन्द–'इन तीनों का जब उद्देश्य एक ही है, तो साहित्य, समाज और राजनीति का सम्बन्ध अटूट है। समाज आदमियों के गिरोह ही को तो कहते हैं। समाज में जो हानि-लाभ और सुख-दुःख होता है, वह भी व्यक्तियों ही पर होता है न। राजनीति में जो सुख-दुःख होता है, वह भी व्यक्तियों पर पड़ता है। साहित्य से लोगों का विकास होता है, साहित्य से मनुष्य के विचार अच्छे या बुरे बनते हैं; इन्हीं विचारों को लेकर मनुष्य जीता है। इन तीनों चीजों की पैदावार का कारण मनुष्य है।'

शिवरानी–'आप शायद जड़ तक पहुंचने की कोशिश करते हैं।'

प्रेमचन्द–'जड़ ही की रक्षा में सब सम्भव है। बिना जड़ की सुरक्षा के कुछ नहीं होता।'

शिवरानी–'इन लोगों के दिमाग में यह बातें क्यों नहीं आतीं?'

प्रेमचन्द–'बड़े आदमियों के दिमाग में क्यों आएं? गरीबों की समस्याओं की ओर उनका ध्यान कब जाता है? जब तक उन पर नहीं बीतेगी, तक तक कैसे समझ सकेंगे। इन सबको सुधारने के लिए साहित्य ही एक साधन है। जब तक कोई उसे अपने हाथ में नहीं लेगा, तब तक नहीं सुधर सकता'।''

(प्रेमचन्द : घर में)

उन्होंने हिन्दी के कुछ लेखकों को साथ लेकर एक 'लेखक संघ' भी खोला था। हिन्दी परिषद् को इस उम्मीद में 'हंस' दे दिया था कि वह लेखकों की उन्नति और विकास के लिए उपयोगी सिद्ध होगा। लेकिन उस पर तो सम्पूर्णतः सेठों का कब्जा था; इसलिए क्या होता?

प्रेमचन्द ने सदैव सुन्दर और महान् सपने देखे थे, और इन्हीं सपनों को साकार बनाने के लिए वह संघर्ष करते रहे थे। पहले वह सपने अपने व्यक्तित्व

की सीमा में सीमित थे। वह उच्च शिक्षा प्राप्त करके इस समाज में उच्च और सम्मानित पद प्राप्त करना चाहते थे। धीरे-धीरे उन्होंने महसूस किया कि एक व्यक्ति की उन्नति से क्या बनता है। अगर सारा समाज सुखी हो, तभी वास्तव में एक व्यक्ति भी सुखी रह सकता है; वरना यह सुख बेकार है। यों उनका व्यक्तिवाद सारे समाज का प्रतिनिधि बन गया और वह बेहतर समाज, बेहतर जिन्दगी और मनुष्य के उज्ज्वल भविष्य के सपने देखने लगे।

युद्ध जहां विनाश, ध्वंस और आर्थिक संकट का कारण बनता है, वहां उसका अनिवार्य परिणाम यह भी होता है कि वर्ग-संघर्ष उभरकर सामने आ जाता है, पुरानी मान्यत।एं टूटती हैं, और मानव मस्तिष्क तेजी से सोचने लगता है। अब प्रेमचन्द का व्यक्तित्व, समाज का प्रतिनिधित्व करता था। इसलिए पहले विश्व-युद्ध से हमारे समाज में जो समस्याएं उठ खड़ी हुईं, उसमें जो मानसिक और वर्ग-द्वन्द्व बढ़ा, वह 'प्रेमाश्रम' में पाया जाता है।

आरम्भ में लखनपुर, हिन्दुस्तान के आम देहातों की तरह गन्दा, उजड़ा हुआ-सा गांव है, जिसे विदेशी सरकार के अफसर, प्यादे, जमींदार और उसके गुमाश्ते सब मिलकर लूटते हैं। लेकिन उपन्यास के अन्त में मायाशंकर अपनी जमींदारी के अधिकार त्याग देता है और जमींदारी का अन्त होते ही लखनपुर की काया-पलट हो जाती है। लूट-खसोट से मुक्ति पाकर किसान का धन उसके जीवन को सम्पन्न और समृद्ध बनाता है। प्रेमचन्द के अपने शब्दों में नये लखनपुर का चित्र देखिए–

"बाबू मायाशंकर घोड़े पर सवार लखनपुर में दाखिल हुए। उन्हें यहा बड़ी रौनक और सफाई दिखाई दी। प्रायः सभी द्वारों पर सायबान थे, उनमें बड़े-बड़े तख्ते बिंधे थे। अधिकांश घरों पर सफेदी हो गई थी। फूस के झोंपड़े गायब हो गए थे। अब सब घरों पर खपरैल थे। द्वारों पर बैलों के लिए पक्की चकतियां बनी हुई थीं और कई द्वारों पर घोड़े बंधे हुए नजर आते थे। पुरानी चौपाल में पाठशाला थी और उसके सामने पक्का कुआं और एक धर्मशाला थी।"

अब लोगों के पास बैल, घोड़े हैं। घरों में अनाज है। बलराज तो जिला बोर्ड का मेम्बर बन गया है। जहां पहले कोई अखबार का नाम भी नहीं जानता था, वहां अब अच्छा-खासा पुस्तकालय है और लोगों का आचार भी सुधर गया है।

लेखक अपनी रचनाओं में कल्पित सुन्दर संसार का निर्माण इसलिए करता है कि जब पाठकों के मस्तिष्क पर यह चित्र अंकित होगा, तो वे सुन्दर

संसार और सुन्दर जीवन के स्वप्न देखेंगे। इन स्वप्नों को सार्थक बनाने के लिए संघर्ष करेंगे। अर्थात् साहित्य विपन्न-जीवन से सम्पन्न-जीवन की ओर बढ़ने का मार्ग तैयार करता है।

प्रेमचन्द ने ठीक ऐसा ही किया था और जब उन्होंने देखा कि लोग सुन्दर संसार के लिए वाकई संघर्ष कर रहे हैं, तो वह भी नौकरी से इस्तीफा देकर इस संघर्ष में शामिल हो गए।

गांधीजी का नेतृत्व उन्होंने इसलिए स्वीकार किया था कि उन्होंने समझा था कि इससे गुलासी के बंधन टूटेंगे, जमींदारी का अन्त होगा और देश में खुशहाली आएगी।

वह समझौते की नीति को कभी पसंद नहीं करते थे इसलिए नर्म दल (माडरेट) का हमेशा विरोध करते थे और गांधीजी से पहले तिलक के पक्षपाती थे। मुन्शी दयानारायण निगम लिखते हैं–

"प्रेमचन्द का झुकाव गर्म दल की ओर था। अहमदाबाद कांग्रेस देखने हम लोग साथ-साथ गए, और एक ही जगह ठहरे। लेकिन वह लोकमान्य तिलक के मानने वाले थे। मैं गोखले और सर फिरोजशाह का पक्ष लेता था। हर वक्त बहस रहती थी। मगर दोनों अपनी जगह स्थिर रहे।"

वह मार्ले और मान्टेग्यू-चैम्सफोर्ड योजना से संतुष्ट नहीं थे और कहते थे कि इस प्रकार के ऊपरी सुधारों से कुछ नहीं बनेगा। वैधानिक सुधारों के बारे में उनका दृष्टिकोण 21 दिसम्बर, सन् 1919-20 के खत से स्पष्ट हो जाता है। लिखते हैं–

"मैं रिफार्म-स्कीम या एक्ट के मुताल्लक मिस्टर चिंतामणि वगैरह से मुत्तफिक नहीं हूं। मेरे खयाल में मुअतदिल-पार्टी इस वक्त जरूरत से ज्यादा मगरूर और नाजां है, हालांकि इस्लाहों (सुधारों) में अगर कोई खूबी है तो बस यह कि तालीमयाफ्ता जमात (शिक्षित वर्ग) को कुछ असामियां ज्यादा मिला जाएंगी और जिस तरह यह जमात वकील बनकर रियाया का खून पी रही है, उसी तरह यह आइन्दा हाकिम बनकर रियाया का गला काटेगी। इसके सिवाय और जदीद अख्तियार (नया अधिकार) नहीं दिया गया है। जो अख्त्यार दिए गए हैं, उनमें भी इतनी शर्तें लगा दी हैं कि उनका देना-न देना बराबर है।..."

निगम साहब आगे लिखते हैं–

"प्रेमचन्द नाबराबरी की लड़ाई में समझौते के खयाल से मुश्तबाह (शंकित) रहते थे। उनका खयाल था कि कड़ी जद्दोजहद के बगैर कुछ हासिल

न होगा। वह इसके लिए अवाम को जल्द-से-जल्द तैयार करने की तरफ थे। उनका खयाल था कि हुकूमत से सख्त टक्कर लिये बगैर काम न चलेगा और वह इसके लिए नुकसान बर्दाश्त करने के लिए भी तैयार थे। अंग्रेज हुक्काम से उन्हें आमतौर से बदजनी (घृणा) थी। बिलाखिर वह सरकारी मुलाजिमत तरक करके बाजाब्ता नान-कोपरेटर (असहयोगी) हो गए। एक खत का, जिसमें गांधीजी के तहरीके-नमक (नमक सत्याग्रह) को कबल-अज-वक्त (समय से पहले) कहा गया था, वह निहायत गर्मजोशी से जवाब देते हैं–

'जिस तरह मौत हमेशा कबल-अज-वक्त होती है, साहूकार का तकाजा हमेशा कबल-अज-वक्त होता है, उसी तरह ऐसे सारे काम, जिनमें हमें माली या वक्ती नुकसान का अंदेशा हो, कबल-अज-वक्त मालूम होते हैं। इस तहरीक की मकबूलियत (लोकप्रियता) ही बता रही है कि वह कबल-अज-वक्त नहीं है'।''

आन्दोलन वाकई समय से पूर्व नहीं था। जनता, सचमुच लड़ने के लिए तैयार थी। लेकिन जैसे ही आन्दोलन शहरों से निकलकर देहात में फैलने लगा और किसानों ने लगान न देने का अभियान छेड़ा, गांधी ने चट स्विच ऑफ कर दिया। गांधी-इर्विन समझौता हुआ। आजादी तो क्या, जिन ग्यारह मांगों को लेकर डांडी-मार्च शुरू किया था, उनमें से भी एक नहीं मानी गई।

इस समझौताबाजी से प्रेमचन्द को जो आघात, जो दुःख हुआ, उसे उन्होंने 'गोदान' में व्यक्त कर दिया है–

''मन पर जितना गहरा आघात होता है, उसकी प्रतिक्रिया भी उतनी ही गहरी होती है।''

प्रेमचन्द जिस लखनपुर को स्वर्ग तुल्य और जिस किसान को समृद्ध देखना चाहते थे, वह पहले से भी दीन-हीन और विपन्न हो गया। होरी के गांव बेलारी का चित्र देखिए–

''गोबर ने घर पहुंचकर उसकी दशा देखी, तो ऐसी निराशा हुई कि उसी वक्त वहां से लौट जाए। घर का एक हिस्सा गिरने को हो गया था। द्वार पर केवल एक बैल बंधा हुआ था, वह भी नीमजान।''

'और यह दशा कुछ होरी ही की न थी। सारे गांवों पर यह विपत्ति थी। ऐसा एक आदमी भी नहीं, जिसकी रोनी सूरत नहीं, मानो उनके प्राणों की जगह वेदना ही बैठी उन्हें कठपुतलियों की तरह नचा रही है। चलते-फिरते थे, काम करते थे, पिसते थे, घुटते थे, इसलिए कि पिसना और घुटना उनकी तकदीर में लिखा था। जीवन में न कोई आशा है, न कोई उमंग, जैसे उनके

जीवन के सारे सोते सूख गये हों...। द्वार पर मनों कूड़ा जमा है, दुर्गन्ध उड़ रही है; मगर उनकी नाक में न गंध है, न आंखों में ज्योति। सरे-शाम से द्वार पर गीदड़ रोने लगते हैं; मगर उन्हें कोई गम नहीं।..."

इधर इनकी यह दशा है, उधर इन्हें लूटने वाले बेलारी के देशभक्त जमींदार की कुत्सित विडम्बना यह है—

"पिछले सत्याग्रह-संग्राम में राय साहब ने बड़ा यश कमाया था। कौंसिल की मेम्बरी छोड़कर जेल चले गए थे। तब से उनके इलाके की असामियों को उनसे बड़ी श्रद्धा हो गई थी। यह नहीं कि उनके इलाके में असामियों के साथ कोई खास रियायत की जाती हो, या डांड और बेगार की कड़ाई कुछ कम हो; मगर यह सारी बदनामी मुख्तारों के सिर जाती थी। राय साहब की कीर्ति पर कोई कलंक न लग सकता था। वह बेचारे भी तो उसी व्यवस्था के गुलाम थे।"

इस समझौताबाजी से बहुत-से लोगों का भ्रम टूटा था, विशेष रूप से उन नौजवानों का जो राष्ट्रीय मुक्ति की भावना से ओत-प्रोत बड़े उत्साह के साथ इस आन्दोलन में शामिल हुए थे। गांधीवाद और अहिंसा से उनका विश्वास उठ गया था। प्रेमचन्द अपनी एक कहानी 'भाड़े के टट्टू' में लिखते हैं—

"रमेश जेल से छूटकर पक्का क्रान्तिकारी बन गया था। जेल की अंधेरी कोठरी में दिन-भर के कठिन परिश्रम के बाद वह दीनों के उपकार और सुधार के मंसूबे बांधा करता था। सोचता है, मनुष्य क्यों पाप करता है? इसीलिए न कि संसार में इतनी विषमता है। कोई तो विशाल भवनों में रहता है, और किसी को पेड़ की छांह भी मयस्सर नहीं। कोई रेशम और रत्नों से मढ़ा हुआ है, किसी को फटा वस्त्र भी नहीं। ऐसे न्याय-विहीन संसार में यदि चोरी, हत्या और अधर्म है तो यह किसका दोष है? वह एक ऐसी समिति खोलने का स्वप्न देखा करता, जिसका काम इस संसार से विषमता को मिटा देना हो। संसार सबके लिए है...और सबको सुख भोगने का समान अधिकार है। न डाका डाका है, न चोरी चोरी है। धनी अगर धन खुशी से नहीं बांट देता, तो उसकी इच्छा के विरुद्ध बांट लेने में क्या पाप? धनी उसे पाप कहता है, तो कहे। उसका बनाया हुआ कानून अगर दण्ड देना चाहता है, तो दे। हमारी अदालत भी अलग होगी। उसके सामने वे सभी मनुष्य अपराधी होंगे, जिनके पास जरूरत से ज्यादा सुख-भोग की सामग्रियां हैं।...जेल से निकलते ही, उसने इस सामाजिक क्रान्ति की घोषणा कर दी। गुप्त सभाएं बनने लगीं, शस्त्र जमा किए जाने लगे।"

देश में वर्ग-संघर्ष सचमुच तीव्र हो गया था। कांग्रेस में दक्षिण-पक्ष और

वाम-पक्ष का संघर्ष भी इसी वर्ग संघर्ष का नतीजा था और समाजवादी विचारों के नौजवानों ने मजदूरों और किसानों को संगठित करना शुरू कर दिया था। राजनीति और साहित्य दोनों ही में आदर्शवाद की सीमाएं टूट चुकी थीं। इसका मतलब यह है कि हमारे विचार और चिन्तन में एक गुणात्मक परिवर्तन आया था। इसी परिवर्तन ने प्रगतिशील साहित्यिक आन्दोलन को जन्म दिया था, जिसका उद्देश्य सामाजिक विषमता, लूट-खसोट, ऊंच-नीच और जाति-पांति के भेद को मिटाकर समानता की व्यवस्था स्थापित करना था। अंजुमन के घोषणा-पत्र में कहा गया था–

"हमारे देश में बड़े-बड़े परिवर्तन हो रहे हैं। पस्ती और प्रतिक्रिया को यद्यपि मौत का परवाना मिल चुका है, लेकिन वह अभी तक अशक्त और अलोप नहीं हुई। नित्य नए रूप धारण कर यह घातक विष हमारी संस्कृति के प्रत्येक भाग में पैठता जा रहा है।

इसलिए भारतीय लेखकों का कर्त्तव्य है कि देश में जो नई प्रगतिशील प्रवृत्तियां उभर रही हैं, उनका प्रतिपादन करें और उनके विकास में पूरा हिस्सा लें।"

यह ठीक है कि इन प्रवृत्तियों के यथार्थ रूप को समझा नहीं गया, इसीलिए उनका प्रतिपादन भी नहीं हो सका। लेकिन प्रेमचन्द ने सभापति-पद से अपने उक्त भाषण में 'साहित्य का उद्देश्य' बयान करते हुए कहा था–

"हमारी कसौटी पर वही साहित्य पूरा उतरेगा, जिसमें उच्च चिन्तन हो, स्वाधीनता का भाव हो, सौन्दर्य का सार हो, सृजन की प्रेरणा हो, जीवन की सच्चाइयों का प्रकाश हो---जो हममें गति और संघर्ष, बेचैनी पैदा करे, सुलाए नहीं; क्योंकि अब और ज्यादा सोना मृत्यु का लक्षण है।"

निश्चय ही ये शब्द किसी एक व्यक्तिमात्र के नहीं, समाज की सम्पूर्ण चेतना के मुख से निकले थे। जिस प्रकार इस भाषण में प्रेमचन्द की चेतना का विकास और गम्भीरता प्रकट होती है, उसी प्रकार वह केवल नाममात्र के सभापति नहीं थे, उनका वास्तविक अधिकार ही उन्हें इस पद पर लाया था। हम एक ऐसे व्यक्ति को सभापति के सिंहासन पर विराजमान देखते हैं, जिसकी आंखों में गम्भीर और दृढ़ संकल्प था, जिसे वास्तव में उत्पीड़ित जनता के प्रतिनिधित्व का अधिकार प्राप्त था।

18. कर्म

"जीने का उद्देश्य कर्म है।" —प्रेमचन्द

प्रेमचन्द ने अपनी बच्चों की रामायण में लिखा है कि जब राम और लक्षमण राक्षसों से युद्ध करने के लिए विश्वामित्र के साथ चले, तो रास्ते में विश्वामित्र ने उन्हें एक ऐसा मन्त्र सिखाया, जिसको पढ़ लेने से थकावट पास तक न आती थी।

मन्त्र यह था कि उन्होंने आततायी और अत्याचारी के विरुद्ध लड़ने की जरूरत को समझ लिया था और वे दमन तथा हिंसा को मिटाने के लिए पूरे मनोबल से तैयार हो गए थे। जब मनुष्य अत्याचार के विरुद्ध तीव्र संघर्ष करता है, तो उसे अपने इस काम से अत्यन्त प्रसन्नता प्राप्त होती है, और थकावट सचमुच पास नहीं आती। कर्मशील व्यक्ति जाने-अनजाने विकास की मंजिलें तय करता रहता है, क्रमशः आगे बढ़ता रहता है—जब कर्म में ज्ञान भी शामिल हो जाए, तो मंजिलें तय करने की रफ्तार तेज हो जाती है । आदमी पद-पद पर अपने विकास को माप सकता है, देख सकता है और वह इसी अनुपात से अपने संघर्ष को तीव्र कर देता है।

प्रेमचन्द में अब यह तीव्रता आ गई थी। उन्होंने बड़ी विद्युत गति से बहुत-सी मंजिलें पार कर ली थीं। यह वह युग था जब उनका सुधारवाद क्रान्ति का रूप धारण कर चुका था। उन्हें हृदय परिवर्तन की नीति, अहिंसा और ऊंचे वर्ग के नेतृत्व में विश्वास नहीं रह गया था। उन्हें सम्पन्न और विपन्न दो वर्ग साफ दिखाई दे रहे थे। वह समझ गये थे कि अन्याय और विषमता का अन्त केवल लड़कर हो सकता है। उनके नये अधूरे उपन्यास 'मंगलसूत्र' में इस नये भाव और नई चेतना की तीव्रता स्पष्ट दिखाई देती है, लिखते हैं—

"देवता हमेशा रहे हैं और रहेंगे। उन्हें संसार अब भी धर्म और नीति पर चलता हुआ नजर आता है। वे अपने जीवन की आहुति देकर संसार से विदा हो जाते हैं। लेकिन उन्हें देवता क्यों कहें? कायर कहो, स्वार्थी कहो, आत्म-सेवी कहो। देवता वह है, जो न्याय की रक्षा करे और उसके लिए प्राण दे दे। अगर वह जानकर अनजान बनता है, तो धर्म से गिरता है। अगर उसकी आंखों में यह कुव्यवस्था खटकती नहीं तो वह अंधा भी है और मूर्ख भी, देवता किसी तरह नहीं।"

"दरिन्दों के बीच में उनसे लड़ने के लिए हथियार बांधना पड़ेगा। उसके पंजों का शिकार बनना देवतापन नहीं, जड़ता है।"

उनके मन में इस प्रकार का संकल्प-विकल्प चल रहा था। इसीलिए इसी उपन्यास में एक दूसरी जगह लिखा है—

"इस तरह का आत्म-मंथन उनके जीवन में पहले कभी न हुआ था। उनकी साहित्यिक बुद्धि ऐसी व्यवस्था से सन्तुष्ट तो हो ही नहीं सकती थी।"

प्रगतिशील लेखक संघ के प्रथम अधिवेशन में साहित्य द्वारा राजनीति के प्रगतिशील आन्दोलन को---स्वतन्त्रता-संग्राम को आगे बढ़ाने की जो घोषणा की गई थी, प्रेमचन्द उसे कार्यान्वित कर रहे थे और इसी उद्देश्य की पूर्ति के लिए 'मंगलसूत्र' लिखना शुरू किया था। लेकिन खेद की बात है कि अधिवेशन के थोड़े ही दिनों बाद वह सख्त बीमार पड़ गए और उन्हें यह उपन्यास पूर्ण करने का अवकाश नहीं मिला।

25 जून को रात के ढाई बजे के करीब सहसा उनकी तबीयत खराब हो गई। आमाशय का रोग उन्हें मुद्दत से था। इससे वह कभी स्वस्थ नहीं हुए। तनिक-सी बदपरहेजी की और बीमार पड़ गए। लेकिन इस बार उन्हें खून की कै आई और चेहरा पीला पड़ गया। शिवरानी उनकी यह दशा देखकर घबरा गईं; लेकिन डॉक्टर ने तसल्ली दी कि बलगम की खराबी है, जल्द आराम हो जाएगा।

लेकिन यह सब पेट की खराबी थी। उस दिन से चारपाई से ऐसे लगे कि फिर छोड़ने की नौबत नहीं आई। तबीयत बेचैन रहती थी और रात को नींद कम आती थी। मगर वह इसी दशा में काम किए जाते थे। रात को प्रकाश में पढ़ते-लिखते थे। इसी दशा में 'मंगलसूत्र' के बीसियों पृष्ठ लिख डाले। अब उनकी रचनाओं में अधिक ओज आ गया था। वह व्यक्तिगत जीवन और मध्यम वर्ग की बात नहीं कहते थे। सारी व्यवस्था और समस्त समाज की बात करते थे। अब उनकी कल्पना प्रौढ़ थी और उसमें व्यापकता आ

गई थी। उन्हें शोषित वर्ग की वकालत करनी थी इसलिए घीसो, माधो, होरी, धनिया और तुलिया उनकी कहानियों के मुख्य पात्र थे। 'कफन' कहानी इन्हीं दिनों लिखी गई थी, जिसमें उन्होंने बताया है कि लूट-खसोट की यह व्यवस्था किस प्रकार मनुष्य की कार्य-शक्ति को कुण्ठित कर देती है। जब आदमी को मेहनत का फल न मिलेगा तो वह मेहनत किसलिए करेगा ? काम करने की उमंग ही उत्पन्न नहीं होगी।

शिवरानी उन्हें बीमारी की इस दशा में काम करने से मना करती थीं। लेकिन दूसरे ही क्षण महसूस होता था कि उनके लिए कर्म ही तो जीवन है, फिर मना क्या करतीं।

जुलाई में वह इलाज कराने लखनऊ चले गए। वहां कई डॉक्टर परिचित थे। उन्हेंने बड़ी सहानुभूति से देखा और रोग को भली प्रकार से समझकर इलाज शुरू किया; लेकिन लाभ कुछ नहीं हुआ। वह फिर बनारस लौट आए। हालत पहले से भी खराब हो गई थी।

इस दशा में भी लिखना-पढ़ना और मित्रों से पत्र-व्यवहार बराबर जारी रहा। रोग बढ़ रहा था; मृत्यु निकट आ रही थी। लेकिन उन्होंने मानसिक रूप से मृत्यु को पराजित कर दिया था। पेट का रोग पुराना था। बीस-बाईस साल से मृत्यु के साथ लड़ते आए थे। जून, सन् 1925 में सम्पादक 'जमाना' के नाम एक खत लिखा था—

"मेरे लिए बुढ़ापे का जिक्र फिजूल है, मैं किसी बूढ़े से कम हूं?"

इसके उपरान्त गोरखपुर से एक खत लिखा था—

"आप बजा कहते हैं, जिन्दगी की उम्मीद यहां भी कम है। मगर चाहता हूं कि या तो साथ चलें या खफीफ तकदीमो ताखेर (थोड़ा आगा-पीछा) हो। मैं आपका पेशरो (अनुगामी) बनना चाहता हूं। मगर मौत की फिक्र मारे डालती है। कितना चाहता हूं, परमात्मा पर भरोसा रखूं। मगर दिल मूजी है, समझता नहीं। किसी महात्मा की सोहबत मिले, तो शायद रास्ते पर आए। यही फिक्र है कि आज मर जाऊं, तो इन बच्चों का कौन पुरसाने हाल (पूछने वाला) होगा। घर में कोई ऐसा नहीं...दोस्तों में अगर हैं तो आप, और अगर नहीं हैं तो आप। और न होगा तो मेरे बाद साल-दो साल उनकी खबर तो ले सकते हैं।"

इतने अरसा से वह मृत्यु को बड़ी सफलता के साथ धता बताते आए थे। और अब तो उन्हें यह संतोष भी प्राप्त हो गया था कि मौत आ भी जाए तो क्या चिन्ता है। कुछ-न-कुछ काम तो कर लिया है, जिंदगी बेकार

तो नहीं खोई। काम से उनके मन में जो विश्वास और भरोसा उत्पन्न हो गया था, उसे 'लेखक' कहानी में यों व्यक्त किया है–

"हमारा धर्म है काम करना। हम काम करते हैं और तन-मन से करते हैं। अगर इस पर भी हमें फाका करना पड़े, तो मेरा दोष नहीं। मर ही तो जाऊंगा। हमारे जैसे लाखों आदमी रोज मरते हैं। मौत डरने की वस्तु नहीं। ...मैं उससे नहीं डरता।"

इस समबन्ध में उनका एक पत्र उल्लेखनीय है। पंडित बनारसीदास चतुर्वेदी ने एक बार उनके एकान्तवास की शिकायत करते हुए लिखा था कि उन्हें जवानी और जिंदादिली बनाए रखने के लिए सैर-सफर करना चाहिए। प्रेमचन्द ने उन्हें उत्तर दिया था–

"नौजवानी और जिंदादिली का सम्बन्ध मन से है। बहुत-से नौजवान हैं, जो मनःस्थिति के कारण मुझसे बहुत बूढ़े हो गए हैं और बहुत-से वृद्ध हैं, जो विचारों के अनुसार मुझसे भी अधिक नवयुवक हैं। लेकिन उनकी यही धारणा बन गई है कि इस प्रकार मेरी जवानी बहुत तरक्की कर रही है। मैं परलोक में विश्वास नहीं रखता। इसलिए मुक्ति का विचार, जो मनुष्य की नौजवानी के लिए सबसे अधिक घातक है, मुझे कभी सताता ही नहीं। हां, यह जरूर है कि जवानी भी दो प्रकार की होती है–एक स्वस्थ और दूसरी उन्मत्त। स्वस्थ जवानी का विशेष गुण यह है कि मनुष्य अचानक खाड़ियों से बचता हुआ एक उन्नतिशील और आशावादी मार्ग ग्रहण करे। उन्मत्त जवानी में मनुष्य अंधा रहता है, वह अपनी योग्यता के बारे में भ्रान्तिपूर्ण विचार रखता है और अपनी इच्छाओं की पूर्ति के सुन्दर सपने देखा करता है। मैं भी कभी-कभी सपने देखता हूं और कई बार अदूरदर्शिता भी कर बैठता हूं लेकिन भ्रान्ति में नहीं पड़ता। इस उन्माद के गुण से ही आनन्दित होता हूं और अब यह अनुभव करने लगा हूं कि सन्तोष का गृहस्थ-जीवन, संसार का सबसे बड़ा उपहार है।"

जिस आदमी की कर्मठता और कर्मशीलता का यह हाल हो कि उसने समझ-सोचकर प्रगतिशील और आशायुक्त मार्ग अपना लिया हो, जो उन्माद को अपना आप सौंपने के बजाय खुद उन्माद का नेतृत्व कर रहा हो, उसे मौत कहां सता सकती है?

अगस्त का महीना था। इस बीमारी की हालत में रात को दो बजे उठकर फर्श पर बैठ गए और लिखने लगे। दो दिन बाद 'आज' के ऑफिस में गोर्की की मृत्यु पर शोकसभा होने वाली थी, उसके लिए भाषण लिख रहे थे।

शिवरानी देवी को भी उन दिनों नींद नहीं थी, सेवा-सुश्रूषा में लगी रहती थीं; उन्होंने कहा–

"'जब तबीयत ठीक नहीं तो भाषण कैसे लिखा जाएगा? और फिर लिखना क्या जरूरी है?'

आप बोले–'जरूरी तो नहीं है। बिना लिखे काम नहीं चलेगा। अपनी खुशी से काम करने में आराम या तकलीफ का एहसास नहीं होता। जिसको आदमी फर्ज समझ लेता है, उसको करने में तकलीफ नहीं होती। इन कामों को आदमी सबसे ज्यादा जरूरी समझता है।'

शिवरानी–'यह मीटिंग है कैसी?'

प्रेमचन्द–'अफसोस करना है।'

शिवरानी–'वह कौन हिन्दुस्तानी थे?'

प्रेमचन्द–'यही तो हम लोगों की तंगदिली है। गोर्की इतना बड़ा लेखक था कि उसके बारे में देश या जाति का सवाल ही पैदा नहीं होता। लेखक हिन्दुस्तानी या यूरोपियन नहीं देखा जाता। वह जो कुछ लिखेगा उससे सभी को फायदा होता है।'

शिवरानी–'ठीक, उसने हिन्दुस्तान के लिए भी कुछ लिखा है?'

प्रेमचन्द–'तुम गलती करती हो, रानी! लेखक के पास होता ही क्या है, जिसे वह बांट देगा। लेखक के पास तो उसकी तपस्या ही होती है। वही सबको वह दे सकता है, उससे सब लोग लाभ भी उठाते हैं। लेखक जो तपस्या करता है, उससे जनता का भला होता है। वह अपने लिए तो कुछ भी नहीं करता।'

शिवरानी–'गांव वालों में तो शायद ही कोई गोर्की का नाम जानता हो?'

प्रेमचन्द–'यहां के गांव की बात छोड़ो। यहां के लोग तो अपनों को नहीं जानते। इसका अर्थ यह नहीं कि यहां के लोगों के लिए कुछ काम ही न किया जाए।'

शिवरानी–'जानते क्यों नहीं? तुलसी, सूर, कबीर में वे किसको नहीं जानते?'

प्रेमचन्द–'उनको भी जानने वाले गांव में थोड़े हैं। इसका सबब है शिक्षा का अभाव। अभी यहां शिक्षा थोड़ी है। इस वजह से यहां जो कुछ होता है, वह बहुत थोड़े लोगों के लिए होकर रह जाता है। जब घर-घर शिक्षा का प्रचार हो जाएगा, तो क्या गोर्की का असर भी घर-घर नहीं हो जाएगा, वह भी तुलसी,

सूर की तरह चारों तरफ पूजे जाएंगे।"

(प्रेमचन्द : घर में)

बीमारी और कमजोरी के बावजूद मीटिंग में गए। सीढ़ी चढ़ते-चढ़ते दम उखड़ गया। मीटिंग में खड़े नहीं हो सके। किसी और सज्जन ने उनका भाषण पढ़कर सुनाया। लौटकर आए तो पांव लड़खड़ा रहे थे। चलना मुश्किल था। शिवरानी ने शिकायत की—नाहक परेशानी उठाई, न गए होते। आपने जवाब दिया—"कमजोरी आए या चाहे जो कुछ। कहीं इस तरह बैठा जाता है?"

सितम्बर के अन्त में उनकी हालत बहुत बिगड़ गई। पेट में गैस्ट्रिक अल्सर की शिकायत थी। खाना हजम नहीं होता था जिसके मारे कै-दस्त हो जाते थे, वरना पेट फूला रहता था, जैसे पानी भर गया हो। वह प्रायः बेहोश भी रहने लगे।

मौत सामने थी; मगर उन्हें मौत का डर नहीं था। परलोक की चिंता नहीं थी। उन्हें चिंता थी तो बस इसी दुनिया की, जिसे वह संवारना और सुन्दर बनाना चाहते थे। इस दुनिया को कैसे संवारा जा सकता है, इसका वास्तविक ज्ञान उन्हें हाल ही में गांधी-इरविन समझौते के बाद हुआ था। भीतरी और बाहरी दुश्मन स्पष्ट रूप में सामने था और उस पर वह भरपूर वार कर रहे थे। उनकी आखिरी कहानी 'दो बहनें' है, जो अक्तूबर, सन् 1936 में 'इस्मत' दिल्ली में प्रकाशित हुई थी। इस कहानी का एक पात्र कहता है—

"जितने धनी हैं, वे सब के सब लुटेरे हैं, पक्के लुटेरे, डाकू। कल मेरे पास रुपए हो जाएं और मैं एक धर्मशाला बनवा दूं। फिर देखिए, मेरी कितनी वाह-वाह होती है। कौन पूछता है, मुझे दौलत कहां से मिली?"

वह इस व्यवस्था का, जिसमें धोखेधड़ी और छल से धन कमाना उचित है, जिसमें ब्लैक मार्केट और लूट-खसोट द्वारा श्रमजीवी वर्ग का मांस नोचने वाला गिद्ध और लुटेरा एक धर्मशाला बनवाकर 'दानवीर' और 'धर्मात्मा' कहलाता है, उसका अन्त हुआ देखना चाहते थे। 'मंगलसूत्र' में उन्होंने जो कहानी शुरू की थी, वह इसी ओर इंगित करती थी। अगर वह उसे खुद पूर्ण नहीं कर सके तो कम-तो-कम ऐसे साधन, ऐसे उपादान जुटा देना चाहते थे कि उनके बाद आने वाले लेखक उसका अन्त लिख सकें।

अपना यह सन्देश वसीयत करने के लिए उन्होंने अन्तिम समय अपने समस्त मित्रों और सम्बन्धियों को जमा कर लिया था। लड़के, लड़की, भाई और साले के अलावा उनके प्रिय मित्र मुन्शी दयानारायण निगम, जैनेन्द्रकुमार आदि बनारस पहुंच गए।

मुन्शी दयानारायण निगम लिखते हैं—

"मौत से पन्द्रह दिन पहले मुझे तार देकर बनारस बुलाया। तमाम रास्ता अजीब उम्मीदोबीम (आशा और भय) की हालत में कटा। सुबह की मुलाकात का समां उम्र-भर न भूलेगा। वही प्रेमचन्द जो अपनी सुर्खो-सफेद सूरत के लिहाज से हजारों में से एक थे, ऐसे जारोनजार (दुर्बल और क्षीण) हो गए थे कि मुश्किल से पहचान पड़ते थे। धंसी हुई आंखें, बैठे हुए गाल, कांटे की तरह सूखे हुए हाथ-पांव देखकर आंखों के सामने अन्धेरा छा गया। उनके मुसलसल कहकहे बात करने की भी मुहलत न देते थे; मगर अब आंसुओं का तार बंधा हुआ था। न उठने की ताकत थी, न बैठने की शक्ति, लेटे-ही-लेटे हाथ पकड़ लिया और गले से चिपटा लिया, जैसे कोई डरा हुआ बच्चा सीने से चिपटने की कोशिश करे। इतने कमजोर हो गए थे कि बात करते भी थकान होती थी। ताहम दम ले-लेकर आहिस्ता-आहिस्ता बात करते ही रहे। मैंने मना करना चाहा, तो कहने लगे कि दोबारा मुलाकात की उम्मीद नहीं, वरना तुम्हारा कहना न टालता। यहां और जो कोई आता है, यास-अंगेज (निराशाप्रद) बातें करके परेशान कर जाता है। बीवी की तरफ इशारा करके कहा कि अगर यह ढाढ़स न बंधाए रहतीं, तो कब का मर चुका होता। वाकई मिसेज प्रेमचन्द ने उन दिनों बड़ी हिम्मत से काम लिया और दिल-शिकन हालत में कभी एक लम्हा के लिए अपने दिली-सदमा को उन पर जाहिर नहीं होने दिया। अगर कभी उन्होंने कोई मायूसी की बात भी की, तो समझा-बुझाकर तसल्ली दे दी। इसलिए कहते थे कि खुदा मालूम उनके बगैर मेरा क्या हाल होता..."

निगम की तरह जैनेन्द्र भी उनके घनिष्ठ मित्र थे। लेकिन यह सोचना पड़ता है कि मित्रता जैनेन्द्र निभाते थे या प्रेमचन्द, क्योंकि दोनों के मार्ग भिन्न थे, दृष्टिकोण भिन्न थे। जैनेन्द्र ने इतना निकट होते हुए भी प्रेमचन्द को और उनके आदर्शों को नहीं समझा था और शायद अब तक नहीं समझा। वह उन्हें अपनी ही तरह आस्तिक बनाने की चिन्ता में थे।

"प्रेमचन्द उन्हें जवाब देते---'यह आहें और कराहें। यह दुःख और दर्द, यह दरिद्रता, यह भूख और यह...'

जैनेन्द्र कहते—'आहों-कराहों से ऊपर उठो। इधर देखो ईश्वर की ओर' ।"

लेकिन प्रेमचन्द की जड़ें तो जनता में थीं। वह आहों से ऊपर कैसे उठते। 'बासी भात में खुदा का साझा' कहानी में शायद जैनेन्द्र ही उनके लक्ष्य हैं और वह ईश्वर के बारे में दो-टूक जवाब देते हैं—

"प्रेम ही हमारे जीवन का सत्य है; मगर तुम्हारा ईश्वर दण्ड-भय से सृष्टि

का संचालन करता है। फिर उसमें और मनुष्य में क्या फर्क हुआ? ऐसे ईश्वर की उपासना मैं नहीं करना चाहता, नहीं कर सकता। जो मोटे हैं उनके लिए ईश्वर दयालु होगा; क्योंकि वे दुनिया को लूटते हैं। हम जैसों को तो ईश्वर की दया कहीं नजर नहीं आती। हां, भय पग-पग पर खड़ा घूरा करता है... ।"

लेकिन जैनेन्द्र ने बहस जारी रखी और ईश्वर और सत्य में सम्बन्ध जोड़ने का प्रयास किया, तो प्रेमचन्द और स्पष्ट हो गए–

"जब तक संसार में यह व्यवस्था है, मुझे ईश्वर पर विश्वास नहीं आने का; अगर मेरे झूठ बोलने से किसी की जान बचती है तो मुझे कुछ भी संकोच नहीं होगा। मैं प्रत्येक कार्य को उसके मूल कारणों से परखता हूं, जिससे दूसरों का भला हो वही सच है, जिससे दूसरों को नुकसान हो वही झूठ है।"

जैनेन्द्र को आशा थी कि वह मरने से पहले ईश्वर को याद करेंगे, हर एक आस्तिक इसी भ्रम में पड़ा रहता है। जैनेन्द्र की यह आशा पूरी न हुई। वह प्रेमचन्द के निकट बैठे थे। उन्होंने अपना दाहिना सूजा हुआ हाथ बढ़ाकर कहा–"दबा दो।" प्रेमचन्द आधी रात तक बातें करते रहे। वह बातें 'हंस' के बारे में थीं, साहित्य और उसके भविष्य के बारे में थीं। उनकी आशाएं और आकांक्षाएं शब्दों से कहीं अधिक आंखों से व्यक्त होती थीं।

आखिर प्रातःकाल 8 अक्तूबर, सन् 1936 को क्रियाशील शक्ति का अन्त हो गया। संसार का रूप निखारने वाली लेखनी रुक गई। जीवन को प्रज्ज्वलित करने वाला दीपक बुझ गया और यों उन्होंने अपने जीवन की कहानी का पराकाष्ठा पर लाकर अन्त कर दिया।

19. कला

"साहित्य अपने काल का प्रतिबिम्ब होता है। जो भाव और विचार लोगों के ह्रदयों को स्पंदित करते हैं, वही साहित्य पर भी अपनी छाया डालते हैं।"
—प्रेमचन्द

प्रेमचन्द के जीवन की जानकारी प्राप्त कर लेने के बाद उनके साहित्य पर बहस की गुंजाइश नहीं रहती। प्रत्येक लेखक की कला उसके जीवन का अंग होती है। कोई लेखक जितना ही अपने समय की आत्मा को पहचान लेता है और इतिहास की विकासात्मक शक्तियों को समझकर उनका साथ देता है, उतना ही उसका साहित्य शाश्वत, प्रभावशाली और व्यापक होता है और उतना ही वह स्थायी और मूल्यवान होने के कारण शताब्दियों और युगों तक पढ़ा जाता है। प्रेमचन्द ने लगभग तीन सौ कहानियां, एक दर्जन उपन्यास लिखे। उन्हें सिलसिलेवार पढ़ने से हमारे देश का बीसवीं सदी के शुरू के पैंतीस-छत्तीस वर्ष का इतिहास तैयार हो जाता है। अर्थात प्रेमचन्द के साहित्य का इतिहास हमारे देश के राजनैतिक और सामाजिक परिवर्तनों का इतिहास है।

लेकिन उनका साहित्य अपने युग का प्रतिबिम्ब मात्र ही नहीं है, उन्होंने जीवन के जो गहरे और अमिट रेखा-चित्र तैयार किए हैं, उनसे हमें यह भी पता चलता है कि जीवन की ये रेखाएं किस दिशा में आगे बढ़ रही हैं और घटनाओं की ऐतिहासिक धारा का आगामी रुख क्या है? अर्थात् लेखक का काम सिर्फ जीवन को चित्रित करना ही नहीं होता, बल्कि जहां जीवन की कमी हो उसे निर्माण करना भी होता है। प्रेमचन्द ने यह कार्य भी बड़ी अच्छी

तरह पूरा किया है। परिस्थितियों और वातावरण का निरीक्षण करने के उपरान्त वह बड़े इत्मीनान से कहते हैं–

"लेकिन यह सब होने पर भी हमारा भविष्य उज्ज्वल है। मुझे इसमें सन्देह नहीं। भारत की आत्मा अभी जीवित है।"

परिवर्तन सदा व्यक्तियों और घटनाओं में प्रगट होते हैं; लेकिन इन परिवर्तनों का कारण सामने आने वाले व्यक्तियों और घटनाओं ही में नहीं, समाज में निहित होता है। लेखक का काम यह है कि वह इन व्यक्तियों और घटनाओं का निरीक्षण करके इन कारणों की जड़ें समाज में खोज निकाले। जितना वह इस उद्देश्य में सफल होता है, उतना ही उसका साहित्य प्रभावशाली और उपयोगी होता है। जहां वह इस निरीक्षण में असफल रहता है, वहीं उसका साहित्य प्रभावहीन और दुर्बल हो जाता है।

इसी बात को दूसरे शब्दों में इस प्रकार भी कहा जा सकता है कि लेखक समाज में से कुछ व्यक्तियों और घटनाओं को उदाहरण के रूप में चुन लेता है और उनके द्वारा वह समस्त समाज अथवा पूरे जीवन का निरीक्षण करता है। खुद प्रेमचन्द ने इस बात को यों कहा है–

"साहित्य की बहुत-सी परिभाषाएं की गई हैं; पर मेरे विचार से उसकी सर्वोत्तम परिभाषा 'जीवन की आलोचना' है। चाहे वह निबन्ध के रूप में हो, चाहे कहानियों के या काव्य के, उसे हमारे जीवन की आलोचना और व्याख्या करनी चाहिए।"

लेकिन जीवन की आलोचना साहित्य की पहली मंजिल है। लेखक का काम इस मंजिल पर रुक जाना नहीं, आगे बढ़ना है। उन्नीसवीं सदी के प्रारम्भ से यूरोपियन साहित्य में बूर्जुआ मानवतावाद पर आधारित जिस नई प्रवृत्ति का उदय हुआ उसका नाम आलोचनात्मक यथार्थवाद था। फ्रांस में स्टेंढल, बाल्जाक और फ्लाबेयर ने, तो इंग्लैड में डिकन्स, थैकरे और श्रीमती गास्केल ने अपने सामाजिक जीवन की भरपूर आलोचना की है; जहां सामंती अवशेषों पर कड़ा प्रहार किया है वहां खुद पूंजीवाद को उसके चेहरे पर दाग-धब्बे दिखाये हैं, उसके अंतरविरोधों को उजागर किया है। पूंजीवाद स्थापित हो चुका था, जीवन के हर क्षेत्र की तरह साहित्य में भी उसकी भूमिका प्रगतिशील थी। किसी नई क्रान्ति का अभी कोई खतरा नहीं था, वह आलोचनात्मक यथार्थवाद द्वारा सामंतवाद के विरुद्ध अपनी स्थिति को दृढ बना रहा था।

लेकिन जब क्रान्ति का युग हो, जब पुराने और जर्जर के स्थान पर नए और उन्नत समाज के निर्माण के लिए संघर्ष हो रहा हो, तो लेखक का काम

पक्षधरता के साथ लोगों को संघर्ष के लिए तैयार करना होता है। अगर उस समय आलोचना को कर्म की प्रेरणा से अलग रखा जाए, तो लेखक लेखक नहीं रहता या कम-से-कम वह अपने कर्त्तव्य का पूर्ण ढंग से पालन नहीं करता। ऐसे युग में उत्तम और श्रेष्ठ साहित्य वही होता है, जिससे आलोचना के साथ-साथ जीवन को आगे बढ़ाने के लिए कर्मशील होने की प्रेरणा भी मिलती है। प्रेमचन्द चाहे जीवन की आलोचना को साहित्य की सर्वोत्तम परिभाषा कहते हैं; लेकिन वह स्वयं क्रियाशील होने की प्रेरणा भी देते हैं–

"जिस समाज का आधार ही अन्याय पर हो, उसकी सरकार के पास दमन के सिवा और क्या दवा हो सकती है। एक दिन आएगा, जब आज के देवता कल कंकर-पत्थर की तरह उठा-उठाकर गलियों में फेंक दिए जाएंगे और पैरों से ठुकराए जाएंगे।"

(कर्मभूमि)

लेकिन यह मंजिल भी दूसरी मंजिल है। आखिरी और तीसरी मंजिल इससे आगे है, जो काफी कठिन है, जिस पर पाँव डगमगाते हैं। लेखक की परीक्षा इसी मंजिल पर पहुंचकर होती है। यहीं खरा और खोटा परखा जाता है। यह मंजिल है, संघर्ष को सफलता के साथ अपने प्राकृतिक परिणाम तक ले जाना, समाज की नई शक्तियों को पुरानी और जर्जर शक्तियों से टकरा देना। यह काम सहज नहीं, बहुत कठिन है। लेखक अपने वर्ग के अनुसार पुराने समाज के साथ हजारों बन्धनों से बंधा हुआ होता है। जब तक वह एक-एक सम्बन्ध तोड़कर अपने आपको पुराने समाज से अलग न कर ले, जब तक वह अपने आपको मानसिक रूप से नए समाज के साथ पूर्ण रूप से जोड़ न ले, जब तक अपने आपको नए समाज की नई शक्तियों का अभिन्न अंग न बना ले, तब तक कंकर-पत्थर के देवताओं को उठाकर फेंकते समय उसका हाथ कांप जाएगा, वह अपने संघर्ष को अधूरा छोड़ देगा और दुर्बलता और पराजय को छिपाने के लिए झूठे दर्शन का सहारा लेगा।

जब हम इस मंजिल पर पहुंचते हैं तो प्रेमचन्द का प्रतिवाद स्पष्ट हो जाता है। हमें उनकी मानसिक सीमाओं का बोध होता है। तब हम यह भी जान लेते हैं कि उन्होंने, 'साहित्य अपने समय का प्रतिबिम्ब होता है'–क्यों कहा है और केवल 'जीवन की आलोचना' ही को साहित्य की सर्वोत्तम परिभाषा क्यों बताया है, जबकि वह खुद उससे आगे जाते हैं?

प्रेमचन्द ने चूंकि स्वतन्त्रता-संग्राम को आगे बढ़ाने के लिए साहित्य-रचना की थी। वह स्वयं भी नौकरी से इस्तीफा देकर इस आन्दोलन में शामिल हो

गए थे। इसलिए उन्होंने जीते-जागते क्रियाशील पात्रों की रचना की है, जो सिर्फ स्वतन्त्रता-संग्राम के बारे में सोचते ही नहीं, बल्कि उसमें शामिल होते हैं, जोखिम उठाते और त्याग करते हैं। लेकिन उनके कर्म की एक सीमा है। जब कर्म उससे आगे बढ़ने लगता है, तो वह उसे झट रोक देते हैं और झूठे दर्शन का सहारा लेकर अपने मन को सान्त्वना देते हैं और कई बार तो सान्त्वना भी प्राप्त नहीं होती। मन में कुरेद लगी रहती है।

उदाहरणार्थ 'कायाकल्प' को लीजिए। उपन्यास का नायक चक्रधर सच्चे और ओजस्वी नौजवान के रूप में हमारे सामने आता है। उसे समाज की जर्जर परम्पराओं, शठता और गुलामी से घृणा है। वह स्वतन्त्र, सुन्दर और समृद्ध समाज का निर्माण चाहता है। इसलिए वह सच्ची और न्यायसंगत बातें करता है। हम उसे अत्यन्त निर्भीकता के साथ कहते हुए सुनते हैं—"मैं बदनामी के भय से अन्याय करना अच्छा नहीं समझता"—और न्याय अथवा अन्याय की जड़ें भौतिक स्थिति में होती हैं; इसलिए चक्रधर कहता है—

"यह भौतिकवाद ही हमें अध्यात्मवाद की ओर ले जाएगा। जीवन के वे रहस्य, जिन पर अब तक पर्दा पड़ा हुआ है, खुल जाएंगे।"

वह कर्मशील युवक है। रूढ़ मान्यताओं और रीति-रिवाज से विद्रोह करता है और साम्प्रदायिक दंगे रोकने के लिए अपने प्राण खतरे में डाल देता है। लूट-खसोट, अत्याचार और अन्याय के विरुद्ध सत्याग्रह करता है। उत्पीड़ितों का साथ देता है। लेकिन जब कृषक लूट-खसोट से तंग आकर अत्याचार को मिटाने के लिए तैयार होते हैं, राजा के कारिन्दों, अफसरों और सिपाहियों पर आक्रमण करते हैं, तो चक्रधर का दिल कांप जाता है। वह आगे बढ़कर स्वयं घायल होकर इस स्वाभाविक घटना को रोक देता है और मन को समझाने के लिए मिथ्या दर्शन की आड़ लेता है—

"वह सोच रहा है, यह हत्याकाण्ड क्यों हुआ? मैंने तो भूलकर भी किसी से ऐसा करने को नहीं कहा।...यह हमारी नीयत का फल है। हमारे त्याग और सदुपदेश में स्वार्थ निहित है। यदि हमारी नीयत साफ हो, तो जनता के मन में राजाओं पर चढ़-दौड़ने का जोश ही पैदा न हो।"

विदित है कि यहां चक्रधर ने भौतिकवाद के दर्शन को अलग फेंककर आध्यात्मिकता का आवरण ओढ़ लिया है और वह कृषकों के सात्विक और स्वाभाविक क्रोध के भौतिक कारणों की अवहेलना करके उसे 'नीयत', 'मन' और व्यक्तियों के सिर थोप रहा है, जो सर्वथा प्रतिक्रियावाद का दर्शनशास्त्र है। लेकिन वह वास्तव में प्रतिक्रियावादी नहीं, ईमानदार है; इसलिए उसके मन

को इस मिथ्या दर्शन से सन्तौष नहीं मिलता। कुरेद लगी रहती है। सोचता है—

"फिर अगर अत्याचार का विरोध न किया जाए तो संगठन से लाभ ही क्या?"

अब होता यह है कि उसे अब संगठन में कोई लाभ दिखाई नहीं देता, इसलिए सब-कुछ छोड़-छाड़कर संन्यास धारण कर लेता है। एकान्तसेवी और निष्क्रिय जीवन व्यतीत करता है। चूंकि उसने संघर्ष का मार्ग छोड़ दिया है; इसलिए जीवन के गुप्त रहस्यों पर पर्दा ही पड़ा रहता है। और प्रेमचन्द की कला आवागमन के गोरख-धंधों में उलझकर अपनी आभा, अपना आकर्षण खो देती है। एक गैर-मार्क्सवादी लेखक ने इस उपन्यास की आलोचना करते हुए लिखा है—"रब्त और रवानी पहले हिस्सा में कुछ ज्यादा है; मगर रफ्ता-रफ्ता कम होते-होते गायब हो गई।" कारणों में जाने की जरूरत नहीं। मिथ्या दर्शन कला की हत्या है।

इसी प्रकार 'डामुल का कैदी' कहानी उस समय तक रोचक और दिलचस्प बनी रहती है, जब तक प्रेमचन्द मिल के मालिक सेठ की धनलोलुपता, मुनाफाखोरी और पाखंड का भांडा फोड़ते हैं और मजदूरों के संघर्ष को उभारते हैं। लेकिन जब गोपीनाथ संघर्ष का नेतृत्व करने के बजाय उनके क्रोध और सेठ के बीच में पड़कर हड़ताल तोड़ने का काम करता है और घायल होकर मर जाता है, तो फिर आवागमन का वही अस्वाभाविक क्रम आरम्भ होता है और कहानी निस्सार और शुष्क होकर रह जाती है।

एक दूसरे उपन्यास 'कर्मभूमि' को लीजिए। इस उपन्यास का नायक अमरकान्त, चक्रधर से अधिक सजग और सचेत है। उसके चरित्र में प्रौढ़ता और दृढ़ता भी अधिक है। वह चक्रधर से बहुत आगे की बात सोचता है। कारण यह कि समय बदल चुका था। 1930 का आंदोलन 1920-21 के आंदोलन से मूलतः भिन्न था। उसमें रामराज्य और खिलाफत का धार्मिक उन्माद शामिल नहीं था। आदर्शवाद की सीमायें टूट चुकी थीं। विचार और चिंतन में गुणात्मक परिवर्तन आया था। राष्ट्र को विदेशी गुलामी ही से नहीं, पुराने समाज की जर्जर मान्यताओं—हर प्रकार के अंधविश्वास और रूढ़िवाद से भी मुक्त करना था। क्रान्तिकारी नवयुवक सरफरोशी की तमन्ना दिल में लिये उस उद्देश्य से मैदान में उतरे थे। प्रेमचंद का यह नायक भी परिस्थिति के अनुकूल इसी अंदाज में सोचता है—

"मैं किसी रिश्ते या दौलत को अपनी आत्मा के गले की जंजीर नहीं बना सकता। मैं उन आदमियों में नहीं हूं, जो जिन्दगी की जंजीरों को जिन्दगी

समझते हैं। मैं जिन्दगी की आरजुओं को जिन्दगी समझता हूँ।"

लेकिन जंजीरें केवल सोचने ही से नहीं टूट जातीं और न कामनाएं पूरी होती हैं। अमरकान्त उनका ऐतिहासिक और सहज उपाय सोचता है–

"वह अब क्रान्ति में ही देश का उद्धार समझता था–ऐसी क्रान्ति में, जो सर्वव्यापक हो, जो जीवन के मिथ्या आदर्शों का, झूठे सिद्धान्तों का, परिपाटियों का अन्त कर दे, जो एक नये युग की प्रवर्तक हो, एक नयी सृष्टि खड़ी कर दे, जो मिट्टी के असंख्य देवताओं को तोड़कर चकनाचूर कर दे। जो मनुष्य को धन और धर्म के आधार पर टिकने वाले राज्य से मुक्त कर दे।"

अपने इस स्वप्न को साकार बनाने के लिए वह सूदखोर और चोरी का माल हड़पने वाले पिता से विद्रोह करता है। उसका घर और धन त्यागकर गांव में जाकर किसानों और मजदूरों में रहने लगता है। लेकिन जब यही किसान-मजदूर उसके स्वप्न को साकार बनाने के लिए तैयार हो जाते हैं, धन और धर्म के आधार पर टिकने वाले राज्य का अन्त करने के लिए आक्रमण शुरू करते हैं, तो अपने ही 'सभ्य' और 'शिक्षित' वर्ग को, इन गंवारों के प्रहार की जद में आते देखकर उसका दिल कांप जाता है। वह क्रुद्ध उत्तेजित जन-समूह के सामने लेटकर अपने लंगोटिए यार सलीम को साफ बचा लेता है।

अब वह सत्याग्रह करके जेल जाने ही को कर्म की आखिरी मंजिल समझ लेता है; उसके मन में वह कुरेद भी नहीं, जो चक्रधर के मन में उत्पन्न हुई थी। फिर लुत्फ की बात यह है कि उसका धन का लोभी बाप भी 'हृदय परिवर्तन' के चूरन से शुद्ध होकर जेल में आ जाता है। वहां से रिहा होकर बेटा बाप के हाथ में हाथ डालकर उसी घर में लौट आता है, जहां से विद्रोह करके वह व्यापक क्रान्ति और जीवन के मिथ्या आदर्शों का अन्त करने निकला था।

यह सत्याग्रही की जीत हो सकती है; पर क्रान्तिकारी की हार में सन्देह नहीं। प्रश्न यह उठता है कि प्रेमचन्द का नायक अथवा आर्ट यह हार क्यों अंगीकार करता है? कारण क्या है?

प्रेमचन्द को सुधारवादी बताने वाले साहित्यकार और आलोचक कहते हैं कि यह गांधीवाद है।

उनकी यह बात मानने से किसी को भी संकोच नहीं हो सकता। निस्संदेह यह गांधीवाद है। लेकिन यहीं बात का अन्त नहीं होता। हमें देखना होगा

कि गांधीवाद का सामाजिक आधार क्या है।

जिस प्रकार समाज में उत्पन्न होने वाले परिवर्तन व्यक्तियों और घटनाओं में प्रकट होते हैं, उसी प्रकार समाज में उत्पन्न होने वाला प्रत्येक दर्शन भी व्यक्तियों और घटनाओं में प्रकट होता है। किसी दर्शन और विचार को किसी व्यक्ति विशेष से सम्बन्धित किया जा सकता है; लेकिन वह उसे आकाशवाणी के रूप में प्राप्त नहीं होता और न वह उस व्यक्ति विशेष के साथ उत्पन्न होता तथा मरता है। यही सिद्धान्त गांधीवाद पर भी लागू होता है जो गांधी से सम्बन्धित अवश्य है पर हमें उसकी जड़ें इस वर्ग विभाजित समाज में वर्गों में खोजनी होंगी।

प्रेमचन्द 1935 में हिन्दी साहित्य परिषद् की बैठक के सिलसिले में वर्धा गए और वहां उनकी गांधी से पहली और अन्तिम भेंट हुई। लौटकर आए तो अपनी इस भेंट का जिक्र शिवरानी देवी से किया। वह गांधी से बहुत प्रभावित थे।

"शिवरानी बोलीं–'इसका मतलब है आप भी महात्मा गांधी के चेले हो गए।'

प्रेमचन्द–'चेला बनने का मतलब किसी की पूजा करना नहीं, उसके गुणों को अपनाना होता है। मैंने उन्हें अपनाकर ही तो 'प्रेमाश्रम' लिखा जो 1922 में छपा है।'

शिवरानी–'वह तो पहले ही लिखा जा रहा था, उसमें महात्मा गांधी की कौन खास बात हुई।'

प्रेमचन्द–'इसका अर्थ यह है कि वह जो कुछ करना चाहते हैं, उसे मैं पहले ही कर रहा था।'

शिवरानी–'यह तो कोई दलील न हुई।'

प्रेमचन्द ने कहा कि दलील की बात नहीं। वह भी मजदूरों, किसानों की भलाई के लिए आन्दोलन चला रहे हैं और मैं भी कलम से यही कुछ कर रहा हूँ।"

(प्रेमचन्द : घर में)

हजारों-लाखों देशवासियों की तरह प्रेमचन्द ने भी धोखा खाया और भूल से यह समझ लिया कि गांधी जो कुछ चाहता है, वह पहले से वही कुछ कर रहे थे। 'प्रेमाश्रम' में मनोहर गौस खां की हत्या करता है और प्रेमचन्द पूर्ण सहानुभूति और प्रतिबद्धता के साथ उसके कृत्य का समर्थन करते हैं, उसे वीर और सूरमा बताते हैं। पर गांधी ने मनोहर के कृत्य का कभी समर्थन नहीं

किया बल्कि वह मनोहर के कृत्य को आधे में रोकने और यथास्थिति बनाए रखने ही को नेता बना था।

मनोहर का यह कृत्य कोई व्यक्तिगत कृत्य नहीं था, यह उस वर्ग का कृत्य था, जो लूट-खसोट से उत्पीड़ित था। गौस खां के बाद उसका अगला वार ज्ञानशंकर जमींदार, उसकी संरक्षक सरकार तथा समूचे शोषक वर्ग पर पड़ना था। युद्ध के पश्चात जनता का यह सामूहिक आन्दोलन शुरू हो चुका था। इस आन्दोलन को रोकने के लिए ही जलियांवाला बाग का हत्याकांड घटित हुआ था। लेकिन जनता का जोश गोलियों से शांत नहीं हुआ करता। यदि उनके आन्दोलन को स्वाभाविक ढंग से आगे बढ़ने दिया जाता तो गोलियों से तपकर निकलने वाली जनता न सिर्फ अंग्रेजी शासन का बल्कि प्रत्येक प्रकार के शोषण का अन्त करके दम लेती। प्रेमचन्द जनता की जिस महानता के कायल थे वह अन्तस्तल से उभरकर ऊपर आ जाती।

कांग्रेस हाईकमान ने, जो निहित स्वार्थों का प्रतिनिधि था, मेहनतकश जनता के ये तेवर पहचान लिये थे और वह स्वभावतः इनसे भयभीत था। मुकम्मल आजादी का प्रस्ताव मजबूरी में पास किया था, बिना पास किये चारा नहीं था। अब जब प्रस्ताव पास हो गया और संघर्ष छेड़ना पड़ा तो वह जनता के क्रान्तिकारी अमल को सिर्फ इसी हद तक उभारना चाहता था, जिससे विदेशी सरकार के साथ सौदा पट सके, समझौता हो सके और जॉन की जगह गोविन्द को गद्दी पर बैठाया जा सके; लेकिन उसे लूट-खसोट की सम्पूर्ण व्यवस्था— अपने समाज-तंत्र से टकराने न दिया जाये।

इस भय और दूरदर्शिता का नाम गांधीवाद है जिसका आशय व्यक्तिगत सम्पत्ति और सम्पत्तिशाली वर्ग की रक्षा करना है। गोया गांधीवाद वह वृक्ष है, जिसकी जड़ें 'रामराज्य', 'ट्रस्टीशिप', 'हृदय परिवर्तन', 'सत्याग्रह' तथा 'अहिंसा' में निहित हैं और उसकी छाया में विडम्बना पलती है।

हमारा मजदूर आंदोलन इतना सजग और सचेत नहीं था कि गांधीवाद का विवेचन करके उसके वर्ग-चरित्र को समझ लिया जाता। मध्यम वर्ग के सच्चे, ईमानदार और स्वाधीनताप्रिय नौजवानों ने इस सिद्धान्त को बिना सोचे-समझे अपना लिया। उनकी अपनी सीमाएं थीं, एक तो संघर्ष का कोई दूसरा कार्यक्रम, कोई विकल्प सामने नहीं था; दूसरे मध्यम वर्ग चाहे श्रम की दृष्टि से सर्वहारा के समीप होता है, पर अपनी सामाजिक स्थिति से पूंजीवाद की मान्यताओं से चिपका रहता है, इसी वर्ग में जा मिलने की आकांक्षा रखता है। व्यक्तिगत सम्पत्ति और विरासत के संरक्षण की भावना उसके जन्मगत

संस्कारों में निहित रहती है।

प्रेमचन्द का जन्म भी मध्यम वर्ग में हुआ था। उनकी भी गांव में पैतृक भूमि थी, पैतृक घर था और 'घर' से उन्हें वह अनुराग था, जो मध्यम वर्ग के प्रत्येक प्राणी को हुआ करता है। इस अनुराग के कारण वे बार-बार देहात में जाने की इच्छा करते रहे। आखिर वे देहात में गए, पूर्वजों के कच्चे मकान की जगह पक्का मकान बनवाया और यही कारण था कि वे 1930 के सत्याग्रह आन्दोलन में बहुत चाहने के बावजूद जेल नहीं जा सके। सोचते रहे कि शिवरानी चली गईं, यदि वे भी चले गए तो बच्चों का और घर का क्या बनेगा?

सत्याग्रह की लड़ाई इसी प्रकार लड़ी जाती थी कि घर भी बना रहे और जेल यात्रा भी हो जाए। बड़े आदमी जब जेल जाते थे, तो बाहर उनका कारोबार बराबर चलता रहता था।

प्रेमचन्द ने जीवन को खिलाड़ी की भांति बिताने का जिक्र प्रायः किया है। यह खिलाड़ीपन का दर्शन भी गांधीवाद ही की एक प्रवृत्ति है। उसने बहुत से लोगों को खिलाड़ी बनाया है; पर उनके कर्म और विचार को चर्खे से बांधे रखा है। प्रेमचन्द के अमरकान्त और चक्रधर भी खिलाड़ी थे। बड़ी ही शुद्ध भावना और ईमानदारी से आन्दोलन में शामिल हुए थे। पर आज उन्हें ढूंढना हो तो वे कांग्रेस के बड़े-बड़े नेताओं, पदाधिकारियों और मंत्रियों में मिलेंगे। चूंकि उन्होंने अपने कृत्य का विवेचन करके उसकी त्रुटियों और न्यूनताओं को नहीं समझा, चूंकि वे अहिंसा के पुजारी बनकर हार को ही जीत समझते रहे, परिणाम यह हुआ कि होते-होते पाखंड और धूर्तता उनके जीवन का अभिन्न अंग बन गयीं और अब वे अपनी इस धूर्तता से गांधीवाद को सार्थक बनाए हुए हैं।

प्रेमचन्द के यहां बड़ा खिलाड़ी—गांधी ही का दूसरा रूप 'रंगभूमि' का अंधा सूरदास है, जो एक पैसे के लिए तीन-तीन मील दौड़ लगाता है, पैतृक सम्पत्ति अपनी भूमि की रक्षा के लिए एकाकी और व्यक्तिगत ढंग से लड़ता है। वह यथार्थ से आंखें मूंदकर खिलाड़ी के सदृश लड़ता हुआ मर जाता है। प्रेमचन्द उसे सच्चा सत्याग्रही और आदर्श व्यक्ति कहते हैं। उसे प्रस्तुत करने में कलाकार के पक्षपात से काम लेते हैं।

यह आदर्श सम्पत्ति की सुरक्षा का आदर्श है। अपने जन्मगत संस्कारों को बदलना सहज नहीं, बहुत कठिन है। इन्सान अपने वर्ग की रूढ़िगत परम्पराओं को झटककर हजार बार आगे बढ़ता है और वे हजार बार मार्ग काटकर नया रूप धारण करके सामने आ जाती हैं। प्रेमचन्द ने 'प्रेमाश्रम' में

जिन रूढ़िगत परम्पराओं का दामन झटक दिया था, गांधीवाद के रूप में वे फिर सामने आ गईं और उन्होंने बिना पहचाने उन्हें चट अपना लिया।

इसके बाद जब सत्याग्रह, अहिंसा और जुलूसों से उनका विश्वास उठ जाता है और 'भाड़े के टट्टू' कहानी का नायक रमेश जेल से छूटकर वर्ग-क्रान्ति की घोषणा कर देता है; लेकिन फिर 'कफन' कहानी में वे सिर्फ जीवन की आलोचना करके ही सन्तुष्ट हो जाते हैं। कृषकों तथा मजदूरों की भावना को बिलकुल नहीं उभारते। घीसू और माधव को सिर्फ चंडूखाने में ले जाकर छोड़ देते हैं।

सन् उनत्तीस-तीस से पैंतीस-छत्तीस तक मजदूर आन्दोलन बहुत आगे बढ़ गया था। उन्होंने कानपुर, अहमदाबाद और बम्बई में बड़ी-बड़ी हड़तालें की थीं। प्रेमचन्द उनकी ऐतिहासिक भूमिका समझने में सक्षम रहे। वे अपनी रचनाओं को मध्यम वर्ग तक ही सीमित रखते हैं। 'गोदान' में मजदूरों की हड़ताल का गौण रूप से उल्लेख किया है। उसे भी बुरी तरह कुचल दिया जाता है और मज़दूरों पर जो अत्याचार और दमन होता है उसका प्रतिकार खन्ना के मिल को दैवयोग से आग लगाकर भावुकतापूर्ण ढंग से लिया गया है। 'मिल मजदूर' फिल्म में समझौता कमेटी अर्थात् सुलह कमेटी मौजूद है। और 'डामुल का कैदी' कहानी में मजदूरों के संघर्ष की जो बाढ़ आती है, उसे आवागमन की मरुभूमि ने सुखा दिया है।

इन सब बातों के बावजूद मानव-प्रेम उनके साहित्य की जान है। वह कदाचित लूट-खसोट, अन्याय और अत्याचार सहन करने को तैयार नहीं। जिस प्रकार बिहार के भूकम्प ने उनके पक्के मकान में दरारें डाल दी थीं उसी प्रकार जीवन के अनुभवों, कटु और कठोर यथार्थ ने—घटनाओं के झटकों ने—उनके गांधीवाद में दरारें ही नहीं, गड्ढे डाल दिये। इस पेड़ की टहनियां झड़ चुकी थीं, सिर्फ जड़ शेष थी। लेकिन 'गोदान' में वे भी टूटती और सूखती हुई दिखाई देती हैं क्योंकि होरी किसान जिस भूमि पर जान देता है और दरिद्र होते हुए भी पूंजीवादी वर्ग की परम्पराओं से चिपटा हुआ है, अन्त में मजदूर बनने के लिए विवश हो जाता है।

मध्यम वर्ग को टूटकर मजदूर बनते दिखाना गांधीवाद के आधार आदर्शवादी दर्शन की हार है और प्रेमचन्द की प्रगतिशील कला, दर्शन और साहित्य की जीत। उन्होंने समझ लिया था कि इस शोषण-व्यवस्था में मध्यम वर्ग के लिए अपना अस्तित्व बनाए रखना सम्भव नहीं। जाहिर है कि उनका कदम सही दिशा में उठ रहा था और उनके साहित्य में ताजगी और निखार आ रहा था।

20. कीर्ति

"मनुष्य जीवन की सबसे बड़ी लालसा यही है कि वह कहानी बन जाए और उसकी कीर्ति हर एक जबान पर हो।" —प्रेमचन्द

प्रेमचन्द को अपने जीवन में काफी कीर्ति प्राप्त हो गई थी। वह उर्दू और हिन्दी के सर्वोत्तम लेखक गिने जाते थे, कोई दूसरा कहानीकार उनके आसपास भी नहीं आता था। उर्दू वालों ने उन्हें 'फितरतनिगार' और हिन्दी वालों ने 'उपन्यास सम्राट' की उपाधि से सम्मानित किया था। उनकी कहानियां गुजराती, मराठी और बंगाली आदि प्रान्तीय भाषाओं में तो अनूदित होती ही थीं, लेकिन इनके अतिरिक्त अंग्रेजी और जापानी आदि विदेशी भाषाओं में भी उनकी कुछ कहानियों के अनुवाद हो चुके थे और उनकी कीर्ति वहां फैलती जा रही है। अभी रूसी भाषा में 'प्रेमाश्रम' का अनुवाद प्रकाशित हुआ है।

लेकिन प्रेमचन्द ने कीर्ति प्राप्त करने का कभी प्रयत्न नहीं किया क्योंकि प्रयत्न से न कीर्ति प्राप्त होती है और न उस कीर्ति का कोई लाभ है। उसका मार्ग ही दूसरा है। प्रेमचन्द लिखते हैं—

"अगर हम सच्चे दिल से समाज की सेवा करें तो मान, प्रतिष्ठा और प्रसिद्धि सभी हमारे पांव चूमेंगी। फिर मान-प्रतिष्ठा की चिन्ता हमें क्यों सताए? और उसके न मिलने से हम निराश क्यों हों? सेवा में तो आध्यात्मिक आनन्द है ही, वही हमारा पुरस्कार है।"

फिर भी हर एक व्यक्ति के मन में प्रसिद्धि की जो लालसा होती है, उसका कारण क्या होता है? 'लेखक' कहानी का नायक पत्नी से कहता है—

"अब तुम्हें कैसे समझाऊं, प्रत्येक प्राणी के मन में आदर और सम्मान की एक क्षुधा होती है। तुम पूछोगी, यह क्षुधा क्यों होती है? इसलिए कि यह हमारे आत्म-विकास की एक मंजिल है। हम उस महान सत्ता के सूक्ष्मांग

हैं, जो समस्त ब्रह्माण्ड में व्याप्त है। अंश में पूर्ण गुणों का होना लाजिमी है। इसलिए कीर्ति और सम्मान, आत्मोन्नति और ज्ञान की ओर हमारी स्वाभाविक रुचि है। मैं इस लालसा को बुरा नहीं समझता।"

कीर्ति की लालसा विकास की कामना का दूसरा नाम है और वह तब प्राप्त हो सकती है, जब मनुष्य जीवन के सम्पूर्ण विकास, ऐतिहासिक सत्य को आगे बढ़ाने में मदद करे। वह अपने निजी विकास को इस प्रकार सामूहिक विकास की धारा में मिला दे, जिस प्रकार छोटे-छोटे नाले अपने आपको नदी में मिला देते हैं, और नदी का बहाव बढ़ता और फैलता जाता है और वह नदी जीवन को सींचती, उर्वर और समृद्ध बनाती चली जाती है। यही कर्म, कर्म और यही त्याग, त्याग है। जो कर्म और त्याग इस सिद्धान्त को छोड़कर किया जाता है, उसका परिणाम कीर्ति नहीं, बदनामी है और वह जीवन के लिए हानिप्रद है, उसका उद्देश्य विकास को आगे बढ़ाने के बजाय उसे रोकना होता है।

प्रेमचंद ने निस्संदेह विकास-प्रक्रिया को आगे बढ़ाया। वास्तव में उनका जीवन ही विकास का आंदोलन था। उन्होंने देश की स्वस्थ परम्परा के आधार पर साहित्य और संस्कृति को समृद्ध बनाया। सामंती और साम्राज्यवादी संस्कृतियां सगी बहनें हैं, जन-विरोधी हैं, इनके विरुद्ध डटकर संघर्ष किया।

लेकिन प्रेमचंद के बाद साहित्य का प्रगतिशील आंदोलन दिग्भ्रान्त हो गया। उसमें पश्चिम के पतनोन्मुख साहित्य की रुग्ण प्रवृत्तियों की घुसपैठ हुई। संदेशहीन विद्रोह और हड़कम्प मचाना साहित्य का लक्ष्य बन गया। व्यक्ति को समाज के विरुद्ध खड़ा करके बर्बरता के युग को व्यक्ति की सम्पूर्ण स्वतंत्रता का युग कहा जाने लगा। प्रेमचंद डिकन्स और टालस्टाय से प्रभावित थे; लेकिन जेम्स ज्वाइस और डी. एच. लारेंस का प्रभाव बढ़ा। व्यक्तिवाद का बोल-बाला हुआ, मार्क्सवाद और फ्रायडवाद को गडमड किया गया। जिस अनुपात से प्रगतिशील परम्परा का ह्रास हुआ, उसी अनुपात से प्रेमचंद की कीर्ति मंद पड़ गई। उन्हें सुधारवादी कहकर उनकी अवहेलना की गई। हम समझते थे, फ्रायड के सिद्धान्तों ने हमें 'मनोविश्लेषण' का जो गुरुमंत्र दिया है, प्रेमचन्द इससे परिचित न थे और इन सिद्धान्तों के कारण हमारी कहानी उनसे बहुत आगे बढ़ गयी है। लेकिन हम उनको और अपने आपको भुला रहे थे। प्रेमचन्द ने फ्रायड के सिद्धान्तों को देखा, परखा और फिर रद्द कर दिया। 'मिस पद्मा' कहानी उन्होंने इसी विषय को लेकर लिखी है। वे लिखते हैं (हिन्दी में यह शब्द नहीं मैं उर्दू से अनुवाद करके दे रहा हूं)—

"पद्मा ने शिक्षा से जो लाभ उठाया था, उसमें मनोवासना की पूर्ति ही जीवन का उद्देश्य था। संयम आत्म-विकास के लिए विष था। फ्रायड के सिद्धान्त उसके जीवन का आधार मात्र थे। किसी अंग को बांध दो, थोड़े ही दिनों में रक्त-प्रवाह बन्द हो जाने के कारण बेकार हो जाएगा, विषैला पदार्थ उत्पन्न करके जीवन को भय और संकट में डाल देगा। यह जुनून (पागलपन) और मस्तिष्क की खराबी के रोग इतने क्यों बढ़ गए हैं, केवल इसीलिए कि मनोवासनाओं को रोका गया। भोग में उसे कोई नैतिक बाधा न थी, इसे वह केवल देह की एक भूख समझती थी।"

एक बार प्रेमचन्द और जैनेन्द्रकुमार में साहित्य पर बातचीत हो रही थी। विषय टैगोर और शरत्चन्द्र थे। बातचीत का आरम्भ जैनेन्द्र के एक प्रश्न से हुआ था और वह जैनेन्द्र ही के शब्दों में यहां उद्धृत की जाती है–

"जैनेन्द्रकुमार–'बंगाली साहित्य हृदय को अधिक छूता है–इससे आप सहमत हैं, तो इसका कारण क्या है?'

प्रेमचन्द ने कहा–'सहमत तो हूं। कारण, उसमें स्त्री भावना अधिक है। मुझमें वह काफी नहीं है।'

जैनेन्द्र उनकी ओर देखने लगे और पूछा–'स्त्रीत्व है, इसी से वह साहित्य हृदय को अधिक छूता है?'

प्रेमचन्द बोले–'हाँ तो। वह जगह-जगह Reminiscent (स्मरणशील) हो जाता है। स्मृति से भावना की तरलता अधिक होती है, संकल्प में भावना का काठिन्य अधिक होता है। विधायकता के लिए दोनों चाहिएं।'

कहते-कहते उनकी आंखें जैनेन्द्र को पार कर कहीं दूर देखने लगी थीं। उस समय उन आंखों की सुर्खी एकदम गायब होकर उनमें एक प्रकार की पारदर्शी नीलिमा भर गई थी। बोले–'जैनेन्द्र, मुझे ठीक नहीं मालूम। मैं बंगाली नहीं हूं। वे लोग भावुक हैं। भावुकता में जहां पहुंच सकते हैं, वहां मेरी पहुंच नहीं। मुझमें उतनी देन कहां? ज्ञान से जहां नहीं पहुंचा जाता, वहां भी भावना से पहुंचा जाता है। लेकिन जैनेन्द्र, मैं सोचता हूं, काठिन्य भी चाहिए। रवीन्द्र, शरत दोनों महान हैं। पर हिन्दी के लिए क्या वही रास्ता है? शायद नहीं। हिन्दी राष्ट्रभाषा है। मेरे लिए तो वह राह नहीं ही है'।"

('हंस', अक्तूबर, सन् 1948)

इसलिए प्रेमचन्द ऐसी कविता को, खास तौर पर गजल को पसन्द नहीं करते थे, जो सिर्फ जुल्फों के पेचो-खम में उलझकर रह जाए। एक बार दयानारायण निगम ने 'जमाना' का 'आतिश नम्बर' निकाला था, तो प्रेमचन्द

उन पर बहुत बिगड़े थे कि इतने पृष्ठ व्यर्थ खो दिए। उन्हें वह साहित्य पसन्द नहीं था, जो युग के तकाजों को पूरा न करता हो। यौन प्रधान साहित्य को वह राष्ट्र के पतन का द्योतक समझते थे। लिखते हैं–

"निस्सन्देह, काव्य और साहित्य का उद्देश्य हमारी अनुभूतियों की तीव्रता को बढ़ाना है; पर मनुष्य का जीवन केवल स्त्री-पुरुष प्रेम का जीवन नहीं है। क्या वह साहित्य, जिसका विषय श्रृंगारिक मनोभावों और उनसे उत्पन्न होने वाली विरह-व्यथा, निराशा आदि तक ही सीमित हो, जिसमें दुनिया और दुनिया की कठिनाइयों से दूर भागना ही जीवन की सार्थकता समझी गई हो, हमारी विचार और भाव सम्बन्धी आवश्यकताओं को पूरी कर सकता है? श्रृंगारिक मनोभाव मानव-जीवन का एक अंग मात्र हैं, और जिस साहित्य का अधिकांश इसी से सम्बन्ध रखता हो, वह उस जाति और उस युग के लिए गर्व करने की वस्तु नहीं हो सकता और न उसकी सुरुचि का ही प्रमाण हो सकता है।"

देश के बंटवारे–सत्ता हस्तांतरण के बाद साहित्यिक आंदोलन मुख्य रूप से दो खेमों में बंट गया है। प्रगतिशील आंदोलन पर उन अवसरवादियों का कब्जा है जो मार्क्सवाद और फ्रायडवाद को गडमड करते हैं, जो प्रेमचन्द को सुधारवादी और अपने को क्रान्तिकारी बताकर दावा करते हैं कि हम प्रेमचन्द से सौ कदम आगे बढ़ गये हैं। दूसरा खेमा प्रयोगवादियों का है। कल तक वे भी प्रगतिशील आंदोलन में शामिल थे, पर उन्होंने मार्क्सवाद को कभी नहीं स्वीकारा। वे विशुद्ध रूप से फ्रायडवादी हैं और 'कला कला लिए' का सिद्धान्त मानते हैं। उनका कहना यह है कि प्रेमचन्द ने सामयिक समस्याओं को लेकर प्रचारात्मक साहित्य लिखा है, उनमें कला का अभाव है। दस-बीस साल बाद उन्हें कोई नहीं पढ़ेगा। इन दोनों के अलावा गांधीवादी लेखक और विचारक हैं जो इधर भी हैं और उधर भी हैं। वे प्रेमचन्द का मूल्यांकन अपनी ही दृष्टि से करते हैं। उनका कहना यह है कि गांधी ने जो कुछ राजनीति में किया, वही प्रेमचन्द ने साहित्य में किया अर्थात् प्रेमचन्द गांधीवाद के प्रवक्ता थे। यों वे प्रेमचन्द को प्रगतिशील मानते हुए भी उन्हें सुधारवादी और गांधीवादी बनाकर पेश करते थे और उनके साहित्य के क्रान्तिकारी अंश को सर्वथा छोड़ देते थे। इन लोगों के किसी लेखक, विचारक और नेता को बड़ा बनाकर पेश करने का एकमात्र उद्देश्य यह होता है कि उसकी कीर्ति से उनके पुराने और जर्जर समाज को सहारा मिले और लोग उसकी प्रगतिशील और क्रान्तिकारी परम्पराओं को भूलकर उसे देवता बनाकर पूजते रहें।

साहित्य के वर्ग-चरित्र पर उनकी दृष्टि नहीं जाती। गांधीवाद तो राजनीति

में भी वर्ग-विभाजन पर पर्दा डालता है। जो लोग गांधी को अपने युग का सबसे बड़ा प्रगतिशील और क्रान्तिकारी कहते हैं, अगर वे प्रेमचन्द को भी प्रगतिशील कहते हैं; तो उनके प्रति अपनी श्रद्धा मात्र व्यक्त करते हैं। उन्हें क्रान्ति की प्रवर्तक उन शक्तियों से कुछ भी सरोकार नहीं होता, जो साहित्य और मनुष्य को वास्तव में प्रगतिशील बनाती हैं, जो प्रेमचन्द की रचनाओं में ओत-प्रोत हैं।

बूर्जुआ वर्ग के लेखकों ने रूस के महान कलाकार टालस्टाय के साथ भी यही बर्ताव किया था। टालस्टाय ने अपने उपन्यासों और कहानियों में जारशाही समाज पर जो आलोचना की है, शासक वर्ग के अत्याचार और अन्याय के विरुद्ध जो आवाज उठाई है, दरिद्र किसानों की भावनाओं और अभिलाषाओं को जो लावे की तरह उबलते हुए दिखाया है, इससे उन्हें कोई सरोकार नहीं। वे तो केवल टालस्टाय से अपना सम्बन्ध जोड़कर अपनी राजनीतिक पूंजी में वृद्धि करते हैं। सिर्फ लेनिन ने टालस्टाय की रचनाओं के क्रान्तिकारी पक्ष को उजागर किया और बताया कि जब देश में इतनी बड़ी हलचल थी, तो कैसे सम्भव था कि टालस्टाय सरीखा सचमुच महान लेखक उसके कुछ महत्त्वपूर्ण पहलुओं को प्रतिबिम्बित न करता।

अब जबकि 15 अगस्त, सन् 1947 के पश्चात् देश की राजनीति का वर्ग-चरित्र रूप उभरकर सामने आ गया है और साहित्य का आन्दोलन भी स्पष्ट रूप से दो खेमों में विभाजित हो गया है, प्रेमचन्द को अलग-अलग ढंग से देखा और परखा जा रहा है। इस बारे में यह बात उल्लेखनीय है कि हमारे कुछ लेखक प्रेमचन्द की तुलना टालस्टाय से करते हैं। इसमें संदेह नहीं कि जहां तक किसानों की लूट-खसोट और शासक वर्ग के अत्याचार और अन्याय के विरोध की बात है, दोनों बड़ी हद तक समान हैं। लेकिन दोनों में एक बड़ा अन्तर है, जिसे भुलाया नहीं जा सकता। अन्तर यह है कि टालस्टाय शुरू से सुधारवादी थे और अन्त में एकदम पादरी बन गए। वह रूसी किसानों पर होने वाले अत्याचार, दमन और दुःख की कहानियां तो लिखते रहे; लेकिन जब यही किसान क्रान्ति करने को उठे तो टालस्टाय के सामन्ती संस्कार जाग उठे। वह क्रान्ति से भयभीत होकर चर्च में जा छिपे और धर्म का प्रचार करने लगे। उनकी धार्मिक रंग की पुस्तकें हमारे यहां गांधीवाद का प्रचार करने के लिए बहुत इस्तेमाल हुईं और हो रही हैं। इसके विपरीत प्रेमचन्द का धर्म (मजहब) में विश्वास नहीं था, बल्कि वह धर्म को पाखंड का आभूषण समझते थे और कहते थे कि शपथ झूठ का समर्थन मात्र है। यही कारण है कि उनका

सुधारवाद क्रान्ति में तब्दील हो रहा था। उनमें सुधारवाद का अभी जो थोड़ा-बहुत अंश बाकी था, उसके दूर हो जाने की सम्भावना थी। टालस्टाय ने क्रान्ति की प्रवर्तक शक्तियों को अनजाने ही चित्रित किया है और प्रेमचन्द ने जान-बूझकर क्रान्तिकारी शक्तियों को उभारा है। प्रेमचन्द का विकास जारी था, जबकि टालस्टाय ने जीवन के अन्तिम पर्व में विकास को तिलांजलि दे दी थी।

एक लेखक की दूसरे लेखक से तुलना करना न तो उचित ही है और न यह आलोचना की वैज्ञानिक पद्धति है। हर एक बड़ा लेखक अपने युग और विशेष ऐतिहासिक और सामाजिक परिस्थितियों का विश्लेषण और चित्रण करता है। प्रेमचन्द ने भी अपने युग और विशेष परिस्थितियों का विश्लेषण और चित्रण किया है। अपनी रचनाओं द्वारा स्वाधीनता-संग्राम को आगे बढ़ाया है, हमारी साहित्यिक परम्परा को विकसित किया है और हमारी अपढ़ और शोषित-उत्पीड़ित जनता की वकालत की है। और उनकी स्वभावगत महानता को दर्शाया है। अब जबकि हमारा देश स्वाधीन है, अंग्रेजी का स्थान राष्ट्रभाषा हिन्दी को मिल रहा है। जैसे-जैसे साक्षरता फैलेगी, हमारी जनता प्रेमचन्द के उपन्यासों और कहानियों को पढ़ेगी और उनके माध्यम से अपने आपको पहचानेगी तो प्रेमचन्द की ख्याति और बढ़ेगी।

कृतित्व

21. साहित्य पर एक दृष्टि

प्रेमचन्द के जीवन और कला के बारे में हम जो कुछ लिख चुके हैं उससे उनके साहित्य और व्यक्तित्व का पर्याप्त ज्ञान हो जाता है। हमने देखा कि उन्होंने बीसवीं सदी के प्रारम्भ से लिखना शुरू किया और जीवनपर्यन्त लिखते रहे। अपने छत्तीस वर्ष के साहित्यिक जीवन में उन्होंने एक दर्जन उपन्यास और तीन सौ के लगभग कहानियां लिखीं। इन्हें पढ़ने से हमें देहातों में रहने वाले किसानों के भौतिक और आध्यात्मिक जीवन तथा हमारे देश की सामाजिक व्यवस्था का यथार्थ ज्ञान हो जाता है। यह भी मालूम हो जाता है कि इस काल में हमारा राष्ट्रीय स्वतन्त्रता आन्दोलन ब्रिटिश साम्राज्य की शोषण-सत्ता के विरुद्ध कैसे शनैः-शनैः आगे बढ़ा और कैसे किसान तथा जन-साधारण आर्थिक लूट-खसोट से तंग आकर इस आन्दोलन की ओर खिंचते चले गए। निस्सन्देह प्रेमचन्द पहले लेखक थे जिन्होंने इस उद्देश्य से अपने साहित्य की रचना की कि उसे पढ़कर देश की जनता गुलामी से नफरत करना सीखे और ब्रिटिश साम्राज्य के विरुद्ध अपनी आजादी की लड़ाई को तेज करे। इसके अतिरिक्त प्रेमचन्द जीवन-विकास को कुण्ठित करने वाले हर प्रकार के अन्धविश्वास, रूढ़िवाद, दम्भ और धूर्तता से घृणा करते थे। हम देखते हैं कि उनकी कहानियों और उपन्यासों के किसान पात्र सामन्ती व्यवस्था की गुलामी और उससे उत्पन्न जीवन-नरक से निकलने का प्रयत्न कर रहे हैं और मध्यम वर्ग के श्रमजीवी लोग और गरीब क्लर्क अपने नागरिक जीवन में निहित अन्याय, रूढ़िवाद और अन्धविश्वास के विरुद्ध संघर्षशील हैं। प्रेमचन्द सीधे-सच्चे और निरीह जनसाधारण के धार्मिक विश्वास तथा रूढ़िगत विचारों का भी आदर करते हैं क्योंकि इनसे इन्हें घोर दरिद्रता और विषमता में भी

जीवित रहने का सहारा मिलता है। लेकिन वे धर्म के नाम पर जनसाधारण की लूट-खासोट करने वाले ढोंगी-दम्भी ब्राह्मणों और स्वार्थी शिक्षित वर्ग को खूब आड़े हाथों लेते हैं। वे देखते थे कि जज, वकील, प्रोफेसर किसी को भी जनता से हमदर्दी नहीं है। जिसकी शिक्षा जितनी ऊंची है उसका स्वार्थ उतना ही बढ़ा हुआ है। घूसखोरी, बेईमानी और भ्रष्टाचार बढ़ता जा रहा है और इस सामाजिक व्यवस्था में देश का नैतिक स्तर इस हद तक गिर गया है कि अदालतें और स्कूल-कॉलेज भी जनता को ठगने की दुकानें बनी हुई हैं। इसलिए मनुष्य को मनुष्य बनाने के लिए सिर्फ उपदेश या थोड़ा-बहुत सुधार ही काफी नहीं है, एक नई राजनीतिक और सामाजिक व्यवस्था दरकार है। और वह व्यवस्था आजादी प्राप्त होने पर ही स्थापित हो सकती है।

आरम्भ से अन्त तक राजनीतिक और मानसिक दासता से मुक्ति ही उनके साहित्य की मुख्य ध्वनि है। लेकिन मुक्ति प्राप्त करने के साधन क्या हैं? इस बारे में वे आदर्शवाद को लेकर चले, लेकिन जैसे-जैसे उनका सामाजिक और राजनीतिक ज्ञान बढ़ता रहा उनके विचारों में प्रौढ़ता आती गई, और वे आदर्शवादी से यथार्थवादी बनते चले गए। वे सुधार के स्थान पर संघर्ष और क्रांति को सारे रोग का निदान समझने लगे। जीवन के अन्तिम पर्व में भी उनमें जो असंगतियां और भ्रांतियां शेष थीं, उनका उल्लेख हम पहले कर चुके हैं। लेकिन उनके विचार-परिवर्तन और जीवन-विकास को समझने के लिए उनके उपन्यासों और कहानियों पर भरपूर दृष्टि डाल लेना बेहतर होगा। इससे हमें अपने देश की बदलती हुई सामाजिक और राजनीतिक विचारधारा को समझने में भी सहायता मिलेगी और देश की यथार्थ और वास्तविक स्थिति को समझ लेना हमारे लिए आज भी इतना ही जरूरी है जितना कि प्रेमचन्द के समय में साम्राज्य के विरुद्ध देश के स्वतन्त्रता-संग्राम को आगे बढ़ाने के लिए जरूरी था।

पहले हम उपन्यासों को लेंगे और जिस क्रम से प्रेमचन्द ने उन्हें लिखा था, उसी क्रम से उसकी आलोचना करेंगे।

रूठी रानी

जिस प्रकार प्रेमचन्द ने शुरू में ऐतिहाकि कहानियां लिखी थीं उसी प्रकार उन्होंने यह एक छोटा-सा ऐतिहासिक उपन्यास भी लिखा है। इस उपन्यास की कथा-सामग्री उस जीवन-काल से ली गई है जब पठानों और मुगलों में राजसत्ता के लिए होड़ चल रही थी और राजपूत आपसी फूट और ईर्ष्या के

कारण अतुल वीरता के बावजूद परास्त हो रहे थे।

उपन्यास की नायिका जैसलमेर के रावल मोनकिरण की बेटी उमादे है। रावल 1586 में गद्दी पार बैठा। मारवाड़ के राजा मालदेव से उसकी पुरानी शत्रुता थी। उमादे जवान हुई तो सारे देश में उसके रूप और सौन्दर्य की चर्चा होने लगी। दूसरे बहुत-से राजपूत राजाओं की तरह मारवाड़ में राजा मालदेव ने भी उमादे से विवाह का सन्देश उसके पिता रावल के पास भेजा। रावल यह सन्देश पाकर जल-भुन गया और यह सोचकर सन्देश स्वीकार कर लिया कि विवाह-मंडप में जाते समय मालदेव की हत्या कर दी जाए। इस बात का पता रावल की रानी और उससे उमादे को चल गया। उमादे ने अपनी सखी भरेली की सहायता से मालदेव को अपने पिता के षड्यन्त्र से सूचित कर दिया।

विवाह से पहले मालदेव को कत्ल करने की योजना असफल हुई तो रावल ने अपने एक सरदार को स्त्री का स्वांग भराकर राजभवन के द्वार पर खड़ा कर दिया ताकि जब राजा मालदेव रात को उमादे के रनिवास में प्रवेश करे तो उसकी हत्या कर दी जाए। चतुर भरेली ने इस चाल को भी भांप लिया और वह राजा को राजकुमारी उमादे के महल में ले जाने के बजाय अपने कमरे में ले गई। भरेली चतुर ही नहीं, सुन्दर भी थी। राजा मालदेव शराब के नशे में धुत उसी पर रीझ गया। उमादे को यह बात बुरी लगी और वह राजा से रूठ गई।

मालदेव की और भी रानियां थीं और वे उमादे से सौतिया डाह रखती थीं। जब पटरानी को पता चला कि उमादे राजा से रूठी हुई है तो उसने जलती आग पर तेल डाला और उमादे के दम्भ और गरूर की चर्चा छेड़कर राजा को उसके विरुद्ध भड़काया। लेकिन राजा के बूढ़े और समझदार पुराने नौकर ईश्वरदास के प्रयास से राजा और नई रानी में मेल हो गया। पर सौतों के षड्यन्त्र, राजा की उच्छृंखलता और उमादे के स्वाभिमान के कारण यह मेल दस दिन भी न टिक सका।

उधर शेरशाह ने हुमायूं से दिल्ली का राज छीन लिया और देश पर अपना प्रभुत्व जमाने के लिए मारवाड़ पर आक्रमण कर दिया। राजा मालदेव और उसकी बहादुर राजपूत सेना ने अपने महान् बलिदान और वीरता से इस आक्रमण को विफल बना दिया। लेकिन जिस राजा ने इतने बड़े शत्रु को हरा दिया वह स्वाभिमानिनी उमादे के मन को नहीं जीत सका। वह ऐसी रूठी कि उम्र भर रूठी ही रही। जिस समय अकबर कूटनीति और शक्ति से राजपूत

राजाओं को अपने वश में कर रहा था उस समय लम्बी आयु भोगकर राजा मालदेव का देहान्त हो गया और उमादे समय की रीति के अनुसार पति के साथ सती हो गई।

आलोचना---प्रेमचन्द ने इस उपन्यास में राजपूतों की देशभक्ति और वीरता को आदर्श के रूप में पाठकों के सम्मुख प्रस्तुत किया है और साथ ही दिखाया है कि आपसी फूट और वैमनस्य के कारण वे देश को गुलामी और विनाश से नहीं बचा सके। देश को स्वतन्त्र कराने के लिए देशभक्ति और वीरता के साथ एकता और संगठन भी जरूरी है।

फिर इस उपन्यास में बहु-विवाह की खराबियों, राजभवन और दरबार के षड्यन्त्रों और उनसे होने वाले शक्तिह्रास को भी भली-भांति दर्शाया गया है। उपन्यास की कथा-सामग्री ऐतिहासिक हो अथवा सामाजिक, उसमें मुख्य और विशेष बात यह होती है कि लेखक ने उसे किस दृष्टिकोण से प्रस्तुत किया है। प्रेमचन्द इतिहास के बारे में एक स्वस्थ और प्रगतिशील दृष्टिकोण रखते थे। उनकी ऐतिहासिक कहानियों की तरह इस उपन्यास को पढ़कर हमें प्राचीन इतिहास की अच्छी बातें ग्रहण करने; त्रुटियां और बुराइयां छोड़ देने की प्रेरणा मिलती है। प्रेमचन्द नारी के अधिकारों के बारे में सदा सजग रहे हैं और राजपूतों की सामंती व्यवस्था में नारी को कोई अधिकार प्राप्त नहीं थे, प्रेमचन्द को ये बात अखरती है और वे लिखते हैं—''बेटी बिना सींगों की गौ है, माता-पिता उसकी रक्षा करते हैं और जिसके पल्ले चाहें बांध देते हैं।''

उपन्यास दिलचस्प है। लेकिन पढ़ते समय यह विचार प्रायः मस्तिष्क में उठता है कि यह प्रेमचन्द की शुरू की कृति है। पात्र उभरते नहीं। चरित्र-चित्रण के बजाय घटनाओं के उल्लेख पर अधिक ध्यान दिया गया है।

वरदान

प्रेमचन्द ने यह उपन्यास 1905-6 में लिखा। उस समय दुनिया में आर्थिक संकट का प्रकोप था। जापान ने यूरोप की एक बड़ी शक्ति रूस को युद्ध में परास्त किया था। एशिया की जनता में साम्राज्यवादी अत्याचार और शोषण से क्षोभ बढ़ रहा था और उपनिवेशों में देश-प्रेम की भावना और स्वतन्त्रता का आन्दोलन जोर पकड़ता जा रहा था। हमारे देश में भी राष्ट्रीय मुक्ति का आंदोलन तेज हो गया था। उसका नेतृत्व लोकमान्य बालगंगाधर तिलक कर रहे थे। प्रेमचन्द के इस उपन्यास का मुख्य विषय भी देशभक्ति है। पहले ही परिच्छेद में हमें भारत की सुशीला नारी सुवामा के दर्शन होते हैं, जो देवी

की उपासना को आई है और उससे यह वरदान मांग रही है कि देवी उसे एक ऐसा पुत्र प्रदान करे जो देश-सेवा में अपना जीवन अर्पण कर दे।

देवी के वरदान से सुवामा के एक पुत्र उत्पन्न हुआ। उसका नाम प्रताप रखा गया। सुवामा के पति मुन्शी शालिग्राम एक भले आदमी थे। साधु-सन्तों की सेवा और दान-धर्म में विश्वास रखते थे। जब यह पुत्र उत्पन्न हुआ तो उनकी वृद्धावस्था थी। जैसे ही प्रताप छः साल का हुआ, मुन्शीजी प्रयाग में कुम्भ का मेला देखने गए और फिर लौटकर नहीं आए।

उनके ऊपर बहुत-सा कर्ज था। सुवामा ने अपना इलाका और फालतू सामान बेचकर कर्ज चुकाया और इसके उपरान्त उसके पास सिर्फ एक मकान बच रहा। सुवामा ने इस मकान को दो हिस्सों में विभाजित किया। एक में आप रहने लगी और दूसरा संजीवनलाल नामक एक व्यक्ति को किराये पर दे दिया।

संजीवनलाल सपरिवार इस मकान में रहने लगा। कुटुम्ब में उसकी पत्नी सुशीला के अतिरिक्त एक कन्या विरजन अथवा बृजरानी थी। प्रताप का हेल-मेल विरजन से बढ़ गया और उनमें बालसुलभ मित्रता हो गई। ज्यों-ज्यों बालक बढ़ते रहे, प्रेम भी बढ़ता रहा और बड़ी होने पर एक दिन विरजन ने सुवामा से कहा कि वह प्रताप से ब्याह करना पसन्द करेगी।

उधर डिप्टी श्यामाचरण की पत्नी सुशीला की सहेली थी। वह एक दिन उससे मिलने आई और विरजन की सुन्दरता और गुणों पर मुग्ध हो गई। डिप्टी की पत्नी के प्रस्ताव पर विरजन का विवाह उसके बेटे कमलाचरण से हो गया।

कमलाचरण बहुत ही आवारा लड़का था और उसी स्कूल में पढ़ता था, जिसमें प्रताप पढ़ता था। विरजन के साथ उसका विवाह प्रताप को स्वाभाविक रूप से बुरा लगा। इसलिए वह उससे घृणा करता और द्वेष रखता था। जब कभी उसे मौका मिलता था, वह सुशीला से कमलाचरण की बुराई करता था और स्कूल में उसकी काली करतूतों का बढ़ा-चढ़ाकर वर्णन करता था। इससे उसका अभिप्राय विरजन को जलाना भी होता था।

संजीवनलाल भी कमलाचरण को आवारा और दुष्ट समझने लगे थे और उसके साथ अपनी बेटी ब्याह देने से दुःखी थे। सुशीला को इसी गम में तपेदिक हो गया और वह घुल-घुलकर मर गई।

विरजन का गौना हुआ। वह पति के घर चली गई। उसके प्रभाव से कमलाचरण सुधर गया। उसने कनकौआ फाड़ डाले, चर्खियां तोड़ दीं और कबूतर उड़ा दिए। वह आवारगी छोड़कर पत्नी के प्रेम में बंध गया। फिर भी

उसका मन पढ़ाई में नहीं लगता था। इसलिए विरजन ने उसे प्रयाग जाकर पढ़ने की सलाह दी।

उधर प्रताप भी विरजन की याद भुलाने के लिए बनारस छोड़कर प्रयाग चला गया था। अब वह क्रिकेट का प्रसिद्ध खिलाड़ी और पढ़ने में होशियार था। सारे प्रयाग में उसकी ख्याति फैल रही थी। एक बार वह क्रिकेट का मैच छोड़कर विरजन की तीमारदारी को गया। वहां उसने पति-पत्नी का आपसी स्नेह देखकर कमलाचरण से द्वेष छोड़ दिया और उसे अपना मित्र समझने लगा।

पर कमलाचरण का मन पढ़ने में न लगा। विरजन से दूर होते ही उसकी आवारगी और कुलच्छन उससे फिर आ चिपटे। छात्रालय से लगा हुआ एक छोटा-सा बाग था। कमलाचरण माली की लड़की सरयू पर डोरे डालने लगा। एक दिन जब वह सरयू से एकान्त में मिलने गया तो माली आ गया। कमलाचरण ने दीवार फांदकर जान बचाई, ट्राम से स्टेशन पहुंचा और गाड़ी में बैठ गया। पर उसके पास टिकट नहीं था। जब टिकट-चेकर आया, तो चलती गाड़ी से कूद पड़ा और गिरते ही मर गया।

विरजन विधवा हो गई। उसके ससुर डिप्टी श्यामाचरण को डाकुओं ने गोली मार दी और सास पागल होकर मर गई।

कमलाचरण की मृत्यु के बाद प्रताप के मन में विरजन का प्रेम फिर जागा। वह प्रयाग से बनारस आया और चोरी-चोरी उसके घर पहुंचा। उसने दरार में से झांककर देखा कि विरजन सफेद साड़ी पहने, बाल खोले और हाथ में लेखनी लिए धरती पर बैठी कुछ लिख रही है। उसकी विचार-मग्न मुद्रा से प्रताप ऐसा प्रभावित हुआ कि वह उलटे पांव लौट गया और संन्यासी बनकर देश-सेवा का व्रत धारण कर लिया।

उसने अपना पुराना नाम भी त्याग दिया और नया नाम बालाजी रखा। थोड़े ही दिनों में उसकी देश-सेवा और त्याग की चर्चा जगह-जगह होने लगी। जहां भी वह जाता, धूम-धाम से उसका स्वागत होता। विरजन अब कविताएं लिखती थी। उसने एक कविता बालाजी के स्वागत में भी लिखी।

बालाजी की मां उसे गृहस्थ जीवन में देखना चाहती थी। माधवी विरजन की एक सखी थी। उसने विरजन से बालाजी के त्याग और गुणों की प्रशंसा सुनी थी। वह मन ही मन में उसे प्यार करती थी और उसे अपना पति मानती थी।

इसी प्रकार बारह वर्ष बीत गए। बनारस वालों ने बालाजी को एक गौशाला का शिलान्यास करने के लिए निमन्त्रित किया। विरजन ने माधवी

को सलाह दी कि वह रात को बालाजी के कमरे में जाकर उसे अपनी राम कहानी सुनाए। जब माधवी दरवाजे पर पहुंची, तो उसने देखा कि लालटेन उलटने से कमरे को आग लग गई है। वह लपककर भीतर गई और आग बुझा दी। इस बीच में बालाजी की आंख खुल गई। स्थिति को समझकर वह माधवी से बहुत प्रसन्न हुआ और उसके वहां आने का कारण पूछा और वह उससे विवाह करने को सहमत हो गया।

पर बालाजी को देखकर माधवी ने अपने विचार बदल दिए और कहा कि मैं भी संन्यास लेकर आपकी तरह देश-सेवा करना चाहती हूं। इसलिए जब बालाजी वहां से चले तो माधवी भी योगिनी बनकर उनके साथ हो गई।

आलोचना--कहना नहीं होगा कि कथानक लम्बा और जटिल है; पात्र बहुत से हैं; लेकिन कोई भी हाड़-मांस के मनुष्य की तरह उभरकर सामने नहीं आता। सभी लेखक के हाथ की कठपुतलियां बनकर रह गए हैं। जब वह उनकी कोई उपयोगिता नहीं देखता, तो तोड़-मरोड़कर फेंक देता है, अकारण मृत्यु करवा देता है। एक छोटे-से उपन्यास में इतनी मृत्युएं अखरती हैं। घटना-प्रवाह भी स्वाभाविक नहीं है। कमलाचरण विरजन के प्रभाव से अनायास सुधर जाता है लेकिन प्रयाग पहुंचकर फिर आवारा और दुष्ट बनकर कुचक्र में फंसकर मर जाता है। उपन्यास के आरम्भ से यह आशा बंधती है कि प्रताप अर्थात बालाजी आदर्श देशभक्त बनकर देश-सेवा के लिए जीवन अर्पित करेगा। लेकिन यह सब-कुछ नहीं होता। पहले वह दुर्बल चरित्र का ईर्ष्यालु युवक है। प्रयाग पहुंचकर वह अचानक प्रसिद्ध हो जाता है और फिर विधवा विरजन को विचार-मग्न देखकर उसका संन्यासी बनना तो एकदम चमत्कार जान पड़ता है, जैसे बस देवी ही के वरदान ने अपना असर दिखाया हो। इसके बाद देश-सेवा का भी कोई स्पष्ट रूप सामने नहीं आता। आंख झपकते ही उसे प्रसिद्धि प्राप्त हो जाती है, जैसे लेखक की कलम ने ही उसे नेता बना दिया है।

कुछ छोटी-छोटी बातें भी अखरती हैं। प्रयाग में उस समय तो क्या, आज भी ट्राम नहीं है।

यह उपन्यास पहले उर्दू में लिखा गया था और इसका नाम 'जलवाए-इसार' (त्याग का दिग्दर्शन) था। इस उपन्यास की भाषा एक-सी और सरल होने के बजाय ऊबड़-खाबड़ और कठिन है; कहीं अरबी और फारसी के भारी-भारी शब्द और तरकीबें हैं, तो कहीं हिन्दी-संस्कृत के अनमिल और बेजोड़ शब्दों

की भरमार है। प्रेमचन्द ने रत्ननाथ सरशार, मौलाना मुहम्मद हसन आजाद, बंकिमचन्द्र चटर्जी और रवीन्द्र ठाकुर आदि कई लेखकों की शैली को एक साथ अपनाने का असफल प्रयास किया है।

प्रेमा अथवा प्रतिज्ञा

यह उपन्यास 1906 में लिखा गया था। उन दिनों स्वतन्त्रता-आन्दोलन की तरह समाज-सुधार के आन्दोलन भी चल रहे थे। उनमें आर्यसमाज का आन्दोलन प्रमुख था। अछूतोद्धार और विधवा की हालत का सुधार उसके विशेष अंग थे। 'प्रतिज्ञा' उपन्यास हमारे समाज की सबसे पीड़ित विधवा नारी की समस्या को लेकर लिखा गया है और यह एक सामाजिक उपन्यास है।

संक्षेप में कहानी यह है कि अमृत और दाननाथ परम मित्र हैं। वे दोनों प्रेमा से प्यार करते हैं। प्रेमा यों भी अमृत की साली है। बड़ी बहन की मृत्यु के उपरान्त उसकी शादी अमृत से निश्चित हो गई है। दाननाथ इस आघात को चुपचाप सहन करता है। लेकिन अमृतराय एक दिन विधवा विवाह के बारे में भाषण सुनकर अपना इरादा बदल देता है। वह अपना जीवन विधवाओं की सेवा के लिए अर्पण कर देता है। निस्सहाय और दुखिया विधवाओं को आश्रय देने के लिए विधवा आश्रम खोलता है।

प्रेमा का पिता रईस और भला आदमी है। उसे अमृतराय की इस प्रतिज्ञा से दुःख होता है और वह बेटी का विवाह दाननाथ से कर देता है। प्रेमा की एक सखी पूर्णा है। वह उनके पड़ोस में रहती है और दोनों में बड़ा मेलजोल है। उसका पति बसंतकुमार होली के दिन भंग पीकर स्नान करने जाता है और गंगा में डूब जाता है। विधवा पूर्णा भी अब बद्रीप्रसाद के घर रहने लगती है।

सुमित्रा प्रेमा की भाभी है, जिसकी अपने पति कमलाप्रसाद से इसलिए नहीं बनती कि वह कंजूस, दुराचारी और नीच है। वह पूर्णा पर डोरे डालता है और अमृतराय का इसलिए विरोध करता है कि वह उसे कुमार्ग पर चलने से रोकता है। एक दिन कमलाप्रसाद भोली-भाली पूर्णा से बलात्कार करता है, तो वह उसे कुर्सी उठाकर मारती है और उसका घर छोड़कर अमृतराय के विधवाश्रम में जाकर रहने लगती है। इसके उपरान्त कमलाप्रसाद का स्वभाव बदल जाता है और वह शठता छोड़कर एक भले आदमी का जीवन बिताने लगता है।

आलोचना—अमृतराय और प्रेमा उपन्यास के ऐसे पात्र हैं, जिन्हें लेखक

ने घड़ा है। उनमें जीवन का अभाव है और एकदम निष्प्राण जान पड़ते हैं। सारे उपन्यास में सिर्फ सुमित्रा ही जीता-जागता और सप्राण पात्र है। वह जिस साहस से पति की धूर्तता का विरोध और स्त्री के अधिकारों की रक्षा करती है, उससे पाठक के मन में उसके प्रति श्रद्धा, आदर और सम्मान उत्पन्न होता है। कमलाप्रसाद को बदमाश के रूप में पेश किया गया है; लेकिन बदमाशी की भी कुछ मर्यादा होती है, उसकी भी कुछ विशेषताएं होती हैं, जिनमें से एक भी उसमें मौजूद नहीं है। वह कंजूस है और कंजूस के लिए बदमाश बनना सम्भव नहीं है। पूर्णा सीधी-सादी सरल स्वभाव की स्त्री है। वह कमलाप्रसाद से सहानुभूति पाकर उसकी ओर आकर्षित होती है। जब वह बाग में कुर्सी उठाकर कमलाप्रसाद पर पटकती है तो आश्चर्य होता है। उस जैसी औरत के लिए यों आक्रमण कर सकना सम्भव नहीं। अन्त में कमलाप्रसाद के स्वभाव में जो तब्दीली दिखाई गई है, वह 'हृदय परिवर्तन' से अधिक कुछ नहीं है। लेखक ऐसा चाहता होगा, यह दूसरी बात है; लेकिन नीच आदमियों की प्रकृति ऐसे नहीं बदला करती। बसंतकुमार के गंगा में डूबने की घटना भी खटकती है जैसे पूर्णा को विधवा बनाने के लिए ही उसे भंग पिलाकर स्नान करने भेजा गया हो। दाननाथ का कोई खास रोल नहीं है, वह एक गौण पात्र है।

प्रेमचन्द ने एक सामाजिक समस्या को सुधारवादी ढंग से सुलझाने की कोशिश की है। इसलिए उन्होंने वर्तमान सामाजिक व्यवस्था को, उसके रीति-रिवाज को छुआ तक नहीं, जहां-तहां टीप-टाप करके उसी में सुधार करना चाहा है। इसलिए न समस्या हल हुई है और न पात्र उभर सके हैं।

उपन्यास की भाषा सरल और चुस्त है। कथोपकथन भी रोचक हैं। कमलाप्रसाद धूर्त आदमी है, वह पूर्णा से अपने प्रेम को ईश्वर की प्रेरणा बताते हुए कहता है—"पूर्णा! एक पत्ता भी उसके हुक्म के बिना हिल नहीं सकता। सुमित्रा मुझसे नाराज है तो यह ईश्वर की इच्छा है, तुम मुझ पर मेहरबान हो तो यह भी ईश्वर की इच्छा है। क्या हमारा-तुम्हारा मेल ईश्वर की इच्छा के बिना हो सकता था?"

इससे यह भी पता चलता है कि दुष्ट और नीच आदमी सरल और निरीह व्यक्तियों को ईश्वर के नाम पर कैसे ठगते हैं। उनकी धर्मपरायणता और ईश्वर-भक्ति महज एक ढोंग है। प्रेमचन्द ऐसे लोगों की सदा कलई खोलते हैं। लेकिन जब पूर्णा आश्रम के बाग में थोड़ी-सी जमीन साफ करके एक घरौंदा-सा बनाती है और फूल-पत्तों से सजाकर उसमें कृष्ण की मूर्ति स्थापित

करती है, तो उसके जीवन को सहारा देने वाली सच्ची श्रद्धा और उपासना के सामने प्रेमचन्द के नास्तिक पात्र भी सिर झुका देते हैं। प्रेमचन्द की जनता से यह सच्ची सहानुभूति है।

सेवासदन

यह भी सामाजिक उपन्यास है और नारी समस्या को लेकर लिखा गया है। इसके साथ ही मध्यम वर्ग के लोगों की आर्थिक कठिनाइयों और सामाजिक बन्धनों पर प्रकाश डाला गया है और अभिजात वर्ग की आत्मविडम्बना, ढोंग और बगुला-भक्ति की अच्छी कलई खोली गई है।

संक्षेप में उपन्यास की कहानी यह है : कृष्णचन्द्र एक ईमानदार थानेदार है। वह पुलिस कर्मचारियों की तरह घूस नहीं लेता। वेतन में ही गुजर-बसर करता है। सुमन और शान्ता उसकी दो बेटियां थीं। सुमन जवान हुई, तो उसके ब्याह के लिए घर में रुपया नहीं था। इसलिए कृष्णचन्द्र ने घूस लेने की ठानी। उस हल्के में एक बड़ा महन्त और जागीरदार रामदास था, जो साहूकारा भी करता था। सारा धन्धा श्री बांकेबिहारीलाल के नाम पर होता था। दस-बीस मोटे-ताजे और मुस्टंडे साधु उसके अखाड़े में पड़े रहते थे, जो दूध-मलाई खाते और डंड पेलते थे। चरस और भंग खूब पीते थे। महन्तजी की अफसरों से भी सांठ-गांठ थी। किसी आसामी की यह हिम्मत नहीं थी कि महन्तजी का लगान अथवा सूद देने से इन्कार करे। जो व्यक्ति महन्तजी की बात नहीं मानता था उसका इलाके में रहना सम्भव नहीं था। पानी में रहकर मगरमच्छ से कौन वैर मोल ले सकता है।

कृष्णचन्द्र जिन दिनों सुमन के ब्याह के लिए घूस लेने की बात सोच रहा था, उन्हीं दिनों श्री बांकेबिहारीजी के मुस्टंडे ने एक आसामी चेतू को इतना पीटा कि वह मर गया। अपराध यह था कि वह यज्ञ के लिए लगाया गया चन्दा नहीं दे सका था। थानेदार कृष्णचन्द्र ने रिश्वत लेकर मामला रफा-दफा कर दिया। लेकिन उसने अपने मातहतों को उसमें से कोई हिस्सा नहीं दिया जिससे बात खुल गई और घूस लेने के अपराध में कृष्णचन्द्र को पांच साल कैद की सजा मिली।

कृष्णचन्द्र की पत्नी सुमन और शान्ता को लेकर अपने भाई उमानाथ के घर चली गई। धनाभाव के कारण सुमन का विवाह पन्द्रह रुपए वेतन पाने वाले गजाधर नामक व्यक्ति से हो गया।

सुमन, जिसने भले दिन देखे थे, अब बहुत निम्न श्रेणी में चली गई।

पन्द्रह रुपए में गृहस्थ चलाना मुश्किल जान पड़ता था। गजाधर से भी उसे कोई सहानुभूति नहीं मिली। वह उससे छोटी-छोटी बातों पर लड़ पड़ता था। भोजनोपरान्त यदि कुछ दाल-भात बच जाता और सुमन उसे फेंक देती तो गजाधर को यह बात बहुत खलती।

इधर सुमन को यह बमचख सहनी पड़ती थी और दो जून रोटी भी नहीं जुड़ती थी। उधर उसके घर के सामने एक भोली नामक वेश्या खूब ठाठ से रहती थी। नगर के बड़े-बड़े आदमी उसके पास खुले बन्दों आते थे और उसका आदर करते थे। सुमन सोचती कि मुझसे तो यह वेश्या कहलाने वाली भोली ही अच्छी है। एक दिन वह गंगा से लौटती हुई म्युनिसिपल बाग में एक बेंच पर बैठने लगी तो चौकीदार ने उसे उठा दिया और उसी समय दो वेश्याएं आईं तो उनका तपाक से स्वागत किया। सुमन को अपना यह अपमान बहुत खला।

इसी बीच में पद्मसिंह वकील की पत्नी सुभद्रा से सुमन का परिचय हो गया और वह उनके घर आने-जाने लगी। गजाधर सुमन के पद्मसिंह के घर जाने पर सशंक रहने लगा। इस बीच में म्युनिसिपल चुनाव आए और पद्मसिंह सदस्य चुने गए। इस खुशी में उसके घर भोली का मुजरा हुआ। मुजरे के पश्चात सुमन रात को देर हुए घर पहुंची, तो गजाधर ने उस पर दुराचार का आरोप लगाकर उसे घर से निकाल दिया।

सुमन ने अपनी सहेली सुभद्रा के घर आश्रय लिया। इस पर गजाधर ने शहर में यह प्रचार किया कि बगुला-भक्त पद्मसिंह ने उसकी पत्नी को अपने घर डाल लिया है। पद्मसिंह ने बदनामी के भय से सुमन को अपने घर में नहीं रहने दिया। अब सारे शहर में एक भोली ही ऐसी थी, जिससे सुमन की जान-पहचान थी। वह कुछ दिन उसके घर में रही और फिर चौबारा लेकर दालमंडी में जा बैठी।

जब पद्मसिंह और उसके मित्र विट्ठलदास को पता लगा कि समाज की ठुकराई सुमन वेश्या बाजार में जा बैठी है तो सुधारक विट्ठलदास ने उसके उद्धार की सोची। उसकी बहुत कुछ दौड़-धूप और प्रयत्न के पश्चात् सुमन ने वह चौबारा छोड़ दिया और उसे विधवा आश्रम में दाखिल करा दिया गया।

उधर सुमन की छोटी बहन शान्ता भी विवाह के योग्य हो गई थी। उमानाथ ने उसकी सगाई पद्मसिंह के भतीजे सदनसिंह से कर दी। सदनसिंह का पिता मदनसिंह रूढ़िवादी व्यक्ति था। जब उसे पता चला कि सुमन शान्ता

की बहन है और वह वेश्या बन गई है, तो उसने विवाह करने से इनकार कर दिया और बारात लौटा लाया।

सुमन का पिता कृष्णचन्द्र कैद काटकर जेल से छूटा, तो वह पागलों की तरह रहने लगा। वह बात-बात पर लोगों से लड़ पड़ता था और गांव की औरतों से अश्लील मजाक करता था। शान्ता की बारात लौट जाने पर उसे मालूम हुआ कि सुमन वेश्या बन गई है। इस लज्जा के मारे वह गंगा में डूबकर मर गया।

शान्ता को पद्मसिंह और विट्ठलदास ने सुमन के साथ विधवा आश्रम में रखवा दिया। सदन बारात लौटाने के मामले में पिता से सहमत नहीं था। वह उससे लड़-झगड़कर घर से चला आया और नाव चलाने का काम करने लगा। इस धंधे में उसे काफी सफलता मिली और वह मल्लाहों का नेता बन गया।

म्युनिसिपैलिटी में पद्मसिंह ने यह प्रस्ताव पेश किया कि वेश्याओं को शहर से बाहर रखा जाए। प्रतिक्रियावादी सदस्यों ने इस प्रस्ताव का न सिर्फ विरोध किया, बल्कि उसे साम्प्रदायिक रंग भी दे दिया गया। इसी सिलसिले में पद्मसिंह के विरोधियों ने सुमन को विधवा आश्रम में दाखिल कराने पर ऐतराज किया और अखबारों ने इस बात को उठा लिया। सुमन ने शान्ता को साथ लेकर आश्रम छोड़ दिया।

जब वे दोनों नाव से नदी पार करने गईं, तो सदनसिंह ने उन्हें अपने पास रोक लिया और शान्ता से विवाह कर लिया। सदन और शान्ता दोनों ही सुमन से उदासीन रहने लगे। जब मल्लाहों को सुमन के वेश्या होने का पता चला तो उन्होंने सदन का बहिष्कार कर दिया। सुमन को यह सब-कुछ बहुत बुरा लगा। आखिर जब सदन के पुत्र-जन्म पर उसके माता-पिता आए तो शान्ता के संकेत पर सुमन को सदन की कुटी छोड़नी पड़ी।

सुमन के वेश्या बन जाने के बाद उसके पति गजाधर को पत्नी के प्रति अपनी निष्ठुरता का आभास हुआ। अपने इस दुर्व्यवहार का पश्चाताप करने के लिए वह संन्यासी बन गया और जन-सेवा तथा दुःखी स्त्रियों के उद्धार के लिए जीवन बिताने लगा। जब सुमन सदन की कुटी से निकलकर गंगा में डूबने जा रही थी तो उसकी भेंट गजाधर से हुई, जो अब स्वामी गजानन्द था और उसी की प्रेरणा पर सुमन ने सेवाश्रम का कार्य संभालने की जिम्मेदारी अपने ऊपर ले ली।

आलोचना---प्रेमचन्द ने यह उपन्यास भी उर्दू में लिखा था; लेकिन

प्रकाशित पहले हिन्दी में हुआ। पाठकों ने इसका खूब स्वागत किया और इसे हिन्दी जगत का सर्वश्रेष्ठ उपन्यास घोषित किया। निस्सन्देह प्रेमचन्द ने यह उपन्यास लिखकर अपनी कलम का लोहा मनवा लिया। उनके लिए यह सफलता वाकई हर्ष और सौभाग्य की बात थी।

हिन्दी जगत ने 'सेवा-सदन' का यह स्वागत ठीक ही किया। वाकई उस समय वह हिन्दी का सर्वश्रेष्ठ उपन्यास था। इस उपन्यास से पता चलता है कि प्रेमचन्द किस तेजी से आगे बढ़ रहे थे और उनका दृष्टिकोण अब सीमित न रहकर व्यापक होता जा रहा था। उन्होंने इस उपन्यास में अबला स्त्री और मध्यम वर्ग की समस्या को लेकर समाज के लगभग समस्त पहलुओं पर प्रकाश डाला है। उपन्सास मूलतः सुधारवादी है; लेकिन प्रेमचन्द ने समाज में फैली हुई बुराइयों का यथार्थ कारण ढूंढ निकाला है और उसके लिए व्यक्तियों को दोषी न ठहराकर समाज-व्यवस्था को जिम्मेदार ठहराया है।

पहले हम देखते हैं कि पुलिस जिसका कर्त्तव्य समाज-रक्षा और जन-सेवा है, वह खुद भ्रष्टाचार फैला रही है। यदि कोई पुलिस अफसर ईमानदारी से जीवन बिताना चाहता है तो उसके लिए गृहस्थ चलाना कठिन हो जाता है और उसके पास अपनी जवान कन्या के हाथ पीले करने लायक भी पैसे नहीं होते। आखिर उसे भी घूस लेनी पड़ती है और जेल जाना पड़ता है। यह अकेले कृष्णचन्द्र की ट्रेजडी नहीं, समूचे समाज की ट्रेजडी है।

फिर श्री बांकेबिहारीलालजी हैं, जो महन्त भी हैं और सामन्त भी हैं। वे दोनों हाथों से आसामियों को लूटते हैं। अफसर भी इस लूट में उनके हिस्सेदार हैं। वे गुण्डे पालते हैं और आसामियों की हत्या तक कर डालते हैं, कोई उन्हें पूछने वाला नहीं। धर्म और कानून दोनों महन्तजी के कुकर्म और अत्याचार की ढाल बने हुए हैं।

प्रेमचन्द ने इस उपन्यास में विशेष रूप से वेश्याओं की समस्याओं को उठाया है। वे वेश्यावृत्ति को समाज का कलंक और कोढ़ समझते थे और इसका अन्त चाहते थे। गो उन्होंने समस्या का भावुकतापूर्ण सुधारवादी हल उपस्थित किया है और विधवाश्रम तथा सेवाश्रम इस समस्या का कोई हल नहीं हैं; लेकिन उन्होंने यह बात स्पष्ट कर दी है कि वेश्याएं कोई विधाता की ओर से बनकर नहीं आतीं; यह निष्ठुर समाज ही हमारी बहू-बेटियों को वेश्याएं बनने पर मजबूर करता है। एक म्युनिसिपल मेम्बर कुंवर साहब ने दालमंडी बनने का कारण बताते हुए कहा है—"जिस समाज में अत्याचारी जमींदार, रिश्वती राज्य-कर्मचारी, अन्यायी महाजन, स्वार्थी बन्धु आदर और सम्मान के पात्र हों, वहां दालमंडी

क्यों न आबाद हो? हराम का धन हरामकारी के सिवा और कहां जा सकता है? जिस दिन नजराना, रिश्वत और सूद-दर-सूद का अन्त होगा उसी दिन दालमंडी उजड़ जाएगी---पहले नहीं।''

जब रामनवमी के उत्सव पर काशी के प्रसिद्ध मन्दिर में भोली के भजन हुए तो सुमन घृणा छोड़कर उससे मेल-जोल बढ़ाने लगी। पति ने ऐतराज किया तो उसने भोली के मन्दिर में जाने की बात कही। इस तर्क के जवाब में गजाधर ने कहा---''आजकल धर्म तो धूर्तों का अड्डा है। लम्बी-लम्बी जटाएं, लम्बे-लम्बे तिलक और लम्बी-लम्बी दाढ़ियां तो महज पाखंड हैं और लोगों को धोखा देने के लिए हैं।''

सुमन जब एक गृहस्थ औरत है तो उसे कोई आश्रय तक नहीं देता; लेकिन जब वह दालमंडी में जा बैठती है तो समाज के रंगेसियार अबुल वफा, सेठ चिम्मनलाल और पंडित दीनानाथ उसके तलवे सहलाते हैं। जब पद्मसिंह वेश्याओं को शहर से बाहर बसाने का प्रस्ताव पेश करता है तो इसी किस्म के लोग उस प्रस्ताव का विरोध करते हैं और उसे साम्प्रदायिक रंग देने तक से नहीं चूकते। झूठे धर्म और साम्प्रदायिकता के साथ-साथ प्रेमचन्द ने झूठे सुधारवादियों की पोल खोली है। विट्ठलदास जब सुमन से वेश्यावृत्ति छुड़ाने के लिए पचास रुपया महीना जुटाना चाहता है, उसे सफलता नहीं मिलती। वेश्यावृत्ति के विरोधियों और सुमन का उद्धार चाहने वालों से भी उसे चन्दा नहीं मिलता। उसका समाज-सुधार सिर्फ जबानी जमा-खर्च है।

इस उपन्यास से बेजोड़ शादी और दहेज की प्रथा आदि पर भी चोट पड़ती है।

प्रेमचन्द के पहले उपन्यासों की अपेक्षा इस उपन्यास में जितनी यथार्थवाद की मात्रा अधिक है, उतना ही चरित्र-चित्रण भी अधिक सुन्दर है। सुमन मानवती और हठीली लड़की है। उसने सुख और आराम में जीवन बिताया था और एक अच्छे घर में ब्याहे जाने के स्वप्न देखे थे। लेकिन ब्याह के उपरान्त उसे न सुख मिला और न आदर। जीवन के अनुभव ने उसे कटु और कठोर बना दिया और वह इस समाज से घृणा करने लगी जिसमें उस जैसी भली और सच्चरित्र स्त्रियों का तो अपमान होता है, और वेश्याओं का आदर-सम्मान। उन्हें भले घरों के उत्सवों और मंदिरों तक में निमंत्रित किया जाता है; जिसके नेता रंगेसियार, ढोंगी और स्वार्थी हैं। उसने कठिनाइयां भी सहन कीं और अपमान भी बर्दाश्त किया, फिर भी पति ने झूठा दोष लगाकर घर से निकाल दिया और भोली वेश्या के घर के सिवा उसे कहीं आश्रय नहीं मिला तो उसने

विवश होकर कुपथ ग्रहण किया। यह सुमन की–अबला नारी की–समाज को चुनौती है। वह दुःख और कष्ट सह सकती है; लेकिन अपमान और अवहेलना बर्दाश्त नहीं कर सकती। हमें उसका यह चलन ठीक ही जान पड़ता है।

पद्मसिंह अपने मध्यमवर्गीय पढ़े-लिखे समुदाय का टाइप चरित्र है। उसका किताबी ज्ञान और कानून की शिक्षा उसे हर समय फूंक-फूंककर कदम रखने को कहती है। वह जरा-जरा-सी बात पर अपनी बदनामी से डर जाता है। म्युनिसिपल चुनाव में सफल होने के बाद मुजरा बुरा समझने के बावजूद मुजरा करवाता है, सुमन को निरपराध समझते हुए भी उसे अपने घर में आश्रय देने से इनकार कर देता है और म्युनिसिपैलिटी में अपने प्रस्ताव का विरोध होते देखकर सोचते लगता है–"अपना आराम से जीवन बिताते, यह किस झमेले में पड़ गए।" दरअसल वह यश बटोरने के लिए ही समाज-सुधार और लोक-सेवा के कामों में हाथ डालता है और विरोध और बदनामी देख झट पीछे हट जाता है। उसके लिए सत्य, न्याय और सुधार सब गौण हैं, अपना स्वार्थ ही मुख्य है। विट्ठलदास उससे कहता है–"तुम्हारे संकल्प दृढ़ नहीं होते।" यही उसकी असलियत है।

विट्ठलदास सच्चे मन से समाज का सुधार चाहता है और उसके लिए हर जोखिम उठाने को तैयार है। लेकिन वह तमाम सुधारवादियों की तरह व्यक्तिवादी भी है। वह पद्मसिंह से इसलिए बिगड़ गया कि उसने विरोध के बावजूद मुजरा कराया और फिर वह गजाधर के कहने पर पद्मसिंह पर सुमन को घर में डाल लेने का झूठा लांछन लगाने से भी बाज नहीं आया। जब उसे मालूम हुआ कि सुमन वेश्या बनकर दालमंडी में जा बैठी है, तब उसे बड़ा दुःख और क्षोभ हुआ। वह इसके लिए अपने आपको दोषी समझने लगा, क्योंकि उसने पद्मसिंह के विरुद्ध झूठा प्रचार करके सुमन को उसके घर से निकलवाया था। इसका पश्चाताप यही था कि वह सुमन से वेश्यावृत्ति छुड़ाए और वह इस काम में जी-जान से लग गया। ऐसे लोग हमेशा दोष, अपराध और पश्चाताप के चक्कर में पड़े रहते हैं। उनकी सुकामनाओं और सदेच्छाओं के बावजूद सुधार का काम कभी खत्म नहीं होता। सुमन ने उसे ठीक ही कहा–"एक मैं ही तो नहीं। भले और ऊंचे कुल की कितनी ही बहू-बेटियां दालमंडी में बैठी हैं।" विट्ठलदास फिर भी उन सबके बारे में नहीं सोचता, सोच ही नहीं सकता। सुधारवाद समाज के इस रोग का निदान नहीं है। उससे तो महज किसी एक सुमन और एक शान्ता का उद्धार हो सकता है।

सुमन का पिता कृष्णचन्द्र पाठकों की हमदर्दी और सहानुभूति का पात्र

है। इस भ्रष्ट व्यवस्था में किसी भी भले आदमी के लिए ईमानदार बने रहना कठिन है। वह बेटी के विवाह से मजबूर है और घूस लेकर जेल जाता है। जेल से छूटकर उसका पागल और विक्षिप्त हो जाना भी स्वाभाविक है, क्योंकि वह सोचता है कि न ईमान ही रहा और न धन ही मिला! यश भी गंवाया और घर भी खोया। जेल से निकलकर वह प्रायः यह दोहा पढ़ता है–

"लकड़ी जल कोयला भई, कोयला जल भई राख।
मैं पापन ऐसी जली, कोयला भई न राख।"

प्रेमचन्द ने यह दोहा ठीक ही उसके मुख से कहलवाया है।

गजाधर भी भला आदमी है। उसकी त्रुटियां समाज की देन हैं। वह अपनी आर्थिक स्थिति से ही ऐसा बना है और इसी कारण सुमन से लड़ता-झगड़ता और उस पर संदेह करता है। लेकिन सुमन के वेश्या बन जाने के बाद उसका जो दूसरा रूप हमारे सामने आता है उस पर विश्वास नहीं होता। समाज ने जिन व्यक्तियों को इतना कुचल दिया हो, वे एकदम परिस्थितियों से इतना ऊंचा नहीं उठ सकते। सिर्फ एक सुधारवादी लेखक ही ऐसा सोच सकता है और गजाधर को गजानंद बना सकता है।

महन्त रामदास, अबुल वफा, सेठ चिम्मनलाल और पंडित दीनानाथ अपने वर्ग के टाइप पात्र हैं और उनके द्वारा प्रेमचन्द ने इस वर्ग के अन्याय, अत्याचार, ढोंग और पाखंड को भली-भांति चित्रित किया है। शान्ता और सदन आदि पात्र गौण जान पड़ते हैं।

इस उपन्यास में प्रेमचन्द ने भाषा और साहित्य के विषय पर भी प्रकाश डाला है। उन्हें इस बात का दुःख है कि कुछ म्युनिसिपल कमिश्नर और पढ़े-लिखे स्वार्थी लोग खामखाह विदेशी भाषा बोलते हैं। उन्हें इस बात का भी खेद है कि कोई लेखक महाशय अंग्रेजी के एक-दो उपन्यासों अथवा पुस्तकों का, वह भी सीधे अंग्रेजी से नहीं, बंगाली या गुजराती के माध्यम से, अनुवाद करके अपने आपको तीसमारखां समझते हैं। यही कारण है कि हमारी भाषा में कोई उपन्यास नहीं है।

प्रेमचन्द ने 'सेवा-सदन' लिखकर इस अभाव की पूर्ति की।

प्रेमाश्रम

यह उपन्यास 1918-19 में लिखा गया और 1922 में प्रकाशित हुआ। उस समय पहले विश्वयुद्ध का अंत हुआ था। समस्त संसार में हलचल मची हुई थी। रूस में महान् क्रान्ति सफल हुई थी और उसके परिणामस्वरूप दुनिया

के एक बहुत बड़े भाग में पहली बार मजदूरों-किसानों का राज्य स्थापित हुआ था। खुद हमारे देश के राष्ट्रीय आन्दोलन में जो उभार आया था, उसके आर्थिक और राजनीतिक कारणों का हमने इस पुस्तक के 'इस्तीफा' शीर्षक परिच्छेद में विस्तार से उल्लेख किया है, इसलिए उन्हें दोहराने की आवश्यकता नहीं है। प्रेमचन्द का यह पहला बड़ा उपन्यास है, और कहानी इस प्रकार है—

लखनपुर एक गांव है, जहां ज्ञानशंकर और उसके चाचा प्रभाशंकर की जमींदारी है। संयुक्त परिवार है; इसलिए चाचा के आठ प्राणियों पर जितना खर्च आता है, ज्ञानशंकर अपने तीन प्राणियों पर उतना ही खर्च करता है। वह चाहता है कि चाचा से बंटवारा हो जाए। प्रभाशंकर आसामियों से रियायत करना चाहता है लेकिन ज्ञानशंकर उन पर खूब जुल्म ढाता है। वह चाचा से और उसके परिवार से द्वेष रखता है, यहां तक कि जब प्रभाशंकर का लड़का दयाशंकर, जो दारोगा है, घूसखोरी और अत्याचार के कारण गिरफ्तार हो जाता है, तो वह खुश होता है।

आखिर बंटवारा हो जाता है। उसका ससुर भी बड़ा जमींदार है। एक दिन ज्ञानशंकर को तार मिला कि उसका एकमात्र साला मर गया है। वह बहुत खुश हुआ, क्योंकि अब ससुर की जमींदारी भी उसे मिल जाएगी। लेकिन वह ऊपरी शोक प्रकट करने ससुराल गया। वहां उसकी छोटी साली गायत्री भी थी। वह विधवा थी और गोरखपुर में उसकी भी बड़ी जमींदारी थी। ज्ञानशंकर ने उस पर डोरे डालने शुरू किए। उसकी धार्मिक रुचि देखकर कृष्णलीला का स्वांग रचा। वह चाहता था कि गायत्री उसके प्रेम में फंस जाए और उसके बेटे मायाशंकर को गोद लेकर अपनी जमींदारी उसके नाम करवा दे। गायत्री उसकी बातों में आ गई। वह ज्ञानशंकर को कृष्ण मानकर खुद राधा बन गई। ज्ञानशंकर की पत्नी विद्या और उसका ससुर उसकी नीचता को समझते थे। उन्होंने गायत्री को भ्रष्ट होने से बचाया। अन्त में गायत्री ने जमींदारी मायाशंकर के नाम करवाकर आत्महत्या कर ली। विद्यावती ने भी पति की नीचता से तंग आकर आत्महत्या कर ली थी।

ज्ञानशंकर को एक बार मालूम होता है कि उसका ससुर दूसरा विवाह करना चाहता है। इस बात से उसे बड़ी चिंता उत्पन्न होती है और तभी चैन पड़ती है जब उसके ससुर ने खुद कह दिया कि वह ब्याह नहीं करेगा। चूंकि वह ससुर की सम्पत्ति को अपनी समझता है; इसलिए उसे उनका अधिक खर्च भी अखरता है, अतः उन्हें भोजन में विष दे देता है। ससुर ने पहले ही कौर में इस बात को जान लिया। ज्ञानशंकर को बहुत बुरा-भला कहा लेकिन उन्होंने

तमाम भोजन जल्दी-जल्दी निगल लिया और फिर योगशक्ति से विष को भी पचा लिया।

ज्ञानशंकर का बड़ा भाई प्रेमशंकर कई साल से लापता था। अब वह अकस्मात आ जाता है। ज्ञानशंकर को उसके आने से बड़ा दुःख हुआ, क्योंकि भाई को जमींदारी में से हिस्सा देना पड़ेगा। विदेश में रहकर धर्म खो देने के कारण लोग उसका विरोध करते हैं और अखबारों में उसके खिलाफ समाचार और लेख छपते हैं। ज्ञानशंकर उसे यह लेख इस नीयत से लाकर दिखाता है कि वह इलाका छोड़कर किसी दूसरी जगह चला जाए और उसे जमींदारी में से भाग देना न पड़े। प्रेमशंकर ने इस विरोध की कोई परवाह नहीं की। प्रायश्चित तक करने की जरूरत नहीं समझी। उसने अमेरिका में रहकर उच्च शिक्षा पाई है और नये विचार सीखे हैं। वह इन विचारों का देश में प्रचार करना चाहता है और अपना जीवन जनसेवा में लगा देता है। उसे धन-सम्पत्ति का तनिक भी मोह नहीं है। उसका यह त्याग देखकर ज्ञानशंकर को संतोष होता है।

लखनपुर में किसानों पर जुल्म बढ़ रहे हैं। सरकारी कर्मचारी, सूदखोर महाजन और ज्ञानशंकर का कारिंदा गौस खां लूटते-खसोटते हैं। उनकी दरिद्रता दिन-दिन बढ़ती जा रही है। ज्ञानशंकर अपने सहपाठी मजिस्ट्रेट ज्वालासिंह से मिलकर लगान में इजाफ करना चाहता है। लेकिन प्रेमशंकर मजिस्ट्रेट को ऐसा करने से रोक देता है जिससे ज्ञानशंकर ज्वालासिंह और प्रेमशंकर दोनों के विरुद्ध हो जाता है।

लखनपुर में एक किसान मनोहर है। वह सहनशील व्यक्ति है। लेकिन उसका लड़का बलराज उग्र विचारों का नौजवान है। वह रूस की क्रान्ति से प्रभावित है, महज छोटे कर्मचारियों और कारिंदों को दोषी न ठहराकर कहता है—"यह सब मिलीभगत है।"

ज्वालासिंह के इजाफा न करने से ज्ञानशंकर चिढ़ जाता है और वह किसानों पर जुल्म बढ़ा देता है। गौस खां को शह मिलती है और वह बात-बात पर किसानों को तंग करना शुरू कर देता है। एक दिन वह मनोहर की पत्नी बिलासी को चरागाह में पशु चराते देखकर उसके पशु कांजीहौस भिजवा देता है। जब बिलासी विरोध करती है तो वह उसे धक्का देकर जमीन पर गिरा देता है। पत्नी के इस अपमान से मनोहर के भीतर की ज्वाला भड़क उठती है और वह गौस खां की हत्या कर डालता है।

मनोहर थाने में जाकर अपना अपराध स्वीकार कर लेता है लेकिन फिर

भी पुलिस बलराज, प्रेमशंकर और गांव के दूसरे किसानों को बांध लेती है। इस कारण उन्हें जो दुःख झेलने पड़ते हैं और गांव पर जो तबाही आती है, मनोहर उसे सहन नहीं कर पाता और वह जेल ही में आत्महत्या कर लेता है। दूसरे लोग प्रेमशंकर के प्रयत्न से हाई कोर्ट में जाकर साफ छूट जाते हैं।

प्रेमशंकर को अनुभव से किसानों की दरिद्रता और दुर्दशा का ज्ञान होता है और वह उनकी सेवा के लिए प्रेमाश्रम खोल देता है। मायाशंकर पर भी प्रेमशंकर का प्रभाव है; इसलिए वह अपनी जमींदारी से आप ही दस्तबरदार हो जाता है। बेटे के इस त्याग से ज्ञानशंकर को रंज होना लाजिमी है। एक बार तो उसके मन में आता है कि वह भी प्रेमाश्रम में भर्ती होकर जीवन जन-सेवा में लगा दे। लेकिन लज्जा के मारे वह ऐसा कर नहीं पाता और गंगा में डूबकर मर जाता है।

प्रेमशंकर और मायाशंकर के अलावा ज्वालासिंह भी नौकरी से इस्तीफा देकर प्रेमाश्रम में आ जाता है और उपन्यास के अन्त में हम देखते हैं कि इन लोगों की सेवा और जमींदारी खत्म हो जाने के कारण हर एक किसान के पास एक अच्छा घर है, पशु हैं। लखनपुर साफ-सुथरा गांव है, उसका एक स्कूल है और एक पुस्तकालय है। बलराज डिस्ट्रिक्ट बोर्ड का मेम्बर बन गया है, उसने लुंगी बांध रखी है और चढ़ने के लिए उसके पास एक बहुत सुन्दर घोड़ा है।

आलोचना–प्रेमचन्द ने हमारे देश की किसान समस्या को लेकर यह उपन्यास लिखा है। जमींदारों और उनके कारिंदों, पुलिस और दूसरे सरकारी कर्मचारियों की लूट-खसोट और अत्याचार के कारण किसान जनता किस तरह पिस रही है, प्रेमचन्द ने इसका यथार्थ चित्रण किया है। मनोहर चाहे खाता-पीता किसान है और खूब मेहनत करता है, लेकिन उसके घर की हालत देखिए–

"इसी उधेड़-बुन में पड़ा हुआ वह भोजन करने बैठा। चौके में मिट्टी के तेल का एक दीया जल रहा था; लेकिन घर में इतना धुआं भरा हुआ था और छत ऐसी काली हो गई थी कि उसका प्रकाश मध्यम पड़ गया था। उसकी पत्नी बिलासी ने पीतल की थाली में बथुए का साग और जौ की मोटी-मोटी रोटियां परोस दीं। मनोहर इस प्रकार खाने लगा, मानो कोई दवा हो। इतनी ही रुचि से वह घास भी खाता। बिलासी ने पूछा–क्या साग अच्छा नहीं, गुड़ दूं?

मनोहर–नहीं साग तो अच्छा है।

बिलासी–तो क्या भूख नहीं है?

मनोहर—भूख क्यों नहीं है, खा तो रहा हूं।

बिलासी—खाते तो नहीं हो, ऊंघ रहे हो। किसी से झगड़ा तो नहीं हो गया?''

मनोहर की इस हालत से उससे कम स्थिति के किसानों की दरिद्रता का अनुमान आसानी से लगाया जा सकता है। वे अज्ञानता और दरिद्रता में पड़े सड़ रहे हैं, किसी को भी उनसे सहानुभूति नहीं है। दुखन के यह शब्द उनके अनुभव का निचोड़ हैं—''कहते हैं, विद्या से आदमी की बुद्धि सुधर जाती है; पर यहां उलटा ही देखने में आता है। यह हाकिम और अमले तो सब पढ़े-लिखे विद्वान हैं लेकिन किसी को दया-धर्म का विचार नहीं आता।''

प्रेमचन्द किसानों में उत्पन्न हुए थे, उन्हें देश की इस पीड़ित और शोषित जनता से सच्ची हमदर्दी थी, और उनकी दरिद्रता का वास्तविक कारण भी समझ लिया था। लिखते हैं—

''प्रेमशंकर मन में कहा करते थे कि मैं किसानों को शायद ही कोई ऐसी बात बता सकता हूं, जिसका उन्हें ज्ञान न हो। मेहनती तो उनसे अधिक दुनिया-भर में कोई न होगा। किफायत, संयम और गृहस्थ के बारे में भी वे सब-कुछ जानते हैं। उनकी दरिद्रता की जिम्मेदारी उन पर नहीं, बल्कि उन हालात पर है जिनके तहत उन्हें अपना जीवन बिताना पड़ता है। वे परिस्थितियां क्या हैं? आपस की फूट, स्वार्थ और वर्तमान सामाजिक व्यवस्था, जो उन्हें मजबूती से जकड़े हुए हैं। लेकिन जरा ज्यादा विचार करने पर मालूम हो जाएगा—यह तीनों टहनियां एक ही बड़ी टहनी से निकली हैं और यह टहनी वह व्यवस्था है, जो किसानों के खून पर कायम है।''

किसानों का खून चूसने वाली सामन्ती व्यवस्था अंग्रेजों ने अपनी सत्ता मजबूत बनाने के लिए कायम रखी थी। यह व्यवस्था इतनी गली-सड़ी थी कि उसका बिना किसी बाहरी सहारे के चलना मुश्किल था। अंग्रेज की स्वार्थी सभ्यता में पला हुआ ज्ञानशंकर अपनी आसामियों से उतनी रियायत भी नहीं करता जितनी पुराने विचार का उसका चाचा प्रभाशंकर कर देता है। वह पूरी निर्दयता से किसानों का खून निचोड़ लेना चाहता है। उसकी नीचता और स्वार्थ के कारण संयुक्त परिवार भी नहीं चल सकता। दरअसल इस व्यवस्था और इस परिवार की ऐतिहासिक भूमिका खत्म हो चुकी थी। प्रेमचन्द ने ठीक ही इसे टूटते दिखाया है।

'सेवासदन' में भी जमींदार के अत्याचार और शोषण का वर्णन हुआ है, लेकिन 'प्रेमाश्रम' में प्रेमचन्द काफी आगे बढ़ गए हैं। यह उपन्यास विशेषतः किसानों और जमींदारों के बारे में लिखा गया है और इसमें यथार्थ की मात्रा

भी 'सेवासदन' से अधिक है। इसमें युद्ध के कारण बदले हुए हालात का प्रभाव साफ दिखाई देता है। प्रेमशंकर के नए विचार प्रेमचन्द के नए विचार हैं। वे चाहते थे कि देश की जनता रूढ़िवाद और अन्धविश्वास को त्यागकर अमरीका आदि देशों से नए विचार और नई शिक्षा ग्रहण करे और देश को उन्नत और समृद्ध बनाए।

प्रेमचन्द की एक महानता यह है कि वे पुस्तकीय ज्ञानवादियों की तरह किसानों को मूर्ख और आलसी नहीं समझते। वे जानते थे कि हमारे किसान अपने काम में निपुण हैं और दुनिया में कोई भी उनसे अधिक मेहनत नहीं करता। अफसोस यह है कि उन्हें इस मेहनत का फल नहीं मिलता। उसे दूसरे ही खा जाते हैं।

प्रेमचन्द के अपने कथनानुसार प्रेमशंकर इस उपन्यास का आदर्श पात्र है। वह किसानों और पीड़ित जनता से सच्ची सहानुभूति रखता है और ज्वालासिंह से कहता है—"जमीन उसकी है, जो उसे जोते।" लेकिन किसानों को वह यह जमीन अहिंसात्मक ढंग याने हृदय परिवर्तन से दिलाना चाहता है; इसीलिए वह क्रान्ति का पथ छोड़कर प्रेमाश्रम द्वारा किसानों की सेवा करने का मार्ग अपनाता है। वह न सिर्फ अपने आदर्शों और सिद्धान्तों के लिए त्याग कर सकता है बल्कि पुरानी मान्यताएं, जो अनुभव से गलत साबित हों, उन्हें छोड़ देने के लिए तैयार रहता है। प्रेमशंकर प्रेमचन्द ही का प्रतिरूप है और उसकी असंगतियां प्रेमचन्द की अपनी असंगतियां हैं।

ज्ञानशंकर क्षुद्र और धूर्त है। वह चाहता है कि चाचा की, ससुर की, साली की और दुनिया-भर की सम्पत्ति उसके कब्जे में आ जाए। इस सम्पत्ति के फेर में पड़कर उसकी आत्मा मर चुकी है। वह साले की मृत्यु का समाचार सुनकर प्रसन्न होता है, चचेरे भाई दयाशंकर की सिफारिश करने के बजाय उल्टा उसे फंसाना चाहता है और बड़े भाई प्रेमशंकर के लौट आने पर दुःखी होता है। किसानों और मेहनतकशों के खून पर कायम इस समाज में ऐसे स्वार्थी और धूर्त लोगों की कमी नहीं है। प्रेमचन्द ने अन्त में उसका जो हृदय परिवर्तन दिखाया है, वह स्वाभाविकता नहीं है। अलबत्ता ऐसे लोगों का जब मनोरथ सिद्ध नहीं होता, उनके लिए डूब मरना ही शेष रह जाता है।

प्रभाशंकर पुराने ढंग का भला आदमी है जो अपनी सन्तान और भाई-भतीजे से प्रेम करता है और आसामियों से भी सहानुभूति रखता है। भोजन उसकी कमजोरी है। लिखते हैं—"अभी तक थोड़ी-सी नवरत्न चटनी बची हुई थी। कुछ और न मिलता, तो सबकी आंख बचाकर, उसमें से एक चमची

निकालकर चाट लेते।" ज्ञानशंकर के ससुर राय साहब का चरित्र अजीब है। वे योग शक्ति से विष तक पचा लेते हैं और बहुत-सी विचित्र और अलौकिक बातें करते हैं। इसीलिए वे इस दुनिया के नहीं, किसी और लोक के जीव दिखाई पड़ते हैं। विद्या, गायत्री और श्रद्धा किसी का चरित्र भी उभर नहीं पाया। विद्या उदार और नेक औरत है। वह पति की नीचता को सहन नहीं कर पाती इसलिए आत्महत्या कर लेती है। गायत्री नाम की भूखी है। वह बड़ी आसानी से ज्ञानशंकर के जाल में फंस जाती है और जब वास्तविक स्थिति का ज्ञान होता है तो वह भी आत्महत्या कर लेती है।

गांव में मनोहर, बलराज और कादिर आदरणीय पात्र हैं। मनोहर सहनशील है; लेकिन अत्याचार और अन्याय को सहन नहीं करता। वह अपनी स्त्री के अपमान से भड़क उठता है और गौस खां की हत्या करके दम लेता है। बूढ़ा कादिर भी जेल में उसे दूसरे लोगों के उलाहनों से बचाते हुए कहता है—"हम सब तो कायर हैं, उसने गांव की लाज रख ली है।" प्रेमचन्द भी गौस खां की हत्या को उचित ठहराते और मनोहर को वीरात्मा कहते हैं।

मनोहर का बेटा बलराज रूस की क्रान्ति से प्रभावित है। किसानों-मजदूरों का राज्य स्थापित होने के स्वप्न देखता है और कारिन्दों और सरकारी कर्मचारियों के विरुद्ध किसानों का पक्ष लेता है। उसकी मां बिलासी और पिता मनोहर डरते रहते हैं कि वह किसी अफसर से उलझकर कहीं जेल न चला जाए। वह नई पीढ़ी का क्रान्तिकारी नौजवान है। प्रेमचन्द ने उसे आदर्श चरित्र नहीं बनाया। इसका कारण यही है कि वे किसानों और रूस की क्रान्ति से सहानुभूति रखते हुए भी खुद क्रान्ति के पथ पर चलने को तैयार नहीं थे।

बलराज की मां बिलासी भी वीर स्त्री है। वह पति और बलराज को तो समझाती है, लेकिन जुल्म का मुकाबला करने में खुद कभी पीछे नहीं रहती। गौस खां के कहने पर चरागाह से जानवर न निकालना उसी का साहस था और वह मनोहर के स्वभाव को जानती हुई भी दौड़ी हुई खेत में गई और गौस खां के जुल्म की सूचना तुरन्त उसे दी।

इस उपन्यास में प्रायः किसानों की बोल-चाल की भाष इस्तेमाल की गई है, जिससे देहात का वातावराण उभरा है और पात्रों का यथार्थ चित्रण हुआ है।

निर्मला

निर्गला के पिता उदयभानुलाल वेटी का विवाह खूब खर्च करके एक उच्च कुल में करना चाहते हैं। लेकिन उनकी अकस्मात मृत्यु से वह विवाह नहीं

हो सका और निर्मला एक बाल-बच्चेदार वकील तोताराम से ब्याही गई। तोताराम वृद्ध है और उसकी बहन रुक्मणी निर्मला से चिढ़ती है और घर में अशान्ति रहती है।

पहली पत्नी से तोताराम के तीन लड़के हैं—मंशाराम, जियाराम और सियाराम। निर्मला इन बच्चों से दिल बहलाती है और बड़े लड़के मंशाराम को बहुत पसन्द करती है। लेकिन तोताराम चाहता है कि उसकी जवान पत्नी उससे प्रेम करे और वह इसके लिए बहन के साथ झगड़े में निर्मला की तरफदारी भी करता है। जब इस पर भी प्रेम नहीं मिलता, तो वह मित्रों के मशवरे से चुस्त वस्त्र पहनता है और निर्मला को अपनी कथित वीरता की कहानियां सुनाता है। इससे निर्मला की उपेक्षा और बढ़ती है, तो वकील को अपने बेटे मंशाराम से ईर्ष्या हो जाती है और वह उसे छात्रालय में भेज देता है। मंशाराम पिता के इस व्यवहार और निर्मला के प्रेम से वंचित होकर बीमार पड़ जाता है और हस्पताल में पहुंचकर उसकी मृत्यु हो जाती है।

निर्मला के मन पर इस दुर्घटना का बड़ा आघात होता है और वह सदा बुझी-बुझी-सी रहती है। जियाराम के मन में यह गांठ बैठ जाती है कि उसके भाई के साथ अन्याय करके उसे मारा गया है। वह अपने पिता से घृणा करता है और इतना उद्दंड हो जाता है कि पिता-पुत्र में हाथापाई की नौबत आ जाती है। वह बिगड़ता ही जाता है और चोरी करने लगता है। वह खुद निर्मला के आभूषण चुराता है और भेद खुल जाने पर आत्महत्या कर लेता है।

क्लेश तो रहता ही था; अब हालत और खराब हो जाती है। सबसे छोटा लड़का सियाराम साधु बनकर घर से निकल जाता है और लाख खोजने पर भी उसका पता नहीं चलता। तोताराम सारी मुसीबतों की जड़ निर्मला को समझता है और उससे लड़कर बेटे की तलाश में घर से चला जाता है।

जिस लड़के से निर्मला के पिता ने उसकी सगाई की थी, वह अब डॉक्टर है। उसकी पत्नी निर्मला की सहेली बन जाती है और इस प्रकार निर्मला का उसके घर आना-जाना शुरू हो जाता है। जब तोताराम एक महीने तक लौटकर नहीं आता तो निर्मला अपनी सहेली से मिलने उसके घर जाती है। वह उसे घर पर नहीं मिलती, डॉक्टर मिलता है और वह निर्मला से प्रेम जताता है। निर्मला डॉक्टर की यह हरकत पसन्द नहीं करती। डॉक्टर की पत्नी को भी जब इस बात का पता चलता है तो वह उसे बहुत बुरा-भला कहती है। डॉक्टर आत्महत्या कर लेता है। उसके बाद निर्मला भी कुछ देर बीमार रहकर मर जाती है। ठीक चिता को आग देने के समय उसका पति घर लौटता है।

आलोचना—यह उपन्यास दहेज और अनमेल विवाह की समस्या को लेकर लिखा गया है। हमारे समाज का मध्यम वर्ग बुरे रिवाजों और कुप्रथाओं को लेकर किस प्रकार कानों तक दुःख और विषाद में डूबा हुआ है, इसका अच्छा चित्र है। अनमेल विवाह, व्यर्थ आशंका और ननद-भावज के झगड़ों के कारण एक सुखी गृहस्थी को कलह का अखाड़ा बनते दिखाया गया है। कलह इतना बढ़ता है कि घर उजड़ जाता है। हमारे रूढ़िगत समाज के मध्यमवर्ग में ऐसी ट्रेजडिजां प्रायः होती रहती हैं। प्रेमचन्द ने शायद यह दिखाना चाहा है कि यह सामाजिक व्यवस्था अब निष्प्राण है और हम व्यर्थ में लाश से चिपटे हुए हैं। तोताराम जैसे निर्मला की नहीं, बल्कि इस मृतप्रायः व्यवस्था की चिता को आग देने घर लौटा है।

यह उपन्यास 1922-23 में लिखा गया था। उस समय राष्ट्रीय आन्दोलन में बड़ा उभार आया था और हमारा देश महान् क्रान्ति के युग में से गुजर रहा था। क्रान्ति में किसी देश की राजनीतिक व्यवस्था ही नहीं बदला करती, बल्कि सामाजिक व्यवस्था भी बदला करती है। प्रेमचन्द ने जनजीवन का गहरा अध्ययन किया था, वे जनता के तेवर पहचानते थे और इसके अतिरिक्त वे अनुभूतिपूर्ण हृदय तथा दूर तक देखने वाली दृष्टि से सम्पन्न थे। इसलिए उन्होंने क्रान्ति के उभार को देखकर अनुमान लगाया था कि जनता अब इस मृतप्रायः व्यवस्था की चिता में आग देगी।

यह एक सही विषय था; पर इस जन-क्रान्ति का ठीक ढंग से नेतृत्व नहीं हुआ, प्रेमचन्द को विषय के उपयुक्त सामग्री नहीं मिली और वे इसे प्रस्तुत करने में सफल नहीं हो सके। प्रेमचन्द के दूसरे उपन्यासों में जो दोष नहीं है, वह इस उपन्यास में मिलता है। छोटी-छोटी बातों को बहुत ही बढ़ा-चढ़ाकर विस्तार से बयान किया गया है। भाषा और वाक्य-विन्यास सुन्दर नहीं है, कोई भी पात्र रक्त-मांस का बना हुआ नहीं जान पड़ता और एकदम इतनी आत्म-हत्याएं अस्वाभाविक ही नहीं, पढ़ते-पढ़ते मन ऊब जाता है और क्षोभ उत्पन्न होता है।

अन्त में हम यह कहने पर विवश हैं कि जहां राष्ट्रीय आन्दोलन का क्रान्तिकारी उभार उपन्यास की विषयवस्तु का कारण है, वहां आन्दोलन की असफलता ही उपन्यास की असफलता है। आन्दोलन की असफलता पर खेद प्रकट करते हुए प्रेमचन्द ने 'बड़े बाबू' कहानी में कहा है कि अगर देश के नेता गंदुमनुमा जी-फरोश न होते, और आन्दोलन की बागडोर पढ़े-लिखे नौजवानों के हाथ में होती, तो इसका यह हश्र न होता। 'बड़े बाबू' कहानी

भी 1923 में लिखी गई थी। यह ठीक है कि 'निर्मला' का विषय राजनीतिक नहीं, सामाजिक है; लेकिन राजनीति मनुष्य के विचारों को कई प्रकार से प्रभावित और आन्दोलित करती है। और आन्दोलन भी सामाजिक व्यवस्था से उत्पन्न होते हैं।

कायाकल्प

चक्रधर ने ऊंची शिक्षा पाई है। वह एम. ए. पास है। उसके पिता मुंशी बज्रधर चाहते हैं कि बेटा कोई सरकारी नौकरी करे। लेकिन चक्रधर अपना जीवन समाज-सेवा में लगा देता है। बहुत कहने-सुनने पर वह जगदीशपुर के दीवान की कन्या मनोरमा को ट्यूशन पढ़ाना शुरू करता है। मनोरमा चक्रधर को चाहने लगती है। बेटे की इस नौकरी से फायदा उठाकर मुंशी बज्रधर ने दीवान साहब से रब्त-जब्त बढ़ाया और वे तहसीलदार हो गये।

जगदीशपुर की रानी देवप्रिया विधवा है; पर वह भोग-विलास में जीवन व्यतीत करती है। एक ऐसा राजकुमार वहां आता है जो पूर्वजन्म में अपने आपको रानी का पति बताता है। रानी उस राजकुमार के प्रस्ताव पर अपना राज्य विशालसिंह को देकर उसके साथ चली जाती है।

विशालसिंह का राजतिलक होता है, तो उसके लिए आसामियों से जबरदस्ती चन्दा वसूल किया जाता है। खूब लूट-खसोट होती है और चारों तरफ कुहराम मच जाता है। चक्रधर समझता है कि इस अत्याचार में राजा विशालसिंह का कोई हाथ नहीं। अफसर और छोटे कर्मचारी अपने मन से यह जुल्म ढा रहे हैं। वह राजा के पास शिकायत लेकर जाता है तो उल्टा उसे झाड़ पड़ती है। जुल्म बढ़ता है तो घास मजदूर राजा के मजिस्ट्रेट और पुलिस पर आक्रमण कर देते हैं। अहिंसावादी चक्रधर बीच में पड़कर मजदूरों को शान्त कर देता है और स्वयं चोट खाकर मजिस्ट्रेट को बचा लेता है। फिर भी मजदूरों को भड़काने के अपराध में उसे जेल भेज दिया जाता है।

राजा विशालसिंह की उम्र ढल चुकी है और उसकी पहले भी तीन पत्नियां हैं, फिर भी वह मनोरमा पर लट्टू हो जाता है और उसके साथ विवाह करने को कहता है। मनोरमा राजा से चक्रधर को छोड़ देने की सिफारिश करती है; पर वह सिफारिश पर छूटने से इनकार कर देता है। उसका मुकदमा मनोरमा के भाई गुरुप्रसाद की अदालत में लगता है और वह उसे बरी कर देता है।

जेल से छूटने पर खुद राज्य की ओर से चक्रधर का धूम-धाम से स्वागत होता है। इसमें मनोरमा का हाथ है, जिससे चक्रधर को मालूम हो जाता है

कि मनोरमा अब भी उससे प्रेम करती है। वे दोनों गांव-गांव घूमकर प्रजा को सुखी करने का यत्न करते हैं।

इसी बीच में आगरा में साम्प्रदायिक दंगा होता है जिसमें अहिल्या का धर्म-पिता यशोदानन्दन मारा जाता है। चक्रधर आगरा पहुंचता है। अहिल्या को मुसलमान उठाकर ले जाते हैं, लेकिन यशोदानन्दन के मित्र और मुसलमानों के नेता ख्वाजा साहब की सहायता से वह लौट आती है। चक्रधर अहिल्या से विवाह करके उसे घर लाता है। माता-पिता पुत्रवधू का स्वागत तो करते है, पर इस कारण कि उसे मुसलमान उठा ले गए थे, उससे छूतछात करते हैं। चक्रधर को माता-पिता का यह व्यवहार बुरा लगता है और वह अहिल्या को लेकर इलाहाबाद चला जाता है। वहां उनके एक पुत्र उत्पन्न होता है, जिसका नाम शंखधर रखा जाता है।

मनोरमा की बीमारी का समाचार पाकर चक्रधर पत्नी और पुत्र को साथ लेकर जगदीशपुर आता है। वहां कुछ ऐसे प्रमाण मिल जाते हैं जिनसे सिद्ध हो जाता है कि मनोरमा राजा विशालसिंह की लड़की है, जो बीस वर्ष पहले खो गई थी। उसे पिता की सम्पत्ति का एक भाग मिल जाता है। अब न उसे पति की परवाह है और न पुत्र की। ऐश्वर्य में दिन बिताने लगती है। चक्रधर को कोई अपना दिखाई नहीं देता; वह खोया-खोया-सा इधर-उधर घूमा करता है। एक दिन मार्ग में उसकी मोटर बिगड़ जाती है। चक्रधर एक देहाती को उसे चलाने में सहायता करने के लिए कहता है और उसके इनकार करने पर उसे इतना मारता है कि वह बेचारा मर जाता है।

इस घटना-चक्र में पड़कर चक्रधर बहुत दुःखी रहने लगता है। अन्त में घर छोड़कर जाने किधर निकल जाता है और अज्ञात जीवन बिताने लगता है।

शंखधर पिता की खोज में निकलता है और उसे ढूंढ लेता है। लेकिन लौटते समय वह किसी अज्ञात शक्ति के कारण रानी देवप्रिया के पास जा पहुंचता है और दोनों खूब प्रेम से मिलते हैं। चूंकि शंखधर पूर्वजन्म में देवप्रिया का पति था, वह कमला बनकर उससे विवाह कर लेती है। लेकिन यह मिलाप बहुत दिनों नहीं रह पाता। शंखधर यह कहकर शरीर त्याग देता है कि हम तब मिलेंगे जब हममें वासना न रहेगी। पुत्र की मृत्यु का समाचार पाकर राजा आत्महत्या कर लेता है।

चक्रधर लौटकर घर आता है तो यह सब-कुछ मालूम करके बहुत दुःखी होता है और इसी दुःख में अहिल्या भी मर जाती है। जगदीशपुर में फिर देवप्रिया राज करने लग जाती है। उसने अब वासना को त्याग दिया है। इसलिए

अब वह विलासिनी देवप्रिया नहीं, तपस्विनी देवप्रिया है।

आलोचना–प्रेमचन्द ने गांधी की मान्यताओं को लेकर यह उपन्यास लिखा था। इसमें हिन्दू-मुस्लिम दंगों और प्रजा पर राजाओं के अत्याचारों को दूर करने का सुधारवादी हल प्रस्तुत करने का यत्न किया गया है। प्रेमचन्द इसमें सफल नहीं हुए। जहां वे यथार्थ का चित्रण करते हैं, गांवों की दरिद्रता, देहातियों के दुःख, विवशता और उन पर राजा और उसके कर्मचारियों के अत्याचारों का वर्णन करते हैं, वहां तो बात बनती है और पढ़ने में मन भी लगता है। लेकिन जहां देवप्रिया के अलौकिक प्रेम, पूर्वजन्म और आवागमन का चक्र शुरू हो जाता है और जब चक्रधर जेल से निकलने के उपरान्त अपने आदर्श को किसी प्रकार आगे नहीं बढ़ा पाता और अज्ञात जीवन बिताने चला जाता है तो समस्त उपन्यास गोरख-धन्धा और शब्दाडम्बर दिखाई देने लगता है। 'प्रेमाश्रम' में प्रेमचन्द यथार्थ के मार्ग पर जितना आगे बढ़े थे, 'कायाकल्प' में उतना ही पीछे लौट गए मालूम पड़ते हैं। मन्मथनाथ गुप्त ने इस उपन्यास पर आलोचना करते हुए ठीक ही लिखा है–''कायाकल्प' प्रेमचन्द की सबसे शिथिल रचना है। इसे एक भानमती का पिटारा कहा जाए तो कोई अत्युक्ति न होगी।'' उर्दू के आलोचकों की भी इस उपन्यास के बारे में यही राय है। सय्यद तालिबअली 'तालिब' लिखते हैं–''प्रेमचन्द-जैसे यथार्थवादी लेखक की कलम से जब आवागमन के सबूत में अलौकिक और विचित्र घटनाएं निकलती हैं तो आश्चर्य से आंखें खुली रह जाती हैं। जगदीशपुर के राजा के तीन जन्म और प्रत्येक जन्म की स्मरणशक्ति अजीब है...रानी देवप्रिया का चरित्र केवल फरिश्ते ही समझ सकते हैं।'' अन्त में लिखते हैं–''रब्त और रवानी पहले हिस्से में कुछ ज्यादा है, मगर रफ्ता-रफ्ता कम होते-होते गायब हो गई।''

चूंकि उपन्यासकार सुधारवाद की दलदल में जा फंसा है और यथार्थ का साथ छूट गया है, इसलिए कोई भी पात्र उभरने नहीं पाता। प्रेमचन्द ही के कथनानुसार चक्रधर इस उपन्यास का आदर्श पात्र है। परन्तु उसका आदर्श पाठक को प्रभावित और प्रेरित नहीं करता। वह अहिंसा के आदर्श को लेकर एक ओर तो मजदूरों के आक्रमण को रोकता है और दूसरी ओर एक गरीब देहाती की हत्या इसलिए कर डालता है कि वह उसकी मोटर चलाने में सहायता करने से इनकार कर देता है।

हमने इस पुस्तक के 'कला' शीर्षक परिच्छेद में भी इस उपन्यास की आलोचना की है। उसे पढ़कर उपन्यास के अरोचक होने का कारण और स्पष्ट हो जाएगा।

रंगभूमि

प्रेमचन्द ने यह उपन्यास 1927-28 में लिखा था। हमें इसमें सामाजिक और राजनीतिक तत्त्वों का समन्वय मिलता है और उभरते हुए पूंजीवाद के सामने पुरानी मान्यताओं को टूटते हुए दिखाया गया है। कहानी इस प्रकार है–

सूरदास बनारस के पास पांडेपुर गांव का एक भिखारी है। पूर्वजों से विरासत में मिली उसकी कुछ भूमि है, जिसमें गांव के पशु चरते हैं। एक उदीयमान ईसाई पूंजीपति इस भूमि को खरीदकर उसमें सिगरेटों का कारखाना लगाना चाहता है। सूरदास एक बार भीख मांगने के लिए उसकी गाड़ी के पीछे दौड़ता है, तो जानसेवक उसे अवज्ञा से झिड़क देता है। पर जब दूसरे ही क्षण उसे अपने मुन्शी से पता चलता है कि यही अन्धा भिखारी उस भूमि का मालिक है जिसे वह लेना चाहता है, तो वह सूरदास से बड़ी नम्रता से पेश आता है। वह सूरदास को जमीन के अच्छे दाम देना चाहता है; लेकिन सूरदास जमीन बेचने से इनकार कर देता है, क्योकि उसमें गांव के ढोर चरते हैं और सिगरेट का कारखाना लगने से गांव उजड़ जाएगा और व्यभिचार फैलेगा।

जानसेवक की लड़की सूफिया आदर्शवादी है। वह सूरदास के विचारों से बहुत प्रभावित होती है। जानसेवक की पत्नी, सूफिया की मां कट्टर ईसाइन है। वह मजहब की बात लेकर एक दिन बेटी से लड़ पड़ती है और उसे घर से निकाल देती है।

सूफिया मार्ग में एक अग्निकाण्ड देखती है और उसमें से एक आदमी की जान बचाने का यत्न करते हुए बेहोश हो जाती है। चौथे दिन उसे होश आता है, तो वह कुंवर भरतसिंह के विशाल भवन में पड़ी है। कुंवर साहब के लड़के विनयसिंह ने सूफिया की जान बचाई है। सूफिया उसे श्रद्धा से देखती है और उन दोनों में प्रेम हो जाता है।

जब जानसेवक को मालूम होता है कि सूफिया बीमार है तो वह इसलिए तीमारदारी को दौड़ा आता है कि इस बहाने कुंवर साहब से सम्बन्ध जुड़ेगा और उनसे काफी लाभ उठाया जा सकेगा। जानसेवक को इस काम में वाकई सफलता प्राप्त होती है और वह अपनी वाकपटुता से कुंवर साहब के हाथ पचास हजार के शेयर बेच देता है। फिर कुंवर साहब का दामाद चतारी का राजा म्युनिसिपैलिटी का चेयरमैन है। जानसेवक उस पर डोरे डालता है और अपने प्रभाव से सूरदास की जमीन दिलाने को कहता है। कुंवर साहब का

दामाद महेन्द्रसिंह खुद पांडेपुर जाकर सूरा को समझाता है कि कारखाना खुलने से कारोबार बढ़ेगा और गांव वालों को काम मिलेगा; पर सूरा उसकी बात नहीं मानता। उसे यही डर है कि कारखाना लगने से ताड़ी, शराब का प्रचार बढ़ेगा और गांव में कसबियां आ बसेंगी।

उधर विनय की मां रानी जाह्नवी को जब मालूम होता है कि उसका बेटा एक ईसाई लड़की के प्रेम-जाल में फंसता जा रहा है तो वह विनय को राजस्थान भेज देती है। वह वहां जाकर ग्राम-सुधार में लग जाता है। लेकिन उसे सूफिया की याद नहीं भूलती। वह उसके भाई प्रभुसेवक की मार्फत सूफिया को एक पत्र लिखता है जिसमें वह अपने प्रेम की बात कहता है। सूफिया यह पत्र रानी जाह्नवी को दिखा देती है। शायद उसे आशा थी, बेटे का यह पत्र देखकर रानी का कठोर दिल पिघल जाएगा और वह उन्हें ब्याह की अनुमति दे देगी। पर इसके उलट रानी जाह्नवी सूफिया को आज्ञा देती है कि वह विनय को यह पत्र लिखे कि वे दोनों बहन-भाई हैं और उनमें यही एक प्रेम-सम्बन्ध कायम रह सकता है। सूफिया यह पत्र लिखते समय बेहोश हो जाती है।

इस इलाका में क्लार्क नामी एक नया अंग्रेज मजिस्ट्रेट आ जाता है। उसका जानसेवक परिवार से मेल-जोल बढ़ता है। सूफिया की मां मिसेज सेवक को आशा बंधती है कि सूफिया का विवाह मजिस्ट्रेट क्लार्क से हो जाएगा और वह अपना धार्मिक मतभेद और द्वेष भूलकर सूफिया को घर ले आती है।

विनयसिंह जसवन्तनगर में जनता की सेवा कर रहा है। एक दिन, जब वह किसी गांव से लौट रहा होता है, डाकुओं के सरदार वीरपालसिंह से उसकी भेंट हो जाती है। उनमें बड़ी देर तक बातें होती हैं और अन्त में विनय को पता चलता है और उसे विश्वास भी हो जाता है कि वीरपालसिंह और उसके साथी डाकू नहीं, राजा के अन्याय और अत्याचारों के विरुद्ध लड़ने वाले देशभक्त हैं। राजा की सरकार ने उन्हें खामखाह डाकू घोषित कर दिया है।

इस भेंट का भेद खुल जाने पर राजा की सरकार विनयसिंह पर डाकुओं से मिला होने का आरोप लगाकर उसे जेल में डाल देती है। छः महीने बाद वीरपालसिंह उसे जेल से छुड़ाने आता है। लेकिन विनय उसके साथ जाने से इनकार कर देता है।

सूफिया घर आती है तो उसे मालूम होता है कि उसका बाप क्लार्क के अधिकार का लाभ उठाकर सूरदास की जमीन हासिल कर रहा है तो वह क्लार्क से झूठा प्रेम जताती है और उसे अन्धे सूरदास की जमीन लेने की

आज्ञा मन्सूख करने को कहती है। क्लार्क सूफिया की यह बात मान लेता है। पर चतारी का राजा महेन्द्रसिंह इस मन्सूखी को अपना अपमान समझता है और उसके आन्दोलन से क्लार्क का तबादला जसवन्तनगर में हो जाता है। वहां सूफिया विनय से जेल में भेंट करती है और तब विनय को मालूम होता है कि उसकी मां रानी जाह्नवी ने सूफिया की क्लार्क से सगाई की जो बात लिखी थी वह गलत है। वे दोनों एक-दूसरें के बने रहने की प्रतिज्ञा करते हैं।

सूफिया विनय को जेल से छुड़ाने की कोशिश कर रही है। लेकिन इसी बीच में नायकराम पांडेपुर से यह सन्देश लेकर पहुंच जाता है कि रानी जाह्नवी बीमार है और वह विनय से मिलना चाहती है। यह सूचना पाकर विनय जेल से भाग निकलता है। बाहर आकर देखता है कि क्लार्क की मोटर के नीचे आकर एक आदमी कुचल गया है। इसी कारण वीरपालसिंह के नेतृत्व में जनता में विद्रोह फैल गया है। सूफिया क्लार्क का पक्ष लेती है और विनय के देखते-ही-देखते कोई व्यक्ति सूफिया को ढेला मारता है। इस पर विनय का क्रोध भड़क उठता है और वह वीरपालसिंह पर झपटता है। लेकिन उसे गिरा दिया जाता है और क्रान्तिकारी सूफिया को उठाकर ले जाते हैं। इसके बाद जब विनय रियासत की पुलिस और सरकारी कर्मचारियों के साथ सूफिया को खोजने निकलता है तो उसे न पाकर बहुत दुःखी होता है। आखिर खुद क्रान्तिकारी उसे चुपचाप अपने डेरे पर ले जाते हैं। वहां उसे मालूम होता है कि सूफिया भी क्रान्तिकारी बन चुकी है।

पांडेपुर में एक ताड़ीफरोश भैरों है, जो अपनी स्त्री सुभागी को बहुत मारता-पीटता है और एक दिन उसे घर से निकाल देता है। सूरदास तरस खाकर सुभागी को अपने घर में आश्रय देता है। इस पर भैरों सूरे को बदनाम करना शुरू करता है और गांव के लोग उसके विरुद्ध हो जाते हैं और उसे अपनी जमीन बेच देने को कहते हैं। पर वह अपनी बात पर अड़ा रहता है।

पराई स्त्री को घर में रखने का आरोप लगाकर सूरे पर मुकदमा चलता है और उसे सजा देकर जेल भेज दिया जाता है। इससे लोगों की सहानुभूति उसके साथ हो जाती है और जुर्माना अदा करके उसे जेल से छुड़वा लिया जाता है।

विनय जब सूफिया से मिलकर लौटता है तो उसे मां का पत्र मिलता है, जिसमें लिखा है कि तुम व्यर्थ ही जीवन बिता रहे हो, घर क्यों नहीं लौट आते। क्रान्तिकारियों के साथ चले जाने के कारण अब रियासत वाले भी उसका

विश्वास नहीं करते। इसलिए वह वहां से लौट पड़ता है। पांचवें स्टेशन पर सूफिया उसे अकस्मात मिलती है। क्रान्ति से उसका विश्वास उठ गया है और वह विनय को रास्ते में उतर जाने के लिए कहती है। विनय उसकी बात मान लेता है और वे दोनों कुछ दिनों जंगली जीवन व्यतीत करते हैं और एक आदर्श प्रेम के राग अलापते हैं।

फिर वे दोनों घर लौट आते हैं। विनय जब मां के सामने आत्महत्या करने लगता है, तो वह उसे क्षमा कर देती है। मां की बात और है, लोग तो उसे क्षमा नहीं करते। सूरदास की जमीन हीं नहीं सारा गांव हाथ से निकल चुका है और लोग सूरे के नेतृत्व में सत्याग्रह कर रहे हैं। वे विनय को देखते ही ताना देते हैं कि इतने दिनों कहां छिपे रहे? विनय को यह बात लग जाती है। वह एकदम पिस्तौल निकालकर कहता है, क्या तुम देखना चाहते हो कि रईसों के बेटे कैसे जान देते हैं। और वह आत्महत्या कर लेता है। सत्याग्रह में सूरदास को भी गोली लग जाती है और वह मर जाता है।

सूफिया पर जब क्लार्क से विवाह करने के लिए जोर डाला जाता है तो वह भी आत्महत्या कर लेती है और मां बेटी के गम में पागल होकर मर जाती है। लेकिन जानसेवक निर्लिप्त भाव से कारखाना चलाता रहता है। कारखाना ही उसके जीवन की साध है। उसे किसी दूसरी चीज से लगांव नहीं।

बेटे की मृत्यु से निराश होकर कुंवर भरतसिंह जनसेवा का कार्य छोड़ देते हैं और विलासिता का जीवन बिताने लगते हैं। उनका विश्वास ईश्वर पर से भी उठ जाता है और उन्हें दुनिया में अन्धेर ही अन्धेर दिखाई देता है।

आलोचना—सूरदास इस उपन्यास का आदर्श पात्र है। वह एक भला आदमी है और दूसरों के लिए बड़े से बड़ा त्याग करने को तैयार है। वह भीख मांगकर जीवन बिता रहा है और अपनी जमीन गांव के पशुओं के लिए छोड़ रखी है। जानसेवक से बड़ी रकम का प्रलोभन मिलने पर भी वह इसे नहीं बेचता। उसे डर है कि कारखाना खुलने से व्यभिचार फैलेगा और गांव वालों का धर्म भ्रष्ट होगा। इसलिए वह कारखाना लगने का विरोध करता है, अंत तक अपनी बात पर अड़ा रहता है और अपने आदर्शों की रक्षा के लिए लड़ते हुए मर जाता है। विरोध मोल लेकर भी अबला सुभागी को आश्रय देता है। भैरों से भी उसे कोई घृणा नहीं। वह सुभागी को उसके क्रोध से बचाने के लिए अपनी कमाई के पांच सौ रुपये उसे सौंप देता है और जुलूस के लिए इकट्ठे हुए तीन सौ रुपए भी भैरों को झोंपड़ी बनाने के लिए दे देता

है। यह सब बातें देख भैरों अपना द्वेष त्याग अन्त में भला आदमी बन जाता है।

आलोचक सूरदास को गांधीवाद का प्रतिरूप कहते हैं। प्रेमचन्द ने भी उसे आदर्श व्यक्ति के रूप में ही प्रस्तुत किया है। वह जिस बात को सत्य मान लेता है, गांव वालों के विरोध और परिस्थितियों के प्रतिकूल होने के बावजूद उसके लिए लड़ता है और अन्त में इसी सत्य की रक्षा में प्राण त्याग देता है।

लेकिन प्रेमचन्द ने, जाने या अनजाने, गांधीवाद के इस प्रतिरूप को अन्धा दिखाया है, जो वस्तुस्थिति से आंखें मूंदकर लड़ता है। मगर प्रेमचन्द यथार्थवादी थे, उनकी आंखें बन्द नहीं थीं। इसलिए आदर्शों के मुकाबले अंत में उन्होंने यथार्थ ही की जीत दिखाई है। बढ़ते हुए पूंजीवाद के सामने सामन्त युग की पुरानी व्यवस्था और उसकी मान्यताएं ठहर नहीं सकतीं। पाण्डेपुर उजड़ जाता है और वहां जानसेवक का कारखाना लगता है। स्वयं सूरदास अपनी हार स्वीकार करता है—"तुम जीते, मैं हारा।" इसके विपरीत गांधीवादी सत्याग्रही कभी हार को हार नहीं मानता। सूरदास की यह असंगति प्रेमचन्द की अपनी असंगति थी।

उपन्यास का नौजवान पात्र विनय पाठक को किसी प्रकार भी प्रभावित नहीं करता। उसके चरित्र में तनिक भी स्थिरता नहीं। कभी वह जनता का पक्ष लेता है और कभी राजा और क्लार्क का। वह वीरपालसिंह के साथ जेल से भागने से इनकार कर देता है, पर मां की बीमारी की सूचना पाकर अपने इस आदर्श को छोड़ देता है। मां जब लिखती है कि सूफिया की क्लार्क से सगाई हो गई तो उसे संसार सूना दिखाई देने लगता है और वह आत्महत्या करने को तैयार हो जाता है। इसी भावुकता और ढुलमुल विश्वास के कारण उसका अन्त आत्महत्या ही से होता है।

प्रेमचन्द ने 'जमाना' के सम्पादक दयानारायण निगम को अपने एक पत्र में लिखा था कि मैंने सूफिया का चरित्र मिसेज एनीबेसेंट से लिया है। यह सच है। सूफिया मिसेज एनीबेसेंट की तरह एक विश्व-धर्म (Cosmopolitanism) में विश्वास रखती है। इसीलिए कट्टर ईसाइन मिसेज सेवक (अपनी मां) से उसकी नहीं बनती। फिर भी उसके विचार धार्मिक और सुधारवादी हैं। यथार्थवाद से उनका कोई सम्बन्ध नहीं। वह वीरपालसिंह के डेरे पर पहुंचकर क्रान्तिकारिणी बन तो जाती है; पर उराकी गनोवृत्ति और वर्ग स्वभाव से क्रान्ति का कुछ भी मेल नहीं। इसलिए क्रान्ति का यह ज्वर शीघ्र ही उतर जाता है।

उसके प्रेम का भी यथार्थ से कोई सम्बन्ध नहीं, वह मानसिक और आदर्शवादी है। परिस्थितियों को अनुकूल न पाकर सूफिया भी आत्महत्या कर लेती है। अर्थात् इस यथार्थवादी युग में सुधारवाद के लिए आत्महत्या के अतिरिक्त और कोई चारा नहीं।

जानसेवक यथार्थवादी और भौतिकवादी है। प्रेमचन्द ने उसमें एक पूंजीवादी का ठीक-ठीक चरित्र-चित्रण किया है। वह धर्म को व्यापार का शृंगार समझता है और सब काम अपने स्वार्थ को मद्देनजर रखकर करता है। पत्नी और पुत्री के मर जाने पर भी निर्लेप रहता है। कुंवर भरतसिंह का यथार्थ चित्रण हुआ है। ऐसे सम्पत्तिशाली वास्तव में विलासी होते हैं। जनसेवा भी उनके लिए विलास और मनबहलाव का साधन है। जब सरकार से टकराव हो, उन्हें अपनी सम्पत्ति खतरे में पड़ती दिखाई दे तो सारी जनसेवा, सारी देशभक्ति भूल जाती है। डॉक्टर गंगोली ठीक ही कहते हैं कि हम पूंजीपतियों से अपने राष्ट्रीय आन्दोलनों के नेतृत्व की आशा नहीं रख सकते। डॉक्टर गंगोली एक ईमानदार बुद्धिजीवी हैं। आरम्भ में वह अंग्रेजों को जनतन्त्रवादी समझते हैं और उनका विश्वास है कि धारासभा में न्याय की बात सुनी जाएगी और वहां पहुंचकर वे जनता का बहुत-कुछ भला कर सकेंगे। लेकिन अनुभव से यह विचार गलत सिद्ध होता है और वह जनतन्त्र की निन्दा करते हुए धारासभा को बहस का अखाड़ा बताते हैं। इससे अधिक कुछ नहीं।

'प्रेमाश्रम' के उपरान्त प्रेमचन्द 'कायाकल्प' में जितना यथार्थ से पीछे हट गए थे इस उपन्यास में फिर उतना ही आगे बढ़ आए हैं। इस उपन्यास पर आतंकवादियों का प्रभाव भी दिखाई देता है। प्रेमचन्द ने जहां सूरदास द्वारा गांधीवाद को चित्रित किया है वहां वे वीरपालसिंह के सशस्त्र विद्रोह की भी निन्दा नहीं करते। 'प्रेमाश्रम' के बलराज की तरह यहां हमें इन्द्रदत्त क्रान्तिकारी नौजवान भी मिलता है जिसे प्रेमचन्द विनयसिंह से कुछ अधिक उभारते हैं। उसके प्रति पाठक की श्रद्धा और सहानुभूति अंत तक बनी रहती है।

प्रेमचन्द ने इस उपन्यास में वर्तमान समाज के सब स्तरों को उधेड़कर सामने रख दिया है। क्लार्क साम्राज्य का प्रतीक है। ऐसे लोगों के होते अदालतें ढोंग हैं, कानून और वकील ढोंग हैं। इस पद्धति के रहते जनता को न्याय नहीं मिल सकता। पूंजीवाद और कारखानेदारी का बढ़ना इस युग का एक सत्य है। अगर इसके अतिरिक्त कोई और भी सत्य है तो वह इसके सामने टिक नहीं सकता। यद्यपि प्रेमचन्द स्वयं जानसेवक का सिगरेट का कारखाना लगने के पक्ष में नहीं हैं; फिर भी कारखाना लगता है और पांडेपुर उजड़ जाता

है। यदि इसके मुकाबले में प्रेमचन्द सूरदास के आदर्शवाद की जीत दिखाते तो शायद वह ठीक न होता।

गबन

यह उपन्यास मध्यम वर्ग के जीवन को लेकर लिखा गया है। दयानाथ 'सेवा-सदन' के कृष्णचन्द्र की तरह भला और ईमानदार व्यक्ति है। वह कचहरी में नौकर है और रिश्वत लेने की सुविधा होने पर भी ऐसी कमाई को हराम समझता है। लेकिन जब बेटे के विवाह का अवसर आता है तो वह अपनी हैसियत से बढ़कर खर्च करता है और कर्ज से लद जाता है।

कर्ज से लद जाने के बावजूद पुत्रवधू संतुष्ट नहीं होती। वह बचपन से स्वप्न देखती आई थी कि विवाह होगा तो चन्द्रहार पहनेगी। लेकिन दयानाथ और आभूषण तो ले गए मगर चन्द्रहार नहीं बनवा सके। उसे संतुष्ट करने के लिए उसके पति रमानाथ ने बड़ी डींगें मारीं और अपनी हैसियत को बढ़ा-चढ़ाकर कहा। उधर विवाह के उपरान्त कर्ज वालों के तकाजे बढ़ने लगे। पिता समझते थे कि ब्याह में बहुत-सा नकद रुपया मिलेगा और वे बारात से लौटकर कर्ज चुका देंगे। रुपया मिला जरूर; लेकिन वह भी ठाठ-बाट में खर्च हो गया। जब समधी बेटी का विवाह इतनी धूमधाम से कर रहा है तो वह क्यों बेटे के विवाह में उदारता न दिखाएं? अब कर्ज चुकाने के लिए दयानाथ ने रमानाथ से सलाह की और तय पाया कि कुछ आभूषण सर्राफ को लौटा दिए जाएं। रमानाथ जालपा को वस्तुस्थिति से परिचित कराने और आभूषण मांगने के बजाय रात को उसके गहनों का डिब्बा उड़ा लाता है और फिर आप ही उनके चोरी जाने का ढिंढोरा पीट देता है। जालपा गहने चले जाने से बहुत दुःखी होती है।

रमानाथ को म्युनिसिपैलिटी में चुंगी की नौकरी मिल जाती है। उसे तीस रुपया मासिक वेतन मिलता है और इसके अतिरिक्त कुछ ऊपर की आमदनी हो जाती है। वह जालपा को खुश करने के लिए उसके मनपसंद आभूषण खरीदता है, जिससे उसके जिम्मे सर्राफ का छः सौ रुपया कर्ज हो जाता है।

जालपा का परिचय हाई कोर्ट के एडवोकेट की पत्नी रतन से हो जाता है। रतन को जालपा के जड़ाऊ कंगन बहुत पसंद आते हैं और वह रमानाथ को छः सौ रुपये देकर ऐसे ही कंगन खरीदने को कहती है। सर्राफ यह रुपये अपने कर्ज खाते में जमा कर लेता है और रमानाथ को उधार कंगन देने से इनकार कर देता है। उधर कंगनों के लिए तकाजा बढ़ता है। रमानाथ उनके

बनने में देर होने का बहाना करके बात टालता रहता है। अन्त में रतन कहती है कि यदि कंगन नहीं बनते तो मेरे रुपये ही वापस ला दो। रमानाथ इस विचार से कि रुपये देखकर रतन शान्त हो जाएगी, एक दिन चुंगी के रुपए दाखिल कराने के बजाय घर ले आता है। उसकी अनुपस्थिति में रतन तकाजा करने आती है तो जालपा ये रुपये उठाकर उसे दे देती है।

अब रमानाथ बड़ी मुश्किल में फंस जाता है। कल रुपया खजाने में दाखिल न हुआ तो उस पर गबन का मुकदमा चलेगा और उसे गिरफ्तार करके जेल में डाल दिया जाएगा। वह सारा हाल जालपा को बताने के लिए एक पत्र लिखता है और असमंजस में पड़ जाता है कि पत्र उसे दे या न दे; पर वह अनायास जालपा के हाथ लग जाता है। पत्नी को पत्र पढ़ते देखकर रमानाथ को इतनी लज्जा आती है कि वह घर से भाग खड़ा होता है। जालपा पत्र पढ़कर सब-कुछ समझ जाती है और अपने गहने बेचकर रुपया म्युनिसिपैलिटी को लौटा देती है।

गाड़ी में रमानाथ की भेंट एक बूढ़े खटीक देवीदीन से हो जाती है और वह कलकत्ता पहुंचकर उसी के घर रहने लगता है। बूढ़े खटीक की सब्जी की दुकान है, जिस पर प्रायः उसकी बुढ़िया पत्नी काम करती है। बूढ़े का स्नेह देखकर रमानाथ उसे अपने पिता के सदृश मानने लगता है और घर से भागने का सारा हाल बता देता है। रमानाथ अपने को ब्राह्मण बताता है और पुलिस के भय से छिप-छिपकर सावधानी और सतर्कता से रहता है। लेकिन एक दिन जब वह ड्रामा देखकर लौट रहा होता है, पुलिस वाले उसे खामखाह अपनी नजर से ओझल होते देखकर गिरफ्तार कर लेते हैं। थाने में जाकर वह आप ही म्युनिसिपैलिटी के रुपये गबन करने की बात कह देता है। पुलिस वाले टेलीफोन द्वारा इलाहाबाद पुलिस और म्युनिसिपैलिटी से बात करते हैं तो पता चलता है कि रमानाथ चुंगी में मुन्शी जरूर था; पर उसने कोई गबन नहीं किया।

लेकिन पुलिस उसे छोड़ती नहीं। उन्होंने देशभक्त क्रान्तिकारियों पर एक झूठा मुकदमा बना रखा है। वे रमानाथ को उसमें वादा मुआफ गवाह बनाकर क्रान्तिकारियों के विरुद्ध बयान देने को कहते हैं। रमानाथ पहले तो उनकी बात मानने से इनकार करता है, लेकिन बाद में जेल जाने के भय से कांप उठता है और पुलिस की बात मान लेता है।

रमानाथ पुलिस का पढ़ाया हुआ बयान अदालत में देता है और उसके आधार पर क्रान्तिकारियों को लम्बी-लम्बी सजाएं हो जाती हैं। इससे सब लोग

और खुद देवीदीन रमानाथ से घृणा करने लग जाता है।

रमानाथ की गिरफ्तारी से पहले जालपा ने रतन की सलाह से शतरंज का एक नक्शा समाचार-पत्रों में प्रकाशित करके घोषित किया था कि उसे हल करने वाले को पचास रुपये का इनाम दिया जाएगा। रमानाथ ने नक्शा भरकर वह इनाम प्राप्त किया था, जिससे घर वालों को मालूम हो गया कि रमानाथ कलकत्ता में है।

जालपा रमानाथ की खोज में कलकत्ता आती है और उसी खटीक के घर ठहरती है। उसे यह जानकर बहुत दुःख होता है कि रमानाथ एक झूठे मुकदमे में मुखबिर बन गया है। उसे इस कुचक्र से निकालने के लिए वह रमानाथ को सूचित करती है कि उस पर कोई सरकारी रकम नहीं है। लेकिन वह पुलिस के जाल में ऐसा फंसा है कि उससे निकलना कठिन हो जाता है।

इस बीच में रतन का बूढ़ा पति बीमार पड़ जाता है और वह उसका इलाज कराने कलकत्ता आती है। वह जालपा की हर तरह सहायता करती है।

क्रान्तिकारियों को सजा हो जाने के बाद रमानाथ के मन में अपने प्रति ग्लानि उत्पन्न होती है और एक बार जब वह पुलिस द्वारा मिले हुए आभूषण लेकर जालपा के पास आता है तो वह उन्हें घृणा से ठुकरा देती है। जालपा एक क्रान्तिकारी की बूढ़ी माता की सेवा करने में जीवन बिताने लगती है।

और उपन्यास का अन्त यों होता है कि एक वेश्या जोहरा की सहायता से, जो रमानाथ का मन बहलाने के लिए पुलिस द्वारा लाई गई है, वह इस कुचक्र से निकलने में सफल हो जाता है। वह हाई कोर्ट के जज से मिलकर पुलिस के झूठ का सारा कच्चा चिट्ठा कह देता है। मुकदमा हाई कोर्ट में फिर सुना जाता है और रमानाथ के बयान बदलने पर क्रान्तिकारी रिहा कर दिए जाते हैं। रमानाथ, जालपा और उसका पिता गंगा के तट पर खेती करने लगते हैं। जोहरा भी उनके साथ रहती है; पर एक दिन स्नान करते समय गंगा की तेज धारा में बह जाती है।

आलोचना—मध्यम वर्ग की स्थिति पर प्रेमचन्द की यह सफल कृति कही जा सकती है। हमारे समाज के मध्यम वर्ग के लोग दिखावे और विडम्बना को बहुत पसन्द करते हैं। इसीलिए रीति-रिवाज में फंसे रहते हैं। शादी-विवाह पर वे अपनी स्थिति से बढ़कर खर्च करते हैं और खामखाह अपने आपको धनी दिखाने की चेष्टा में कर्ज में धंसते चले जाते हैं और जीवन दुःख में गुजरता है। इसी कारण वे गबन तक करने पर मजबूर होते हैं। हर मध्यम वर्गीय युवक की यह आकांक्षा होती है कि उसके पास बहुत-सा धन हो। उसके

सगे-सम्बन्धी और संगी-साथी उसे बड़ा धन्नाशाह समझकर उसका सम्मान करें। रमानाथ इस वर्ग का टाइप चरित्र है। रमानाथ की तरह यह वर्ग बहुत ही छिछला और ढुलमुल विश्वास का होता है। उसके संकल्प अधिक ठहरते नहीं। अपनी दुर्बल मनोवृत्ति के कारण अपनी इच्छा के विरुद्ध काम करने पर वह विवश हो जाता है। इस वर्ग के कुछ कार्यकुशल और बुद्धिजीवी लोग इन्द्रभूषण वकील की तरह सम्पत्तिशाली बनकर ऊंचे वर्ग में पहुंच जाते हैं और बहुत-से लोग रमानाथ के पिता दयानाथ की तरह नीचे स्तर पर पड़े रहने ही में सुखी और अपनी ईमानदारी पर सन्तुष्ट रहते हैं; लेकिन दिखावे का मोह वे भी नहीं छोड़ पाते। अर्थात् उनका संतोष और ईमानदारी मजबूरी का दूसरा नाम है।

रमानाथ जैसा कि हम कह चुके हैं अपने समूचे वर्ग का प्रतिनिधि है। उसमें इतना दिखावा और विडम्बना है कि वह अपनी पत्नी से भी घर की असल हालत छिपाता और अपने धनी होने की डींग हांकता है। इसी कारण वह हैसियत से बढ़कर खर्च करता है, रिश्वत लेता है, गहने कर्ज लेता है और फिर झूठी लज्जा के मारे घर से निकल जाता है। चूंकि यह वर्ग पूर्णतः व्यक्तिवादी और स्वार्थी होता है, इसलिए रमानाथ न चाहते हुए भी पुलिस का मुखबिर बन जाता है। यह ठीक है कि इस वर्ग के लोगों को अवसर मिले तो वे अच्छा बनने को भी तैयार रहते हैं और अपने पाप का पश्चाताप करते हैं। रमानाथ भी ऐसा ही करता है।

इस उपन्यास का सबसे सशक्त और प्यारा पात्र देवीदीन खटीक है। वह भी इसी वर्ग का व्यक्ति है; लेकिन बाबू नहीं, श्रमजीवी है। वह बहुत उदार और सहृदय है। वह मनुष्य से मनुष्य के नाते प्रेम करता है और मनुष्यता को आगे बढ़ाने वाले आदर्शों का अपने आचरण और त्याग से पालन करता है। उसके दो बेटे विदेशी कपड़े की दुकान पर पिकेटिंग करते हुए शहीद हो जाते हैं। मगर वह उनकी मृत्यु से निराश नहीं होता, बल्कि खुद सत्याग्रही बनकर पिकेटिंग जारी रखता है। इस त्याग के बावजूद वह अपनी देशभक्ति की डींग नहीं हांकता। वह अपढ़ है; लेकिन जीवन के अनुभवों से उसने समाज के समस्त स्तरों को समझ लिया है। रमानाथ जब सर्दी से बचने के लिए दान का कम्बल लेकर आता है, तो वह कम्बल बांटने वाले सेठ पर कटाक्ष करते हुए कहता है—"सेठ की जूट की मिल है। मजदूरों के साथ जितनी निर्दयता उसके मिल में होती है, और कहीं नहीं होती। आदमियों को हंटरों से पिटवाता है, हंटरों से। चरबी मिला घी बेचकर उसने लाखों कमा लिया, कोई नौकर एक मिनट की भी देर करे तो तुरन्त तलब कर लेता है। अगर साल में दो-चार

हजार का दान न कर दे, तो पाप का धन कैसे पचाए!'' इसी प्रकार वह देश के बगुलाभक्त नेताओं के बारे में कहता है—''गरीबों को लूटकर विलायत का घर भरना तुम्हारा काम है। हां, रोये जाओ, विलायती शराबें उड़ा लो, विलायती मोटरें दौड़ा लो, विलायती मुरब्बे और अचार चखो...पर देश के नाम पर रोये जाओ।'' देवीदीन का यह अनुभव प्रेमचन्द का यथार्थवाद है।

वकील इन्द्रभूषण उन लोगों में से है, जो अपनी बुद्धि और योग्यता धन पैदा करने में खर्च करते हैं। उन्हें देश-सेवा और समाज-सेवा से कोई सरोकार नहीं। वे विचारों की एक सीमित परिधि को ही सभ्यता और स्वतन्त्रता मानते हैं। धन कमाकर बहुत-सी सम्पत्ति जुटाने और इस सम्पत्ति का एक वारिस छोड़ जाना ही उनकी सबसे बड़ी चिंता है। इन्द्रभूषण इसीलिए बुढ़ापे में दूसरा ब्याह करता है और इस गम में घुल-घुलकर मर जाता है कि उसका कोई पुत्र नहीं है।

जालपा का चरित्र प्रेमचन्द के मन के अनुसार आदर्श महिला का चरित्र हो सकता है; लेकिन स्वाभाविक नहीं है। उसका पिता जमींदार का मुख्तार है। वह सामन्ती वातावरण में पली हुई लड़की है। दिखावे और आभूषणों की भूखी है। अधिक पढ़ी-लिखी भी नहीं और अनुभव से भी अधिक नहीं सीखती। फिर उसका एकदम रमानाथ की खोज में कलकत्ता जाना, क्रान्तिकारियों का पक्ष लेकर पति से घृणा करना अजीब-सा है। कोई भी व्यक्ति अपने स्वभाव को अकस्मात् नहीं बदल सकता। जन्म और वातावरण के संस्कारों को एकदम छोड़ देना बहुत कठिन होता है। उसके लिए अपने से जूझना और नई विचारधारा का अनुकरण करना पड़ता है। मनुष्य का बदलना इतना सहज नहीं है, जितना जालपा के चरित्र में दिखाया गया है।

देवीदीन की वृद्धा पत्नी भी पाठकों की सहानुभूति और श्रद्धा की पात्र है। वह ऊपर से कठोर, चिढ़चिढ़ी और स्वार्थरत जान पड़ती है; लेकिन उसके अन्तस्तल में शुद्ध, स्वच्छ स्नेह का स्रोत छिपा हुआ है, जो रमानाथ से तनिक-सा आदर पाकर फूट निकलता है। फिर वह रमानाथ और जालपा को अपने पुत्र और पुत्रवधू की तरह प्यार करती है। उनके लिए कष्ट सहती है और भरसक त्याग करती है।

यह उपन्यास रमानाथ के कलकत्ते भागने तक तो ठीक चलता है; लेकिन उसके बाद कथानक का ताना-बाना उलझ जाता है और उसमें बहुत-से झोल पड़ जाते हैं। क्रांतिकारियों के मुकदमे और रमानाथ को मुखबिर बनाकर प्रेमचन्द ने पुलिस के हथकण्डों और अदालतों के झूठ की पोल तो ठीक खोली है;

लेकिन कहानी उलझ गई है। एक बार हाई कोर्ट में सजा हो जाने के उपरान्त मुकदमा दोबारा सुने जाने की बात जंचती नहीं।

कर्मभूमि

'कर्मभूमि' 1932 में लिखा गया था। इस उपन्यास की सामग्री उस समय के सत्याग्रह आन्दोलन से ली गई है। अपनी इस पुस्तक के 'समर यात्रा' परिच्छेद में हम इस उपन्यास की राजनीतिक और आर्थिक पृष्ठभूमि को विस्तार से अंकित कर चुके हैं। उसे दोहराना व्यर्थ है। संक्षेप में इसकी कहानी यह है—

अमरकान्त बनारस के सेठ समरकान्त का बेटा है। वह शुद्ध खद्दर पहनता, चर्खा चलाता और सार्वजनिक कार्यों में भाग लेता है। इसलिए बाप-बेटे की नहीं बनती। अमरकान्त के पास स्कूल की फीस तक देने को पैसे नहीं होते, वह भी समय-समय पर उसका मित्र सलीम अदा कर देता है। अमरकान्त की मां बचपन में मर गई थी। पिता ने दूसरा ब्याह कराया था, उससे एक लड़की नैना है। भाई-बहन में खूब प्रेम है। दूसरी पत्नी के मरने के उपरान्त समरकान्त ने फिर अपना ब्याह नहीं कराया। सूना घर आबाद करने के लिए अमरकान्त की शादी सुखदा से कर दी है।

सुखदा को विधवा मां से बहुत बड़ी जायदाद मिलने वाली है। वह भी पति से इसलिए झगड़ती रहती है कि वह क्यों बेकार के कामों में समय नष्ट करता है, व्यापार में पिता का हाथ क्यों नहीं बटाता?

पत्नी से प्रेम न पाकर अमरकान्त सकीना की ओर आकर्षित होता है। उन दोनों का प्रेम और घर का झगड़ा बढ़ता है। आखिर एक दिन अमरकान्त पिता से कहता है—"दादा, आपके घर में मेरा इतना जीवन नष्ट हो गया, अब मैं उसे और नष्ट नहीं करना चाहता। आदमी का जीवन केवल खाने और मर जाने के लिए नहीं होता, न धन-संचय उसका उद्देश्य है। जिस दशा में मैं हूं, वह मेरे लिए असहनीय हो गई है। मैं एक नए जीवन का सूत्रपात करने जा रहा हूं...।" वह घर से चला जाता है।

अमरकान्त के चले जाने पर सुखदा की आंखें खुलती हैं और वह पति के आदर्श पर चलने के लिए जनसेवा के कार्यों में भाग लेने लगती है। शहर में अछूतों के लिए मंदिर खुलवाने का आन्दोलन चलता है। सुखदा डॉक्टर शान्तिकुमार आदि के साथ उसमें बढ़-चढ़कर भाग लेती है। आन्दोलन सफल होता है। नैना का विवाह धनीराम के बेटे मनीराम से हो जाता है।

अमरकान्त चमारों के गांव में है और जनसेवा का कार्य कर रहा है।

उस इलाके के जमींदार एक महन्तजी हैं, जो ठीक 'सेवा-सदन' के महन्त श्री बांकेबिहारीलालजी का ही एक दूसरा रूप हैं और ठीक उन्हीं की तरह आसामियों का शोषण करते हैं। इस शोषण से किसानों की आर्थिक दशा बिगड़ जाती है और अमरकान्त के नेतृत्व में लगानबंदी का आन्दोलन चलता है। अमरकान्त शोषण पद्धति के विरुद्ध किसानों के क्रोध को शान्त करके आन्दोलन अहिंसावादी ढंग से चलाता है।

उसका मित्र सलीम आई. सी. एस. में पास होकर इस इलाके में नियुक्त होता है और वही सरकार के हुक्म से अमरकान्त को गिरफ्तार करता है। लेकिन अन्त में वह भी किसानों का पक्ष लेकर जेल चला जाता है। उधर शहर में अछूतों के लिए अच्छे मकान बनावाने का आन्दोलन चल रहा है जिसमें शान्तिकुमार, सुखदा और उसकी मां रेणुकादेवी आदि लोग गिरफ्तार होकर जेल में आते हैं। अमरकान्त का बाप भी बेटे की खोज में गांव जाता है और किसान आन्दोलन के सिलसिले में गिरफ्तार होकर जेल पहुंच जाता है।

आन्दोलन इतना आगे बढ़ता है कि आखिर सरकार झुक जाती है। गवर्नर फैसला करता है कि लगानबंदी के सम्बन्ध में पांच व्यक्तियों की एक कमेटी बनाई जाए, जिसमें अमरकान्त और सलीम भी शामिल हों। सब प्रसन्न होते हैं कि वाह कितना सुन्दर फैसला है।

आलोचना—इसमें सन्देह नहीं कि उपन्यास विशेषतः राजनीतिक आन्दोलन और उसके अछूतोद्धार सम्बन्धी पहलू को लेकर लिखा गया है लेकिन इससे सूदखोरी और चोरी के माल पर चलने वाले व्यापार, पिता-पुत्र और पति-पत्नी को एक-दूसरे के गुलाम बनाए रखने वाले प्राणहीन सम्बन्ध, निकम्मी शिक्षा पद्धति, पढ़े-लिखे लोगों का स्वार्थ, सरकारी घूसखोरी और जमींदारों द्वारा किसानों के शोषण पर भी प्रकाश पड़ता है। प्रेमचन्द गो सुधारवाद और सत्याग्रह के सिद्धान्त को लेकर चलते हैं, लेकिन उनकी जड़ें हमारे जनजीवन में बहुत दूर तक चली गई थीं और उन्होंने अपने अनुभव से देख लिया था कि श्रम-शोषण, घूसखोरी, सूदखोरी और अन्धविश्वास के दीमक ने इस समाज को चाट-चाटकर इतना खोखला कर दिया है कि उसमें अब जान बाकी नहीं है। इसलिए वह नए समाज का निर्माण करने वाली शक्तियों को उभारते हैं। लेकिन जब इस जर्जर समाज का अन्त करने के लिए शक्तियां आक्रमण करती हैं तो प्रेमचन्द अकस्मात् हाथ रोक लेते हैं। हम इसलिए सोचते हैं कि उन्हें सत्याग्रह और अहिंसा के सिद्धान्तों का प्रतिपादन करना है। यहीं उनकी कला कुण्ठित हो जाती है और यहीं उनके आदर्श पात्र पाठक की श्रद्धा और सम्मान

से वंचित हो जाते हैं। मन्मथनाथ गुप्त आदि ने लिखा है कि प्रेमचन्द अपने पात्रों का मनोवैज्ञानिक चित्रण नहीं कर पाते। उनमें जो अनायास परिवर्तन होता है, उसे तर्कप्रिय बुद्धि मानती नहीं। हम इस बात को नहीं मानते कि प्रेमचन्द द्वारा पात्रों का मनोवैज्ञानिक चित्रण नहीं होता। वह होता है और बहुत अधिक मात्रा में होता है। लेकिन जब वे सिद्धांतों का प्रतिपादन करने के लिए यथार्थवाद की उपेक्षा करते हैं, तो मनोविज्ञान का दामन भी उनके हाथ से छूट जाता है।

हम अपनी इस पुस्तक के 'समर यात्रा', 'कर्म' और 'कला' परिच्छेदों में अमरकान्त के चरित्र का विश्लेषण भली प्रकार कर चुके हैं। प्रेमचन्द के कथनानुसार वह इस उपन्यास का आदर्श पात्र है। वह क्रान्ति और नवजीवन के निर्माण में विश्वास रखता है और अपने इन विचारों को कार्यान्वित करने के लिए ही पिता के घर से चला जाता है। पर अन्त में अपनी वर्गगत असंगतियों के कारण क्रान्ति को सुधारवाद के मार्ग पर डाल देता है, सरकार से समझौता करके खुश होता है और अपने सूदखोर पिता के साथ फिर घर लौट आता है।

कांग्रेस आन्दोलन की तरह इस उपन्यास में भी आन्दोलन का नेतृत्व मध्यम वर्ग के नौजवान अमरकान्त, सलीम और डॉक्टर शान्तिकुमार अथवा सेठ समरकान्त और धनीराम करते हैं। जब आन्दोलन किसानों-मजदूरों में फैलता है और क्रान्ति का रूप धारण करता तो ये लोग झट सरकार से समझौता कर लेते हैं। जिस प्रकार 1930 का जनान्दोलन गांधी-इर्विन समझौते में खत्म हुआ था, उसी प्रकार यह आन्दोलन भी लगानबंदी के सम्बन्ध में पांच व्यक्तियों की एक कमेटी पर खत्म होता है और यह समझौता ही हमारे जन-आन्दोलन की सबसे बड़ी ट्रेजडी रही है।

इतना होने पर भी इस उपन्यास में यथार्थवाद की मात्रा बहुत अधिक है। सिद्धान्त सिर्फ ऊपर-ऊपर रहते हैं, कहानी वस्तुस्थिति को लेकर आगे बढ़ती है और हमारे जनजीवन का बहुत सच्चा चित्रण हमें मिलता है। यदि अछूतोद्धार ही की बात ली जाए तो गांधी के सुधारवादी अछूतोद्धार से प्रेमचन्द का अछूतोद्धार बुनियादी तौर पर भिन्न है। गांधीजी अछूतों के लिए नागरिक अधिकारों की बात करता था, पर उनकी दीन दशा में निहित आर्थिक शोषण को नहीं देखता था। प्रेमचन्द यथार्थवादी होने के नाते इस आर्थिक शोषण को भी देखते हैं और अछूतोद्धार को महज शहरों तक सीमित रखने के बजाय

देहात में भी ले जाते हैं। चमार आसामियों और खेत मजदूरों के शोषण को दर्शाते हैं। इस शोषण को चित्रित करते समय ही उनकी कला निखरती है और यहीं वे पात्रों का मनोवैज्ञानिक चित्रण कर पाते हैं। उनकी मुन्नी और बुढ़िया सलोनी पर हजार अमरकान्त, शान्तिकुमार और सुखदा कुर्बान की जा सकती हैं। उनका त्याग और मानव-प्रेम सीधा, सच्चा और स्वार्थ-रहित है। वे अपढ़ होते हुए भी गहरे अनुभव के कारण बहुत अच्छा जीवन-ज्ञान रखती हैं। वे यथार्थवादी और कर्मशील हैं। मुन्नी आदर्शवादी अमरकान्त से कहती है—"लाला, तुम मुझे रोना सिखाते हो, मैं तुम्हें नाचना सिखाऊंगी।"

गोदान

गोदान प्रेमचन्द की सर्वोत्तम कृति है। यह एक महाकाव्य है। पढ़िए, बार-बार पढ़िए, तबीयत नहीं भरती। महाकाव्य की कहानी कहना पाठकों को उसके रस से वंचित करना है। तो भी, थोड़े में कहानी यह है—

होरी चार-पांच बीघे जमीन जोतने वाला एक मामूली किसान है। उसकी तीन सन्तानें हैं—एक लड़का गोबर, और सोना, रूपा दो कन्याएं हैं। धनिया उसकी पत्नी है। पति-पत्नी में कई बार झगड़ा भी हो जाता है। कारण, होरी अपने इलाके के जमींदार अमरपालसिंह को प्रायः सलाम करने जाता है; पर धनिया को यह खुशामद पसन्द नहीं है। कड़ी मेहनत करने के बावजूद होरी का जीवन दरिद्रता में व्यतीत होता है। उसके जीवन की सबसे बड़ी साध यह है कि भगवान सामर्थ्य दे तो एक गाय खरीद ले। आखिर भोला से उसे गाय उधार मिल जाती है। लेकिन वह थोड़े ही दिन उसके पास रह पाती है, क्योंकि उसका भाई हीरा ईर्ष्या के कारण उसे विष दे देता है।

इसी बीच में गोबर का भोला की विधवा कन्या झुनिया से प्रेम हो जाता है। वह उसे घर तो ले आता है; लेकिन इस डर से कि माता-पिता शायद उसे नहीं रखेंगे, वह झुनिया को छोड़कर शहर चला जाता है। धनिया पहले तो दुविधा में पड़ जाती है; लेकिन फिर झुनिया को घर में रख लेती है।

होरी कुछ रुपया कर्ज लेकर अपनी कन्या सोना का विवाह कर देता है। यह कर्ज कभी नहीं उतरता, जमींदार के कर और सरकारी कर्मचारियों की लूट-खसोट, धर्म के ठेकेदारों के दंड उसकी कमर तोड़े डालते हैं। वह अपनी छोटी लड़की रूपा का विवाह रुपया लेकर एक बूढ़े आदमी से करता है। दरिद्रता फिर भी दूर नहीं होती। अन्त में वह किसान से मजदूर बनने पर मजबूर हो

जाता है। अब उसे इतना कठिन काम करना पड़ता है कि उसकी देह टूट जाती है और एक दिन लू लगने से ऐसा बीमार पड़ता है कि फिर उठ नहीं पाता। उसकी आंखों में जीवन के सब दृश्य नाच उठते हैं। अन्त समय में भी गाय की लालसा उसे क्षुब्ध कर रही होती है। उस समय मातादीन, जो अपना घर भरने के लिए महाजन भी है और ब्राह्मण भी है, धनिया से कहता है–"अब गोदान करा दो; यही समय है।" धनिया के घर में बीस आने के पैसे हैं, उन्हें वह मातादीन के हाथ में देकर बोली–"महाराज घर में न गाय है और न बछिया, यह पैसे हैं। यही उनका गोदान है"–इतना कहकर वह बेहोश हो जाती है।

आलोचना–प्रेमचन्द पहले लेखक थे जिन्होंने हमारे देश के किसानों और निम्न वर्ग के लोगों को अपनी कहानियों और उपन्यासों का नायक बनाया। वे हमारे देश के किसान-जीवन का न सिर्फ बहुत अधिक ज्ञान रखते थे बल्कि किसानों से उन्हें सच्ची सहानुभूति भी थी। किसानों को वे सबसे अधिक शोषित और उत्पीड़ित समझते थे। होरी इस समूचे वर्ग का प्रतिनिधि है। होरी का जीवन किसी एक व्यक्ति का जीवन नहीं, साधारण किसान का जीवन है। उसका दुःख हमारे देश के समस्त किसानों का दुःख है। दरअसल एक किसान के लिए जन्मना, मरना गौण बातें हैं। दुःख ही उसके जीवन का एकमात्र सत्य है, मृत्यु भी इस दुःख का अन्त नहीं करती। किसान उसे अपने बच्चों के लिए विरासत में छोड़ जाता है।

प्रेमचन्द ने होरी की जीवन-कहानी में दुःख को सप्राण और मूर्तिमान कर दिया है। यही इस उपन्यास की विशेषता और महानता है।

इस उपन्यास में प्रेमचन्द अपनी पुरानी मान्यताओं को छोड़कर बहुत आगे बढ़ आए हैं। अपने पहले उपन्यासों में वे जो समस्याएं उठाते थे, उनका कोई न कोई सुधारवादी हल पेश करते थे। कहीं उनके जमींदार और धनी पात्रों का हृदय परिवर्तन होता है और कहीं प्रेमाश्रम और सेवाश्रम खोले जाते हैं। लेकिन इस उपन्यास में शुद्ध यथार्थ रूप से जीवन-कहानी आगे बढ़ती है। इस उपन्यास में जमींदार जमींदार ही रहता है। वह धर्म-कर्म और न्याय की बातें करता है; लेकिन अपने स्वार्थ को नहीं छोड़ता। और किसान? उसकी दशा सुधरने की बजाय बिगड़ती ही जाती है। अन्त में वह किसान भी नहीं रह पाता। जमीन में हल न जुत सकने के कारण मजदूर बनने पर विवश है। दुःख बढ़ते ही रहते हैं। आखिर वह इनके बोझ तले दबकर दम तोड़ देता

है। अर्थात् प्रेमचन्द ने वर्तमान सामाजिक व्यवस्था को अपने ही शोषण और अन्याय के कारण टूटते दिखाया है। होरी मर जाता है, धनिया बेहोश हो जाती है और पाठक सोचने लगता है–'यह समाज गया। कोई सुधार और उपचार इस व्यवस्था को टूटने से नहीं बचा सकता, अब तो जीवन के नवनिर्माण की बात सोचना ही हितकर है।'

हिंदी के लगभग सभी आलोचकों ने यह ऐतराज उठाया है कि 'गोदान' सुगठित रचना नहीं है। अर्थात् इसमें दो कहानियां साथ-साथ चलती हैं। एक होरी की कहानी है, जिसमें हमें किसान-जीवन का दिग्दर्शन होता है और दूसरी खन्ना, मेहता और मालती की कहानी है, जो हमें अकारण नगर में खींच ले जाती है; इसका असल कहानी से कोई सम्बन्ध नहीं है। यदि ध्यान से देखा जाय तो यह ऐतराज दुरुस्त नहीं है। लेनिन ने कहा है कि "समस्त वर्गों की जानकारी प्राप्त करके ही इस वर्ग-विभाजित समाज को समझा जा सकता है।" प्रेमचन्द ने अपने जीवन-अनुभव से इस कथन के मर्म को समझ लिया था। इसलिए उन्होंने प्रत्येक वर्ग के टाइप पात्र लेकर समूचे समाज का सुन्दर चित्रण किया है। जमींदार अमरपाल, उद्योगपति खन्ना, स्वार्थी पत्रकार ओंकारदास, चुनाव विशेषज्ञ तन्खा–सभी आकाशबेलें हैं। दूसरों की मेहनत चूसने वाली जोंकें हैं। पुरुषों को बेवकूफ बनाने वाली मालती और किताबी फलसफा बघारने वाले मेहता भी जीवन को सुन्दर बनाने के लिए कोई निर्माण-कार्य नहीं करते। मेहनत सिर्फ किसान करता है। इन लोगों की कथित सभ्यता के होंठों पर लाली किसान के खून से आती है। इस कहानी को हटा दीजिए तो होरी का–अर्थात् इस समाज का–चित्र अधूरा ही रह जाएगा। दुःख को मूर्तिमान करने के लिए यही तो उपयुक्त पृष्ठभूमि है। जमींदार अमरपालसिंह दोनों के बीच की कड़ी है। इसलिए नगर की कहानी इस उपन्यास का अविभाज्य अंग है।

होरी और धनिया का चरित्र-चित्रण बहुत ही सुन्दर हुआ है। उनमें वे सभी गुण और दोष मौजूद हैं जो देहात में रहने वाली हमारी जनता में हो सकते हैं। उनके हृदय उदार और विशाल हैं और वे मनुष्य से मनुष्य के नाते प्रेम करते हैं। लेकिन दरिद्रता उन्हें कई बार अपने स्वभाव के विपरीत आचरण करने पर विवश कर देती है। होरी अपने भाई से पांच-सात रुपये की बेईमानी करने को तैयार हो जाता है; लेकिन जब भाई पर संकट आता है तो अपना स्वार्थ एकदम भूल जाता है। भाई की निन्दा के भय से गाय को विष देने की बात छिपाये रखना चाहता है। जब धनिया कह देती है तो वह उसे पीटता

है और दारोगा को रिश्वत देने के लिए रुपया कर्ज लेता है। तीस रुपये उसके लिए बहुत बड़ा त्याग है। कहने का तात्पर्य यह है कि जब मानवता की परख का समय आता है तो होरी खोटा नहीं, खरा–सोलह आने खरा सिद्ध होता है। वह हमारी श्रद्धा और सहानुभूति का पात्र है। कितने ही आलोचकों और खुद प्रेमचन्द के बड़े लड़के श्रीपतराय का कहना है कि होरी में प्रेमचन्द ने अपने ही व्यक्तित्व को अंकित किया है। होरी के जीवन में प्रेमचन्द के जीवन का एक बहुत बड़ा अंश शामिल है।

कुछ भी हो, हिन्दी-उर्दू साहित्य का होरी एक महान पात्र है। शायद हम आगामी पचास वर्ष में भी उसकी टक्कर के पात्र का निर्माण न कर सकें।

धनिया बहुत साहसी औरत है। वह जिस बात को ठीक समझ ले, फिर समाज, बिरादरी, नियम, कानून किसी बात की परवा नहीं करती, उसे कर डालती है। गोबर जब झुनिया को छोड़कर भाग जाता है तो वह उसे कायर कहती है; जिसकी एक बार बांह पकड़ ली उसे फिर क्या छोड़ना। बिरादरी का विरोध मोल लेकर भी वह झुनिया को घर में रखती है और सिलिया को भी आश्रय देती है। अपने अदम्य साहस और कर्मशीलता के कारण वह कई बार गांव-भर का नेतृत्व करती हुई दीख पड़ती है। उदाहरणतः जब दारोगा गाय को जहर देने के मामले में रिश्वत मांगता है और जेल का भय दिखाता है तब धनिया हाथ मटकाकर बोली, "हां दे दिया, अपनी गाय थी, मार डाली। फिर? किसी दूसरे का जानवर तो नहीं मारा? तुम्हारी जांच में यही निकलता है तो यही लिखो, पहना दो मेरे हाथ में हथकड़ी।" सभी उसका मुंह देखते रह जाते हैं।

वह बहुत ही व्यवहार-कुशल औरत है। अपने आचरण से होरी की दुर्बलताओं को भी ढांप लेती है। होरी कई बार हवा में उड़ता है तो वह यथार्थ बात कहती है। दोनों अपढ़ और दरिद्र हैं; लेकिन खूब हैं और उन दोनों की जोड़ी भी खूब है।

अमरपालसिंह का चरित्र औपनिवेशिक व्यवस्था के नये जमींदार का प्रतीक है। उनके जीवन का खुलासा इतने ही में हो जाता है कि वे पिछले सत्याग्रह में कौंसिल की मेम्बरी छोड़कर जेल काट आए हैं। तभी से उनकी आसामियों को उनसे बड़ी श्रद्धा हो गई है। ताबान, बेगार की सख्ती उसी तरह है, बल्कि पहले से कुछ अधिक है। लेकिन उसकी बदनामी मुख्तारों के सिर है। फिर, दान्य-पुण्य और धर्म-कर्म के भी पूरे हैं; क्योंकि पिता की सम्पत्ति के साथ उन्होंने राम की भक्ति भी विरासत में पाई है। जाहिर है कि यह

सब शोषण को ढांपने और बड़ा कहलाने के लिए है।

गोबर का चरित्र उभरती हुई नई पीढ़ी का चरित्र है। बड़े व्यक्तियों में उसे श्रद्धा नहीं। वह सामंती व्यवस्था, सूदखोरी और धर्म के नाम पर चल रही ठगी को खत्म करना चाहता है। पिता का जमींदार की खुशामद के लिए जाना उसे अच्छा नहीं लगता। लेकिन जब वह शहर में जाकर खोमचा लगाता है और कुछ रुपये जोड़ लेता है, तो खुद भी उस रुपये को सूद पर देता है और बहुत ऊंचे दर पर देता है। मजदूर वर्ग की नई चेतना पाकर आगे बढ़ने के बजाय बुराई सीखता है। इसलिए आरम्भ में पाठक को उससे जो आशा बंधती है कि वह क्रान्तिकारी बनेगा, वह अन्त में टूट जाती है।

इसका कारण हम यह समझते हैं कि प्रेमचन्द वास्तव में किसानों के लेखक थे। वे उद्योग के विस्तार और कारखानों को अच्छा नहीं समझते थे। उन्हें दुःख था कि किसान नगर में आकर मजदूर बनते और बुराइयां सीखते हैं। उन्होंने अभी मजदूर की ऐतिहासिक भूमिका को नहीं समझा था। यही उनका रूढ़िवाद था जो गोबर में अंकित हो गया है।

मंगलसूत्र

मंगलसूत्र प्रेमचंद का अधूरा उपन्यास है। उन्होंने यह उपन्यास बीमारी की हालत में लिखना शुरू किया था। अभी चार परिच्छेद ही लिख पाए थे कि मृत्यु ने जीवन-कहानी का अन्त कर दिया। इस उपन्यास का नायक देवकुमार है। वह एक लेखक है। लेकिन लिखने से उसे कोई आर्थिक लाभ नहीं होता, बल्कि यह 'व्यसन' पालकर पूर्वजों की सम्पत्ति भी खो बैठा है और दरिद्र बन गया है। उसके दो बेटे हैं। बड़ा बेटा संतकुमार वकील है। उसे पिता के आदर्शों से कोई सहानुभूति नहीं, वह जैसे-तैसे धन कमाना और ठाठ से जीवन बिताना चाहता है। लेकिन छोटे लड़के साधुकुमार का आचरण पिता के अनुरूप है। वह धन के मुकाबले आदर्श को महत्त्व देता है। लेखक की एक लड़की पंकजा है जिसका विवाह हो गया है।

ऐसा लगता है कि प्रेमचन्द इस उपन्यास में अपनी ही जीवन-कथा लिख रहे थे। देवकुमार वे स्वयं है और संतकुमार और साधुकुमार उनके दो बेटे श्रीपतराय और अमृतराय हैं। एक कन्या थी, जिसका ब्याह कर दिया था।

देवकुमार के बारे में लिखा है—"साहित्य सेवा के सिवा उन्हें और किसी काम में रुचि न हुई और यहाँ धन कहां—हां, यश मिला और उनके आत्मसंतोष के लिए इतना ही काफी था।" लेकिन आत्मसंतोष के बावजूद धनाभाव प्रायः

अखरता है और वे लिखते हैं कि इस लिखने से तो घास छीलना और खोमचा लगाना कहीं अच्छा है। यह सब क्यों? इसलिए कि श्रम का शोषण होता है। इस शोषण व्यवस्था में साहित्य और संस्कृति फलफूल नहीं सकती। जब लोग अपढ़ होंगे तो उनका लेखक आप ही दरिद्र होगा। लेखक 'भेड़ियों से घिरी इस दुनिया में सशस्त्र' होने की सलाह देता है। लेकिन उपन्यास जितना लिखा गया है उतना मध्यम वर्ग के ही बारे में है, शायद आगे चलकर मजदूर वर्ग भी आ जाता। उपन्यास मध्यम वर्ग ही के बारे में हो, इसमें कोई बुराई नहीं है। लेकिन यदि उपन्यास के मध्यमवर्गीय पात्र सशस्त्र होने और क्रान्ति करने की बात कहते हैं तो उन्हें मजदूर वर्ग का नेतृत्व स्वीकार करना होगा, क्योंकि आज के युग में केवल मजदूर ही क्रान्ति को सफल बना सकते हैं। यह एक ऐतिहासिक सत्य है।

फिर भी इस अधूरे उपन्यास से पता चलता है कि प्रेमचन्द जीवन के अनुभव से बहुत-कुछ सीख रहे थे, उनकी पुरानी मान्यताएं टूट रही थीं और 'गोदान' के बाद भी उनका विकास जारी था।

नाटक

प्रेमचन्द ने दो नाटक भी लिखे हैं। लेकिन इस दिशा में उनका प्रयास असफल ही रहा है। हमारे देश में स्टेज का अभाव होने के कारण जिन कवियों और उपन्यासकारों ने नाटक की ओर ध्यान दिया, उन्हें वांछित सफलता नहीं मिली। प्रेमचन्द ने इन्द्रनाथ 'मदान' के नाम एक पत्र में अपनी इस असफलता को स्वीकार किया है। इसीलिए उन्होंने 'संग्राम' और 'कर्बला' दो नाटक लिखने के उपरान्त नाटक लिखने का प्रयास नहीं किया। कहानियों और उपन्यासों को ही अपने लिए उपयुक्त समझा। उनके यह दो नाटक भी एक तरह उपन्यास ही हैं। स्टेज नहीं हो सकते, सिर्फ पढ़े जा सकते हैं। अलबत्ता उपन्यास में उन्हें चरित्र-चित्रण की जो सुविधा रहती थी, वह इनमें नहीं रही।

कहानियां

प्रेमचन्द की कहानियां बहुत मार्के की होती हैं और अपनी कहानियों में उन्होंने हमारे जीवन के सभी पहलुओं पर प्रकाश डाला है। हम इस पुस्तक में उनकी कहानियों के बारे में बहुत-कुछ लिख चुके हैं। वे इन कहानियों की सामग्री अपने जीवन की घटनाओं से, इतिहास से, सामाजिक और राजनीतिक

आन्दोलनों से और उन लोगों से जुटाते थे, जिनमें वे रहते और जिन्हें अच्छी तरह जानते-पहचानते थे।

उनकी ऐतिहासिक कहानियों में 'शतरंज के खिलाड़ी' हमें सबसे सुन्दर लगी है। इस कहानी में उन्होंने सामन्ती व्यवस्था का खोखलापन दिखाया है। कहानी के पात्र अपनी ऐतिहासिक भूमिका खत्म कर चुके हैं और जीवन की एक नई शक्ति के हाथों शतरंज के मुहरों की तरह पिट रहे हैं, और एक ऐसे निर्जन खंडहर में पिटते हैं जहां उन्हें कोई रोने वाला भी नहीं।

वैसे उनकी सभी ऐतिहासिक कहानियों में यह बात ध्यान रखने के योग्य है कि वह उपयुक्त ऐतिहासिक सामग्री जुटाते हैं, उस समय की परास्त होती और उभरती हुई शक्तियों का ध्यान रखते हैं और वे हीनता का खंडन और श्रेष्ठता का प्रतिपादन करते हैं। 'रानी सारंधा' और 'राजा हरदौल' ऐसी ही कहानियां हैं।

अपनी सामाजिक कहानियों में प्रेमचन्द ने अंधविश्वास, धार्मिक ढोंग, स्वार्थ, शोषण और अन्याय का विरोध किया है और मनुष्य को आलस्य छोड़कर कर्मशील बनने के लिए प्रेरित किया है।

प्रेमचन्द हमारी अपढ़ जनता की उदारता और महानता के कायल थे और उसे सच्चे मन से प्यार करते थे। अपनी लेखनी को उन्होंने जनता की सेवा के लिए अर्पित कर दिया था। 'मंत्र', 'पंच-परमेश्वर', 'शंखनाद', 'सुजान भक्त' आदि कहानियां इस बात का प्रमाण हैं। इन कहानियों में वे न्याय का प्रतिपादन करते और मनुष्य की कर्मशक्ति को उभारते हैं। 'मोटर के छींटे' बहुत ही छोटी, लेकिन बहुत ही सुन्दर कहानी है। देखने में हास्य-रस प्रधान कहानी है, दरअसल मोटेराम शास्त्री के हाथों अंग्रेज को पिटवाकर राष्ट्रीय अपमान का बदला लिया है। अंग्रेज हिन्दुस्तान में साम्राज्य का प्रतीक है, उससे मोटेरांम जैसा निकृष्ट व्यक्ति भी इतनी घृणा करता है कि उसे पीटने का अवसर हाथ से नहीं जाने देता। इसी प्रकार 'इस्तीफा' कहानी में क्लर्क के हाथों अंग्रेज अफसर की मरम्मत कराई है। 'अधिकार चिन्ता' कहानी में साम्राज्य के प्रतीक एक अंग्रेज को स्वार्थी, लोलुप और भीरु बुलडाग के रूप में प्रस्तुत किया है। इस स्वार्थी बुलडाग को देश से भगाने के लिए उन्होंने बहुत-सी कहानियां लिखी हैं, जिनमें 'आहुति', 'जेल' और 'सत्याग्रह' उल्लेखनीय हैं।

प्रेमचन्द ने बहुत-सी समस्याओं को लिया है और शुरू के उपन्यासों की तरह कहानियों में भी इन समस्याओं का सुधारवादी हल पेश किया है। लेकिन

शनैः-शनैः उपन्यासों की तरह कहानियों में भी सुधारवाद के स्थान पर यथार्थवाद की मात्रा बढ़ती गई। 'गोदान' की भांति 'कफन' कहानी में आदर्शवाद को झटक दिया है। जिस समाज में, पंजाबी कवि वारिसशाह के कथनानुसार "चोर उचक्का चौधरी गुण्डी रन प्रधान" का सिद्धान्त लागू हो वहां आदमी का कामचोर बन जाना स्वाभाविक है। इस कहानी के घीसू और माधो भी इसलिए कामचोर हैं कि वे दूसरों की मेहनत पर पलने वाले निकम्मे आदमियों को सफेदपोश देखते हैं।

लेकिन घीसू और माधो नकारात्मक पात्र हैं उसके पास बचा कुछ नहीं। हमने इस कहानी का वैज्ञानिक विश्लेषण 'परम्परा' और 'प्रगतिवाद' परिच्छेद में आगे किया है।

उपन्यासों की तरह कहानियों के भी सिलसिलेवार अध्ययन से प्रेमचन्द के विचार-विकास का पता चलता है। सरकार ने उनके दो कहानी-संग्रह 'सोजे-वतन' और 'समर यात्रा' इसलिए जब्त कर लिए थे कि उनसे विद्रोह भड़कता था। प्रेमचन्द राजनीतिक गुलामी के विरुद्ध ही नहीं, मानसिक गुलामी के विरुद्ध भी विद्रोह भड़काते थे। मनुष्य को स्वतन्त्र, समृद्ध और उन्नत देखना चाहते थे। वे नीति, धर्म, कानून और सिद्धान्तों के मुकाबले मनुष्य को श्रेष्ठ और पूज्य मानते थे। यही उनकी महानता थी। इसीलिए हमारे साहित्य के इतिहास में उनका नाम सदा उज्ज्वल अक्षरों में लिखा जाएगा।

२२. यथार्थवाद और आदर्शवाद

"सूखी रोटियां सोने के थालों में परोस देने से पूरियां नहीं बन जातीं।"

—प्रेमचन्द

यूरोप की औद्योगिक क्रान्ति और वैज्ञानिक आविष्कारों ने अठारहवीं सदी के उत्तरार्द्ध में प्राचीन धार्मिक मान्यताओं को जड़ से हिला दिया। इसी कारण उन्नीसवीं सदी भौतिकवाद और विज्ञान की सदी कहलाती है। पुराना सामंती समाज आदर्शवाद पर टिका हुआ था। आर्थिक परिवर्तनों के साथ विचार-परिवर्तन भी अनिवार्य है। औद्योगिक क्रान्ति के परिणाम-स्वरूप जब आदर्शवाद के मुकाबले भौतिकवाद और वैज्ञानिक चिंतन को प्रोत्साहन मिला तो मनुष्य ने अपने परम्परागत रूढ़िवादी विचारों को छोड़कर स्वतन्त्र चिंतन की ओर बड़ी तेज़ी से पग उठाया और इससे साहित्य में यथार्थवादी विचारधारा का प्रादुर्भाव हुआ। इस विचारधारा का सैद्धान्तिक आधार धर्म नहीं, विज्ञान था।

हम यूरोप के सम्पर्क में आ चुके थे और अंग्रेजी शिक्षा द्वारा नए वैज्ञानिक विचार ग्रहण कर रहे थे। प्रेमचन्द भी अंग्रेजी जानते थे। हिन्दी और उर्दू में यथार्थवादी कहानियां और उपन्यास लिखने का श्रेय उन्हें ही प्राप्त है। प्रेमचन्द यूरोपीय लेखकों में विशेषकर टालस्टाय, रोमांरोलां, चार्ल्स डिकन्स और थैकरे से प्रभावित थे। 'कायाकल्प' में चक्रधर द्वारा इस विषय में अपना मत स्पष्ट रूप से प्रकट किया है---"यथार्थवाद स्तुत्य है, परन्तु नग्न यथार्थता घृणित है।"

प्रेमचन्द 'कला कला के लिए' के सिद्धान्त को न मानकर कला की उपयोगिता में विश्वास रखते थे। जीवन में जो कुछ 'सत्यं शिवं सुन्दरं' है उसी को दर्शाना और उसी की पुष्टि करना उनका मुख्य उद्देश्य था। वे हमेशा सत्य

और न्याय की विजय चाहते थे और यदि यथार्थवाद से सत्य की विजय सम्भव नहीं दीख पड़ती थी तो वे आदर्शवाद से समझौता कर सुधारवाद और हृदय परिवर्तन के द्वारा विजय दिखाते थे। अपनी इस समझौतावादी प्रवृत्ति को उन्होंने 'आदर्शोन्मुख यथार्थवाद' का नाम दिया था। क्या यह समझौता मुमकिन था? क्या प्रेमचन्द अपनी इस धारण पर आखिर तक दृढ़ रह सके? इसका उत्तर है सिर्फ एक शब्द 'नहीं'। लेकिन इस बात को भली-भांति समझ लेने के लिए यथार्थवाद और आदर्शवाद की विचारधारा का वैज्ञानिक और दार्शनिक विश्लेषण कर लेना अत्यावश्यक है, अन्यथा भ्रम में पड़े रहने की सम्भावना है।

आदर्शवाद आत्मा (अर्थात् स्पिरिट) को अपनी दार्शनिक विचारधारा का आधार मानकर आगे चलता है। आत्मा स्वभाव से पवित्र है। लेकिन ज्यों ही वह शरीर धारण करती है त्यों ही सांसारिक तृष्णाओं में लिप्त होकर पाप, असत्य और अन्याय का मार्ग ग्रहण कर लेती है। यदि उसे यह जता दिया जाए और उसमें यह भावना पूर्णतः जाग्रत कर दी जाए कि असत्य और पाप तेरा स्वभाव नहीं तो वह फिर सन्मार्ग ग्रहण कर लेती है। इसका मतलब है कि कोई भी मनुष्य बुरा नहीं है। नीच से नीच और पतित से पतित अवस्था में भी उसके भीतर सत्य विराजमान रहता है। इसलिए अधम से अधम व्यक्ति का किसी भी समय सुधार और उद्धार हो सकता है। इस विचारधारा के अनुसार सत्य और असत्य, पुण्य और पाप तथा अच्छे और बुरे विचारों का एक स्वतन्त्र अस्तित्व है। जब बुरे विचारों का प्रभाव बढ़ जाता है तो मनुष्य बुरे कर्म करता है और उनका दण्ड भोगता है। संसार में असत्य और पाप का साया रहता है और समाज पतनोन्मुख हो जाता है और जब अच्छे विचारों का प्रभाव बढ़ जाता है तो मनुष्य पुण्य-कार्य अधिक करता है, न्याय को पहचानता है। जीवन उन्नतिशील होता है और सतयुग का सूत्रपात होता है। मनुष्य के लिए सत्कार्य करते रहना ही कल्याणकारी है, वरना वह कुकर्मों के दण्ड से नहीं बच सकता।

यथार्थवाद प्रकृति, माद्दा अर्थात् मैटर (Matter) को अपनी विचारधारा का आधार मानकर आगे चलता है। इस विचारधारा के अनुसार विचारों का कोई स्वतन्त्र अस्तित्व नहीं है। अच्छे और बुरे विचार भौतिक परिस्थितियों में जन्म लेते हैं। इसलिए अन्याय, असत्य और दरिद्रता को मिटाने के लिए उपदेश और सुधार से काम नहीं चलेगा बल्कि उन परिस्थितियों को बदलना होगा जो अन्याय, असत्य और दरिद्रता को जन्म देती हैं और उसे कायम रखे हुए हैं। मनुष्य स्वभाव से न अच्छा है न बुरा है, परिस्थितियां उसे अच्छा या बुरा

बनाती हैं।

ये दो विचारधाराएं हैं। जब इनको साहित्य, समाज और राजनीति में लागू करते हैं तो इनके परिणाम दूर तक जाते हैं और तभी उनका मूलांतर हम पर स्पष्ट होता है। खासतौर पर क्रान्ति और संघर्ष के युग में तो ये दोनों विचारधाराएं एक-दूसरे का सक्रिय विरोध करती हैं। दरिद्रता, पतन और अत्याचार के लिए आदर्शवादी कभी भी सामाजिक और आर्थिक व्यवस्था को दोषी नहीं ठहराता, वह कभी भी व्यवस्था को बदलने की मांग नहीं करता, सिर्फ बुरे व्यक्तियों को अधिकार-पद से हटाने या उसका सुधार करने के लिए संघर्ष या प्रयत्न करता है। उसका मत है कि सामाजिक व्यवस्था ईश्वरीय विधान है। इसमें जहां-तहां सुधार तो हो सकता है, मगर इसे बदला नहीं जा सकता। पूंजीपति, जमींदार, किसान और मजदूर सबको भगवान् ने बनाया है। सब अपने-अपने भाग्य अर्थात् पूर्वजन्म के कार्यों का फल भोग रहे हैं। वे सब अपना-अपना काम ईमानदारी से करें। पूंजीपति और जमींदार शोषण की नीति न अपनाकर अपने आपको धन और भूमि का ट्रस्टी समझें और मजदूरों और किसानों पर दया दर्शाकर उनसे भाई और पुत्र का व्यवहार करें। उनमें वर्ग-संघर्ष की भावना लाना ईश्वरीय नियम को भंग करना और अराजकता फैलाना है। जब तक यह संसार रहेगा, इसमें राजा-रंक, जमींदार और किसान बराबर रहेंगे; वेश्याएं, अनाथ और अपाहिज भी रहेंगे; क्योंकि उन्हें अपने पूर्वजन्म के पापों का दण्ड भोगना है। उन पर करुणा दर्शाकर हम सिर्फ 'आश्रम' और 'अनाथालय' स्थापित कर सकते हैं।

यह सिद्धान्त मनुष्य को क्रान्तिकारी न बनाकर, सुधारवादी और रूढ़िवादी बनाता है। सुधारवादी की लड़ाई व्यक्ति से नहीं, व्यक्ति में निहित बुराई से होती है, उसका कार्य व्यक्ति पर प्रहार करना नहीं बल्कि सद्प्रेरणा देना है; इसलिए वह उसे दुःख देने के बजाय अपने-आप कष्ट सहना उचित समझता है; क्योंकि जितना ही बुरा आदमी उसे अपने हाथों कष्ट सहते देखेगा उतना ही उसकी मानवता जागेगी! यह आदर्शवाद का अहिंसावादी रूप है।

यथार्थवादी कहता है कि मजदूर और किसान इसलिए दीन, दरिद्र और दुःखी हैं कि उनका शोषण होता है, चोर इसलिए चोरी करता है कि मेहनत से उसका पेट नहीं भरता और वेश्या इसलिए वेश्या बनती है कि इस सामाजिक व्यवस्था में स्त्री पुरुष की गुलाम है, उसके पास जीवन-यापन के आर्थिक साधन नहीं हैं। इस व्यवस्था को बदल दो तो मजदूर और किसान दरिद्र नहीं रहेंगे, किसी को चोरी करने की आवश्यकता नहीं रहेगी और वेश्यावृत्ति का अन्त

हो जाएगा। लेकिन पूंजीपति, जमींदार और वे तमाम सत्ताधारी लोग जो शोषण पर पलते हैं, कानून से, फौज से और धार्मिक अंधविश्वासों के प्रचार-प्रसार से इस सामाजिक व्यवस्था की रक्षा करते हैं; क्योंकि इससे उनके हित सम्बन्धित हैं। यर्थाथवादी क्रान्तिकारी इस तथ्य को समझता है। वह मजदूरों, किसानों और सभी श्रमजीवियों को संगठित करता है और वर्ग-संघर्ष तेज करने के लिए भाग्य-सम्बन्धी भ्रम-भ्रांतियां उनके मस्तिष्क से निकालता है। शोषक वर्ग से और उसकी विचारधारा से उसका समझौता सम्भव नहीं होता।

प्रेमचन्द ने 'आदर्शोन्मुख यथार्थवाद' के नाम पर इन दोनों विचारधाराओं से जो समझौता किया था, वह सर्वथा असंगत और अप्राकृतिक था, इसलिए जीवन के अन्तिम पर्व में, जब उन्हें निजी अनुभव से सत्य का बोध हुआ तो स्वयं इस समझौते को तोड़ दिया। 'गोदान' उपन्यास और 'कफन' संग्रह की काहानियों में हम देखते हैं कि 'यथार्थवाद' में 'आदर्शवाद' की जो पख लगी है, वह प्रायः झड़ गई थी। प्रगतिशील लेखक संघ के अध्यक्ष-पद से जो भाषण दिया था, उसमें कहा है—

"साहित्यकार या कलाकार स्वभावतः प्रगतिशील होता है; अगर यह उसका स्वभाव न होता, तो शायद वह साहित्यकार ही न होता।"

यह भाषण 1936 में दिया था। उस समय उनका मानसिक विकास प्रौढ़ता को प्राप्त कर चुका था। उन्होंने जीवन के अनुभव से और देश की राजनैतिक परिस्थितियों से बहुत-कुछ सीखा था।

जब उन्होंने लिखना आरम्भ किया उस समय के सामाजिक और राजनैतिक विचार कुछ और थे। धर्म और राजनीति में निकट सम्बन्ध स्थापित था। 'स्वराज्य हमारा जन्मसिद्ध अधिकार है', इसलिए प्रत्येक देशवासी को स्वतन्त्रता-संग्राम में भाग लेना चाहिए। निद्रा और आलस्य से जगाने के लिए उन्हें कर्मयोगी कृष्ण का सन्देश दिया जा रहा था।

इसका मतलब है कि उस समय के नेता भी आदर्शवादी थे। देश को अंग्रेज की गुलामी से स्वतन्त्र देखना चाहते थे और समाज में जो दोष और त्रुटियां उत्पन्न हो गई थीं उन्हें सुधार और प्रचार द्वारा दूर कर देना चाहते थे। शिक्षित नौजवानों में राष्ट्रीय भावनाएं भर देने के लिए उन्होंने प्राचीन भारतीय संस्कृति और उसके पुनरुत्थान को ही अपना ध्येय बना लिया था। ये लोग रूढ़िवादी नहीं थे। आधुनिक वैज्ञानिक विचारों से प्रभावित थे। पुराने रीति-रिवाज, विवाह-सम्बन्ध, छुआछूत, परस्पर खान-पान के बंधनों में सुधार चाहते थे। डॉ. इन्द्रनाथ मदान के कथनानुसार इन आन्दोलनों के कारण "पुराने

देवी-देवताओं की मान्यता कम हुई। एक नए पवित्रतावादी दर्शन का विकास हुआ तथा राष्ट्रीयता और देशप्रेम ने धर्म का रूप ले लिया।''

प्रेमचन्द ने राष्ट्रीयता और देशप्रेम को धर्म का रूप देने के लिए 'सोजे वतन' की कहानियाँ लिखीं, जिन्हें अंग्रेज सरकार ने जब्त कर लिया। 'रानी सारंधा', 'राजा हरदौल' और 'पाप का अग्निकुण्ड' ऐतिहासिक कहानियाँ और 'वरदान' उपन्यास इसी भावना को पुष्ट करता है। प्रेमचन्द का यह साहित्य घटना-प्रधान है। घटनाएँ कई स्थानों पर अस्वाभाविक भी जान पड़ती हैं। उनका एकमात्र अभिप्राय पात्रों को उदार, कर्मवीर और त्यागी सिद्ध करना है। वे जीवन में सफल रहें या असफल, पर वे देश के लिए बड़े-से-बड़ा त्याग करने को तत्पर रहते हैं। यह आदर्शवादी दृष्टिकोण है और इसी दृष्टिकोण ने प्रेमचन्द की कला और पात्रों के विकास को प्रायः कुण्ठित कर दिया है।

तब के राजनीतिज्ञों, समाज-सुधारकों और खुद प्रेमचन्द को आदर्शवाद विरासत में मिला था। अंग्रेजों का काम भारत का शोषण करना था। उन्होंने अपने व्यापारिक और राजनैतिक हितों को देखते हुए हमारे देश को कृषि-प्रधान बनाए रखा। कृषि में भी मध्यकालीन सामन्ती व्यवस्था को कायम रखा। फिर भी तार, डाक और रेल का सिलसिला कायम हुआ और रोक के बावजूद बम्बई, अहमदाबाद, नागपुर और कलकत्ता आदि बड़े शहरों में कारखाने भी बनने प्रारम्भ हुए। इन वैज्ञानिक साधनों का और अंग्रेजी शिक्षा तथा यान्त्रिक सभ्यता का परोक्ष और अपरोक्ष रूप में हमारे जीवन पर प्रभाव पड़ रहा था। देश के कुछ नेताओं और बुद्धिजीवियों को इस नई सभ्यता में कुछ विशेषताएँ और गुण भी दिखाई देते थे और वे उन्हें लेकर आगे बढ़ना चाहते थे; लेकिन इस सभ्यता के प्रति उनकी श्रद्धा नहीं थी। इसमें उन्हें पूर्ण विश्वास नहीं था; क्योंकि उन्होंने इसके क्रान्तिकारी रूप को नहीं पहचाना था, और न उन्होंने देश में इसके प्रसार के साथ-साथ इस सभ्यता का जो अग्रदूत—मजदूर वर्ग—उत्पन्न हो रहा था उसकी ऐतिहासिक भूमिका को समझा था। इसलिए उनके परम्परागत संस्कार उन्हें आगे बढ़ने से रोकते थे, उनका दामन पकड़कर पीछे खींचते थे और वे ईमानदार, त्यागी और कर्मवीर होते हुए भी इस यान्त्रिक सभ्यता को देश के पतन का कारण समझकर अन्ततोगत्वा पीछे की ओर ही लौटना चाहते थे और अपने आदर्श भविष्य में नहीं, अतीत में ढूँढते थे।

यह आगा-पीछा, यह हैस-बैस और अन्तर्द्वन्द्व प्रेमचन्द में भी पाया जाता है। चूंकि वे स्वभाव से प्रगतिशील थे इसलिए उन्होंने पाश्चात्य सभ्यता और साहित्य से यथार्थवाद लिया और उसमें भारतीय आदर्शवाद की बहुत बड़ी पख

जोड़ दी। यह समझौता और अन्तर्द्वन्द्व हमें प्रेमचन्द में ही नहीं, राष्ट्रीय संघर्ष और समाज-सुधार के आन्दोलन में भी मिलता है। गांधी ने इसी आदर्शवाद को पुनरुत्थान के रूप में प्रस्तुत किया और कहा कि स्वराज्य हमारे भीतर है, अगर हम अपनी व्यक्तिगत बुराइयों को दूर कर दें तो आजादी की लड़ाई सत्य और अहिंसा द्वारा भी लड़ी जा सकती।

मध्यवर्गीय नेताओं और बुद्धिजीवियों ने, जो वर्गगत समाज और सम्पत्ति को हानि नहीं पहुँचाना चाहते थे, इस सिद्धान्त को युग की एक महान् और अनूँठी देन के रूप में स्वीकार कर लिया और राजनीति में गांधी का नेतृत्व स्थापित हो गया।

प्रेमचन्द को भी मध्य वर्ग की विचारधारा विरासत में मिली थी। उन्होंने भी गांधी के नेतृत्व को निस्संकोच स्वीकार लिया और इसके उपरान्त अपनी कहानियों और उपन्यासों में गांधीवादी हल प्रस्तुत किया। उदाहरण के लिए 'प्रेमाश्रम' को ही लीजिए। उस पर पहले विश्व-युद्ध की छाप है। युद्धकाल में जो भयंकर शोषण हुआ, जन-साधारण में जो राजनीतिक जागृति आई और जो वर्ग-चेतना बढ़ी उसका इस उपन्यास में यथार्थ चित्रण हुआ है। गौस खाँ की हत्या होने तक उपन्यास ठीक चल रहा है। लेकिन अन्तिम भाग लिखते समय गांधी नेता बनकर रंगमंच पर आ गया था। उसके सिद्धान्तों का प्रतिरूप प्रेमशंकर है। वह किसान समस्या का हल 'प्रेमाश्रम' खोलकर करता है। उसकी शिक्षा से मायाशंकर जमींदार का हृदय परिवर्तन हो जाता है। किसानों और उनकी क्रान्ति का नेता मनोहरलाल अपने कृत्य की ग्लानि से क्षुब्ध होकर आत्महत्या कर लेता है। वास्तव में मनोहर की हत्या गांधीवादी आदर्श की वेदी पर क्रान्तिकारी यथार्थ का बलिदान है।

इसके बाद प्रेमचन्द ने राजनैतिक समस्याओं और गांधीवादी सिद्धान्तों को लेकर 'कायाकल्प', 'रंगभूमि' और 'कर्मभूमि' उपन्यास और इसी सिद्धान्त के प्रतिपादन के लिए 'सच्चाई का उपहार', 'डामुल का कैदी', 'डिग्री के रुपए' और 'नरक का भागी' आदि कहानियाँ लिखीं। इसी से कुछ लोग यह कह देते हैं कि राजनीति में जो 'गांधीवादी युग' है, साहित्य में वह 'प्रेमचन्द युग' है। लेकिन यदि हम प्रेमचन्द के साहित्य का विचारपूर्ण विश्लेषण करें, तो उनका यह कथन कुछ ही अंश में सत्य जान पड़ेगा। इन्हीं कृतियों में जिनमें उन्होंने जान-बूझकर गांधीवाद का प्रतिपादन किया है, यथार्थवादी प्रेमचन्द का अन्तर्द्वन्द्व बार-बार उभरकर सामने आता है और उनके आदर्श पात्र भी गांधीवाद के प्रति अश्रद्धा और शंका प्रकट करने लगते हैं। 'कायाकल्प' में राजा और उसके

अफसरों के कारण खेत-मजदूरों का संघर्ष उठता है। खेत-मजदूर जब राजा के अफसरों और सिपाहियों पर हमला करते हैं, तो चक्रधर गांधीवादी होने के नाते बीच में पड़कर उन्हें हमला करने से रोक देता है। लेकिन रोक देने के बाद सोचता है—'फिर अगर अत्याचार का विरोध न किया जाए तो संगठन से लाभ ही क्या?'

इसके बाद उपन्यास का अन्तिम भाग रहस्यवादी घटनाओं से भरा पड़ा है। चक्रधर संघर्ष का मार्ग छोड़कर संन्यासी बन जाता है और मरीजों में दवा बांटकर आत्मसंतोष ढूंढता है। अंत में जब अहिल्या, शंखधर, रानी देवप्रिया और विशालसिंह सब मर जाते हैं, तो उसका यह कृत्रिम सन्तोष भंग होता है और वह चिल्ला उठता है, "हाय ईश्वर, क्या तू मुझे यही दिखाने के लिए यहां लाया था!"

अब सिर्फ मनोरमा रह जाती है। वह पक्षी पालकर मन को बहलाती है। चक्रधर भी उसे चिड़ियां पाल-पालकर देता है; क्योंकि वे दोनों एक अटूट आत्मिक प्रेम-सम्बन्ध में बंधे हुए हैं। यही उसके आदर्शवादी जीवन का अन्त है और वह खुद सोचता है—'क्या मेरे इस जीवन का कर्त्तव्य बस चिड़ियां पालना है?'

यह आदर्शवाद की जीत नहीं, हार है। उसका उद्देश्य जीवन को सुखी बनाना था, लेकिन दुःख पहले से कहीं अधिक बढ़ गया है। इसी प्रकार 'रंगभूमि' का सूरदास उद्योगीकरण के विरुद्ध पूरे उत्साह और जी-जान से लड़ता है लेकिन अन्त में उसकी भी हार होती है। पांडेपुर में जानसेवक का सिगरेट का कारखाना लगता है और मध्यकालीन सामाजिक व्यवस्था टूट जाती है। पूंजीवादी सभ्यता की यह विजय एक ऐतिहासिक सत्य है, जिसे प्रेमचन्द आदर्शवादी होते हुए भी झुठला नहीं सके। यही उनका यथार्थवाद है।

ऐसा लगता है कि 'रंगभूमि' में प्रेमचन्द के आदर्शवाद को पूंजीवादी सभ्यता के विरुद्ध लड़ने में इतना जोर लगाना पड़ा कि अन्त में वह थककर चूर-चूर हो गया और उनके मन में इसके द्वारा अन्तिम विजय प्राप्त करने का जो भ्रम बना हुआ था, वह टूट गया। 'कर्मभूमि' में उन्होंने आदर्शवाद का सहारा लिया है जरूर; लेकिन उसमें वे यथार्थवादी पहले से कहीं अधिक दिखाई देते हैं। 'गोदान' में तो वह इसका दामन झटककर एकदम यथार्थवादी बन जाते हैं और गांधीवाद के प्रति अश्रद्धा प्रकट करते हैं।

यह परिवर्तन कोई आकस्मिक घटना नहीं है। उन्होंने आदर्शवाद और यथार्थवाद में जो समझौता किया था, वह वस्तुस्थिति और जीवन के अनुभवों

के आगे टिक नहीं सका। कारण यह है कि उन्होंने गांधी से अलग वर्ग और अलग परिस्थितियों में परवरिश पाई थी। वे स्वभाव से प्रगतिशील थे और हमारे जनजीवन को सचमुच आगे बढ़ते देखना चाहते थे। इसलिए उन्होंने समस्या-प्रधान साहित्य की रचना शुरू की थी। वे जो समस्याएं उठाते थे उनके कारण सामाजिक व्यवस्था में खोजते और हल आदर्शवाद में ढूंढते थे। आखिर देखा कि यह हल कोई हल नहीं बल्कि बुराइयों को आदर्श के आवरण से ढांपना है। साम्प्रदायिकता, छुआछूत और किसानों की दरिद्रता---इन सब बुराइयों को उन्होंने 1930-32 के असहयोग और सविनय-अवज्ञा आन्दोलन के बाद भी अपनी आंखों बढ़ते देखा था।

इसलिए वह आदर्शवाद में हल ढूंढना छोड़कर यथार्थवाद का नग्न चित्रण करने लगे। 'गोदान' उपन्यास, 'कफन' और 'पूस की रात' आदि कहानियां इसके उच्चतम उदाहरण हैं।

इससे पहले भी प्रेमचन्द के साहित्य में शुद्ध यथार्थवादी कृतियों की कमी नहीं है। 'शतरंज के खिलाड़ी' और 'राजा हरदौल' मिटती हुई सामन्ती सभ्यता का यथार्थ निरूपण करती हैं। 'त्यागी का प्रेम' इस विषय की बहुत ही सुन्दर रचना है। उसे यदि आदर्शवाद पर भरपूर व्यंग्य कहा जाए तो आतिशयोक्ति नहीं। 'रंगभूमि' का त्यागी और कर्मयोगी सूरदास अन्धा है। यह भी तो आदर्शवाद पर व्यंग्य है। चाहे प्रेमचन्द ने यह व्यंग्य जान-बूझकर न किया हो। इस काल की एक कृति 'निर्मला' सर्वथा यथार्थवादी है और 'गबन' में भी आदर्शवाद का प्रयोग सिर्फ जोहरा ही पर हुआ है।

दरअसल मुकम्मिल आजादी का प्रस्ताव पास करने के बाद हमारे विचार और चिन्तन में गुणात्मक परिवर्तन आया और हमने समाजवाद का नारा देकर आदर्शवाद की सीमाओं को तोड़ा। जब राजनीतिक सीमाएं टूटीं तो साहित्य में भी उनका टूटना अनिवार्य था, प्रेमचन्द के साहित्य से यह बात सिद्ध है।

23. चरित्र-चित्रण

"जो लेखक मानवी हृदय के रहस्यों को खोलने में सफल होता है, उसी की रचना सफल समझी जाती है।" –प्रेमचन्द

हिन्दी और उर्दू में प्रेमचन्द से पहले जो साहित्य रचा जा रहा था उसमें चरित्र-चित्रण पर ध्यान नहीं दिया जाता था। उर्दू में उन दिनों तिलस्मे-होशरुबा, मीर अम्न का 'चहारदरवेश' और रत्ननाथ सरशार का 'फसानाए-आजाद' बहुत मकबूल थे और हिन्दी में देवकीनन्दन खत्री और गोपालराम गहमरी लोकप्रिय लेखक माने जाते थे। लोग 'चन्द्रकांता संतति' को चटखारे ले-लेकर पढ़ते थे। इस कथा-साहित्य में घटना-वैचित्र्य, कौतूहल-जिज्ञासा और रोमांस ही सब-कुछ था। उपन्यास घटनाओं के सहारे आगे बढ़ता था। पात्र लेखक के हाथ में कठपुतलियां मात्र थे। लेखक घटनाओं को जैसे चाहे तोड़-मरोड़ डालता था और पात्रों से मनमाना काम करवा लेता था।

यह श्रेय प्रेमचन्द ही को प्राप्त है कि उन्होंने जीवन की साधारण घटनाओं को अपनी कहानियों और उपन्यासों का विषय बनाया और हाड़-मांस के बने जीते-जागते इन्सानों का स्वाभाविक चरित्र-चित्रण किया। इसीलिए उन्हें उर्दू और हिन्दी में पहला यथार्थवादी लेखक माना जाता है। प्रेमचन्द ने उन्हीं लोगों को अपनी कहानियों और उपन्यासों का पात्र बनाया जिनके सम्पर्क में वे अधिक रहते थे। उनका विश्वास था कि लेखक उन्हीं पात्रों का सफल चरित्र-चित्रण कर सकता है, जिन्हें वह निजी अनुभव से जानता-पहचानता है। इन्द्रनाथ मदान के नाम अपने एक पत्र में लिखा है–

"मेरे अधिकांश पात्र यथार्थ जीवन से लिए गए हैं। जब किसी पात्र

का यथार्थ में अस्तित्व नहीं होता, तब वह छाया मात्र, अनिश्चित और अविश्वसनीय हो उठता है।"

इसीलिए हम देखते हैं कि बनारस और बनारस के आस-पास के गांव ही प्रेमचन्द की अधिकांश कहानियों और उपन्यासों का रंगमंच हैं। इसी वातावरण में उनकी कला अधिक निखरती है। इसी जानी-पहचानी धरती पर उनके कदम विश्वास और दृढ़ता के साथ आगे बढ़ते हुए दिखाई देते हैं। 'कर्मभूमि' के प्रथम भाग का रंगमंच दिल्ली है, लेकिन इस उपन्यास का दूसरा भाग उस समय अधिक सुन्दर, सरस और सजीव बन गया है जब अमरकान्त और मुन्नी बनारस के करीब चमारों के गांव में आकर रहने लगते हैं और जब किसानों तथा जमींदारी में संघर्ष छिड़ता है। यहीं हमें सलोनी के दर्शन होते हैं। हमारे विचार में सलोनी इस उपन्यास का सबसे अधिक सजीव पात्र है। प्रेमचन्द को किसानों और निम्न-मध्यम वर्ग के पात्रों का चरित्र-चित्रण करने में अधिक सफलता प्राप्त हुई है क्योंकि वे उन्हीं में रहते थे, उनके दुःख-सुख, आशा-निराशा और हार-जीत का उन्हें निजी अनुभव प्राप्त था। किन्तु ज्यों-ज्यों उनका कार्य-क्षेत्र विस्तृत होता गया और उन्हें दूसरे वर्गों के सम्पर्क में आने का अवसर मिला तो उन्होंने उच्च वर्ग के पात्रों का भी सफल चित्रण किया। प्रेमचन्द ने अपने जीवन में लगभग दस हजार पृष्ठ के साहित्य की रचना की है। अकेला 'रंगभूमि' उपन्यास एक हजार पृष्ठ पर फैला हुआ है। इस साहित्य में उन्होंने—रंक से लेकर राजा तक और मजदूर से लेकर मिल मालिक तक—हरेक वर्ग, हरेक स्वभाव और हरेक स्तर के सैकड़ों पात्र उपस्थित किए हैं। प्रेमचन्द उनके चरित्र-चित्रण में इतने सफल हैं कि एक पात्र दूसरे से जरा भी नहीं मिलता। अपने स्वभाव और मनोवृत्ति के कारण एक को दूसरे से अलग पहचानना कुछ भी कठिन नहीं है। किसी भी अन्य देशी और विदेशी साहित्यकार में पात्रों की यह बहुलता और विभिन्नता कम ही देखने में आएगी। प्रेमचन्द की इस सफलता का एक ही कारण है कि उन्होंने जनजीवन का गहरा अध्ययन किया था।

इस सम्बन्ध में यह कह देना भी जरूरी होगा कि चरित्र-चित्रण में सफलता प्राप्त करने के लिए पात्रों से सम्पर्क और निजी जान-पहचान होना ही काफी नहीं है। लेखक का दार्शनिक और वैज्ञानिक दृष्टिकोण और सामाजिक व्यवस्था के प्रति उसके रुख का भी विशेष महत्त्व है। किसी लेखक का दृष्टिकोण जितना अवैज्ञानिक है, वह उसी मात्रा में सामाजिक तथ्य को समझने में असफल रहता है और उसी मात्रा में उसके पात्रों का विकास कुण्ठित

रह जाता है, जीवन का निजी अनुभव उसकी कुछ भी सहायता नहीं कर पाता। प्रारम्भ में प्रेमचन्द का दृष्टिकोण भी वैज्ञानिक नहीं था, वे यथार्थवादी कम और आदर्शवादी कहीं अधिक थे। फिर उन्हें तिलस्मी और जासूसी उपन्यासों से घटना-वैचित्र्य और कौतूहल ही विरासत में मिला था। यही कारण है कि उनकी प्रारम्भिक कृतियों में घटना-वैचित्र्य एवं कौतूहल-जिज्ञासा को अधिक स्थान मिला है और चरित्र-चित्रण बहुत ही कमजोर और नहीं के बराबर है। 'शाप', 'भाग्य के कोड़े' कहानियां और 'वरदान' उपन्यास इसके उदाहरण हैं।

आदर्शवादी मानते हैं कि यह संसार भगवान् की माया है। वही इसे बनाता और बिगाड़ता है। मनुष्य और दूसरे प्राणी उसके प्रारब्ध के हाथ की कठपुतलियां हैं, उनका अपना कोई भी व्यक्तित्व नहीं है। इसी प्रकार आदर्शवादी लेखक के पात्र उसके हाथ में कठपुतलियों के सदृश नाचते हैं, उनका अपना कोई व्यक्तित्व नहीं रहता। वह अपनी इच्छा और पाठकों की रुचि के अनुसार उनसे अजीब-अजीब हरकतें करवाता है। जितनी देर चाहे उन्हें जीवित रखता है और जब चाहे उन्हें मार डालता है। प्रेमचन्द जिस कहानी और उपन्यास में जहां जितने अधिक आदर्शवादी हैं वहां आपको उतने ही अधिक विचित्र पात्र, विचित्र घटनाएं और विचित्र मृत्युएं मिलेंगी और उनके बुरे और नीच पात्र हृदय परिवर्तन द्वारा यकायक नेक और महान् बन जाएंगे। ऐसे चरित्र-चित्रण का उद्देश्य चाहे कुछ भी हो, वैज्ञानिक तर्क और कला की दृष्टि से प्रशंसनीय नहीं है। प्रेमचन्द की कहानियों और उपन्यासों में आपको ऐसे विचित्र पात्र बहुत मिलेंगे। 'प्रेमाश्रम' के राय साहब महानन्द और 'कायाकल्प' की देवप्रिया और उसका पति महेन्द्रसिंह, जिसका अनेक बार जन्मान्तर हुआ, ऐसे ही विचित्र पात्र हैं बल्कि 'कायाकल्प' के अन्त में तो स्वयं चक्रधर और मनोरमा भी विचित्र पात्र बनकर रह गए हैं। वे भाग्य और विधाता के हाथ में खिलौने मात्र हैं। जीवन में संघर्ष का अन्त होते ही उनके व्यक्तित्व का भी अन्त हो जाता है।

इस प्रकार यह बात सिद्ध हुई कि लेखक के दृष्टिकोण और सामाजिक ज्ञान का चरित्र-चित्रण में बड़ा हाथ रहता है। केवल इतना कह देना मात्र यथेष्ट नहीं कि मुझे सजीव और यथार्थ पात्र पेश करने हैं। इसके लिए बहुत ही सूझ-बूझ, गाम्भीर्य और जिम्मेदारी से काम लेना पड़ता है। मनुष्य बहुत ही बिकट पहेली है और वह समाज के साथ अनेक प्रकार से सम्बन्धित होता है। लेखक का काम अपने पात्र के रंग-रूप और उसके बाह्य आचरण का वर्णन करना ही नहीं, बल्कि उसका मुख्य और कठिन कार्य पात्र के अन्तर्द्वन्द्व को

व्यक्त करना है। इसमें लेखक को उतनी ही सफलता प्राप्त होगी, जितना वह अपने पात्र की आत्मा में गहरा पैठकर देखेगा, जितना उसके सामाजिक सम्बन्धों को समझ लेगा और जितना उसे उन यथार्थ और भौतिक परिस्थितियों में रखकर उपस्थित करेगा, जो उसके मन में हलचल उत्पन्न करती हैं और उसके अन्तर्द्वन्द्व को उभारकर पाठक के सामने लाती हैं। प्रेमचन्द के उपन्यासों का अध्ययन करने के उपरान्त यह कहा जा सकता है कि अपने पात्रों की यथार्थ मनोदशा एवं भावनाओं का चित्रण करने में उन्हें अत्यधिक सफलता प्राप्त हुई है।

'प्रतिज्ञा' में सुमित्रा का चरित्र बहुत ही यथार्थ और सजीव है, लेकिन 'सेवासदन' पहला उपन्यास है जिसमें चरित्र-चित्रण और मनोगत भावों को व्यक्त करके प्रेमचन्द ने हिन्दी जगत् से अपना लोहा मनवाया। उपन्यास के आरम्भ में ही सुमन के पिता कृष्णचन्द्र को ऐसी विकट स्थिति में उपस्थित किया गया है कि उसका अन्तर्द्वन्द्व उभरकर सामने आता है। वे थानेदार थे। सारा जीवन ईमानदारी से व्यतीत किया, अपने ही पेशे के रिश्वतखोरों को नीच समझा; लेकिन जब सुमन के विवाह का समय निकट आया तो उनकी आंखें खुलीं। लोग दहेज मांगते हैं और बिना दहेज के अच्छा वर नहीं मिलता। तब प्रेमचन्द लिखते हैं—

"कृष्णचन्द्र को अपनी ईमानदारी और सच्चाई पर पश्चाताप होने लगा। वह सोच रहे थे कि यदि मैं पाप से न डरता तो यों ठोकरें न खानी पड़तीं। इस समय दोनों स्त्री-पुरुष चिन्ता में डूबे चुप बैठे थे। बड़ी देर के बाद कृष्णचन्द्र बोले—देख लिया, संसार में सन्मार्ग पर चलने का यह फल होता है। यदि आज मैंने लोगों को लूटकर अपना घर भर लिया होता तो लोग मुझसे सम्बन्ध करना अपना सौभाग्य समझते; अब तो कोई सीधे मुंह बात नहीं करता। परमात्मा के दरबार में यह न्याय होता है! अब दो ही उपाय हैं, या तो सुमन को किसी कंगाल के पल्ले बांध दूं या कोई सोने की चिड़िया फंसाऊं। पहली बात तो होने से रही; बस, अब सोने की चिड़िया की खोज में निकलता हूं..."

और जब कृष्णचन्द्र सोने की चिड़िया फंसाकर घर लौटते हैं तो उसके बाद का चित्र भी देखिए—

"भोजन करके दारोगाजी लेटे, पर नींद न आती थी। स्त्री से रुपए की बात कहते उन्हें संकोच हो रहा था। गंगाजली को भी नींद न आती थी। वह बार-बार पति के मुंह की ओर देखती, मानो पूछ रही थी कि बचे या डूबे।

अन्त में कृष्णचन्द्र बोले—'यदि तुम नदी के किनारे खड़ी हो और पीछे से एक शेर तुम्हारे ऊपर झपटे तो क्या करोगी?'

गंगाजली इस प्रश्न का अभिप्राय समझ गई। बोली—'नदी में चली जाऊंगी।'

कृष्ण—'चाहे डूब ही जाओ?'

गंगा—'हां, डूब जाना शेर के मुंह पड़ने से अच्छा है।'

कृष्ण—'अच्छा, यदि तुम्हारे घर में आग लगी हो और दरवाजों से निकलने का रास्ता न हो तो क्या करोगी?'

गंगा—'छत पर चढ़ जाऊंगी और नीचे कूद पड़ूंगी।'

कृष्ण—'इन प्रश्नों का मतलब तुम्हारी समझ में आया?'

गंगाजली 'ने दीन भाव से पति की ओर देखकर कहा—'तब क्या ऐसी बेसमझ हूं?'

कृष्ण—'मैं कूद पड़ा हूं। बचूंगा या डूब जाऊंगा, यह मालूम नहीं'।''

एक भला आदमी जो बुराई की ओर बढ़ने पर विवश हुआ है, उसकी मनोगत भावनाओं का कितना सच्चा और सही चित्रण है!

फिर जब कृष्णचन्द्र सुपरिण्टेंडेंट के सामने अपना अपराध स्वीकारता है तो पाठकों की दृष्टि में वह एकदम ऊंचा उठ जाता है। उसका चरित्र बहुत ही स्वाभाविक और मानवीय बन पड़ा है। वह आरम्भ से अन्त तक पाठकों की सहानुभूति और संवेदना का पात्र बना रहता है। वह उनकी दृष्टि में कहीं भी अपमानित और अप्रतिष्ठित नहीं होता। उसका गंगा में डूब जाना बिलकुल स्वाभाविक जान पड़ता है। जिस कुल-मर्यादा को वे प्राणपण से पालते रहे, जब सुमन ने वही खो दी तो जीने को क्या रह गया? यहां पाठक के मन में उनके प्रति दया नहीं उपजती बल्कि सामाजिक व्यवस्था के विरुद्ध क्रोध और घृणा उत्पन्न होती है।

चरित्र-चित्रण में छोटी-छोटी घटनाओं को बड़ा महत्त्व प्राप्त है। सुमन घर पर मखमली जूते पहनती और स्वादिष्ट पदार्थ खाती थी; लेकिन जब विवाह के पश्चात् गजाधर के पास गई तो पन्द्रह रुपए महीने में गुजर-बसर करनी होती थी। सूखी रोटियां भी मयस्सर न थीं। सुमन की जीभ स्वादिष्ट और मीठे पदार्थों के लिए तरसा करती थी। यद्यपि सुमन भोली से घृणा करती थी, उसके हाथ का पानी तक पीने को तैयार नहीं थी तथापि जब मौलूद के बाद वह कहती है—''मिठाई भेज दूं, ब्राह्मण लाया है,'' तो सुमन इनकार न कर सकी, उसने दबी जबान से अनुमति दे दी।

आगे चलकर जीभ का यह स्वाद भी उसके पतन का एक कारण बन गया। यह बिलकुल स्वाभाविक बात है। मनुष्य कितना ही त्यागी और आदर्शवादी बने, संसार के भौतिक बन्धनों से ऊपर नहीं उठ सकता।

फिर सुमन एकदम कुमार्ग पर नहीं चल खड़ी होती। कुल-मर्यादा और संस्कार उसे रोके रखते हैं। मनुष्य इतना बोदा कभी नहीं होता कि तनिक प्रेरणा और प्रलोभन मिलने पर मान-मर्यादा को एकदम तज दे। वह अपनी अच्छी परम्पराओं की रक्षा के लिए भीषण परिस्थितियों का सबल विरोध करता है और सुमन ने भी किया लेकिन समाज ने उसे पतन की ओर ढकेल दिया। उसने सगर्वा और सुन्दर होते हुए भी जिस निर्धन पति का साथ निभाने का यत्न किया, उसकी ओर से उसे तनिक भी सहानुभूति या सहयोग नहीं मिला; उलटा शंका, सन्देह और लांछना ही पाई। पाठक को कहीं भी ऐसा आभास नहीं मिलता कि प्रेमचन्द ने अपने सुधारवादी सिद्धान्त का प्रयोग करने के लिए उसे वेश्या बनाया है, बल्कि यह सब-कुछ स्वाभाविक ढंग से होता चला गया है।

एक प्रकार की सामाजिक स्थिति से दूसरे प्रकार की सामाजिक स्थिति में जाकर रहने से मनुष्य में जो गुणात्मक परिवर्तन आते हैं, उन्हें भी प्रेमचन्द बड़ी सूक्ष्मता और स्पष्टता से अंकित करते हैं। सदनसिंह जब चाचा के पास बनारस में आकर रहने लगा तो निपट गंवार था। लेकिन कुछ दिन शहर में रहकर और दालमंडी के चक्कर लगाकर उसमें जो परिवर्तन आया, वह यों व्यक्त किया है—

"अब वह इतना निश्शंक हो गया था कि दालमंडी में घोड़े से उतरकर तम्बोलियों की दूकान पर पान खाने बैठ जाता। वे समझते, यह कोई बिगड़ा हुआ रईसजादा है। उससे रूप-हाट की नई-नई घटनाओं का वर्णन करते। गाने में कौन अच्छी है और कौन सुन्दरता में अद्वितीय है, इसकी चर्चा छिड़ जाती। सदन इन बातों को चाव से सुनता। अब तक वह कुछ रसज्ञ हो गया था। पहले जो गजलें निरर्थक मालूम होती थीं, उन्हें सुनकर अब उसके हृदय का एक-एक तार सितार की भांति गूंजने लगता था। संगीत के मधुर स्वर उसे उन्मत्त कर देते।"

मनोविज्ञान और हृदय परिवर्तनों के ऐसे सजीव और सुबोध चित्र आपको प्रेमचन्द की कृतियों में पग-पग पर मिलेंगे। फिर एक ही व्यक्ति के मन में जो प्रगतिवादी और रूढ़िवादी विरोधात्मक तत्त्वों का द्वन्द्व छिड़ा रहता है, पद्मसिंह और विट्ठलदास के चरित्रों में उसकी भी बानगी मिलती है। लेकिन

इस प्रकार के अध्ययन के लिए प्रेमचन्द के नौजवान और आदर्श पात्र बहुत ही उपयुक्त हैं। 'प्रेमाश्रम' का प्रेमशंकर, 'कायाकल्प' का चक्रधर, 'रंगभूमि' का विनय और 'कर्मभूमि' का अमरकान्त इसके विशेष उदाहरण हैं। उन्होंने इस रूढ़िग्रस्त समाज में परवरिश पाई है। लेकिन वे शिक्षित नवयुवक राष्ट्रीय भावनाओं और जनसेवा-व्रत से इस अन्याय, शोषण और दमन पर टिकी सामाजिक व्यवस्था का अन्त करके नये समाज का निर्माण करना चाहते हैं। प्रेमचन्द अपने इन पात्रों को, जो अपने परम्परागत संस्कारों के कारण रूढ़िवादी और दुर्बल आत्मा हैं, संघर्ष और जनसेवा का पथ ग्रहण करवाते हैं ताकि वे चरित्रवान्, त्यागी और कर्मवीर बनकर नवसमाज के निर्माण में जनता का नेतृत्व कर सकें। पर होता यह है कि प्रेमशंकर प्रेमाश्रम खोलकर और मायाशंकर का हृदय परिवर्तन करके ही संतुष्ट हो जाता है, यह नहीं सोचता कि एक व्यक्ति मात्र के हृदय परिवर्तन से पूरी जमींदारी प्रथा तो खत्म नहीं हो जाती। चक्रधर संघर्ष का पथ छोड़कर अध्यात्मवाद की शरण लेता है। विनय आत्महत्या कर लेता है और अमरकान्त उसी पुराने समाज से समझौता करके घर लौट आता है। उनमें से एक भी क्रान्तिकारी न बन सका। एक भी जनता का नेतृत्व न कर पाया। क्यों? आखिर ऐसा क्यों हुआ? कारण यह है कि इस समय तक प्रेमचन्द खुद सुधारवादी और आदर्शवादी थे। वे परिवर्तन तो चाहते थे, लेकिन क्रान्ति से हिचकिचाते थे।

'गोदान' के प्रेमचन्द 'कर्मभूमि' के प्रेमचन्द नहीं हैं। वह यथार्थवादी बन गए हैं। यहां हमें आशा बंधती है कि गोबर क्रान्तिकारी बनेगा। जब वह शहर में जाकर मजदूर भर्ती होता है और हड़ताल में आगे बढ़कर भाग लेता है तो सम्भावना और भी सबल हो जाती है लेकिन ऐसा हो नहीं पाता। वह स्वार्थी बना रहता है, खुद रुपया सूद पर देता है और अपने बाप होरी से कहता है—"जब तक बच्चा था, दूध पिला दिया, फिर लावारिस की तरह छोड़ दिया। जो सबने खाया वही मैंने खाया। मेरी जिन्दगी तुम्हारा देना भरने के लिए नहीं है; मेरे भी बाल-बच्चे हैं।"

प्रेमचन्द कहना यह चाहते हैं कि गांव के बेटे शहर पहुंचकर मिल मजदूरों की वाणी सीख गांव से घृणा करने लगते हैं। वे पक्के स्वार्थी बन जाते हैं और उनका पतन हो जाता है। प्रेमचन्द यथार्थवादी तो बने; लेकिन मजदूर के क्रान्तिकारी ऐतिहासिक रोल को न समझ सके, यही उनकी मानसिक परिधि है और यही उनका रूढ़िवाद है।

प्रेमचन्द का सबसे महान् पात्र होरी है। जब तक हिन्दी साहित्य जीवित

रहेगा उनका होरी भी जीवित रहेगा। प्रेमचन्द की लेखनी ने उसे अमरत्व प्रदान कर दिया है। डॉ. रामरतन भटनागर प्रेमचन्द पर अपनी पुस्तक में लिखते हैं–"होरी प्रेमचन्द के उस आदर्शवाद का प्रतीक है, जो उन्हें प्रेमाश्रम (1922) से कर्मभूमि (1932) तक विश्वस्त बनाए रख सका। यह आदर्शवाद अब यथार्थ स्थिति की चट्टान से टकराकर चकनाचूर हो गया है। होरी सबको मानकर चलना चाहता है---धर्म को, ईश्वर को, समाज को, व्यक्ति के पारिवारिक कर्त्तव्य को, परन्तु वह चल नहीं पाता। सभी के नाम पर वह शोषित है। पंडा-पुरोहित, समाज के नेता और कर्णधार, उसके भाई-भावज सब उसे छलते हैं और छलों का यह खेल खेलते-खेलते एक दिन उसकी जान ही चली जाती है।"

होरी कोई व्यक्ति नहीं। वह सारी शोषित किसान जनता का प्रतिनिधि है। उसका अस्तित्व इस मरण-प्रायः समाज-व्यवस्था पर कठोर व्यंग्य है। यह व्यवस्था अपने अन्याय और अत्याचार के कारण क्षण-क्षण टूट रही है--एक दिन धूल में मिल जाएगी। लेकिन होरी! होरी जीवित रहेगा।

डॉक्टर भटनागर 'रंगभूमि' के सूरदास और विनयकुमार को भी महान् पात्र मानते हैं और होरी की टक्कर का बताते हैं। उनका कहना है कि सूरा गांधी का, विनय जवाहरलाल नेहरू का प्रतिरूप है। प्रेमचन्द ने हमारे राष्ट्रीय आन्दोलन के इन्हीं दो नेताओं से अपने ये दो पात्र लिए हैं। डॉक्टर महोदय ने शायद इसीलिए उनके प्रति अपनी श्रद्धा व्यक्त की है। मुमकिन है, उनकी यह धारणा ठीक हो, कम-से-कम सूरदास को तो सभी गांधी का प्रतिरूप मानते हैं। लेकिन इस विषय में हमारा मत यह है कि जब तक हम खुद आदर्शवादी न हों, उनकी महत्ता में हमारा विश्वास टिकता नहीं। खुद प्रेमचन्द का विश्वास भी कहां टिका? 'गोदान' में कोई सूरदास नहीं, कोई विनय नहीं। इस उपन्यास में जितने भी कांग्रेजी और गांधीवादी पात्र (अमरपालसिंह, चन्द्रप्रकाश खन्ना) हैं, सबकी खिल्ली उड़ाई है। सबको पाखण्डी और ढोंगी सिद्ध किया है।

इन दोनों से कहीं सजीव चरित्र-चित्रण तो 'कफन' कहानी के माधव और घीसू का हुआ है, जो सारी उम्र पापड़ बेलते हैं, पर खाने-पहनने को तरस जाते हैं। माधव की पत्नी मरती है तो कहीं उसके मन की साध पूरी होती है। वे कफन के पैसे लेकर ताड़ीखाने पहुंचते हैं। घीसू अत्यन्त प्रसन्न मुद्रा में कहता है–"हमारी आत्मा प्रसन्न हो रही है तो क्या उसे पुन्न न होगा?" माधव उत्तर देता है–"जरूर से जरूर होगा। भगवान्! तुम अन्तर्यामी हो। उसे बैकुण्ठ ले जाना। हम दोनों हृदय से आशीर्वाद देते हैं। आज जो भोजन मिला है, वह कभी उम्र-भर न मिला था।"

घीसू और माधव का सच्चा और सही रूप—भला-बुरा जैसा भी वह है--हमारे सामने है। प्रेमचन्द ने इस विषय में खुद लिखा—*"जहां मनुष्य अपने मौलिक, यथार्थ, अकृत्रिम रूम में है, वहीं आनन्द है।"*

प्रेमचन्द जहां आदर्शवाद की भूल-भुलैयों में नहीं खो जाते, जहां वे मनुष्य को कृत्रिम ढंग से भला बनाने और हृदय परिवर्तन करने का प्रयत्न न करके उसे उसके अकृत्रिम और यथार्थ रूप में पेश करते हैं, वहीं उनका चरित्र-चित्रण अधिक सुन्दर बन पड़ा है। चरित्र-चित्रण के बारे में जिस हद तक वह पहुंच चुके थे, उसी से वह संतुष्ट नहीं थे, बल्कि भविष्य में और आगे पहुंचना चाहते थे। लिखा है—

"यों कहना चाहिए कि भावी उपन्यास जीवन-चरित्र होगा—चाहे किसी बड़े आदमी का या छोटे आदमी का। उसकी छुटाई-बड़ाई का फैसला उन कठिनाइयों से किया जाएगा जिन पर उसने विजय पाई है।"

हां, वह चरित्र इस ढंग से लिखा जाएगा कि उपन्यास मालूम हो। अभी हम झूठ को सच बनाकर दिखाना चाहते हैं, भविष्य में सच को झूठ बनाकर दिखाना होगा। किसी किसान का चरित्र हो या किसी देशभक्त का या किसी बड़े आदमी का, पर उसका आधार यथार्थ पर होगा। तब यह काम उससे कठिन होगा, जितना अब है; क्योंकि ऐसे बहुत कम लोग हैं, जिनको बहुत-से मनुष्यों को भीतर से जानने का गौरव प्राप्त हो।

प्रेमचन्द सदा मनुष्यों को भीतर से जानने का ही प्रयत्न करते रहे और उनके भीतर के चरित्र अपनी रचनाओं में प्रस्तुत करते रहे, जितना वह कर पाए वही उनकी सफलता है। और कोई लेखक उनसे अधिक कर सकेगा तो उसे हिन्दी साहित्य को प्रेमचन्द से आगे बढ़ाने का श्रेय प्राप्त होगा।

24. नारी-पात्र

"औरत को जीवन में प्रेम न मिले, तो उसका मर जाना ही अच्छा है।"

—प्रेमचन्द

प्रेमचन्द के उपन्यासों और कहानियों में अनेक नारी-पात्र हैं, जिनसे परोक्ष रूप में यह ज्ञात होता है कि नारी, प्रेम और विवाह-समस्या के बारे में प्रेमचन्द का दृष्टिकोण क्या था और जीवन को सुखी और समृद्ध बनाने के लिए इन समस्याओं का वे क्या हल चाहते थे। यह बात निर्विवाद सत्य है कि इस रूढ़िगत और पुरुष-प्रधान समाज में स्त्री का व्यक्तित्व कुचला हुआ है। कहने को तो उसे मानव-जीवन की कर्णधार, देवी, सती, चाहे कुछ कह दिया; पर वास्तव में उसकी हैसियत दासी से अधिक नहीं है। बेटा बाप की सम्पत्ति का वारिस बनता है, बेटी का उसमें कोई हिस्सा नहीं है। विवाह के बाद जब वह ससुराल जाती है, तो पहले पति, पति के भाई इत्यादि और फिर बेटे जैसा चाहें, उसके साथ सलूक किया करते हैं। उसकी मान-मर्यादा और सुख-दुःख उनकी सदिच्छा और दया पर ही निर्भर करते हैं। उसके जीवन का कोई साधन नहीं, वह पुरुष की आश्रित है। मनु का कथन है कि नारी बचपन में पिता और भाइयों के, जवानी में पति के और बुढ़ापे में पुत्रों के आधीन है। वर्तमान सामाजिक जीवन से यह कथन अक्षरशः सही सिद्ध होता है। विवाह-प्रणाली इतनी दूषित हो गई है कि जो लोग धनी और समृद्ध हैं, वे विवाह के समय अपने बेटों की मुंह-मांगी कीमत वसूलते हैं, और जो लोग निर्धन हैं, वे अपनी लड़कियां बेचने पर मजबूर हैं। फिर वंश, गोत्र, जात-पांत और कुलीन, सुकुलीन के इतने झगड़े हैं कि लड़कियों के लिए उपयुक्त वर मिलना बहुत कठिन है।

प्रेमचन्द इस वैवाहिक प्रथा को पसन्द नहीं करते थे। उनकी 'दो सखियां' कहानी का नायक विनोद कहता है—"मैं वर्तमान वैवाहिक प्रथा को पसन्द नहीं करता। इस प्रथा का आविष्कार उस समय हुआ था, जब मनुष्य सभ्यता की प्रारम्भिक दशा में था। तब से दुनिया बहुत आगे बढ़ी है, मगर विवाह-प्रथा में जौ-भर भी अन्तर नहीं आया। यह प्रथा वर्तमान काल के लिए उपयोगी नहीं है।" स्पष्ट है कि वे विवाह के विरुद्ध नहीं थे, केवल वर्तमान प्रथा में सुधार अथवा परिवर्तन चाहते थे। वे इस प्रथा के कुपरिणामों को नित्य अपनी आंखों देखते थे और उनका महान् और उदार हृदय नारी की दीन-हीन दशा को सहन नहीं कर पाता था। औरत की इस दयनीय दशा को उन्होंने 'अभिलाषा' कहानी में बड़े ही सुन्दर ढंग से दर्शाया है। उन्होंने लिखा है—"कल पड़ोस में बड़ी हलचल मची। एक पान वाला अपनी स्त्री को मार रहा था। वह बेचारी बैठी रो रही थी। पर उस निर्दयी को उस पर लेश-मात्र भी दया नहीं आती थी। आखिर स्त्री को भी क्रोध आ गया। उसने खड़े होकर कहा—'बस, अब मारेगा, तो ठीक न होगा। आज से मेरा तुझसे कोई सम्बन्ध नहीं। मैं भीख मांगूंगी, पर तेरे घर नहीं आऊंगी।' यह कहकर उसने एक पुरानी साड़ी उठाई और घर से निकल पड़ी। कहानी की नायिका कामिनी आगे कहती है—'मैं अपने कमरे की खिड़की से घंटों देखती रही कि शायद वह फिर लौटे या शायद पान वाला ही उसे मनाने जाए, पर दो में से एक बात भी न हुई। आज मुझे स्त्री की सच्ची दशा का पहली बार ज्ञान हुआ। यह दुकान दोनों की थी। पुरुष तो मटरगश्ती किया करता था, स्त्री रात-दिन बैठी सती होती थी। दस-ग्यारह बजे दुकान पर बैठे उसे देखती थी। प्रातःकाल नींद खुलती, तब भी उसे बैठे पाती। नोच-खसोट, काट-कपट जितना पुरुष करता था, उससे कुछ अधिक ही स्त्री करती थी। पर पुरुष सब-कुछ है। स्त्री कुछ नहीं। पुरुष जब चाहे, उसे निकाल बाहर कर सकता है। जब एक बराबर मेहनत करने वाली औरत को दूध की मक्खी की तरह निकाल बाहर किया जा सकता है, तो इस सामाजिक व्यवस्था में पति पर आश्रित औरत कैसे अपनी अवस्था पर सन्तुष्ट हो? उसे बारम्बार यह आभास होता है कि मैं पत्नी नहीं, लौंडी हूं'।"

उनकी 'कुसुम' कहानी की नायिका अपने निजी अनुभवों के आधार पर कहती है—"वर्तमान स्थिति में पत्नी बनना ग़ुलामी न सही, पुरुष से कमतर दर्जा स्वीकार करना है। प्रेम तो आर्थिक समता का नाम है। इस असमानता में प्रेम का अस्तित्व हो सकता है, मुझे तो इसमें सन्देह है।" इस पुरुष-प्रधान

सामाजिक व्यवस्था में स्त्री की बिलकुल यही हालत है। मनुष्य असुन्दर और कुरूप हो, वह अपनी सुन्दर और सुशील पत्नी से मनमाना व्यवहार कर सकता है, एक से अधिक पत्नियां रख सकता है, वेश्यागमन कर सकता है। सन्तान न हो, तो वह उस पर सौत लाकर बिठा सकता है। बुढ़ापे में पत्नी मर जाए, तो अपनी पुत्री और पोती के सदृश नवयौवना कन्या से विवाह रचा सकता है। लड़की बेचारी बेसींग की गाय है; बाप उसे जिसके हाथ चाहे पकड़ा दे।

'वरदान' उपन्यास को लीजिए। विरजन और प्रताप बचपन के साथी हैं और एक-दूसरे से प्रेम करते हैं। लेकिन विरजन का विवाह कमलाचरण से हो जाता है। कमलाचरण में कोई गुण नहीं, वह आवारा और लम्पट है। विवाह केवल इसलिए हो जाता है कि उसका बाप बहुत बड़ा पदाधिकारी है। विरजन एक हिन्दू-पत्नी की तरह उसे अपना देवता मानती है और सुधारने का प्रयत्न करती है। वह उसके प्रभाव से सुधर भी जाता है। लेकिन जब वह उससे दूर प्रयाग में जाकर रहता है, तो फिर बिगड़ जाता है और दुराचार में पड़कर मर जाता है। विरजन अब विधवा है। वह कविताएं लिखती है और उनमें अपनी मनोभावनाओं को व्यक्त करती है। बचपन के साथी प्रताप से, जो अब बालाजी है, वह अब भी प्रेम करती है। लेकिन यह आध्यात्मिक प्रेम है। इसमें वासना की गंध नहीं। विरजन का चरित्र उभरने नहीं पाया है, वह आदर्शवाद के नीचे दब गया है। पर इतना स्पष्ट है कि इस समाज में विवाह लड़के-लड़की के प्रेम और गुण-स्वभाव को देखकर नहीं होता, धन और सम्पत्ति से तय होता है। इसी से विरजन दुःखी है। यह दूसरी बात है कि प्रेमचन्द ने उसे कविता लिखने के कल्पित-मार्ग पर डाल दिया है। इससे समस्या हल नहीं हुई बल्कि विरजन स्वयं कल्पना मात्र बनकर रह गई है। उसकी सखी माधवी भी एक कल्पित पात्र है। हां, प्रताप की मां सुवामा प्राचीन सभ्यता में पली हुई आदर्श नारी का चरित्र है, जो अपने आपको पति और बेटे के प्रेम में मिटा देती है।

'प्रेमा' उपन्यास हिन्दू-समाज में विधवा नारी की समस्या को लेकर लिखा गया है। प्रेमचन्द इस समय आर्यसमाज के समाज-सुधार-आन्दोलन से प्रभावित थे। इसी दृष्टिकोण से उन्होंने समस्या का हल पेश किया है। पूर्णा सीधी-सादी, सरल स्वभाव की औरत है। वह कमलाचण के कपट-व्यवहार को नहीं समझ पाती। इसलिए श्रद्धा की दृष्टि से देखती है। लेकिन जब वह उसके सतीत्व पर हाथ डालता है, तो वह कुर्सी उठाकर मारती और उसे घायल कर देती है। पूर्णा से ऐसे हमले की आशा नहीं की जा सकती। इस घटना से इतना ही सिद्ध होता है कि लेखक को नारी के सतीत्व की रक्षा करनी थी और

प्रेमचन्द सतीत्व की रक्षा अक्सर करते हैं। पहले संस्करण में प्रेमचन्द ने पूर्णा का दोबारा विवाह कर दिया था, लेकिन दूसरे संस्करण में इसलिए बदल दिया कि ऐसा करने से नारी अपने सतीत्व के उच्च आदर्श से गिर जाती है। वे पूर्णा को विधवाश्रम में भिजवा देते हैं। वहां कृष्ण-भक्ति में उसका जीवन बीतता है।

सतीत्व की रक्षा प्रेमचन्द का प्रिय विषय है। वे नारी औरं पुरुष के सम्बन्ध को दूषित होने देना पसन्द नहीं करते। 'सेवासदन' की सुमन दालमंडी में बैठकर नाचती-गाती है, लेकिन सतीत्व की रक्षा करती है। हिन्दू-नारी ने शताब्दियों से सीता और सावित्री को अपना आदर्श मान रखा है। प्रेमचन्द अपने उपन्यासों और कहानियों में अक्सर दिखाते हैं कि हिन्दू-नारी के मन में जाने-अनजाने सतीत्व की रक्षा का परम्परागत संस्कार इतना सुदृढ़ है कि विपरीत परिस्थितियों में भी अडिग रहता है। वह जी-जान से उसकी रक्षा करती है। प्रेमचन्द के नारी-पात्रों को समझने के लिए यह बात बहुत महत्त्वपूर्ण है। विवाह-प्रथा नारी को गुलाम बनाती है, तो इसका इलाज उनके विचार में यह नहीं कि नारी अपने सतीत्व को, अपने शील को छोड़ दे और पुरुषों की तरह विलासिनी और व्यभिचारिणी बन जाए। इससे बुराई कम नहीं होगी, अनाचार फैलेगा। वे डॉ. इन्द्रनाथ मदान के नाम अपने एक पत्र में लिखते हैं—

"मेरी नारी का आदर्श है एक ही स्थान पर त्याग, सेवा और पवित्रता। त्याग बिना फल की आशा के हो, सेवा बिना असन्तोष प्रकट किए हुए हो और पवित्रता सीजर की पत्नी की भांति ऐसी हो, जिसके लिए पछताने की आवश्यकता न हो।"

प्रेमचन्द का यह विश्वास था और यह विश्वास उनके साहित्य का प्राण है। पर इसका यह मतलब नहीं कि उनके उपन्यासों और कहानियों में नारी का चरित्र और व्यक्तित्व उभरता नहीं, यह समस्या ही प्रधान रहती है। वे इस आदर्श को अपने नारी-पात्रों पर जबरदस्ती ठोंसते हैं, ऐसी बात भी नहीं। हमारे समाज में इस समय भी लाखों-करोड़ों औरतें ऐसी हैं, जो भयंकर-से-भयंकर परिस्थितियों में भी अपने भाग्य पर सन्तुष्ट रहती हैं, पति तथा समाज का अत्याचार चुपचाप सहती हैं। जिनका भाग्य पर विश्वास नहीं, जो सन्तुष्ट नहीं हैं, वे अन्याय और अत्याचार के विरुद्ध लड़ती-झगड़ती हैं, वासनाएं उन्हें विचलित नहीं करतीं। वे अपने सतीत्व पर दृढ़ रहती हैं। प्रेमचन्द ने ऐसे ही जीते-जागते नारी-पात्र चुनकर हमारे सामने पेश किए हैं।

ऐसी ही एक जीती-जागती सप्राण नारी 'प्रतिज्ञा' की सुमित्रा है। वह

अपने पति कमलाचरण से बिलकुल ही विपरीत स्वभाव की है। उसका पति कंजूस, दुष्ट और दुराचारी है; लेकिन सुमित्रा उदार, सुशील और सतीसाध्वी है। माता-पिता ने कमलाचरण से विवाह कर दिया है इसलिए उसके साथ निर्वाह कर रही है। पर उसकी लम्पटता की कड़ी आलोचना और निन्दा करती है। वह निर्भीक है। इस समाज-व्यवस्था के प्रति उसके मन में क्षोभ और क्रोध भरा हुआ है, जिसे वह प्रायः प्रकट करती है और इसी कारण उसे रात को नींद भी नहीं आती। पूर्णा ने उसे एक बार बहुत देर तक जागते देखा तो चिन्तित होकर पूछा—'तुम अब तक कैसे जाग रही हो?'

सुमित्रा—'तमाम दिन सोया जो करती हूँ।'

पूर्णा—'तो क्यों सोती हो तमाम दिन?'

सुमित्रा—'यही रात को जागने के लिए!'

सुमित्रा हँसने लगी। एक क्षण में सहसा उसकी मुख-मुद्रा गम्भीर हो गई। बोली--'अपने माँ-बाप की धन-लिप्सा का मातम कर रही हूँ, बहन, और क्या!' यह कहते-कहते उसकी आँखों में आँसू-भर आए। एक स्त्री का, जो अपने मन का दुःख अपने भीतर छुपाए रहती है और जिसे माता-पिता ने केवल धन देखकर एक अयोग्य व्यक्ति से ब्याह दिया हो, इससे सुन्दर चित्रण और क्या हो सकता है? एक अवसर पर पुरुषों द्वारा स्त्रियों की रक्षा किए जाने पर बहस हो रही थी, तो सुमित्रा बोली—'रक्षा की है तो इसलिए नहीं कि औरतों के बारे में मर्दों का विचार उदार है। अपनी सम्पत्ति के लिए सन्तान की आवश्यकता न होती तो कोई भी मर्द स्त्री की बात न पूछता।' यह स्त्री पाठक की श्रद्धा और सम्मान का पात्र बनती है। उसमें बुद्धि है, साहस है, त्याग है। जब कमलाचरण पूर्णा के हाथों जख्मी होता है और शंका प्रकट की जाती है कि कहीं मर न जाए, तो सुमित्रा कहती है—'ऐसे निर्लज्ज मरा नहीं करते। मरते हैं वह, जिनमें सत्य की शक्ति होती है।'

'प्रतिज्ञा' उपन्यास 'सेवासदन' से पहले लिखा गया था और यह मानी हुई बात है कि 'सेवासदन' में पात्रों का चरित्र-चित्रण सुन्दर हुआ है। फिर भी उपन्यास की नायिका सुमन का चरित्र इतना स्वाभाविक नहीं है, जितना सुमित्रा का। उसमें सुमित्रा की महत्ता भी नहीं है। वह सुन्दर है, सगर्वा है, लेकिन अच्छा खाने और अच्छा पहनने की शौकीन है। उसकी यही कमजोरियां उसे पतन की ओर ढकेल देती हैं। दालमंडी तक तो उसका चरित्र स्वाभाविक है, लेकिन उसके पश्चात् ऐसा लगता है कि प्रेमचन्द ने सतीत्व की रक्षा के लिए ही आदर्शवादी नुस्खे का प्रयोग किया है। यह ठीक है कि सुमन के

जन्मगत संस्कार और प्रायश्चित्त की भावना ही उसके सुधार का आधार है, पर घटनाएं बहुधा स्वाभाविक नहीं हैं। इस विषय की एक कहानी 'विश्वास' है जिसमें मिस जोशी का—जो बम्बई के सभ्य समाज की राधिका है, जो कहने को स्कूली अध्यापिका है, पर वास्तव में वेश्यावृत्ति धारण किए हुए है—क्रान्तिकारी नेता आप्टे द्वारा उद्धार किया गया है। जब मिस जोशी उससे प्रभावित हो जाती है और अपने वर्तमान जीवन पर खेद व्यक्त करती है, तो आप्टे कहता है—"मिस जोशी, हम सब मिट्टी के पुतले हैं, कोई निर्दोष नहीं। मनुष्य बिगड़ता है या तो परिस्थितियों से या पूर्व संस्कारों से। परिस्थितियों का त्याग करने ही से बच सकता है, संस्कारों से गिरने वाले मनुष्य का मार्ग इससे कहीं कठिन है। आपकी आत्मा सुन्दर और पवित्र है, केवल परिस्थितियों ने उसे कुहरे की भांति ढक लिया है। अब विवेक का सूर्य उदय हो गया है। ईश्वर ने चाहा, तो कुहरा भी फट जाएगा। लेकिन सबसे पहले परिस्थितियों का त्याग करने को तैयार हो जाओ।" मिस जोशी परिस्थितियों का त्याग करने में साहस से काम लेती है। पाठक को विश्वास हो जाता है कि उसकी आत्मा सुन्दर और पवित्र है। सुमन की आत्मा भी सुन्दर और पवित्र है। वह भी परिस्थितियों का त्याग करती है। लेकिन सुमन और मिस जोशी दोनों ही पाठक की दया की पात्र हैं। सुमित्रा तो ऊंचे—बहुत ऊंचे स्थल पर खड़ी परिस्थितियों पर, दुःखों और विपत्तियों पर जैसे मुस्करा रही है। वह दया की मुहताज नहीं है।

सुमित्रा का दूसरा रूप हमें 'प्रेमाश्रम' की विद्यावती में मिलता है। उसका पति ज्ञानशंकर लोभी, स्वार्थी, दुष्ट और नीच एक साथ सभी-कुछ है। उसने अपने स्वार्थ और संकीर्णता से पारिवारिक जीवन को दुःखी बना रखा है। वह अपने चाचा प्रभाशंकर की, जो पुराने जमाने के उदार और दयालु व्यक्ति हैं, कड़ी आलोचना करता है। विद्या को पति का यह आचरण पसन्द नहीं है। उसे ज्ञानशंकर को चाचा से वाद-विवाद करते देखकर दुःख होता है, वह उसे समझाने की चेष्टा करती है, पर ज्ञानशंकर उसे झिड़क दिया करता है। वह इतना शिक्षित होकर भी स्त्री का आदर इससे अधिक नहीं करता, जितना अपने पैरों के जूतों का। अतः उनका दाम्पत्य जीवन भी, जो चित्त की शान्ति का प्रधान साधन है, सुखी नहीं है। बावजूद इसके कि उनका दाम्पत्य जीवन सुखी नहीं है, विद्या अपने पति की दुष्टता, नीचता और शठता सब-कुछ सहन करती है और चुपचाप गृहस्थी चलाती है। ज्ञानशंकर अपनी पत्नी के साथ इसलिए भी लड़ पड़ता है कि वह अपने जमींदार पिता से बहुत-सा धन क्यों नहीं ले आती, ससुर इतना स्वार्थी और कंजूस क्यों है! उस समय तो नीचता की हद

हो जाती है, जब विद्या के एकमात्र भाई की मृत्यु का तार आता है और ज्ञानशंकर यह समाचार पाकर दुःखी होने के बजाय इसलिए प्रसन्न होता है कि ससुराल की सम्पत्ति का वारिस अब वह खुद बनेगा। स्त्री का हृदय ऐसे पति के प्रति घृणा से नहीं भर जाएगा, तो और क्या होगा?

यहीं पर बस नहीं होती। विद्या की एक बहन गायत्री है। वह भी गोरखपुर में बहुत बड़ी जमींदारी की मालकिन है। ज्ञानशंकर उस पर डोरे डालता है और चाहता है कि वह उसके बेटे मायाशंकर को गोद लेकर सम्पत्ति उसके नाम लिख दे। विद्या उसकी कुटिल नीति को समझती है और उसे मना करती है। जब वह किसी तरह बाज नहीं आता तो विद्या आत्महत्या करके जीवन-नाटक का अन्त कर देती है। विद्या नई पीढ़ी की सुशिक्षित और सुशील नारी है। उसके जीवन का यों अन्त होते देखकर सचमुच ही दुःख होता है। लेकिन यह विद्या की नहीं, इस समाज व्यवस्था की, इस विवाह-प्रणाली की ट्रेजडी है। यह ट्रेजडी 'निर्मला' उपन्यास में और भी भयानक रूप से सामने आती है। निर्मला पिता की मृत्यु के पश्चात् दहेज के अभाव के कारण बूढ़े तोताराम से ब्याह दी जाती है। समाज ने निर्मला की देह तोताराम के सुदुर्द कर दी, पर वह उसे अपना हृदय, अपनी आत्मा नहीं दे पाती। यह उसके सामर्थ्य से बाहर की बात है। पति की पहली पत्नी से जो सन्तान है, वह उससे जी बहलाती है। बूढ़ा पति निर्मला और अपने बड़े लड़के मन्साराम के प्यार और मेल-मिलाप पर सन्देह करता है जिससे मन्साराम की मृत्यु होती है। जियाराम चोर बनकर आत्महत्या करता है और सियाराम घर से भाग जाता है। इस प्रकार सारा घर उजड़ जाता है और निर्मला घुल-घुलकर मर जाती है। यह एक ऐसी स्त्री का यथार्थवादी चरित्र है, जो क्रूर समाज की बलिवेदी पर चढ़ाई गई है।

ऐसे क्रूर बलिदानों के, बेजोड़ विवाहों के उदाहरण प्रेमचन्द के लगभग सभी उपन्यासों में मिलते हैं। 'कायाकल्प' की मनोरमा चक्रधर से प्रेम करती है, पर ब्याह विशालसिंह से होता है। देह पति की हो जाती है, परन्तु आत्मा चक्रधर की ही रहती है। वह उसे जेल से छुड़वाती और हर तरह से उसकी सहायता करती है। उसका प्रेम इतना स्वच्छ और उदार है कि वह अहिल्या से कभी ईर्ष्या नहीं करती। विशालसिंह की मृत्यु के पश्चात् वह दृश्य बहुत ही मार्मिक है, जब मनोरमा पक्षी पालकर मन बहलाती है और चक्रधर चिड़ियां लाकर उसके महल में रख जाता है। मनोरमा माली से पूछती है कि पिंजरा रखकर जाने वाला कौन था, हालांकि मालूम है कि वह व्यक्ति चक्रधर ही था।

'रंगभूमि' की इन्दु भी बड़ी उदार और सुशीला नारी है। उसका विवाह महेन्द्रसिंह से होता है, जो ज्ञानशंकर और कमलाचरण की तरह नीच और स्वार्थी है। वह केवल कीर्ति के लिए और सहज ईर्ष्यावश मानवी आदर्शों से नीचे गिरता है। इन्दु सती-साध्वी है, पति-सेवा को अपना धर्म समझती है; लेकिन वह पति के कुकर्मों का विरोध करती है, जिससे उसका जीवना दुःखी है। 'कर्मभूमि' की नैना भी ऐसी ही विरोधी परिस्थितियों में जीवन व्यतीत करती है। वह डॉक्टर शान्तिकुमार से अनुराग रखती है और ब्याह सेठ धनीराम के दुराचारी पुत्र मनीराम से होता है। ब्याह के दो महीने बाद डॉक्टर शान्तिकुमार को सुखदा से पता चलता है कि धनीराम पक्का शोहदा है और नैना वहां दुःखी है, तो वे मनीराम को समझाना चाहते हैं। सुखदा बोली--''नहीं, मैं आपसे हाथ जोड़ती हूं, आपने उससे कुछ कहा, तो यह सब नैना के सिर जाएगी।''

''मैं उससे लड़ने नहीं जाऊंगा, मैं उसकी खुशामद करने जाऊंगा। वह जानता नहीं, पर नैना के लिए अपनी हत्या कराने में भी मुझे संकोच नहीं है। मैं उसे दुःखी नहीं देख सकता। निःस्वार्थ सेवा की वह देवी अगर मेरे सामने दुःखी हो तो मेरे जीने को धिक्कार है।''

इससे जहां नैना के प्रति डॉक्टर शान्तिकुमार के प्रेम का पता चलता है, वहां नैना के चरित्र पर भी प्रकाश पड़ता है। नैना ने पहले दिन का हाल वर्णन करते हुए भाभी के सामने मनीराम का यह चित्र खींचा है--''जिस दिन मैं गई, उस दिन वे गले में हार डाले, आंखें नशे से लाल, उन्मत्त की भांति पहुंचे, जैसे कोई आसामी से महाजन के रुपए वसूल करने जाए और मेरा घूंघट उठाते हुए बोले--'मैं तुम्हारा घूंघट देखने नहीं आया और न मुझे यह ढकोसला पसन्द है, आकर इस कुर्सी पर बैठो।' उनका यह रूप देखकर थाल मेरे हाथ से छूटकर गिर पड़ा और उसका धूप-दीप-नैवेद्य भूमि पर बिखर गया। मेरी चेतना का रोम-रोम जैसे इस अधिकार-गर्व से विद्रोह करने लगा'।'' इस प्रकार नैना का सारा जीवन विद्रोह से भरा हुआ है। उसकी पति से नहीं बनती। शहर में मजदूरों के लिए अनेक घर बनाने का जो आन्दोलन चलता है, वह उसमें भाग लेती है और शहीद हो जाती है।

ऐसा ही चरित्र-वैषम्य 'गोदान' के चन्द्रप्रकाश खन्ना और उसकी पत्नी गोविन्दी में पाया जाता है। गोविन्दी सुशिक्षित, सगर्वा और शालीनता की मूर्ति है जबकि पति स्वार्थी और हृदयहीन है। उसके लिए पैसा ही सब-कुछ है। वह पत्नी को पांव की जूती से अधिक नहीं समझता। नए समाज की तितली दमयन्ती के साथ फ्लर्ट करता है, उसके सामने पत्नी का अपमान करता है

और जब वह उसके व्यवहार की आलोचना करती है, तो वह उसे निर्दयता से पीट देता है। सगर्वा नारी की देह और आत्मा इस अपमान से जल उठती है। खन्ना ने उसका अपमान यह सोचकर ही तो किया है कि वह उसकी आश्रिता है, उसके टुकड़ों पर पलती है! यह सोचकर गोविन्दी का मन ग्लानि से भर जाता है और वह रूठकर घर छोड़ देती है। आगे चलकर उसकी भेंट आदर्शवादी मेहता से हो जाती है। वह खन्ना के व्यवहार से पहले ही परिचित है। उसके मन में गोविन्दी के प्रति सच्ची श्रद्धा है। वह उसके घर से निकलने की राम-कहानी सुनकर कहता है—"नहीं देवीजी, वह घर आपका है और सदैव रहेगा। उस घर की आपने सृष्टि की है, उसके प्राणियों की सृष्टि की है और प्राण-जैसे देह का संचालन किया है। मातृत्व महान गौरव का पद है और गौरव के पद में कहां अपमान, धिक्कार और तिरस्कार नहीं मिला! माता का काम जीवन-दान देना है।" गोविन्दी ने अधीर होकर कहा—"लेकिन मैं केवल माता ही नहीं; नारी भी तो हूं।" आखिर गोविन्दी का नारीत्व मातृत्व से परास्त हो जाता है और वह उसके कहने पर घर लौट जाती है। प्रेमचन्द प्राचीनता से यह समझौता अक्सर करते हैं, क्योंकि वे तलाक को नहीं मानते। वे नारी को मातृत्व का महान् पद देते हैं और मेहता के शब्दों में मातृत्व को संसार में सबसे बड़ी साधना और तपस्या मानते हैं, इसलिए नारी से पुरुष की अपेक्षा अधिक त्याग की मांग करते हैं। यह आदर्शवाद है और इसी में उनका रूढ़िवाद निहित है।

लेकिन प्रेमचन्द की इस मान्यता में कोई छल, कपट और स्वार्थ नहीं था। वे नारी को सचमुच ही पुरुष से महान समझते थे और इसी में नारी और पुरुष दोनों का कल्याण समझते थे। उन्होंने इसी आदर्श को लेकर कितनी ही नारियों का चरित्र-चित्रण किया है। उनकी राजपूत नारियां इसका उज्ज्वल उदाहरण हैं, जो रण-क्षेत्र से भाग आने वाले पति और भाइयों का मुंह तक देखना पसन्द नहीं करतीं और जो अपने प्राणों का बलिदान देकर वचन और मर्यादा को पालने की शिक्षा देती हैं। ऐतिहासिक कहानी 'रानी सारन्धा' की सारन्धा और 'मर्यादा की देवी' की प्रभा ऐसी ही नारियां हैं।

हमारे राष्ट्रीय आन्दोलन में बहुत-सी महिलाओं ने भाग लिया था। प्रेमचन्द ने उन्हें बड़ी श्रद्धा से चित्रित किया है। उन्होंने दिखाया है कि स्त्रियां यहां पुरुषों से अधिक त्याग करती हैं और पुरुष को त्यागी बनने की सद्प्रेरणा उन्हीं से मिलती है। 'पत्नी से पति' कहानी की नायिका ऐसी ही नारी है, जो अपने त्याग और साहस से अपने पति सेठ दीनानाथ को देश-सेवा का

मार्ग दिखाती है। जब वह अफसरों से लड़कर और इस्तीफा देकर घर लौटता है, तो गोदावरी कहती है—"जो हुआ, अच्छा हुआ; आज से तुम भी कांग्रेस में शरीक हो जाओ।" सेठ ने होंठ बनाकर कहा—"लजाओगी तो नहीं, ऊपर से घाव पर नमक छिड़कती हो।"

गोदावरी—"लजाऊं क्यों, मैं तो खुश हूं कि तुम्हरी बेड़ियां कट गईं!"

सेठ—"आखिर कुछ सोचा है, काम कैसे चलेगा?"

गोदावरी—"सब सोच लिया है। मैं चलाकर दिखा दूंगी। बड़प्पन सूट-बूट और ठाठ-बाट में नहीं है। जिसकी आत्मा पवित्र है वही ऊंचा है।"

प्रेमचन्द की अपनी पत्नी शिवरानी देवी ने 1930-32 के आन्दोलन में उनसे बढ़कर हिस्सा लिया था। वे खुद जेल जाना चाहते थे, पर शिवरानी उनसे पहले चली गई थीं। और लिखा है कि 1920-22 के आन्दोलन में अपने अध्यापक-पद से इस्तीफा देने की बात सोच रहे थे और इस असमंजस में पड़े थे कि खर्च कैसे चलेगा तो शिवरानी देवी ने कहा था—*"खर्च-वर्च सब चल जाएगा। जब इरादा नेक है तो उस पर अमल करने की ढील क्यों? जो सोचा है, कर डालो।"*

प्रेमचन्द आदर्श दाम्पत्य-जीवन तब मानते हैं, जब पति-पत्नी एक-दूसरे के विकास को आगे बढ़ाएं, एक-दूसरे को सन्मार्ग पर चलने की प्रेरणा दें और एक-दूसरे के जीवन में जिस बात की कमी हो, उसे पूरा करें। 'सेवासदन' के कृष्णचन्द्र और गंगाजली, पद्मसिंह और सुभद्रा, मदनसिंह और माया ऐसे ही आदर्श पति-पत्नियां हैं। दारोगा कृष्णचन्द्र के निर्लोभी होने पर भी उनके स्वभाव में मितव्ययता नहीं थी। लेकिन गंगाजली चतुर स्त्री थी। वह उन्हें समझाया करती थी कि हाथ रोककर खर्च करो। जीवन में यदि और कुछ नहीं करना तो लड़कियों का विवाह तो करना ही पड़ेगा। उनके जीवन में सुख भी है और प्रेम भी।

सुभद्रा और पद्मसिंह के जीवन की एक झांकी देखिए। 'जगत्' के सम्पादक प्रभाकर राव ने अपने पत्रों में सुमन को लेकर पद्मसिंह पर लांछन लगाए तो वे झुंझलाये और गालियों का जवाब लिखने बैठे। उसी समय सुभद्रा आ गई। पूछने लगी कि वह तुम्हारे पीछे हाथ धोकर क्यों पड़ा है? पद्मसिंह ने कहा कि इनका कोई धर्म तो है नहीं, जिससे ग्राहक प्रसन्न हों और जिससे पैसा मिले, वही बात लिखते हैं।

सुभद्रा—"तब तो यह लोग पैसे के गुलाम हैं, इन पर क्रोध करने की जगह दया करनी चाहिए।"

पद्मसिंह मेज से उठ आए। उत्तर लिखने का विचार छोड़ दिया। सुभद्रा को ऐसी विचारशील कभी न समझते थे। उन्होंने अनुभव किया कि यद्यपि मैंने बहुत विद्या पढ़ी पर इसके हृदय की उदारता को मैं नहीं पहुंच पाया। यह अशिक्षिता होकर भी मुझसे कहीं उच्च विचार रखती है। उन्हें आज ज्ञात हुआ कि स्त्री सन्तानहीन होकर भी पुरुष के लिए शान्ति और आनन्द का एक अविरल स्रोत है। सुभद्रा के प्रति उनके हृदय में एक नया प्रेम जाग्रत हो गया। उन्होंने विमल-विशुद्ध भाव से उसे देखा। सुभद्रा इसका आशय समझ गई और उसका हृदय आनन्द से विह्वल और गद्‌गद् हो गया।

'प्रेमाश्रम' की बिलासी मनोहर के जीवन की पूर्ति करती है। मनोहर में जो सहनशीलता और कुशलता नहीं है, वह बिलासी में है। गांव में घी के रुपए बंटते हैं, तो मनोहर नहीं लेता और जमींदार के कारिंदे से लड़ पड़ता है। कादिर उसे समझाने आता है कि मालिक से हम क्या खाकर लड़ेंगे? वह इजाफा, कुर्की, किसी तरह भी हानि पहुंचा सकता है। उस समय बिलासी कहती है—"भाईजी, यह बूढ़े हो गए, लेकिन इनका लड़कपन अभी नहीं गया। कितना समझाती हूं, लेकिन अपने ही मन की करते हैं। इनकी देखा-देखी, एक ही लड़का है, वह भी हाथ से निकला जाता है। जिससे देखो, उसी से उलझ पड़ता है। भला, इनसे पूछा जाए कि सारे गांव ने घी के रुपए लिए हैं, तुम्हें 'नहीं' करने की क्या पड़ी थी?" कादिर समझाता है कि मेरे साथ चलो, कारिंदे से मिन्नत-आरजू करें और माफी मांगें।

मनोहर इसे अपना अपमान समझकर कहता है—"दादा, मैं तो न जाऊंगा।"

बिलासी—"इनकी चूड़ियां मैली हो जाएंगी। चलो, मैं चलती हूं।"

इसका यह मतलब नहीं कि बिलासी बुजदिल और डरपोक है। जब एक दूसरे अवसर पर गौस खां उसका अपमान करता है तो वह खुद मनोहर को ललकारती है और गौस खां से बदला लेने को कहती है। गौस खां की हत्या होती है। उसका पति, बेटा और सारा गांव बांध लिया जाता है। जमींदार का जुल्म पहले से अधिक बढ़ जाता है। औरतें ताना देती हैं कि तुम्हारे कारण ही सब-कुछ हुआ। इस पर बिलासी को खेद नहीं होता, पति को वह बुरा नहीं समझती, बल्कि सगर्व कहती है कि उसने सारे गांव की इज्जत रखी है।

बिलासी ही की तरह, लेकिन दूसरे ढंग की, एक दूसरी किसान औरत धनिया है। जिस प्रकार मर्द-पात्रों में होरी प्रेमचन्द का सबसे महान् पात्र है, उसी प्रकार स्त्री-पात्रों में धनिया सबसे अधिक महान् पात्र है। वह भी अपने

पति के जीवन की पूर्ति करती है। होरी वर्तमान समाज की मर्यादा का पालन करता है, रिवाज, परिवार और कानून सबको मानकर चलता है। वह पंचों को डांड और थानेदार को रिश्वत देता है। लेकिन धनिया पति के इस दब्बूपन को पसन्द नहीं करती। वह धर्म, समाज और सरकार सबकी विद्रोही है। उसके बारे में लिखा है—"धनिया का विचार था कि हमने जमींदार के खेत जोते हैं तो वह अपना लगान ही तो लेगा। हम उसकी खुशामद क्यों करें, उसके तलवे क्यों सहलावें? यद्यपि अपने विवाहित जीवन के बीस वर्षों में उसे अच्छी तरह अनुभव हो गया था कि चाहे कितनी ही कतर-ब्योंत करो, चाहे कितना ही पेट-तन काटो, चाहे एक-एक कौड़ी को दांतों से पकड़ो मगर लगान बेबाक होना मुश्किल है। फिर भी वह हार न मानती थी और इस विषय पर स्त्री-पुरुष में आए दिन संग्राम छिड़ा रहता था।"

पांच सौ पृष्ठों का यह उपन्यास स्त्री-पुरुष के इसी संग्राम की गाथा है। साहूकारों को सूद, थानेदार को रिश्वत और बिरादरी को डांड देने के मामले में धनिया होरी से कहती है कि भगवान् ने तुम्हें तो खामखाह ही पुरुष बना दिया है, तुम्हें तो स्त्री होना चाहिए। इस दरिद्रता और लड़ाई-झगड़े में भी पति-पत्नी का जो प्रेम है उसका चित्र पहले ही पृष्ठ में खींच दिया है, जब होरी ने कहा कि मर्द साठे पर पाठे होते हैं तो धनिया बोली—"जाकर सीसे में मुंह तो देखो। तुम-जैसे मर्द साठे पर पाठे नहीं होते। दूध-घी अंजन लगाने को तो मिलता नहीं, पाठे होंगे।" होरी लकड़ी सम्हालता हुआ बोला--"साठे तक पहुंचने की नौबत ही न आएगी धनिया, इससे पहले ही चल देंगे।" धनिया ने तिरस्कार किया--"अच्छा रहने दो, मत असुभ मुंह से निकालो। तुमसे कोई अच्छी तरह बात भी करे तो लगते हो कोसने।" होरी लाठी कंधे पर रखकर घर से निकला तो धनिया द्वार पर खड़ी उसे देर तक देखती रही। उसके इन निराशा-भरे शब्दों ने धनिया के चोट खाये हुए हृदय में आतंकमय कंपन-सा डाल दिया था। वह जैसे अपने नारीत्व के सम्पूर्ण तप और व्रत से पति को अभयदान दे रही थी। उसके अन्तःकरण से जैसे आशीर्वाद का व्यूह निकलकर होरी को अपने अन्दर छिपाए लेता था। विपन्नता के इस अथाह सागर में सुहाग ही वह तृण था, जिसे पकड़े हुए वह सागर को पार कर रही थी।

जो लोग प्रेमचन्द को नीरस कहते हैं, वे शायद पति-पत्नी के इस विशुद्ध पवित्र प्रेम को प्रेम नहीं समझते। उन्हें वास्तव में औरत के हृदय से, उसकी आत्मा से कोई सरेकार नहीं। वे सिर्फ उसके शरीर से खेलना चाहते हैं। प्रेमचन्द के नजदीक यह नारी का अपमान था। साहित्य द्वारा कुवासना और दुराचार

फैलाना उन्हें पसन्द नहीं था। वे लेखक के कर्त्तव्य और नारी के महत्त्व को समझते थे। वे यह भी मानते थे कि औरत को यदि जीवन में प्रेम न मिले तो उसका मर जाना ही अच्छा है। 'कायाकल्प' में सफल और असफल प्रेम का कई ढंग से वर्णन है। इस उपन्यास में उन्होंने प्रेम के विभिन्न रूपों और उसके उद्देश्यों की व्याख्या करने का प्रयास किया है। इस प्रयास में वे रहस्यवादी भी बन गए हैं। अगर हम उन सबका वर्णन करने लगें तो हम भी रहस्यवाद की दलदल में फंस जाएंगे। हमें यहां लौंगी का चरित्र अधिक आकर्षित करता है। वह ठाकुर हरिसेवक की रखैल है, विवाहिता स्त्री नहीं है। लेकिन दोनों में जो प्रेम है, उसकी मिसाल नहीं मिलती। लौंगी तीर्थ-यात्रा को क्या गई, हरिसेवक की जान निकल गई, जैसे वह उनके प्राण भी अपने साथ ले गई हो। इसी प्रेमबल पर वह गुरुसेवक से कहती है—"तो बच्चा सुन, जब तक मालिक जीता है, लौंगी इस घर में रहेगी। मैं लौंडी नहीं हूं, जो घर से बाहर जाकर रहूं।" डॉक्टर रामरतन भटनागर लिखते हैं कि लौंगी के चरित्र में उन्होंने जिस सती-साध्वी रखेली की कल्पना की है, वह स्वयं उनकी अनुभूत धारणा थी। ऐसा संभव है। प्रेमचन्द की पहली पत्नी से नहीं बनी थी, इसीलिए उन्होंने एक रखेली रखी थी। शिवरानी से विवाह के पश्चात् भी कई साल तक उससे प्रेम-सम्बन्ध रहा। यदि सच्चा प्रेम हो, तो वे अवैध सम्बन्ध को भी बुरा नहीं समझते थे। सच्चा आत्म-समर्पण ही विवाह है। जहां आत्म-समर्पण नहीं, वहां प्रेम नहीं। जीवन को सार्थक बनाने के लिए सच्चे प्रेम की, आत्म-समर्पण की आवश्यकता है। यदि प्रेम न मिले तो जीवन भी शून्य बना रहता है। ऐसी दशा में नारी और पुरुष दोनों ही प्रेम के लिए भटकते रहते हैं। इसी शून्य की पूर्ति के लिए 'कर्मभूमि' में मुन्नी अमरकान्त से प्रेम की मांग करती है। उसके मन में वासना की गंध तक नहीं। अमरकान्त की आत्मा भी प्रेम की भूखी थी। उसे अपनी पत्नी सुखदा से जो प्रेम न मिला वह उसने सकीना से पाया था। 'रहस्य' कहानी की मंजुला एक ऐसी नारी है, जो अपने पति का परित्याग इसलिए कर देती है कि उसे अपने वैवाहिक जीवन में प्रेम नहीं मिलता। उसकी भेंट जन-सेवक विमल से होती है और वे दोनों मन-ही-मन एक-दूसरे से प्रेम करने लगते हैं। लेकिन विमल अपने प्रेम को व्यक्त और प्रकट करने से डरता है। वह समाज-भीरु है। मंजुला उसका आश्रम छोड़कर चली जाती है।

इसके तीन साल बाद विमल को मंजुला फिर मसूरी में मिलती है। अब वह बिलकुल बदली हुई है। कहां तो वह त्याग और कर्त्तव्य-पालन की पुतली

थी और कहां अब तितली बनी हुई अपने एक मित्र खन्ना को साथ लिए रंगरलियां मना रही थी! विमल को उसका यह रूप देखकर दुःख भी हुआ और आश्चर्य भी। पूछने पर मंजुला उसे बताती है कि उसका पति मर गया। विपत्तियों का पहाड़ टूटा। ये तीन साल बड़े ही संकट में बीते हैं। विमल शिकवा करता है कि तुम्हें एक मित्र के नाते मुझे खबर तो देनी चाहिए थी। मंजुला ने श्रद्धा के स्वर में कहा—"आपका काम इन झगड़ों में पड़ना नहीं, विमल बाबू! आपको ईश्वर ने सेवा और त्याग के लिए रचा है। वही आपका क्षेत्र है। आप मनुष्य हैं, आपमें भी इच्छाएं हैं, वासनाएं हैं। लेकिन इच्छाओं पर विजय पाकर ही आपने यह ऊंचा पद पाया है। पद और कर्त्तव्य की रक्षा कीजिए।" और प्रेमचन्द लिखते हैं—"विमल ने अभी-अभी मंजुला को आमोद-प्रमोद में क्रीड़ा करते देखा था। खन्ना से उसका सम्बन्ध किस तरह का है, यह भी समझ लिया था। फिर भी इस उपदेश में उसे सच्ची सहानुभूति का संदेश मिला। विलासिनी मंजुला उसे देवी के रूप में नजर आई।"

मनुष्य के देवत्व का निरूपण करना ही प्रेमचन्द की विशेषता है। 'गोदान' की मालती ने पढ़-लिखकर नई सभ्यता से विडम्बना ही सीखी है। वह स्वच्छंदता को ही जीवन का उद्देश्य समझती है और तितली बनी घूमती है। लेकिन मिस्टर मेहता के संसर्ग में आकर और जन-सेवा में पड़कर उसके सद्‌विचारों का विकास होता है। मिस्टर मेहता शुरू में जिस मालती से घृणा करते थे, अन्त में वही मालती उनकी दृष्टि में आदर्श नारी बन आती है। वह विवाह के प्रस्ताव पर मेहता से कहती है कि मित्र बनकर रहना स्त्री-पुरुष बनकर रहने से कहीं सुखकर है।

प्रेमचन्द जीवन-पर्यन्त स्त्री-पुरुष के सम्बन्ध का, विवाह-समस्या का हल ढूंढते रहे। कुछ व्यक्तिगत ढंग से और कुछ आदर्शवादी तथा गांधीवादी ढंग से हल सोचा भी, पर किसी नतीजे पर न पहुंच पाये।

25. ग्रामीण समस्या

> ''मोटे वह होते हैं, जिन्हें न ऋण की सोच होती है, न इज्जत की। इस जमाने में मोटा होना बेहयाई है। सौ को दुबला करके तब एक मोटा होता है।''
>
> —प्रेमचन्द

प्रेमचन्द ने वैसे तो सभी वर्गों और सभी प्रकार के लोगों के बारे में लिखा है; लेकिन वे मुख्यतः किसानों के लेखक कहलाते हैं। उनकी तीन सौ कहानियों में से अधिकांश किसान-जीवन और ग्रामीण समस्याओं के बारे में हैं, लेकिन इस विषय पर उनका पहला वृहद् ग्रन्थ 'प्रेमाश्रम' उपन्यास है। इस उपन्यास की भूमिका में श्री रामदास गौड़ लिखते हैं—

''बिना लिखे साहित्य का भावी इतिहास-लेखक जब भारतीय उपन्यासों की चर्चा करेगा, उसे किसानों के जीवन की सच्ची फोटो खींचने का श्रेय प्रेमचन्द को देना पड़ेगा।''

हम इस पुस्तक के 'इस्तीफा' परिच्छेद में विस्तार से लिख चुके हैं कि देश अंग्रेज शासकों का उपनिवेश बनने से हमारे गांव की आत्मनिर्भरता समाप्त हो गई। देश को कृषि-प्रधान और कच्चे माल की मंडी बनाकर रखा गया। यहां का कच्चा माल कौड़ियों के दाम विलायत जाने लगा और वहां का बना हुआ मशीनी माल महंगे दामों यहां आकर बिकने लगा और दूर देहातों तक धावा बोलता था। इस शोषण के कारण देहातों की दरिद्रता बढ़ती गई। इससे किसानों की हानि ही हुई, लाभ कुछ नहीं हुआ। मशीनी माल तो देहातों में गया लेकिन मशीनी सभ्यता के साथ जो नए वैज्ञानिक विचार आते हैं, उन्हें देहातों में पहुंचाने का कोई प्रयत्न नहीं किया गया, वे अन्धविश्वास और

रूढ़िवाद में जकड़े रहे। देश का उद्योगीकरण न होने के कारण अर्थव्यवस्था और कृषि के पुराने तरीकों में कोई परिवर्तन नहीं हुआ। युद्ध हुआ, तो इसी मशीनी माल के कारण किसानों की लूट-खसोट और बढ़ गई तथा मुद्रा-प्रसार और महंगाई ने तो कमर ही तोड़ दी। पर जमींदार इस बहाने लगान में बेसी करना चाहता है कि अनाज का दाम चढ़ गया है। 'प्रेमाश्रम' का बलराज इसका उत्तर देता है—

"भाव चढ़ गया है तो मजदूरों की मजदूरी भी तो बढ़ गई है, बैलों का दाम भी बढ़ गया है, लोहे-लक्कड़ का दाम भी तो बढ़ गया है, यह किसके घर से आएगा?"

इसके अतिरिक्त सूखा, वर्षा का असमय अधिक होना और समय पर बिलकुल न होना, बाढ़ और दूसरे प्राकृतिक प्रकोप किसानों को बरबाद करते रहते हैं। जमींदार को इससे कुछ सरोकार नहीं, उसके लिए प्रजा दुधारू गाय है, और हर हालत में दुहते रहना उसका काम है। बाढ़ आए, पानी न बरसे, खेतों में बांस की जड़ भी उत्पन्न न हो, उसे लगान चाहिए और तिस पर बेसी भी। राय बहादुर कमलानन्द बड़े धर्मात्मा, बड़े ही योगाभ्यासी और विद्वान हैं, लेकिन दरिद्र आसामियों से लगान वसूल करते समय उनके घोर अत्याचार की कहानी उनकी पुत्री विद्या की जबानी सुनिए। वह गायत्री से कह रही है, "उस साल जब अकाल पड़ा और प्लेग भी फैली, तब हम लोग इलाके पर गए। तुम गोरखपुर थीं। उन दिनों बाबूजी की निर्दयता देखकर मेरे रोंगटे खड़े हो जाते थे। आसामियों से रुपए वसूल न होते थे और हमारे यहां नित्य नाच-रंग होता रहता था। बाबूजी को उड़ाने के लिए रुपए न मिलते तो वह चिढ़कर आसामियों पर गुस्सा उतारते। सौ-सौ मनुष्यों को एक-एक पंक्ति में खड़ा करके हण्टर से मारने लगते। बेचारे तड़प-तड़पकर रह जाते, पर उन्हें तनिक भी दया न आती थी। इसी मारपीट ने इन्हें निर्दय बना दिया है।"

गायत्री खुद गोरखपुर की जमींदार है। वह भी आसामियों से लगान वसूल करने के लिए इसी प्रकार जुल्म करती है। इसलिए वह पिता का पक्ष लेते हुए विद्या से कहती है—"घर में रुपए रखे होते हैं; पर जब तक दो बार लात-घूंसे न खा लें या गालियां न सुन लें, देने का नाम नहीं लेते।"

विद्या—"मैं यह न मानूंगी, किसी की मार खाने की आदत नहीं होती।"

गायत्री—"लेकिन किसी को मारने की भी आदत नहीं होती। यह सम्बन्ध ही ऐसा है कि एक ओर तो प्रजा में भय, अविश्वास और आत्महीनता के भावों को पुष्ट करता है और दूसरी ओर जमींदारों को अभिमानी, निर्दय और

निरंकुश बना देता है।''

यह सामंती व्यवस्था की, उसकी विषमता की सच्ची तस्वीर है। प्रेमचन्द को देहाती जीवन का जो गहरा अनुभव था, उसी से वह वस्तु-स्थिति का यथार्थ चित्रण और इस व्यवस्था में पलने वाले शोषण, अन्याय और अत्याचार को सदेह, सप्रमाण और विश्वस्त बनाकर पेश करते हैं।

प्रेमचन्द ने अपने लगभग सभी उपन्यासों में जमींदारों की इस निर्दयी और अन्धी लूट का वर्णन किया है। 'सेवासदन' में उनका अभिप्राय ग्रामीण समस्या प्रस्तुत करने का नहीं था, लेकिन उसमें भी पुलिस विभाग की घूसखोरी के प्रसंग में इस लूट की एक झांकी मिल जाती है। महन्त रामदास की जमींदारी 'बांकेबिहारी' के नाम पर चलती है, वे आसामियों से सिर्फ लगान ही नहीं लेते बल्कि धर्मोत्सवों के लिए चन्दा भी वसूलते हैं। यदि कोई अभागा आसामी यह चन्दा दे नहीं सकता अथवा देने से इनकार करता है तो 'बांकेबिहारी' क्रुद्ध होकर मठ में पलने वाले मुस्टंडे साधुओं को उसकी मरम्मत का हुक्म देते हैं। यह साधु चाहें तो बेचारे आसामी को मारते-मारते बेदम कर दें, उसके प्राण ले लें। कोई पूछने वाला नहीं। जिले के अफसरों से और पुलिस के अधिकारियों से मिली-भगत है। महन्तजी के यहां से साल में लाखों रुपए घूस और डालियों के रूप में इन अफसरों की भेंट चढ़ जाते हैं।

यही हाल 'कर्मभूमि' के महन्त आशाराम का है। उनके डेरे में भी भंग छनती है, गाय-भैंसों का मनों दूध बेकार साधुओं के पेट में उतर जाता है। लेकिन इन साधुओं को बेकार कहना भूल है, वे आसामियों से लगान और चन्दे वसूल करने में बड़े काम आते हैं। खुद महन्तजी आशाराम रात-दिन ईश्वरभक्ति और ज्ञान-चर्चा में मग्न रहते हैं। उन्हें इतनी भी फुरसत नहीं कि कभी किसी आसामी की फर्याद ही सुन लें। आसामियां खुद धर्मपरायण हैं, वे महन्तजी की ईश्वर-भक्ति में विघ्न डालना और उनकी निर्मोह और निर्लेप आत्मा को किसी प्रकार का कष्ट देना उचित नहीं समझतीं। जुल्म सब कारिंदे करते हैं, महन्तजी को तो इसका ज्ञान भी नहीं होता।

जमींदार चाहे महन्त रामदास और आशाराम हो, चाहे राय बहादुर कमलानन्द, गायत्री और 'गोदान' का अमरपालसिंह, धर्म सभी को विरासत में मिलता है। वे धर्मोत्सवों में, दान-पुण्य में और साधुओं, ब्राह्मणों और धर्म-प्रचारकों पर लाखों लुटा देते हैं; क्योंकि उन्हें अपनी मान-मर्यादा और प्रतिष्ठा को कायम रखना है, जिससे आम लोगों, सरकारी कर्मचारियों और आसामियों में उनकी सज्जनता और न्यायशीलता का भ्रम बना रहता है और

जिस प्रकार महन्तों के डेरे में मुस्टंडे साधु पलते हैं, इनके घर बेकार सम्बन्धी पलते हैं। प्रेमचन्द 'गोदान' में लिखते हैं–

"राय साहब का परिवार बहुत विशाल था। कोई डेढ़ सौ सरदार एक साथ भोजन करते थे। कई चचा थे, दर्जनों चचेरे भाई, कई सगे भाई, बीसियों नाते के भाई। एक चचा साहब राधा के अनन्य उपासक थे और बराबर वृन्दावन में रहते थे। भक्ति-रस के कितने ही कवित्त रच डाले थे। समय-समय पर उन्हें छपवाकर दोस्तों की भेंट कर देते थे। एक दूसरे चचा थे। जो राम के परम भक्त थे और फारसी भाषा में रामायण का अनुवाद कर रहे थे। रियासत से सबके वजीफे बंधे हुए थे। किसी को कोई काम करने की जरूरत नहीं थी।"

(गोदान, पृष्ठ 14)

पुरानी पीढ़ी के जमींदार प्रभाशंकर और उनका बड़ा भाई, गायत्री और उसका पति इस वर्ग-विभाजन को ईश्वरीय विधान मानते हैं और किसानों से लगान वसूली को शोषण नहीं बल्कि अपना ईश्वरदत्त अधिकार समझते हैं। इसलिए उनकी धर्मपरायणता में कहीं कुछ कोमल स्थान भी है और वे किसी समय आसामियों पर दया करने की बात भी सोचते हैं और दया दिखाते भी हैं। लेकिन कमलानन्द, ज्ञानशंकर और अमरपालसिंह नई पीढ़ी के जमींदार हैं, अंग्रेजी शिक्षा और पूंजीवादी सभ्यता ने उन्हें चतुर और चालाक बना दिया है। वे इस दान-धर्म का मूल्य खूब समझते हैं और इसे शोषण का आवरण समझकर बराबर वालों में बड़ा बनने के लिए अपनाए हुए हैं। इस मामले में अमरपालसिंह कुछ अधिक स्पष्टवादी है; इसलिए कहता है–"सम्पत्ति और सहृदयता में वैर है। हम भी दान देते हैं, धर्म करते हैं। लेकिन जानते हो क्यों? अपने बराबर वालों को नीचा दिखाने के लिए। हमारा दान और धर्म कोरा अहंकार है, विशुद्ध अहंकार।" **(गोदान, पृष्ठ 14)**

ऐसे लोगों के लिए दान-धर्म की तरह देशभक्ति भी एक आवरण है, यश कमाने का साधन है। इन्हीं राय साहब अमरपाल के बारे में लिखा है–"पिछले सत्याग्रह में राय साहब ने बड़ा यश कमाया था। कौंसिल की मेम्बरी छोड़कर जेल चले गए थे। तब से उनके इलाके के आसामियों को उन पर बड़ी श्रद्धा हो गई थी। यह नहीं कि उनके इलाके में आसामियों के साथ कोई ख़ास रियाय़त की जाती हो या डांट और बेगारी की कड़ाई कुछ कम हो, मगर यह सारी बदनामी मुख़्तारों के सिर जाती थी।" **(गोदान, पृष्ठ 13)**

फिर इन जमींदारों की सरकार से मिलीभगत है। यही अमरपालसिंह

राष्ट्रवादी होते हुए भी अफसरों को डालियां भेजते हैं। जमींदार लाटसाहब के स्वागत में तो हजारों-लाखों लुटा देते हैं और यह सब किसानों के माथे पड़ती है। इसी पर बस नहीं है। जब जिला के अफसर अपने लाव-लश्कर के साथ दौरा पर जाते हैं तो गाँव वाले उन्हें देख सहम जाते हैं। यह वह टिड्डी दल था जो खेतों को ही नहीं, जो कुछ घरों में है वह भी चट कर जाता था। इनकी लूट की बात भी प्रेमचन्द के ही शब्दों में सुनिए–

"जिस दूध, घी, शाक-भाजी, मांस, मछली आदि के लिए शहर में तरसते थे, जिनका स्वप्न में भी दर्शन नहीं होता था, उन पदार्थों की यहां केवल जिह्वा और ब्राहु के बल से रेल-पेल हो जाती है। जितना खा सकते हैं, खाते हैं; दबाकर खाते हैं और जो नहीं खा सकते, वह घर भेजते हैं। घी से भरे हुए कनस्तर, दूध के भरे हुए मटके, उपले और लकड़ी, घास और चारे से भरी हुई गाड़ियाँ शहर आने लगती हैं।..." **(प्रेमाश्रम, पृष्ठ 60)**

प्रेमचन्द चाहते थे कि लूट-खसोट बन्द हो, किसानों के साथ न्याय हो। वे दिन-रात मेहनत करते हैं, चोटी का पसीना एड़ी तक बहाकर अनाज उगाते हैं और इससे सबका पेट भरते हैं। फिर यही सबके अन्नदाता किसान भूखे क्यों रहें? उनका जीवन सुखी क्यों न हो? उन्हें सुखी बनाने का जो एकमात्र ढंग है, वह भी प्रेमचन्द को मालूम था। उनका आदर्श पात्र प्रेमशंकर कहता है–

"भूमि उसकी है जो उसको जोते। शासक को उसकी उपज में भाग लेने का अधिकार इसलिए है कि वह देश में शान्ति और रक्षा की व्यवस्था करता है, जिसके बिना खेती हो नहीं सकती। किसी तीसरे वर्ग का समाज में कोई स्थान नहीं है।" **(प्रेमाश्रम, पृष्ठ 189)**

प्रेमचन्द भूमि किसान को दिलाना चाहते थे। लेकिन इसका एक साधन तो यह है कि क्रान्ति हो और सामंती व्यवस्था का अन्त करके किसान को भूमि का मालिक बना दिया जाए और दूसरा गांधीवादी तथा सुधारवादी ढंग यह है कि शिक्षा और उपदेश से जमींदारों का हृदय परिवर्तन किया जाए, जिससे वे अपनी शोषण मनोवृत्ति को त्यागकर अपने-आप जमीन किसानों को दे दें। प्रेमचन्द ने 'प्रेमाश्रम' में यही सुधारवादी ढंग अपनाया है। इसमें प्रेमशंकर की सुसंगति और शिक्षा के प्रभाव से दयाशंकर का हृदय परिवर्तन हो जाता है और वह अपने जमींदारी अधिकारों का त्याग कर देता है। इससे लखनपुर गांव में समृद्धि आती है। उपन्यास के अन्त में प्रेमचन्द ने दिखाया है कि यह गांव धरती पर स्वर्ग का नमूना है, किसान प्रसन्न हैं, उनके पास गाय और घोड़े

हैं और बच्चे स्कूल पढ़ने जाते हैं।

यह प्रेमचन्द का अपना स्वप्न था। इसका दूसरा नाम काल्पनिक समाजवाद (Utopian Socialism) है। इस बारे में पहली बात यह है कि ऐसी अभिलाषा ही की जा सकती है, जीवन में यह कार्यान्वित हो या न हो।

प्रेमचन्द ने भी जीवन के अन्तिम पर्व में अपने काल्पनिक समाजवाद के इस ऐतिहासिक तथ्य को समझ लिया था। इसी से उन्होंने 'गोदान' में ग्रामीण समस्या को फिर लिया है। इस बार उन्होंने किसान के जीवन को जैसा वह है, वैसा ही पेश कर दिया है। उसका कोई अवैज्ञानिक और काल्पनिक हल नहीं बताया। यहां किसान के दुःख की कहानी इतनी सच्ची और मार्मिक है कि उसे पढ़कर पाठक अनायास कह उठता है—"इस अमानुषिक व्यवस्था का अन्त कैसे होगा?"

'प्रेमाश्रम' की कहानी मुख्यतः जमींदार-परिवारों की कहानी है और किसानों की कहानी सिर्फ प्रसंग रूप में आती है। लेकिन 'गोदान' में किसान और देहात की कहानी मुख्य है, जमींदार और शहर की कहानी प्रसंग रूप में आती है। यहां प्रेमचन्द के सामाजिक ज्ञान का स्तर बहुत ऊंचा उठ गया जान पड़ता। 'गोदान' में उन्होंने सिर्फ जमींदारों और सरकारी अफसरों और प्यादों की लूट-खसोट की ही बात नहीं लिखी, बल्कि इस रूढ़िगत समाज की उन तमाम बीमारियों का भी उद्‌घाटन किया, जो इसे घुन की तरह भीतर-ही-भीतर खाये जा रही हैं और इसे खोखला बना दिया है।

होरी समाज-बिरादरी, धर्म, कानून, परिवार, रीति-रिवाज सबको मानकर चलता है, लेकिन कोई भी उसका सहायक नहीं होता। सभी उसे खाते हैं, सभी उसे नोचते हैं। भाई उससे छल करते हैं, बिरादरी डांड भरवाती है, थानेदार रिश्वतर मांगता है, महाजन और ब्राह्मण उसे चूसते हैं, उसका अपना बेटा भी उसे बुरा कहता है और दुःख में पिसता छोड़कर चला जाता है। उसके मन में गाय लाने की साध थी, वह तो क्या पूरी होती, बैल भी बिक जाते हैं। जिस भूमि के लिए वह अब तक सारी मर्यादाओं का पालन करता आया है वह भी हाथ से निकल जाती है और वह किसान से मजदूर बनने पर विवश हो जाता है। अन्त में यही मजदूरी उसके प्राण ले लेती है, लेकिन प्राण देकर भी तो पीछा नहीं छूटता, क्रूर मर्यादा ब्राह्मण—और वह भी सूदखोर ब्राह्मण—के रूप में सामने आ खडी होती है और 'गोदान' के रूप में खिराज मांगती है। जो दरिद्र किसान जीवन-पर्यन्त गौ लाने की साध पूरी न कर सका, वह दान के लिए गौ कहाँ से लाए?

यह इतना बड़ा प्रश्न है कि जिसका सुधार या आदर्शवाद के पास कोई उत्तर नहीं।

प्रेमचन्द ने 'गोदान' में विशुद्ध यथार्थ रूप से इस समाज को टूटता दिखाया है। यह एक अनुभूत सत्य था और वह इस सत्य को बड़ी देर से अनुभव करते आए थे। उन्होंने 'बलिदान' कहानी बहुत पहले लिखी थी। इसमें भी किसान को मजदूर बनते दिखाया गया है। इसमें भी धर्म, समाज, क्रिया-कर्म, बिरादरी और सूदखोर महाजन गिरधारी को अपने बैल और खेत बेचने पर मजबूर करते हैं और वह इसी गम में मर जाता है। 'सवा सेर गेहूं' कहानी भी बहुत पहले लिखी थी। इस कहानी का नायक शंकर भी 'गोदान' के होरी की तरह समाज, धर्म और परिवार सबको मानकर चलता है और यही सब बातें, उसकी सहायक बनने की अपेक्षा, उल्टा उसे पीस डालती हैं। लिखा है–

"सात साल गुजर गए। विप्रजी विप्र से महाजन हुए, शंकर किसान से मजदूर हो गया। उसका छोटा भाई मंगल उससे अलग हो गया था। एक साथ रहकर दोनों किसान थे, अलग होकर मजदूर हो गए थे। शंकर ने चाहा कि द्वेष की आग भड़कने न पाए, किन्तु परिस्थितियों ने उसे विवश कर दिया। जिस दिन अलग-अलग चूल्हे जले वह फूट-फूटकर रोया। आज से भाई शत्रु हो जाएंगे, एक रोएगा तो दूसरा हंसेगा, एक के घर मातम होगा तो दूसरे के घर गुलगुले पकेंगे, प्रेम का बन्धन, खून का बन्धन, दूध का बन्धन आज टूटा जाता है। उसने भगीरथ प्रयत्न से कुल-मर्यादा का वृक्ष लगाया था, उसे अपने रक्त से सींचा था। उसका जड़ से उखड़ना देखकर उसके हृदय के टुकड़े हुए जाते थे।...अब गुजर-बसर कैसे हो? पांच बीघे के आधे खेत रह गए, एक बैल रह गया, खेती क्या खाक होती! अन्त को यहां तक नौबत पहुंची कि खेती केवल मर्यादा-रक्षा का साधन मात्र रह गई। जीविका का भार मजदूरी पर आ पड़ा।" **(मानसरोवर, भाग 4, पृष्ठ 192)**

यही 'गोदान' की विषयवस्तु है। अन्तर यह है कि वह उपन्यास है, उसमें समाज का और उसके तमाम वर्गों का भरपूर विश्लेषण हो पाया है। फिर जिस दशा में नायक की मृत्यु हो जाती है, उससे यह विश्वास दृढ़ बनता है कि शंकर ही 'गोदान' का होरी है।

इस कहानी के अन्त में खासतौर पर लिख दिया गया है–"पाठक! इस वृतान्त को कपोल-कल्पित न समझें। यह सत्य घटना है। ऐसे शंकरों और ऐसे विप्रों से दुनिया खाली नहीं हुई है।"

इन्हीं सत्य घटनाओं ने, जीवन के विशाल अनुभव ने प्रेमचन्द की आंखें खोल दी थीं और उनकी रूढ़िगत मान्यताएं वस्तुस्थिति से टकरा-टकराकर चकनाचूर हो चुकी थीं। डॉक्टर रामरतन भटनागर ने ठीक ही लिखा है कि "जान पड़ता है, धर्म, ईश्वर, समाज और व्यक्ति सबकी दुर्बलताओं और छलों के प्रति प्रेमचन्द असहिष्णु हो गए हैं। होरी प्रेमचन्द के उस आदर्शवाद का प्रतीक है जो उन्हें 'प्रेमाश्रम' (1922) से 'कर्मभूमि' (1932) तक विश्वस्त बनाए रख सका। यह आदर्शवाद अब यथार्थ स्थिति की चट्टान से टकराकर चकनाचूर हो गया था।" **(प्रेमचन्द, पृष्ठ 167)**

और उन्होंने समझ लिया था कि किसान-समस्या एक वर्गगत समस्या है और सुधारवाद से इसका हल होना नितान्त असम्भव है। और अन्तिम दिनों में वे वर्ग-संघर्ष को ही अन्तिम उपाय के रूप में स्वीकार करने के निकट पहुंच गए थे।

26. विषयवस्तु और शैली

"सच्चा साहित्य कभी पुराना नहीं होता।" —प्रेमचन्द

बात बदलती है तो बात कहने का ढंग भी बदलता है, यह निर्विवाद सत्य है। इसका मतलब यह है कि जब नए युग के साथ नई समस्याएं साहित्य का विषय बनती हैं, तो उनके साथ नई शैली भी निर्मित हो जाती है। जितना महान विषय होता है, उसे व्यक्त करने के लिए उतनी ही महान कला अपेक्षित होती है, क्योंकि बात यदि कलात्मक ढंग से न कही जाए तो पाठकों पर वांछित प्रभाव नहीं छोड़ती। विषय और शैली में सामंजस्य का नाम ही कलात्मक सौन्दर्य है और इस कलात्मक सौन्दर्य से ही मानवीय भावनाओं का परिष्कार होता है और वे ऊर्ध्वमुखी होती हैं।

नए युग की जो नई समस्याएं या नई विषयवस्तु हमारे सामने आती है, वह उस युग अथवा उस युग के किसी व्यक्ति-विशेष की देन नहीं होती। मनुष्य जाति ने सदियों के संघर्ष और अनुभव से जो ज्ञान प्राप्त किया है, उसी को ऐतिहासिक विकास की दिशा में और आगे बढ़ा देने का नाम नवीनता और आविष्कार है। उसकी जड़ सुदूर भूत में—सृष्टि के आरम्भिक काल में—ही केन्द्रित रहती है। इसी तरह नई शैली भी पुरानी शैली ही का एक विकसित रूप होती है। आज तक कोई भी लेखक और साहित्यिक ऐसा नहीं हुआ जिसने भूत की परम्परा को अलग फेंककर एक नई शैली का—जिसे वह अपनी, सोलह आने अपनी कह सके—आविष्कार किया हो। यदि किसी ने कभी ऐसा प्रयोग किया है तो निश्चय ही वह निरर्थक प्रयोग हुआ होगा और उस व्यक्ति ने अपनी शक्तियों का अपव्यय किया होगा।

हम सदा पुराने शिल्प-विधान और शैली से लाभ उठाते हैं, पर आंखें मूंदकर उसका अनुसरण नहीं करते, बल्कि अपनी सृजन-शक्ति से पुराने का नए ढंग से निरूपण करते हैं, उसमें जो सर्वथा प्राणहीन और व्यर्थ हो गया है उसे छोड़ देते हैं। इस प्रक्रिया में हमारी निजता व्याख्या में आ जाती है, जिसे हम अपना मौलिक अनुदान मान लेते हैं। प्रत्येक देश के राष्ट्रीय साहित्य का निर्माण इसी प्रकार होता है। प्रेमचन्द के समकालीन और चीन में यथार्थवादी साहित्य के रचयिता लूशुन ने इस बारे में लिखा है–"पुरानी शैली को अपनाते समय उसमें कुछ-न-कुछ त्याग देना पड़ता है, लेकिन जिसका त्याग किया जाता है, उसकी स्थान-पूर्ति के लिए कुछ जोड़ना भी आवश्यक होता है। वह जो जोड़ा जाता है, उसी का नाम नई शैली या आविष्कार है।"

प्रेमचन्द को जो विरासत में मिला, उसके बारे में वे स्वयं लिखते हैं–"हमने जिस युग को अभी पार किया है, उसे जीवन से कोई मतलब न था। हमारे साहित्यकार कल्पना की एक सृष्टि खड़ी करके उसमें मनमाने तिलस्म बांधा करते थे! कहीं 'फिसनाए अजायब' की दास्तान थी, कहीं 'दोस्ताने खयाल' की और कहीं 'चन्द्रकान्ता संतति' की। इन आख्यानों का उद्देश्य केवल मनोरंजन था और हमारे अद्‌भुत-रस-प्रेम की तृप्ति। साहित्य का जीवन से कोई लगाव है, यह कल्पनातीत था।" **(कुछ विचार, पृष्ठ ३)**

प्रेमचन्द की देन यह है कि उन्होंने साहित्य और जीवन में सम्बन्ध स्थापित किया। यह बात नहीं कि प्रेमचन्द से पहले उर्दू-हिन्दी में जो साहित्य मिलता है उसका जीवन से कुछ भी सम्बन्ध नहीं हो। रतननाथ सरशार के 'फिसानाए अजायब' को उपन्यास नहीं कहा जा सकता। वह वास्तविक और स्वाभाविक कम और काल्पनिक अधिक है, फिर भी उसमें सामंती और नवाबी मरण-प्रायः संस्कृति का खोखलापन स्पष्ट और नग्नरूप में दिखाई देता है। आलोचक इसे सर्वेटीज (Cerventes) के डॉन कुइक्साट् (Don Quixote) का हिन्दुस्तानी संस्करण बताते हैं। प्रेमचन्द की खोज के अनुसार देवकीनन्दन खत्री ने 'चन्द्रकान्ता संतति' की रचना फारसी के बृहद् ग्रंथ 'तिलस्मे-होशरुबा' को सामने रखकर की थी। इसमें उनकी कल्पना चाहे कितनी ही बेलगाम है और चाहे कितनी ही चमत्कारिक घटनाओं की भरमार है, उसमें जीवन की झांकियां मिल ही जाती हैं। इससे यह बात भी स्पष्ट हो जाती है कि हमारे साहित्य पर अंग्रेजी और फारसी साहित्य का सीधा प्रभाव पड़ रहा था। श्रीनिवासदास ने अपने 'परीक्षागुरु' उपन्यास में संस्कृत, फारसी, अंग्रेजी आदि के बड़े-बड़े नैतिक वाक्य उद्‌धृत किए हैं, जिससे उनका उपन्यास कलात्मक न रहकर

उपदेशात्मक बन गया है और उपन्यास की रचना के बारे में उनकी धारणा अजीब-सी जान पड़ती है। फिर भी उन दिनों 'परीक्षागुरु' पसन्द किया गया। कारण यह था कि जिस प्रकार से मदनमोहन मुसाहिबों के चक्कर में पड़कर सब-कुछ खो बैठा, उसी प्रकार बहुत से बिगड़े हुए ताल्लुकेदार और जमींदार मौजूद थे, जो सेठ मदनमोहन के जीवन में अपने जीवन का प्रतिबिम्ब देखते थे और उपन्यास को पसन्द करते थे। बालकृष्ण भट्ट के दोनों उपन्यास 'नूतन ब्रह्मचारी' और 'सौ अजान एक सुजान' भी इसी कोटि के उपन्यास हैं। वे भी कलात्मक कम और प्रचारात्मक अधिक हैं, लेकिन वे जीवन के कुछ और निकट आ गए मालूम पड़ते हैं। किशोरीलाल गोस्वामी ने इस परम्परा को और आगे बढ़ाया। उन्होंने सामाजिक, ऐतिहासिक तथा प्रेममूलक विषयवस्तु लेकर लगभग साठ उपन्यास लिखे। वह हिन्दी के प्रथम कहानीकार भी माने जाते हैं। उनकी 'इन्दुमती' कहानी 1900 में 'सरस्वती' में प्रकाशित हुई थी और इस पर शेक्सपीयर के प्रसिद्ध नाटक 'टैम्पेस्ट' की छाप है। अपने उपन्यासों की सामग्री जुटाने में उन्होंने अधिकांश संस्कृत और हिन्दी के प्राचीन साहित्य से प्रेरणा ली है; लेकिन भाषा और शैली के सम्बन्ध में आधुनिक अंग्रेजी साहित्य से लाभ उठाया है।

कहने का तात्पर्य यह है कि जिस प्रकार मुसलमानों के सम्पर्क में आने से फारसी और अरबी साहित्य का प्रभाव हमारे साहित्य, भाषा और शैली पर पड़ा, उसी प्रकार अंग्रेजों के सम्पर्क में आने के उपरान्त अंग्रेजी साहित्य का प्रभाव पड़ना अनिवार्य था। अंग्रेज़ी साहित्य औद्योगिक क्रान्ति के बाद यथार्थवादी बन गया था और जीवन के बहुत ही निकट आ गया था। हमारा साहित्य भी, प्रेमचन्द से पहले ही, अंग्रेजी साहित्य के प्रभाव से जीवन के निकट आ रहा था। उर्दू में डिप्टी नजीर अहमद ने भी अंग्रेजी ही के प्रभाव से 'तोबुतल-नसूह' आदि कुछ सुधारवादी और प्रचारात्मक उपन्यास लिखे थे। प्रेमचन्द ने पहले-पहल उर्दू ही में लिखना शुरू किया, इसलिए शुरू में उन पर उर्दू लेखकों का ही प्रभाव अधिक था और उन्होंने अंग्रेजी उपन्यासों के अनुवाद भी उर्दू में ही पढ़े थे। हम अपनी इस पुस्तक के 'पहली रचना' नामक परिच्छेद में इस बात पर विस्तारपूर्वक प्रकाश डाल चुके हैं कि प्रेमचन्द की आरम्भिक रचनाओं पर न केवल रतननाथ सरशार के 'फिसानए आजाद' और मीर अमन के 'किस्साए चहारदरवेश' की भाषा और शैली का प्रभाव स्पष्ट है बल्कि उनमें घटना-वैचित्र्य भी वैसा ही पाया जाता है। 'शाप' और 'सौभाग्य के कोड़े' कहानियां और 'वरदान' उपन्यास इसके उदाहरण हैं।

शुरू में उनकी भाषा कठिन और शैली बोझिल थी। वाक्य-विन्यास की चतुरता और कला-कौशल दिखाने का लोभ अधिक रहता था। यह स्वाभाविक ही था। प्रत्येक लेखक आरम्भ में अपने जमाने के प्रसिद्ध लेखकों का अनुकरण करता है और उस समय की कला-सम्बन्धी धारणाओं की उपेक्षा करना सम्भव नहीं होता। धीरे-धीरे जब लेखक का ज्ञान और अनुभव बढ़ता है और उसके अन्दर आत्मविश्वास की ज्योति जगती है तभी वह अपनी विषयवस्तु को नए ढंग से प्रस्तुत करने का साहस करता है। प्रेमचन्द इस बारे में काफी देर तक दुविधा में पड़े रहे। 1914 में दयानारायण निगम के नाम एक पत्र में लिखा था–*"मुझे अभी तक यह इत्मीनान नहीं हुआ कि कौन-सा तरजे-तहरीर (रचना-शैली) अख्त्यार करूं? कभी तो बंकिम की नकल करता हूं, कभी आजाद के पीछे चलता हूं। आजकल काउंट टालस्टाय के किस्से पढ़ चुका हूं, तब से कुछ इसी रंग की तरफ तबीयत मायल है। यह अपनी कमजोरी है और क्या?"*

और 1930 में पंडित बनारसीदास चतुर्वेदी, सम्पादक 'विशाल भारत' ने पूछा था कि "आप पर किस लेखक की शैली का प्रभाव पड़ा है?" इस प्रश्न के उत्तर में प्रेमचन्द ने लिखा था–*"मेरी लेखन-शैली पर किसी दूसरे लेखक की शैली का कोई विशेष प्रभाव नहीं पड़ा है। लेकिन पंडित बिशन नारायण दर और डॉक्टर रवीन्द्रनाथ की शैली का कुछ-कुछ प्रभाव पड़ रहा है।"*

इसमें सन्देह नहीं कि प्रत्येक लेखक अपने पूर्वजों से सीखता और अपने समकालीन लेखकों से प्रभावित होता है। प्रेमचन्द ने भी सीखा, प्रेमचन्द भी प्रभावित हुए, लेकिन जिस लेखक में जितनी अधिक अनुभव-शक्ति होती है और अनुभूत सत्य को व्यक्त करने की जितनी अधिक सामर्थ्य और साहस होता है, उसकी अपनी देन उतनी ही अधिक होती है। उसकी लेखन-शैली में जितना सृजन तत्त्व बढ़ जाता है, उतनी ही वह उसकी अपनी शैली कहलाने लगती है और जितना उसे साहित्यिक रुचियों और प्रवृत्तियों को अपने साथ चलाने में सफलता प्राप्त होती है, उतना ही उसे युग-प्रवर्तक कहलाने का श्रेय प्राप्त होता है।

प्रेमचन्द भी युग-प्रवर्तक लेखक थे। 1901 से 1936 तक हिन्दी-उर्दू कथा-साहित्य का युग प्रेमचन्द युग कहलाता है और कहलाता रहेगा। वे पहले लेखक थे जिन्होंने अपनी कहानियों और उपन्यासों की सामग्री तत्कालीन जीवन से प्राप्त की और उसे चुस्त भाषा और सुन्दर शैली में कलात्मक ढंग से प्रस्तुत किया। वे युग की वाणी थे। उस समय राजनीति में और समाज-सुधार के

आन्दोलन में मनुष्य से विचारशील और कर्मशील बनने और रूढ़ियों और अन्धविश्वास को त्यागकर आगे बढ़ने की मांग की जा रही थी। प्रेमचन्द ने इस मांग को पूरा किया। जिस तरह जीवन के लगभग सभी क्षेत्रों में पश्चिम से, जो विज्ञान में उन्नति कर गया था, हम बहुत-कुछ सीख रहे थे। प्रेमचन्द ने साहित्य के क्षेत्र में सीखा और उपन्यास और कहानी को आधुनिक बना दिया। उन्होंने किताबें पढ़कर किताबें लिखने के बजाय अपनी रचनाओं की सामग्री राजनैतिक और सामाजिक आन्दोलनों, अपने निजी जीवन और आस-पास रहने वाले दूसरे लोगों के जीवन से प्राप्त की। जिस तरह हमारा देश विशाल और विस्तृत है उसी तरह प्रेमचन्द के उपन्यासों की रंगभूमि भी विशाल और विस्तृत है और उनकी कहानियां विभिन्न विषयों और विभिन्न पात्रों पर लिखी गई हैं। 'सेवासदन' एक सामाजिक उपन्यास है। इसमें दहेज, अनमेल विवाह और वेश्यावृत्ति को ही मुख्य रूप से लिया गया है। लेकिन इसी उपन्यास में पुलिस-अफसर और दूसरे कर्मचारी भी आते हैं, जो जनता पर अत्याचार करते हैं, घूस खाते और इसी को अपनी शान समझते हैं। उमानाथ जैसे पुलिस के दलाल हैं, जो लगभग हर एक गांव में फैले हुए हैं, जिनके घर धन बिना काम किए ही छप्पर फाड़कर आता है। फिर सेठ-साहूकार, वकील, म्युनिसिपल कमिश्नर, पनवाड़ी, मल्लाह, हिन्दू-मुसलमान सब प्रकार के व्यक्ति उसमें आ जाते हैं। प्रेमचन्द उनकी स्थिति के अनुसार उनका वर्णन करते हैं और उनके पात्र अपनी शिक्षा-दीक्षा और सामाजिक स्थिति के अनुसार अपनी-अपनी भाषा बोलते और अपने ही ढंग से अपने विचार व्यक्त करते हैं। इससे प्रेमचन्द की शैली और भाषा में अपने पूर्ववर्तियों की शैली और भाषा से अन्तर आ जाना स्वाभाविक ही था।

'प्रेमाश्रम', 'रंगभूमि' और 'गोदान' उपन्यासों की रंगभूमि तो और भी विस्तृत है। इनमें प्रेमचन्द ने राजनैतिक, धार्मिक, सामाजिक और साहित्यिक सभी विषयों पर एक प्रौढ़ विचारक की भांति चिन्तन किया है। अपनी धारणाओं और स्थापनाओं को सार्थक और विश्वस्त बनाने के लिए उन्हें यथार्थ जीवन से उदाहरण लेने पड़े हैं और वस्तुस्थिति को सजीव बनाने के लिए जैसा वातावरण लिया है उसे उसी रंग में पेश भी किया है। हमें प्रेमचन्द में शहरी, देहाती और पहाड़ी जीवन के सजीव चित्र मिलते हैं। इन सबसे प्रेमचन्द की शैली के विभिन्न रूप-रंगों और भाषा-ज्ञान पर प्रकाश पड़ता है और उनके सामर्थ्य पर आश्चर्य भी होता है।

सुमन जब होली की रात को पद्मसिंह के घर से मुजरा देखकर लौटती

है और गजाधर प्रतीक्षा करके सो गया है, उस समय का चित्र देखिए–

"सुमन जब अपने द्वार पर पहुंची तो उसके कान में एक बजने की आवाज आई। वह आवाज उसकी नस-नस में गूंज उठी। वह अभी तक दस-ग्यारह के धोखे में थी। प्राण सूख गए। उसने किवाड़ की दरारों से झांका, ढिबरी जल रही थी, उसके धुएं से कोठरी भरी हुई थी और गजाधर हाथ में डंडा लिए चित्त पड़ा जोर से खर्राटे ले रहा था। सुमन का हृदय कांप उठा, किवाड़ खटखटाने का साहस न हुआ।" **(सेवासदन, पृष्ठ 43-44)**

थोड़े से शब्दों में कितना मार्मिक चित्र खींचा है! सुमन और गजाधर के मनोवैज्ञानिक चरित्र और एक निर्धन घर की दशा नजरों के सामने आ जाती है। इन थोड़े शब्दों में पात्रों के अतीत और भावी जीवन की कहानी भी है। एक और उद्धरण देखिए–

"चौधरी ने बहुत आग्रह किया, पर कलसूम ने रुपए न लिए। वह माहिर अली को दिखाना चाहती थी कि जिन रुपयों के लिए तुम कुत्तों की भांति झपटते थे, उन्हीं रुपयों को मैंने पैर से ठुकरा दिया। मैं लाख गई-गुजरी हूं, फिर भी मुझमें कुछ गैरत बाकी है, तुम मर्द होकर बेहयाई पर कमर बांधे हुए हो।" **(रंगभूमि, पृष्ठ 243)**

रुपए लौटाकर कलसूम का मस्तिष्क ही गर्व से उन्नत नहीं होता, पाठक का भी होता है। भाषा पात्र की मनोवृत्ति के अनुकूल है।

एक और चित्र–

"दोनों दोस्तों ने कमर से तलवारें निकाल लीं। नवाबी जमाना था, सभी तलवार, पेशकब्ज, कटार वगैरा बांधते थे। दोनों विलासी थे; पर कायर न थे। उनमें राजनीतिक भावों का पतन हो गया था–बादशाह के लिए, बादशाहत के लिए क्यों मरें; पर व्यक्तिगत वीरता का अभाव न था। दोनों ने पैंतरे बदले, तलवारें चमकीं, छपाछप की आवाजें आईं। दोनों जख्म खाकर गिरे और दोनों ने ही वहीं तड़प-तड़पकर जानें दे दीं। अपने बादशाह के लिए जिनकी आंखों से एक बूंद आंसू न निकला, उन्हीं दोनों प्राणियों ने शतरंज के वजीर की रक्षा में प्राण दे दिए।

अंधेरा हो चला था। बाजी बिछी हुई थी। दोनों बादशाह अपने-अपने सिंहासनों पर बैठे हुए मानो इन दोनों वीरों की मृत्यु पर रो रहे थे।

चारों तरफ सन्नाटा छाया हुआ था। खंडहर की टूटी हुई मेहराबें, गिरी हुई दीवारें और धूलि-धूसरित मीनारें इन लाशों को देखती और सिर धुनती थीं।"

(शतरंज के खिलाड़ी, 'मानसरोवर', भाग 3)

प्रेमचन्द प्रकृति का वर्णन निरर्थक और व्यर्थ नहीं करते, वह विषयवस्तु के सर्वथा अनुरूप होता है। यहां खंडहर, टूटी हुई दीवारों और मेहराबों का वर्णन सामंती सभ्यता के खोखलेपन और शतरंज के खिलाड़ियों की हृदयहीनता को उजागर करता है।

देहातियों का एक कथोपकथन सुनिए। लखनपुर के किसानों हाकिमों के चरित्र पर अपना-अपना मत प्रकट कर रहे हैं–

मनोहर ने कहा–"भाई, हाकिम तो अंग्रेज, अगर अंग्रेज न होते तो इस देश वाले हाकिम हम लोगों को पीसकर पी जाते।"

सुक्खू कुर्मी ने कहा–"यहां के लोग अंग्रेजों की क्या बराबरी करेंगे? बस, खाली गाली देने और इजलास पर गरजना जानते हैं। घर से तो निकलते ही नहीं, जो कुछ चपरासी या पटवारी ने कर दिया वही मान गए। दिन-भर पड़े-पड़े आलसी हो जाते हैं।"

मनोहर–"सुनते हैं, अंग्रेज लोग घी नहीं खाते।"

सुक्खू–"घी क्यों नहीं खाते? बिना घी-दूध के इतना बूता कहां से होगा? वह मशक्कत करते हैं, इसी से उन्हें घी-दूध पच जाता है। हमारे देशी हाकिम खाते तो बहुत हैं पर खाट पर पड़े रहते हैं। इसी से इनका पेट बढ़ जाता है।"

दुखरन भगत–"तहसीलदार साहब तो ऐसे मालूम होते हैं जैसे कोल्हू। अभी पहले आए थे तो कैसे दुबले-पतले थे, लेकिन दो साल में उन्हें न जाने कहां की मोटाई लग गई।"

सुक्खू–"रिश्वत का पैसा फुला देता है।"

मनोहर–"यह कहने की बात है। तहसीलदार एक पैसा भी नहीं लेते।"

सुक्खू–"बिना हराम की कौड़ी खाए देह फूल ही नहीं सकती।"

(प्रेमाश्रम, पृष्ठ 1-2)

सारे-का-सारा प्रसंग इतना दिलचस्प है कि बीच में छोड़ने को जी नहीं चाहता। लेकिन इतने ही में देहातियों की आलोचना-बुद्धि, उनकी भाषा और भीषण दरिद्रता में भी हास्य-रस की सजीवता और गांव का पूरा वातावरण स्पष्ट रूप से सामने आ जाता है।

'गोदान' में प्रेमचन्द की शैली और परिष्कृत हो गई है, उसने अतीत को पीछे छोड़कर नया विकसित रूप ग्रहण किया है। यहां विषय, भाषा और शैली में जो अद्भुत सामंजस्य है, वही इस उपन्यास को महाकाव्य बना देता है। तनिक बानगी देखिए। होरी के घर गाय आई तो सारा गांव देखने आया।

नहीं आए तो उसके अपने भाई।

होरी ने डरते-डरते धनिया से कहा—"न सोभा आया न हीरा। सुना न होगा?"

धनिया बोली—"तो यहां कौन उन्हें बुलाने जाता है।"

"तू बात तो समझती नहीं, लड़ने को तैयार रहती है। भगवान् ने जब यह दिन दिखाया है तो हमें सिर झुकाकर चलना चाहिए। आदमी को अपने सगों के मुंह से भलाई-बुराई सुनने की जितनी लालसा होती है, बाहर वालों से नहीं। फिर अपने भाई लाख बुरे हों, हैं तो अपने भाई ही। अपने हिस्से-बखरे के लिए सभी लड़ते हैं; पर इससे खून थोड़े ही बट जाता है। दोनों को बुलाकर दिखा देना चाहिए। नहीं कहेंगे, गाय लाए, हमसे कहा तक नहीं।"

धनिया ने नाक सिकोड़ते हुए कहा—"मैंने तुमसे सौ बार, हजार बार कह दिया। मेरे मुंह पर भाइयों का बखान न किया करो, उनका नाम सुनकर मेरी देह में आग लग जाती है। सारे गांव ने सुना, क्या उन्होंने न सुना होगा? कुछ इतनी दूर भी तो नहीं रहते। सारा गांव देखने आया, उन्हीं के पांवों में मेंहदी लगी हुई थी; मगर आएं कैसे! जलन हो रही होगी कि इसके घर गाय आ गई, छाती फटी जाती होगी।"

दिया-बत्ती का समय आ गया था। धनिया ने जाकर देखा, तो बोतल में मिट्टी का तेल न था। बोतल उठाकर तेल लेने चली गई। पैसे होते तो रूपा को भेजती, उधार लाना है, कुछ मुंहदेखी कहेगी, कुछ लल्लो-चप्पो करेगी, तभी तो उधार मिलेगा।

होरी ने रूपा को बुलाकर प्यार से गोद में बैठाया और कहा—"जरा जाकर देख हीरा काका आ गए हैं कि नहीं। सोभा काका को भी देखती आना। कहना दादा ने तुम्हें बुलाया है। न आएं तो हाथ पकड़कर खींच लाना।"

"आदर्श व्यापक होने से भाषा अपने आप सरल हो जाती है। भाव-सौन्दर्य बनाव-सिंगार से बेपरवाही दिखा सकता है। जो साहित्यकार अमीरों का मुंह जोहने वाला है, वह रईसी रचना-शैली स्वीकार करता है, जो जनसाधारण का है, वह जनसाधारण की भाषा में लिखता है।"

(कुछ विचार, पृष्ठ 20)

प्रेमचन्द ने हिन्दू विधवा, दुहाजू विवाह, दहेज, वेश्या, छुआछूत, साम्प्रदायिकता, अदालत-कानून, डॉक्टरी, शराबबन्दी, जलसे, जुलूस, शुद्धि, तबलीग, साहित्य और अखबारनवीसी सभी प्रकार के विषय लिए हैं और उनकी विचार परिधि में राजे-महाराजे, सेठ-साहूकार, किसान-भिखारी, खेत-मजदूर, मिल

मालिक, नीतिज्ञ, सरकारी अफसर, वकील, लेखक और जमींदार सभी प्रकार और तमाम वर्ग के लोग आ जाते हैं। कहीं हास्य-रस से, कहीं व्यंग्य से और कहीं भाव-सौन्दर्य से शुष्क से विषय को भी सरल और कलात्मक ढंग से पेश किया और अपने से पहले के लेखकों की भांति अपनी रचनाओं को कहीं भी बोझिल और उपदेशात्मक नहीं होने दिया। उनकी कहानियां ऐसे सरल और सहज ढंग से शुरू होती हैं कि दो-चार वाक्य पढ़ते ही पाठक उनमें रम जाता है और बिना खत्म किए छोड़ने को जी नहीं चाहता। अटकल-पच्चू कोई कहानी निकाल लीजिए, उसी के बारे में यह बात सत्य होगी। हम दो-तीन कहानियों के आरम्भिक वाक्य यहां देते हैं—

"दुखी चमार द्वार पर झाड़ू लगा रहा था और उसकी पत्नी झुरिया घर को गोबर से लीप रही थी। दोनों अपने-अपने काम से फुरसत पा चुके तो चमारिन ने कहा—तो जा के पण्डित बाबा से कह आओ ना, ऐसा न हो कहीं चले जाएं।" (सद्गति)

"मृदुला मजिस्ट्रेट के इजलास से जनाने जेल में वापस आई तो उसका मुख प्रसन्न था। बरी हो जाने की गुलाबी आशा उसके कपोलों पर चमक रही थी। उसे देखते ही राजनैतिक कैदियों के एक गिरोह ने घेर लिया और पूछने लगे, 'कितने दिन की हुई'?" (जेल)

"मिस्टर सेठ को सभी हिन्दुस्तानी चीजों से नफरत थी और उनकी सुन्दरी पत्नी गोदावरी को सभी विदेशी चीजों से चिढ़। मगर धैर्य और विनय भारत की देवियों का आभूषण है। गोदावरी दिल पर हजार जब्र करके पति की लाई हुई विदेशी चीजों का व्यवहार करती थी, हालांकि भीतर-ही-भीतर उसका हृदय अपनी परवशता पर रोता था।" (पत्नी से पति)

क्या पाठक के मन में हठात् यह उत्सुकता नहीं जाग पड़ती कि आगे क्या होने वाला है ?

प्राध्यापकों और आलोचकों को प्रेमचन्द से शिकायत है कि उनके उपन्यासों की कथावस्तु प्रायः विकृत हो जाती है। उनमें पश्चिम के उपन्यासकारों का-सा कलात्मक गठन नहीं है। प्रेमचन्द की कहानियां अच्छी तो हैं, पर वे मोपासां, हार्डी, चेखोव अथवा गोर्की और लूशुन की कहानियों की टक्कर की नहीं हैं। और उन्हें यह भी शिकायत है कि प्रेमचन्द ने सामयिक विषयों को लेकर लिखा है, जिन सामाजिक और राजनैतिक समस्याओं को उन्होंने अपने साहित्य में प्रस्तुत किया है, जब उनका हल हो जायेगा तो उनके साहित्य का क्या आदर रह जाएगा। इसलिए वह कोई स्थायी चीज नहीं है।

स्थायी तब होता जब वे चिरंतन और शाश्वत सत्यों का निरूपण करते।

ये लोग प्रेमचन्द के उद्देश्य को भूल जाते हैं और उन्हें देश की परिस्थितियों और संदर्भ से अलग करके परखते हैं। जो लेखक जीवन के अनुभव से लिखता है और जनता के लिए लिखता है, वह रूप-रंगों की भंवर में पड़कर खो जाने का खतरा कभी मोल नहीं लेता और न ही महान कलाकार कहलाने का मोह पालता है। उन्होंने अपनी कहानियां और उपन्यास जनजीवन को आगे बढ़ाने के लिए लिखे थे और ऐसे पाठकों के लिए लिखे थे जिन्हें पहले जासूसी, तिलस्मी और प्रेम-प्रधान रचनाएं पढ़ने की चाट लगी हुई थी। यदि प्रेमचन्द पश्चिमी कलाकारों का अंधांनुकरण करते तो उस उद्देश्य की पूर्ति कदाचित् न होती जिसको लेकर वे चले थे। प्रेमचन्द की महानता यह है कि उन्होंने न सिर्फ युग की प्रचलित धारा से हटकर यथार्थवादी साहित्य की रचना की और डॉक्टर रामरतन भटनागर के कथनानुसार अपने पाठक भी उत्पन्न किए। यद्यपि आज हम कह सकते हैं कि उनकी 'शंखनाद' कहानी भानु चौधरी से शुरू न होकर उनके बेटे गुमान से शुरू होनी चाहिए थी, क्योंकि गुमान ही इस कहानी का मुख्य पात्र है। लेकिन जिन पाठकों के लिए प्रेमचन्द ने यह कहानी लिखी है उनके लिए यही शैली अधिक सुबोध थी। कहानी लिखने से उनका उद्देश्य मनोविज्ञान की गुत्थियां सुलझाना नहीं, बल्कि मनुष्य को भावी संतान के नाम पर कर्मशील बनाना था।

उनके उपन्यास प्रायः द्विसूत्री हैं, लेकिन दोनों सूत्र गाहे-बगाहे एक-दूसरे को छू लेते हैं, जिससे दोनों में बराबर सम्बन्ध बना रहता है और कथा-सामग्री विकृत नहीं होने पाती, हां, पात्रों के मुंह से जो लम्बे-लम्बे भाषण कराए गए हैं, वे अवश्य खटकते हैं और उनकी लेखन-शैली को बोझिल बना देते हैं। लेकिन वे उन्हें रोचक और विद्वत्तापूर्ण बनाने का भरसक प्रयत्न करते हैं।

सामयिक समस्याओं और घटनाओं को लेकर लिखना प्रेमचन्द का दोष नहीं, बहुत बड़ा गुण है। विश्व की सर्वश्रेष्ठ कृतियां टालस्टाय का 'अन्ना केरेनिना', 'युद्ध और शान्ति' (War and Peace); रोमांरोलां का 'जीन-क्रिस्टफ' (Jean Christophe): विक्टर ह्यूगो का 'दुःखी जीवन' (Les Miserables); गोर्की का 'मां' सामयिक समस्याओं और घटनाओं को लेकर ही लिखे गए हैं। समस्याएं हल होने के बाद भी इतिहास में अपनी स्थायी छाप छोड़ जाते हैं। साहित्यकार के लिए घटनाएं गौण और मनुष्य मुख्य होता है। वह समस्याओं द्वारा अपने पात्रों का चरित्र-चित्रण करता है, उनकी हृदयगत भावनाओं को उभारकर बाहर लाता है।

हर एक छोटी-बड़ी घटना मनुष्य से और इस वर्ग-विभाजित समाज के वर्ग से भी सम्बन्धित होती है। सामयिक घटनाओं और उनसे सम्बन्धित मनुष्यों को और वर्गों को साहित्यकार अपनी आंखों से देखता है, और जितना उसका दार्शनिक, सामाजिक और ऐतिहासिक ज्ञान होता है, उतना अधिक वह इन घटनाओं को, व्यक्तियों और वर्गों को समझने में सफल होता है। लेखक के साहित्य का शाश्वत और अमर होना इसी समझ और सफलता पर निर्भर है। इस दिशा में प्रेमचन्द ने बड़ी भारी सफलता प्राप्त की है। उन्होंने सामयिक घटनाओं को विषयवस्तु बनाकर उनके द्वारा अपने युग के ऐतिहासिक सत्य को समझने का प्रयत्न किया है और उसके द्वारा मनुष्य का चरित्र-चित्रण किया है। सच्चाई की खोज में वे अन्तिम समय तक आगे बढ़ते रहे हैं और उन्होंने पियाक, मेकू, निऊर, घीसू, माधो, महन्त रामदास, आशाराम, कृष्णचन्द्र, प्रेमशंकर, प्रभाशंकर, अमरकान्त, गोबर, होरी, सुमन, सलोनी, मुन्नी और धनिया आदि सैकड़ों-हजारों सजीव और सप्राण पात्र दिये हैं। जब तक संसार में मनुष्य जाति जीवित है, प्रेमचन्द के ये पात्र भी जीवित रहेंगे और उनके द्वारा हमें इस युग के ऐतिहासिक सत्य को समझने में मदद मिलेगी।

27. धर्म और साम्प्रदायिकता

"जिसकी आत्मा जितनी विशाल है, वह उतना ही महापुरुष है।" —प्रेमचन्द

हमने इस पुस्तक के पहले खंड में, प्रेमचन्द के जीवन पर लिखते हुए धर्म के बारे में उनके विचारों पर विस्तार से प्रकाश डाला है। आस्तिकता उन्हें विरासत में मिली थी, लेकिन वह अपने निजी अनुभव से जीवन की अन्तिम घड़ियों में नास्तिक बन गए थे। कुछ लोगों के लिए नास्तिकता भी धर्म ही का एक दूसरा रूप होती है। वे बड़ी कट्टरता से अपने विचारों का प्रचार करते हैं और अपनी सनक में दूसरों की भवानाओं का कुछ भी आदर नहीं करते। इस परिवर्तन के बाद भी उनकी आत्मा वैसी ही संकीर्ण बनी रहती है और वे एक प्रकार के रूढ़िवाद से निकलकर दूसरे प्रकार के रूढ़िवाद में बंध जाते हैं। दरअसल यह परिवर्तन ऊपरी होता है और कोई व्यक्तिगत आघात या अभाव उन्हें नास्तिक बनाने के लिए उत्तरदायी होता है। लेकिन जो परिवर्तन विचारों की वैज्ञानिकता के कारण होता है, उससे आत्मा विशाल और उदार बनती है। उसमें किसी प्रकार के रूढ़िवाद और दुराग्रह के लिए स्थान नहीं होता। प्रेमचन्द का जैसे-जैसे मानसिक विकास होता गया, उनके विचार भी बदलते गए। जब वे आदर्शवादी न रहे, तो ईश्वरवादी कैसे रह सकते थे। राजनैतिक क्षेत्र में जितना वर्ग-संघर्ष तीव्र होता गया, उतना ही उन्हें यह ज्ञात होता गया कि यह स्वर्ग, नरक, ईश्वर और प्रारब्ध सब मानवीय विधान हैं और इनका आशय शोषण-व्यवस्था को बनाए रखना है। दुनिया बदल रही है, यह ढोंग अधिक नहीं चलेगा। 'कर्मभूमि' का गजनबी कहता है—"मजहब का दौर खत्म हो रहा है बल्कि यों कहो कि खत्म हो गया। सिर्फ हिन्दुस्तान में

इसकी कुछ जान बाकी है। यह मुआशयात का दौर है। अब कौम में दार व नादार, मालिक और मजदूर अपनी-अपनी जमातें बनाएंगे...।"

'गोदान' का मेहता मननशील व्यक्ति है। उसका जीवन स्वाध्याय और चिन्तन में गुजरता है और इससे उसका मानसिक विकास होता रहता है। उसके बारे में लिखा है–

"किसी सर्वज्ञ ईश्वर में उनका विश्वास न था। यद्यपि वह अपनी नास्तिकता को प्रकट न करते थे, पर यह धारण उनके मन में दृढ़ हो गई थी कि प्राणियों के जन्म-मरण, दुःख-सुख, पाप-पुण्य में कोई ईश्वरीय विधान नहीं है। उनका खयाल था कि अपने अहंकार में मनुष्य ने अपने को इतना महान बना लिया है कि उसके हर एक काम की प्रेरणा ईश्वर की ओर से होती है। इसी तरह टिड्डियां भी ईश्वर को उत्तरदायी ठहराती होंगी, जो अपने मार्ग में समुद्र आ जाने पर अरबों की संख्या में नष्ट हो जाती हैं। अगर ईश्वर के यह विधान इतने अज्ञेय हैं कि मनुष्य की समझ में नहीं आते तो उन्हें मानने से ही मनुष्य को क्या संतोष मिल सकता है?"

उनके अपने धार्मिक विचार कुछ भी रहे हों, वे जनसाधारण की धार्मिक भावनाओं का आदर करते थे और उन्हें एक आस्तिक की श्रद्धा के साथ अंकित करते थे, क्योंकि वे जानते थे कि शोषित जनता के पास एक धर्म ही तो है जो उसे इस भीषण दरिद्रता में जीने का बल प्रदान करता है। यदि उनसे यह विश्वास भी छीन लिया जाए तो फिर उनके पास और कौन-सा सहारा रह जाएगा।

दूसरी ओर वे लोग थे जो अवाम की धार्मिकता का अनुचित लाभ उठाते थे, उन्हें इसी दशा में संतुष्ट रहने का उपदेश करके उनका शोषण करते थे। उन्होंने जनता की धार्मिक भावनाओं को सदियों से उदर-पालन का धंधा बना रखा था। 'मोटेराम शास्त्री' ऐसे ही लोगों का प्रतिनिधि है। प्रेमचन्द ने उसकी नीचता और स्वार्थपरता का खूब मजाक उड़ाया है।

फिर इस समाज में ऐसे भी लोग हैं, जो इस अर्धसामन्ती व्यवस्था के साथ अपने वर्ग-स्वभाव से बंधे हुए हैं। 'गोदान' के राय साहब अमरपालसिंह भी उन्हीं में से एक हैं–"अपने पिता से सम्पत्ति के साथ-साथ उन्होंने राम की भक्ति भी पाई थी।" इन लोगों से प्रेमचन्द को तनिक भी सहानुभूति नहीं थी, वे इन्हें ढोंगी और बगुला-भक्त समझते हैं और उनकी धर्मपरायणता की खिल्ली उड़ाते हैं। इस वर्ग से सम्बन्धित गौस खां और दुखरन भक्त आदि लोगों का धर्म भी विरासत में मिली हुई चीज है, जो उन्हें निकम्मा, डरपोक

और ढोंगी बनाता है।

इसके अलावा मशीन युग के उद्योगपति और व्यापारी हैं, जो विज्ञान के नए आविष्कारों से लाभ उठाते हैं। वे मध्यकालीन धर्म और उसकी मान्यताओं में विश्वास नहीं रखते, लेकिन जनसाधारण के अंधविश्वास और रूढ़िवाद से यथोचित लाभ उठाने के लिए अपने आपको धर्मपरायण, धर्म-रक्षक घोषित करते रहते हैं। 'रंगभूमि' का जानसेवक इसी वर्ग का प्रतिनिधि है, जो नियमपूर्वक गिरजा जाता है, लेकिन धर्म को व्यापार का शृंगार मात्र बताता है।

हमारे देश के अंग्रेज शासकों ने जनसाधारण के धर्मजनित रूढ़िवाद और अंधविश्वास पर अपनी 'फूट डालो और राज करो' की घृणित नीति निर्धारित की। पृथक् चुनाव का अधिकार देकर इस फूट नीति को वैधानिक रूप दिया। सरकारी नौकरियों में, पुलिस में, फौज में, स्कूलों और कॉलेजों में—हर जगह हिन्दुओं और मुसलमानों को उनकी जनसंख्या के अनुपात से भर्ती किया जाने लगा। परिणाम यह कि आर्थिक स्वार्थों ने साम्प्रदायिक वैमनस्य का रूप धारण कर लिया और धीरे-धीरे यह जहर हमारी कौमी जिन्दगी में गहरा पैठता गया। आर्थिक स्वार्थ ही साम्प्रदायिकता का मूल कारण है। 'धर्म खतरे में' और 'संस्कृति खतरे में' का नारा तो दरअसल भोली-भाली जनता को बहकाने के लिए लगाया जाता है। प्रेमचन्द ने इस बात को साम्प्रदायिक दंगे शुरू होने से पहले ही समझ लिया था। 'सेवासदन' में वेश्याओं को दालमंडी से उठाने का सवाल उठता है तो म्युनिसिपैलिटी के सदस्यों का इसके पक्ष और विपक्ष में होना इस बात पर निर्भर था कि दालमंडी में किसके कितने मकान हैं और किसे इससे कितनी आर्थिक हानि होती है। प्रेमचन्द ने लिखा है—

"चौक की दुकानों में अधिकांश बलभद्रदास और चिम्मनलाल की थीं। चावल मंडी में देवानाथ के कितने ही मकान थे, यह तीनों महाशय इस प्रस्ताव के विपक्षी थे। लाला भगतराम का काम चिम्मनलाल की आर्थिक सहायता से चलता था। इसलिए उसकी सम्मति भी उन्हीं की ओर थी।"

और फिर "प्रभाकर राव मुसलमानों के कट्टर विरोधी थे। वे लोग इस प्रस्ताव को हिन्दू-मुस्लिम विवाद का रंग देकर प्रभाकर राव को भी अपनी ओर खींचना चाहते थे।"

उधर अबुल वफा आदि मुस्लिम सदस्यों ने भी अपने स्वार्थ-हित इसे मजहबी रंग देने का भरसक प्रयत्न किया। तेगअली ने इन लोगों पर फब्ती कसते हुए कहा—"आजकल पोलिटिकल मफाद का जोर है, हक और इन्साफ का नाम न लीजिए। अगर आप मुदर्रिस हैं, तो हिन्दू लड़कों को फेल कीजिए।

तहसीलदार हैं तो हिन्दुओं पर टैक्स लगाइए, मजिस्ट्रेट हैं तो हिन्दुओं को सजाएं दीजिए।...तब आप कौम के खादिम, कौम के मुहसिन, कौमी किश्ती के नाखुदा—सब-कुछ हैं।"

प्रेमचन्द मनुष्य को मनुष्य के रूप में देखना चाहते थे। वे हिन्दुओं और मुसलमानों में इस प्रकार की साम्प्रदायिक मनोवृत्ति को पसंद नहीं करते थे। 1920-22 में हिन्दू-मुस्लिम एकता स्थापित हुई तो उनका हृदय गद्‌गद् हो गया। लेकिन यह सिद्धान्तहीन एकता बहुत दिनों न टिक सकी। चौरा-चौरी की घटना के बाद गांधी ने सविनय-अवज्ञा आन्दोलन बन्द कर दिया तो जनता के जोश पर पानी पड़ गया। मजहबी नेताओं की बन आई। शुद्धि और तबलीग के आन्दोलन शुरू हो गए। राष्ट्रीय एकता को यों छिन्न-भिन्न होते देखकर प्रेमचन्द के तन में आग-सी लग गई। वे उन दिनों उर्दू में लिखना बन्द करके सिर्फ हिन्दी में लिख रहे थे। लेकिन शुद्धि-आन्दोलन के विरोध में तत्काल एक लेख लिखकर 'जमाना' को भेजा और इस बारे में अपने 23 अप्रैल, 1923 के पत्र में दयानारायण निगम को लिखा—*"इधर मैंने उर्दू लिखना बन्द-सा कर रखा है। लेकिन मलकाना-शुद्धि पर एक मुख्तसर-सा मजमून लिख रहा हूं। मुझे इस तहरीक से सख्त इख्तिलाफ है। तीन-चार दिन में भेजूंगा। आर्यसमाज वाले भन्नाएंगे। लेकिन मुझे उम्मीद है कि आप इस मजमून को 'जमाना' में जगह देंगे।"*

दयानारायण निगम लिखते हैं—*"यह मजमून 'जमाना' में छपा। इसके छपते ही मुल्क में आग-सी लग गई। मुसलमानों ने इसकी आजाद-खयाली की तारीफ की और आर्यसमाजी हल्कों में तहलका मच गया। लेकिन प्रेमचन्द आखिर तक अपनी राय पर डटे रहे।"*

1924 के एक खत में लिखा—

"हिन्दू-मुस्लिम फिसादात का सिलसिला जारी है। मैंने पहले ही पेशीनगोई की थी। वह हरफ-ब-हरफ सही साबित हो रही है।"

इससे प्रेमचन्द के मन में जो क्षोभ उत्पन्न हुआ था, उसे उन्होंने 'बड़े बाबू' कहानी में व्यक्त किया है। जनता के इन्कलाबी जोश ने आपस की सिरफुटव्वल का रूप धारण किया और अंग्रेज के घर में घी के चिराग जल उठे। गांधी, अलीबन्धुओं और दूसरे नेताओं ने हजार कोशिश की कि दंगे न हों, हिन्दू और मुसलमान मेल-जोल और भ्रातृ-भाव से साथ-साथ रहें। यह समस्या बातों से और सुधारवाद से सुलझने वाली नहीं थी। जिस प्रकार अंग्रेज ने इसकी नींव आर्थिक स्वार्थों पर रखी थी, यदि जनता को उसके आर्थिक

हितों पर संगठित किया जाता तो स्वभावतः ही वर्ग-संघर्ष तीव्र होता और जनक्रान्ति का मार्ग ग्रहण करने से स्थायी एकता स्थापित होती। प्रेमचन्द ने 'कर्मभूमि' में शोषक और शोषित के संघर्ष का जो स्वप्न देखा था, वह कभी पूरा नहीं हुआ। किसानों और जनसाधारण के आर्थिक संघर्ष को नमक सत्याग्रह का अंग कभी नहीं बनाया गया और फिर सारा खेल गांधी-इर्विन पैक्ट में समाप्त हो गया।

जब भी जनता के जोश को अहिंसा और समझौते द्वारा अस्वाभाविक ढंग से रोका गया, तभी साम्प्रदायिक भावना उभरकर ऊपर आई। जनता में क्रान्ति के लिए जितना अधिक उत्साह होता था, बाद में उतने ही अधिक दंगे होते थे। अन्त में अंग्रेजों की कूटनीति सफल हुई और इसी साम्प्रदायिकता के कारण भीषण नरमेध-यज्ञ हुआ और देश विभाजित हो गया।

प्रेमचन्द भी जब तक सुधारवादी थे, इस समस्या का सुधारवादी और व्यक्तिवादी हल पेश करते रहे। 'कायाकल्प' में उन्होंने यही हल पेश किया है। एक बार तो चक्रधर ने अपनी जान पर खेलकर दंगे को रोक दिया। लेकिन वह फिर हो गया और उसमें यशोदानन्द के प्राण गए। यह समस्या इस प्रकार हल होने वाली नहीं थी। इसके पीछे साम्राज्य की संगठित शक्ति और दुर्बुद्धि काम करती थी। साम्प्रदायिकता कुछ लोगों का, विशेषतः पण्डितों और मौलवियों का रोजगार बन गई थी। उन्होंने अपनी एक कहानी 'दैरो-हरम' में इन लोगों की खूब कलई खोली थी। इस पर कानपुर के एक मुस्लिम अखबार ने बड़ा बावेला मचाया। दयानारायण निगम ने प्रेमचन्द को इसकी सूचना दी तो उन्होंने 25 जून को अपने एक पत्र में लिखा—*"इस मजमून में किसी को शिकायत का क्या मौका है। फिर्कापरस्तों की जहनियत (मनोवृत्ति) का पर्दा फाश किया गया है। बिना किसी रू-रियायत के एक तरफ हिन्दू पण्डितों और पुजारियों की मजहब-परवरी का नज्जारा है, दूसरी तरफ मौलवियों की मजहब-परवरी का। दोनों मजहब के पर्दे में अपनी-अपनी नफस-परवरी (स्वार्थपरता) का शिकार हो रहे हैं। अगर कुछ लोगों को बुरा लगता है तो मेरा क्या अख्त्यार है।"*

कुछ धर्मान्ध और अदूरदर्शी मुसलमानों ने खुद प्रेमचन्द पर भी फिर्कापरस्त होने का इल्जाम लगाया था। उनकी दलील यह थी कि वे अपनी कहानियों और उपन्यासों में मुसलमान पात्रों को सदा दरिद्र, अपढ़ और ढोंगी चित्रित करते हैं। जिन्होंने प्रेमचन्द के साहित्य को ध्यान से पढ़ा है वे जानते हैं कि यह आरोप सर्वथा निराधार है। उनके हिन्दू और मुसलमान पात्रों में

दोनों अच्छे भी हैं, बुरे भी हैं। दोनों दरिद्र भी है, धनी भी हैं। क्या 'कर्मभूमि' का सलीम और उसके पिता निर्धन और अपढ़ हैं। क्या 'सेवासदन' के शराफत अली और तेगअली भले और नेक नहीं हैं। और फिर 'प्रेमाश्रम' में कादिर को तो इतनी श्रद्धा से चित्रित किया है कि प्रेमचन्द के सुधारवादी पात्रों में वह कई बातों में सूरदास से भी महान् जान पड़ता है।

ऐसे ही लोगों ने उनके 'कर्बला' नाटक लिखने पर बड़ा तूफान उठाया था, हालांकि प्रेमचन्द ने पहले ही से इस बात का ध्यान रखा था कि मुसलमानों की धार्मिक भावनाओं को ठेस न पहुंचे। 19 फरवरी, 1924 को दयानारायण निगम को अपने एक खत में लिखा था—

"आप यकीन रखें। मैंने एहतराम कहीं नजरअन्दाज नहीं होने दिया है। एक-एक लफ्ज पर इस बात का खयाल रखा है कि मुसलमानों के मजहबी एहसासात को सदमा न पहुंचे। इसका मकसद पोलिटिकल है, बाहमी इत्तिहाद को बढ़ाना, और कुछ नहीं।"

बारह साल बाद आर्यसमाज के वार्षिक अधिवेशन में आर्यभाषा-सम्मेलन के अध्यक्ष-पद से भाषण देते हुए उन्होंने यही बात अधिक विस्तार और सुन्दर ढंग से यों कही—

"साहित्य में जो सबसे बड़ी खूबी है, वह यह है कि वह हमारी मानवता को दृढ़ बनाता है, हममें सहानुभूति और उदारता के भाव पैदा करता है। जिस हिन्दू ने 'कर्बला' के मार्के की तारीख पढ़ी है, यह असम्भव है कि उसे मुसलमानों से सहानुभूति न हो। उसी तरह जिस मुसलमान ने रामायण पढ़ी है, उसके दिल में हिन्दू मात्र से हमदर्दी पैदा हो जाना यकीनी है।"

प्रेमचन्द ने मानवता को दृढ़ करने के उद्देश्य से ही साहित्य रचा। वे पहले लेखक हैं जिनके उपन्यासों और कहानियों में हिन्दू-मुस्लिम पात्र साथ-साथ चलते हैं और दोनों अपने-अपने धर्म तथा रीति-रिवाज का पालन करते हैं। इससे उनका आशय आम जिन्दगी में भी आपस के मेल-जोल को बढ़ाना था। उनकी आत्मा विशाल थी। वे व्यक्तिगत स्वार्थ से बहुत ऊपर उठकर समूचे राष्ट्र के हित की बात सोचते थे। सुविज्ञ मुसलमानों ने भी उन्हें इसी कारण 'फितरत-निगार' और 'शहंशाहे नावल नवीस' का खिताब दिया।

२४. समाज और राजनीति

"आज जो समाज और देश की दूषित अवस्था है, उससे असहयोग करना मेरे लिए जुनून से कम नहीं है।" —प्रेमचन्द

प्रेमचन्द ने साहित्य, समाज और राजनीति के आपसी सम्बन्ध को भली प्रकार समझ लिया था। वे जानते थे कि जब तक समाज उन्नत न हो, साहित्य की उन्नति सम्भव नहीं है और जब तक मनुष्य रूढ़िगत विचारों को छोड़कर नए विचारों को ग्रहण न करे, युग के ऐतिहासिक सत्य को न अपनाए, उसका अच्छा राजनीतिज्ञ, साहसी और देश-सेवक बनना सम्भव नहीं है। जहां उन्नत समाज साहित्य की उन्नति का कारण बनता है वहां अच्छा साहित्य भी समाज और राजनीति को अच्छा बनाने में सहायक बनता है।

प्रेमचन्द जिस सामाजिक व्यवस्था में रहते थे, उससे सन्तुष्ट नहीं थे। कोई भी समझदार और ईमानदार व्यक्ति संतुष्ट नहीं था। अंग्रेज की गुलामी के अलावा देश परम्परागत बन्धनों और अंधविश्वास-जनित प्रथाओं में जकड़ा हुआ था। अधिकांश जनता अपढ़ और दरिद्र थी, अपना खून-पसीना बहाकर जीवन को समृद्ध बनाने के और नई सभ्यता के सभी साधन जुटाती थी, मगर वह खुद इन साधनों से वंचित थी। उसे धर्म, जाति, रीति-रिवाजों और कानून सब के नाम पर लूटा जाता था। उसे पण्डे और ब्राह्मण अलग चूसते थे, सरकारी अफसर, प्यादे और पटवारी अलग। फिर सूदखोर महाजन तो उसकी जान ही के लागू बने हुए थे। अंग्रेज शासक, उनका पिछलग्गू, चापलूस अधिकारी वर्ग और बड़े-बड़े जमींदार उसकी मेहनत पर आनन्द करते थे, आलस्य, विलासिता और व्यभिचार का जीवन व्यतीत करते थे और फिर हमारे देश का

जो शिक्षित वर्ग था वह इस नौकरशाही व्यवस्था का अंग बनकर विचारहीन और चापलूस बना हुआ था। ज्वालासिंह डिप्टी कलक्टर की जबानी प्रेमचन्द ने इस समाज का चित्रण इस प्रकार किया है—

"मनुष्य कितना स्वार्थप्रिय और चापलूस बन सकता है, इसका यहां से उत्तम उदाहरण और कहीं न मिल सकेगा। यदि साहब बहादुर जरा-सा इशारा कर दें कि आमदनी के टैक्स की जांच अच्छी तरह की जाए तो विश्वास मानिए, हमारे मित्रगण दो ही दिनों में टैक्स को बढ़ाकर दुगना-तिगुना कर देंगे। यदि इशारा हो जाए कि अबके तकाबी जरा हाथ रोककर दी जाए, तो समझ लीजिए कि वह बन्द हो जाएगी। इन महानुभावों की बातें सुनकर ऐसी घृणा होती है कि इनका मुंह न देखो। न कोई विज्ञान-वार्त्ता, न कोई राजनैतिक और आर्थिक विचार-विमर्श और न कोई साहित्य-चर्चा। बस मैंने यह किया, साहब ने यह कहा, तो मैंने यह उत्तर दिया। आपसे यथार्थ कहता हूं, कोई छटा हुआ शोहदा भी अपनी कपट-लीलाओं की डींग यों न मारेगा। खेद तो यह है कि इस रोग से पुराने विचार के बूढ़े ही ग्रस्त नहीं, हमारा नव-शिक्षित वर्ग उनसे कहीं अधिक इस रोग से जर्जरित दीख पड़ता है। मार्ले, मिल और स्पेंसर सभी इस स्वार्थ-सिद्धान्त के सामने दब जाते हैं। अजी, यहां ऐसे-ऐसे भद्र पुरुष पड़े हुए हैं जो खानसामों और अरदलियों की पूजा किया करते हैं, केवल इसलिए कि वे साहब से उनकी प्रशंसा किया करें। जिसे अधिकार मिल गया, वह समझने लगता है, अब मैं हाकिम हूं। अब जनता से, देश-बन्धुओं से मेरा कोई सम्बन्ध नहीं है। अंग्रेज अधिकारियों के सम्मुख जाएंगे तो नम्रता, विनय और शील के पुतले बन जाएंगे मानो ईश्वर के दरबार में खड़े हैं। पर जब दौरे पर निकलेंगे तो प्रजा और जमींदारों पर ऐसा रौब जमाएंगे मानो उनके भाग्य के विधाता हैं।" **(प्रेमाश्रम, पृष्ठ 33-34)**

प्रेमचन्द इस सामाजिक व्यवस्था से न सिर्फ असन्तुष्ट थे, बल्कि अपनी आत्मा की समस्त शक्ति के साथ घृणा करते थे। जहां मनुष्य को न्याय न मिले, जहां पर मुट्ठी-भर खून चूसने वाले लोगों का एक गिरोह, काम करने वालों की एक बहुत बड़ी संख्या को अपना गुलाम बनाए हुए हो, जहां मानवता का विकास न हो, जहां छुआछूत को धर्म के नाम पर उचित समझा जाता हो, जहां औरत को दासी और पांव की जूती बना लिया गया हो, प्रेमचन्द का उस समाज से कभी समझौता हो ही नहीं सकता था। वे साहित्य-सेवा को तपस्या समझते थे और सदा अन्याय के विरुद्ध न्याय का पक्ष लेते थे। अन्याय की पोषक और विकास की शत्रु इस सामाजिक व्यवस्था के विरुद्ध

उनके मन में विद्रोह-भावना क्षण-क्षण सबल होती जा रही थी। हम उनके आदर्श पात्रों को कहते हुए सुनते हैं—"मैं रूढ़ियों और मर्यादाओं का दास बनकर नहीं रहना चाहता" (**'कर्मभूमि'** में अमरकान्त)। 'मंगलसूत्र' में तो यह विद्रोह बहुत ही तीव्र हो गया है और उनका क्षोभ और ग्लानि से भरा हुआ मन यह कह उठता है—

"देवता हमेशा रहेंगे और हमेशा रहे हैं। उन्हें संसार अब भी धर्म और नीति पर चलता हुआ नजर आता है।...देवताओं ही ने भाग्य, ईश्वर और भक्ति की मिथ्या धारणाएं फैलाकर इस अनीति को अमर बनाया है। मनुष्य ने अब तक इसका अन्त कर दिया होता या समाज का ही अन्त कर दिया होता जो इस दशा में जिन्दा रहने से कहीं अच्छा है।" **(मंगलसूत्र, पृष्ठ 60)**

अप्रैल 1936 में लाहौर आर्यसमाज के जलसे में भाषण देते हुए उन्होंने कहा था--"अंधविश्वास और धर्म के नाम पर किए जाने वाले हजारों अनाचारों की कब्र उस (आर्यसमाज) ने खोदी, हालांकि वह मुर्दे को उसमें दफन न कर सका और अभी तक उसकी जहरीली दुर्गन्ध उड़-उड़कर समाज को दूषित कर रही है।" **(कुछ विचार, पृष्ठ 54)**

वह इस मुर्दे को दफना देना चाहते थे और उसे दफना देने के लिए समाजसुधार के आन्दोलन काफी नहीं थे। व्यवस्था को बदलने की जरूरत थी और वह राजनैतिक क्रान्ति द्वारा ही बदली जा सकती थी। इसलिए देश में जब कोई जन-आन्दोलन चलता था तो प्रेमचन्द उसका सहर्ष स्वागत करते थे। लेकिन उन्हें यह देखकर दुःख होता था कि देश के पढ़े-लिखे लोग जिनके पास विद्या है, बुद्धि है और जिन्हें जनता का नेतृत्व करना चाहिए, वे स्वार्थपरता से भरे हैं, आत्म-सेवी हैं। वे न सिर्फ राजनीति में भाग लेते हुए डरते हैं बल्कि उसका विरोध करते हुए भी लज्जा नहीं आती।

कारण यह था कि उच्च शिक्षा पाकर वे भी शासक वर्ग का—उसकी मशीनरी का एक अंग बन जाते थे और अंग्रेज शासकों की तरह जनता का शोषण करना उनका एकमात्र उद्देश्य रह जाता था। इसके सिवा उससे और कोई प्रयोजन नहीं—"इसका नतीजा यह है कि आज जनता को अंग्रेजों पर जितना विश्वास है उतना अपने पढ़े-लिखे भाइयों पर नहीं।" **(कुछ विचार)**

प्रेमचन्द हमेशा जनहित को सम्मुख रखते थे। वे जनसाधारण के लिए ही सुख और स्वराज्य की कामना करते थे। हम इस पुस्तक में लिख चुके हैं कि एक बार जब वे अपनी पत्नी शिपरागी के साथ गाड़ी में सफर कर रहे थे तो उनके डिब्बे में बहुत से किसान घुस आए, जो देवी के दर्शन करके

लौट रहे थे। उन्हें देखकर शिवरानी देवी नाक सिकोड़ने लगीं तो बोले कि "इन्हीं के लिए तो जेल जाती हो, इन्हीं के लिए स्वराज चाहती हो फिर इनसे घृणा क्यों ?"

वे आम पढ़े-लिखे लोगों की तरह अपढ़ जनता को मूर्ख नहीं समझते थे बल्कि उन्हें जनसाधारण की न्याय-बुद्धि पर पूर्ण विश्वास था। 'पंचायत' कहानी में यही बात दिखाई है और 'प्रेम का त्यागी' कहानी में लिखते हैं—"जनता के फैसले साक्षी नहीं खोजते। अनुमान ही उसके लिए सबसे बड़ी गवाही है।" इसी विश्वास के कारण वे न्याय-अन्याय के मामले में जन-सम्मति को अन्तिम निर्णय का अधिकार देते हैं। 'राजा हरदौल' कहानी देखिए। जब शाहजहां ने जुम्बाद को दक्षिण का शासन-भार सौंपा तो वे ओरछा से जाते समय अपने छोटे भाई हरदौल से बोले---"भैया, मैं तो जाता हूं। अब यह राजपाट तुम्हारे सुपुर्द है। तुम भी इसे जी से प्यार करना। न्याय ही राजा का सबसे बड़ा सहायक है। न्याय की गढ़ी में कोई शत्रु नहीं घुस सकता, चाहे वह रावण की सेना और इन्द्र का बल लेकर ही आए। पर न्याय वही सच्चा है, जिसे प्रजा भी न्याय समझे। तुम्हारा काम केवल न्याय ही करना न होगा, बल्कि प्रजा को अपने न्याय का विश्वास भी दिलाना होगा।"

अंग्रेज हर एक बालिग को इसलिए वोट का हक नहीं देते थे कि वे निर्वाचन अधिकार को कुछ ही लोगों तक सीमित रखकर ऊंचे वर्ग के प्रतिनिधियों को—राय साहबों और बड़े-बड़े जमींदारों को कौंसिलों और धारासभाओं में लाना चाहते थे, जो सरकारी बिलों और प्रस्तावों का चुपचाप समर्थन कर दें, लेकिन दलील यह देते थे कि हिन्दुस्तान की जनता इतनी पिछड़ी हुई है कि वोट का सदुपयोग नहीं कर सकती। अब जबकि यह अधिकार बहुत हद तक मिल गया है तब भी कुछ लोग इसका विरोध करते हैं, क्योंकि उन्हें अशिक्षित जनता की निर्वाचन शक्ति पर विश्वास नहीं। लेकिन प्रेमचन्द ने आज से तीस-बत्तीस साल पहले जनता के लिए न सिर्फ अपने प्रतिनिधि चुनकर भेजने का बल्कि यदि वे निर्वाचित होकर अपने कर्त्तव्य का पालन न करें, तो वापस बुलाने (Recall) का अधिकार मांगा था। वे 'प्रेमाश्रम' में लिखते हैं--"यह बड़ी भूल है कि मेम्बरों को एक निर्दिष्ट काल के लिए रखा जाता है। वोटरों को अधिकार होना चाहिए कि जब किसी सदस्य को जी चुराते देखें तो उसे पदच्युत कर दें।"

प्रेमचन्द सच्चे जनतन्त्रवादी थे। वे देश की महान् और प्रतिभाशाली जनता को मन से प्यार करते थे। उसके खेल-तमाशों, रीति-रिवाजों और त्योहारों

में दिलचस्पी रखते थे। और जब यह महान् जनता राजनीतिक आन्दोलन में भाग लेती थी तो उनका हृदय गद्गद् हो उठता था, तब उन्हें ऐसे अनुभव होता था कि दासता और रूढ़िवाद के बन्धन टूट रहे हों और मानव अपने पूर्ण विकास के लिए आगे बढ़ रहा हो। पश्चिमी साहित्यिक आलोचकों का कहना है कि फ्रांसीसी लेखक जोला और अनातोलेफ्रांस ने भीड़ और जनसमूह की मनोवृत्ति के सजीव चित्र खींचे हैं। किसी दूसरे लेखक को इस दिशा में उनसे अधिक सफलता प्राप्त नहीं हुई। इसका कारण यह था कि सन् 1830 से 1870 तक जनक्रान्ति का युग था। फ्रांस इस क्रान्ति का केन्द्र बना हुआ था। जोला और अनतोलेफ्रांस ने यह युग अपनी आंखों देखा था और इस क्रान्तिकारी संघर्ष में उनकी सहानुभूति जनता के साथ थी। इसीलिए उन्हें भीड़ के, जनसमूह के और उनकी मनोवृत्ति के सजीव चित्र खींचने में सफलता प्राप्त हुई है। हमारे अपने देश में सन् 1905 से 1936 तक क्रान्ति का युग रहा है। प्रेमचन्द ने जनता की बड़ी भीड़ को, जनसमूह को देश की स्वतन्त्रता के लिए संघर्ष करते देखा था। यह कहने की आवश्यकता नहीं कि उनकी सहानुभूति जनता और उसके महान् आन्दोलन के साथ थी, बल्कि उन्होंने आन्दोलन में सक्रिय भाग लेने के लिए नौकरी से इस्तीफा दे दिया था। इसी कारण वे भीड़ और जनसमूह की मनोवृत्ति के सफल चित्र खींचने में सफल हुए हैं।

मिसाल के लिए 'राजा हरदौल' कहानी लीजिए। जब दिल्ली का पहलवान कादिर खां ओरछा में जाकर चैलेंज करता है तो बुन्देला पहलवान कालदेव उसके मुकाबले पर आता है। भारी भीड़ उन्हें देख रही है। उस समय प्रेमचन्द अखाड़े का यह चित्र खींचते हैं–

''एकाएक नगाड़े पर चोट पड़ी और आशा तथा भय ने लोगों के मन को उछालकर मुंह तक पहुंचा दिया। कालदेव और कादिर खां दोनों लंगोटे कसे तोतों की तरह अखाड़े में उतरे और गले मिल गए। तब दोनों तरफ से तलवारें निकलीं और दोनों की बगलों में चली गई। फिर बादल के दो टुकड़ों से बिजलियां निकलने लगीं। पूरे तीन घण्टे तक यही मालूम होता रहा कि दो अंगारे हैं। हजारों आदमी खड़े तमाशा देख रहे थे और मैदान में आधी रात का-सा सन्नाटा छा गया। हां, जब कभी कालदेव गिरहदार हाथ चलाता या कोई पेचदार वार बचा जाता, तो लोगों की गर्दन आप ही आप उठ जाती, पर किसी के मुंह से एक शब्द भी नहीं निकलता था। अखाड़े के अन्दर तलवारों की खींच-तान थी; पर देखने वालों के लिए अखाड़े से बाद इससे भी बढ़कर

तमाशा था। बार-बार जातीय प्रतिष्ठा के विचारों से मन के भावों को रोकना और प्रसन्नता या दुःख का शब्द मुंह से न निकलने देना तलवारों के वार बचाने से अधिक कठिन काम था।"

इसके बाद जब राजा हरदौल खुद कादिर खां के मुकाबले पर आते हैं तो अखाड़े का चित्र इससे कहीं अधिक सजीव हो उठता है क्योंकि यह बुन्देलों की मान-प्रतिष्ठा की आखिरी बाजी थी। अखाड़े का चित्र देखिए–

"...जब लोग अखाड़े के पास पहुंचे तो देखा कि अखाड़े में बिजलियां-सी चमक रही थीं। बुन्देलों के दिलों पर उस समय जैसी बीत रही थी, उसका अनुमान करना कठिन है। उस समय उस लम्बे-चौड़े मैदान में जहां तक निगाह जाती थी आदमी ही आदमी नजर आते थे, पर चारों तरफ सन्नाटा था। हर एक की आंख अखाड़े की तरफ लगी हुई थी और हर एक का दिल हरदौल की मंगल-कामना के लिए ईश्वर का प्रार्थी था। कादिर खां का एक-एक वार हजारों दिलों के टुकड़े कर देता था और हरदौल की एक-एक काट से मनों में आनन्द की लहरें उठती थीं। अखाड़े में दो पहलवानों का सामना था और अखाड़े के बाहर आशा और निराशा का। आखिर घड़ियाल ने पहला पहर बजाया और हरदौल की तलवार बिजली बनकर कादिर के सिर पर गिरी। यह देखते ही बुन्देले मारे आनन्द के उन्मत्त हो गए। किसी को किसी की सुधि न रही। कोई किसी के गले मिलता, कोई उछलता और छलांगें मारता था। हजारों आदमियों को वीरता का नशा हो गया।"

ऐतिहासिक कहानियां लिखने से प्रेमचन्द का प्रयोजन यही था कि वे उनके द्वारा स्वतन्त्रता के लिए संघर्षशील जनता में राष्ट्रीय गौरव, विजय और वीरता की भावनाएं भर देना चाहते थे। फिर उन्होंने राष्ट्रीय आन्दोलन के जुलूसों और अपने अधिकारों के लिए लड़ती हुई जनता के भी सजीव चित्र प्रस्तुत किए हैं। 'जुलूस' कहानी का एक दृश्य देखिए–

"...वह लोग, जो दस मिनट पहले तमाशा देख रहे थे, इधर-उधर से दौड़ पड़े और हजारों आदमियों का एक विराट् दल घटना-स्थल की ओर चला। यह उन्मत्त, हिंसा-मद से भरे हुए मनुष्यों का समूह था, जिसे सिद्धान्त और आदर्श की परवाह न थी। जो मरने के लिए नहीं, मारने के लिए भी तैयार थे। कितने ही के हाथों में लाठियां थीं, कितने ही जेबों में पत्थर भरे हुए थे। न कोई किसी से कुछ बोलता था, न पूछता था। बस सब-के-सब मन में एक दृढ़ संकल्प लिए लपके चले जा रहे थे, मानो कोई घटा उमड़ी चली आती हो।

इस दल को दूर से देखते ही सवारों में कुछ हलचल पड़ी।...शान्ति और

अहिंसा के व्रतधारियों पर डंडे बरसाना और बात थी, एक उन्मत्त दल से मुकाबला करना दूसरी बात, सवार और सिपाही पीछे खिसक गए।"

प्रेमचन्द को जनता की शक्ति पर पूर्ण विश्वास था और वे जानते थे कि यदि इस शक्ति को अहिंसा-व्रत की जंजीरों से बांधकर न रखा जाता तो वह देश में ब्रिटिश सरकार का अन्त कर देती। 'जेल' कहानी में पुलिस भीड़ पर गोली चला रही है, लोग चुपचाप खड़े देख रहे हैं। लेकिन एक बुढ़िया के गिरते ही उनसे देखते न रहा गया। प्रेमचन्द लिखते हैं—

"उनके गिरते ही योद्धाओं का धैर्य टूट गया, व्रत का बंधन टूट गया। सभी के सिरों पर खून-सा सवार हो गया। निहत्थे थे, अशक्त थे, पर हर एक अपने अन्दर अपार शक्ति का अनुभव कर रहा था। पुलिस पर धावा कर दिया। सिपाहियों ने इस बाढ़ को आते देखा तो होश जाते रहे। जानें लेकर भागे...।"

इसी 'जेल' कहानी की एक पात्र एक विधवा नारी क्षमा है, जिसका पति और पुत्र दोनों ही जलियांवाला बाग में शहीद हुए थे, उसके बारे में लिखा है—"इन दस बरसों से उसका व्यथित हृदय जाति-सेवा में धैर्य और शान्ति खोज रहा था। जिन कारणों ने उसके बसे हुए घर को उजाड़ दिया, उसकी गोद सूनी कर दी, उन कारणों का अन्त करने—उनको मिटाने में वह जी-जान से लगी हुई थी।"

प्रेमचन्द भी इन कारणों का अन्त करने में जी-जान से लगे हुए थे। इसीलिए उन्होंने नमक सत्याग्रह का, 1930 के सविनय-भंग आन्दोलन का खुले दिल से स्वागत किया था और उसे आगे बढ़ाने के लिए 'समर यात्रा' पुस्तक लिखी थी और उनकी पत्नी शिवरानी देवी जेल गई थीं। लेकिन खोदा पहाड़ निकला चूहा, महान आन्दोलन का अन्त गांधी-इर्विन पैक्ट में हुआ, और किसानों को (विशेषकर यू. पी. में), जिनकी आर्थिक दशा बहुत बिगड़ी थी, अपनी लड़ाई आप लड़ने के लिए अलग छोड़ दिया गया, तो प्रेमचन्द के विश्वास को कठोर आघात पहुंचा और अहिंसा-व्रत से उनकी आस्था उठ गई। 'कातिल' कहानी में धर्मवीर मां से कहता है—

"मुझे आशा नहीं कि पिकेटिंगों और जुलूसों से हमें आजादी प्राप्त हो सके। यह अपनी कमजोरी और मजबूरी का खुला ऐलान है। झंडियां निकालकर और गीत गाकर देश आजाद नहीं हुआ करते। मुझे तो यह सब-कुछ बच्चों का-सा खेल मालूम होता है। लड़कों को रोने-धोने से मिठाइयां मिल जाती हैं, वही इन लोगों को मिल जाएंगी। असली आजादी तभी मिलेगी जब हम उसका

मूल्य चुकाने को तैयार होंगे।''

दक्षिण-भारत हिन्दी-प्रचार-सभा, मद्रास के उपाधि वितरणोत्सव पर 29 दिसम्बर, 1934 को यही बात इस प्रकार कही थी--

''अंग्रेजी में आप अपने मस्तिष्क का गूदा निकालकर रख दें, लेकिन आपकी आवाज में राष्ट्र का बल न होने के कारण कोई आपकी उतनी परवाह भी न करेगा, जितनी बच्चों के रोने की करता है। बच्चों के रोने पर खिलौने और मिठाइयां मिलती हैं। वह शायद आपको भी मिल जाएं, जिससे आपकी चिल्ल-पों से माता-पिता के काम में विघ्न न पड़े।''(कुछ विचार, पृष्ठ 103)

प्रेमचन्द अंग्रेजी सीखने और पढ़ने के विरुद्ध नहीं थे। लेकिन अंग्रेजी को आधार बनाकर ब्रिटिश शासकों ने हमारे देश में जो शिक्षा-प्रणाली लागू की थी, वे देख रहे थे कि उसने हमारे समाज और राजनीति को दूषित और अपंग बना रखा है। उसकी निन्दा करते हुए उक्त भाषणों में कहा था–''हमारे जितने विद्यालय हैं, सभी गुलामी के कारखाने हैं जो लड़कों को स्वार्थ का, जरूरतों का, नुमाइश का, अकर्मण्यता का गुलाम बनाकर छोड़ देते हैं और लुत्फ यह कि यह तालीम भी मोतियों के मोल बिक रही है।'' (वही)

फिर लिखते हैं–''हमारे विद्वान् तो अंग्रेजी में मस्त हैं। जनता के पैसे से दर्शन और विज्ञान एवं सारी दुनिया की विद्याएं सीखकर भी वे जनता की तरफ से आंखें बन्द किए बैठे हैं। उनकी दुनिया अलग है–उन्होंने उपजीवियों की मनोवृत्ति पैदी कर ली है।'' और यही लोग व्याख्यान झाड़कर और अखबारों में बयान छापकर नेता बनते थे, अधिकार मांगते थे। प्रेमचन्द लिखते हैं–''राजनीति के माहिर अंग्रेज शासकों को आप राष्ट्र की हांक लगाकर धोखा नहीं दे सकते। वे आपकी पोल जानते हैं और आपके साथ वैसा ही व्यवहार करते हैं।'' (कुछ विचार)

वे 1931 के बाद एकदम यथार्थवादी और वैज्ञानिक होते चले गए थे। वर्तमान शिक्षा-प्रणाली आर्थिक शोषण और रूढ़िगत धर्म–सबका विशेष विरोध करते थे। उन्होंने अपने अध्यक्ष-पद से दिए भाषण में 1936 में कहा था–

''पुराने जमाने में समाज की लगाम मजहब के हाथ में थी। मनुष्य की आध्यात्मिक और नैतिक सभ्यता का आधार धार्मिक आदेश था और वह भय या प्रलोभन से काम लेता था--पुण्य-पाप के मसले उसके साधन थे।

अब साहित्य ने यह काम अपने जिम्मे ले लिया है और उसका साधन सौन्दर्य-प्रेम है। वह मनुष्य में इसी सौन्दर्य-प्रेम को जगाने का प्रयत्न करता है।'' (कुछ विचार, पृष्ठ 9)

इस सौंदर्य-प्रेम का साहित्य ही से नहीं, समाज और राजनीति से सीधा सम्बन्ध है। प्रेमचन्द ने अपने 'महाजनी सभ्यता' लेख में इस प्रकार स्पष्ट किया–

"जिसमें मनुष्यता, आध्यात्मिकता, उच्चता और सौंदर्य-बोध है, वह कभी ऐसी समाज-व्यवस्था की सराहना नहीं कर सकता, जिसकी नींव लोभ, स्वार्थपरता और दुर्बल मनोवृत्ति पर खड़ी हो।" **(हंस, शान्ति अंक)**

और दक्षिणी-भारत हिन्दी-प्रचार-सभा, मद्रास वाले भाषण में लिखते हैं–

"समाज में हमेशा ऐसे लोगों की कसरत होती है, जो खाने-पीने, धन बटोरने और जिन्दगी के अन्य धन्धों में लगे रहते हैं। यह समाज की देह है। उसके प्राण वह गिने-गिनाये मनुष्य हैं, जो उसकी रक्षा के लिए सदैव लड़ते रहते हैं, कभी अंधविश्वास से, कभी मूर्खता से, कभी कुव्यवस्था से और कभी पराधीनता से। इन्हीं लड़न्तियों के साहस और बुद्धि पर समाज का आधार है।" **(कुछ विचार, पृष्ठ 109)**

प्रेमचन्द भी समाज के प्राण थे, लड़न्तिये थे। उनमें जो साहस और बुद्धि थी, उसे वे जनसाधारण—राष्ट्र की देह में भर देना चाहते थे। क्योंकि जब तक देह हरकत में न आए, शोषण का, अन्याय का, अंग्रेजों द्वारा स्थापित की गई उपनिवेशी व्यवस्था का अन्त सम्भव नहीं था।

29. प्रेमचन्द और मजदूर

"मैं भी मजदूर हूं। तुम फावड़ा चलाते हो, मैं कलम चलाता हूं। हम दोनों एक हैं।"

—प्रेमचन्द

प्रेमचन्द श्रमजीवी वर्ग में उत्पन्न हुए थे और अपनी जीविका कमाने के लिए जीवनपर्यन्त घोर परिश्रम करते रहे। वे स्वभावतः अपनी गणना मजदूर वर्ग में करते थे। मेहनत का शोषण चाहे किसी भी रूप में हो, वे इसे सामाजिक अन्याय समझते थे और इस सामाजिक अन्याय का अन्त करने के लिए वे ऐसी राजनीतिक और सामाजिक व्यवस्था स्थापित करना चाहते थे, जिसमें श्रम का शोषण न हो।

बीसवीं सदी के आरम्भ में जब प्रेमचन्द ने लिखना शुरू किया तब हमारा राष्ट्रीय आन्दोलन दिन-दिन उग्र रूप धारण करता जा रहा था, उस समय मजदूर वर्ग हमारे राष्ट्रीय जीवन का एक महत्त्वपूर्ण अंग बन चुका था। 1902 में हमारे देश में कारखानों की संख्या 1,533 थी, जिनमें 5,41,634 मजदूर काम करते थे। इसके अतिरिक्त लाखों मजदूर वे थे, जो खानों, वर्कशापों और रेलवे में काम करते थे। उन सबका समान रूप से शोषण होता रहता था। इस शोषण के विरुद्ध उनके मन में रोष और घृणा बढ़ती जाती थी, अतः इस शोषण का अन्त करने की आशा दिलाने वाले राष्ट्रीय आन्दोलन की ओर उनका आकर्षित होना स्वाभाविक था। 1908 में जब राष्ट्रीय आन्दोलन के नेता लोकमान्य तिलक को बन्दी बनाकर छः वर्ष के कठोर कारावास का दण्ड दिया गया तो इस अन्याय और दमन के विरुद्ध बम्बई, नागपुर और दूसरे शहरों के मजदूरों ने हड़ताल की। यह हड़ताल इतनी संगठित और व्यापक थी कि

मजदूरों के मार्क्सवादी नेता लेनिन ने इस बारे में लिखा—"भारतीय मजदूर पहले ही इतना सजग और संगठित है कि वह वर्गचेतना के आधार पर जनवादी राजनीतिक संघर्ष लड़ सकता है, जिसका मतलब है कि दमन के एंग्लो-रूसी साधन असफल सिद्ध हुए हैं।"

लेकिन हमारे राजनीतिक नेताओं का इस ऐतिहासिक सत्य की ओर ध्यान नहीं गया। उन्होंने मजदूरों को संगठित करने और उन्हें आन्दोलन में लाने की बात नहीं सोची और उसे सम्पन्न वर्ग तक सीमित रहने दिया। प्रेमचन्द का ध्यान भी मजदूरों की ओर नहीं गया। वे भी किसानों और मध्य वर्ग के बारे में लिखते रहे।

जब पहला विश्व-युद्ध आरम्भ हुआ तो अंग्रेज के लिए हिन्दुस्तान में अपने कारखानों का तैयार माल भेजना और यहां से कच्चा माल ले जाना कठिन ही नहीं, प्रायः असम्भव हो गया। युद्ध की इस परिस्थिति और बढ़ती हुई आवश्यकताओं ने उन्हें मजबूर कर दिया कि हिन्दुस्तान में उद्योगीकरण की रफ्तार को तेज करें और हम देखते हैं कि युद्ध के अन्त अर्थात 1918 में कारखानों की तादाद 3,436 तक जा पहुंची, जिनमें 11,22,422 मजदूर काम करते थे। युद्ध में श्रमजीवी जनता की लूट-खसोट और बढ़ती है, जिससे उसके लिए जीवन-निर्वाह दूभर हो जाता है, विद्रोह की भावना बल पकड़ती जाती है। कहना नहीं होगा कि युद्ध के बाद हमारा आन्दोलन शिक्षित मध्य वर्ग से निकलकर जनसाधारण में फैल गया था। उसने जीवन के समस्त स्तरों को छू लिया और सामूहिक क्रान्ति का रूप धारण कर लिया। इस क्रान्तिकारी भावना का सबसे बड़ा आधार उस समय का मजदूर आन्दोलन था।

1918 में मजदूरों की जो हड़तालें शुरू हुईं, 1919 और 1920 में उनमें दिन-दिन तीव्रता और उग्रता उत्पन्न होती रही। जनवरी 1919 में बम्बई की तमाम कपड़ा मिलों में हड़ताल हुई और उसमें एक लाख पच्चीस हजार मजदूरों ने भाग लिया। अप्रैल में घृणित रौलट एक्ट के विरुद्ध जो आम हड़ताल हुई, उसमें देश-भर के मजदूरों ने बढ़-चढ़कर हिस्सा लिया और यह सिद्ध कर दिया कि वे राष्ट्रीय आन्दोलन में सबसे आगे हैं। उनका यह संघर्ष निरंतर बढ़ता रहा। 1920 के पहले छः महीने में दो सौ हड़तालें हुईं, जिनमें पन्द्रह लाख मजदूरों ने भाग लिया।

इस संघर्षोन्मुख परिस्थिति में बीसियों ट्रेड यूनियनें स्थापित हुईं और संगठित ट्रेड यूनियन आन्दोलन का प्रादुर्भाव हुआ, जो स्वाधीनता-संग्राम का अभिन्न अंग बन गया।

लेकिन 1920-21 और 1930-32 में असहयोग और सविनय-अवज्ञा के जो आन्दोलन चले, उनकी रूपरेखा और कार्यक्रम ऐसा नहीं था कि मजदूर और किसान इस शोषण व्यवस्था का अन्त करने के लिए समूचे और संगठित रूप से भाग ले सकें। बल्कि उन्हें जान-बूझकर अलग छोड़ दिया गया और आन्दोलन को शहरों और शहरों में भी मध्य वर्ग तक सीमित रखा गया।

फिर भी हमारे देश का मजदूर आन्दोलन एक सामाजिक और ऐतिहासिक सत्य के रूप में आगे बढ़ता रहा। 1930 में प्रसिद्ध मेरठ षड्यन्त्र केस बना, जिसमें सभी मजदूर नेता फांस लिये गए और उन्हें लम्बी-लम्बी सजाएं दी गईं। इसी मजदूर आन्दोलन के आधार पर समाजवादी और साम्यवादी पार्टियां बनीं और समाजवाद का प्रचार हुआ।

अब किसी भी नेता और किसी भी सजग लेखक का मजदूरों और उनके आन्दोलन के प्रति उदासीन रहना सम्भव नहीं था।

प्रेमचन्द का ध्यान भी लगभग इसी युग में मजदूर समस्या की ओर आकर्षित हुआ। लेकिन प्रेमचन्द विशेषतः किसानों और मध्य वर्ग के लेखक थे और यथार्थवादी होते हुए भी एक आदर्शवादी दृष्टिकोण रखते थे, इसलिए मजदूरों के प्रति उनका रुख अन्त तक स्पष्ट नहीं हो सका। उन्होंने मजदूरों को एक ऐतिहासिक सत्य और क्रान्ति के अग्रदूत के रूप में कभी ग्रहण नहीं किया। चूंकि वे मेहनत के शोषण से घृणा करते थे और मजदूर की मेहनत का शोषण होता था, इसलिए वे मजदूर के हित की बात करते थे।

प्रेमचन्द ने उद्योगीकरण की समस्या को पहले पहल 'रंगभूमि' में उठाया है। जानसेवक एक नया उद्योगपति है और पाण्डेपुर में सिगरेट का कारखाना लगाना चाहता है। सूरदास इस उपन्यास का आदर्श पात्र है। प्रेमचन्द इसी आदर्श पात्र के द्वारा सिगरेट के कारखाने का...देश के उद्योगीकरण का विरोध करते हैं कि इससे ग्रामीण समाज की प्राचीन व्यवस्था नष्ट हो जाएगी। गांव के नौजवानों और किसानों का मजदूर के रूप में आध्यात्मिक पतन होगा। कारखाने के साथ मजदूर बस्तियां बनेंगी, शराब का ठेका होगा, वेश्याएं आएंगी और व्यभिचार फैलेगा।

उद्योगीकरण के प्रति यह दृष्टिकोण सर्वथा अवैज्ञानिक और रूढ़िवादी है। प्रेमचन्द ऐतिहासिक विकास के इस सिद्धान्त को नहीं समझते थे कि उद्योगीकरण से समाज और संस्कृति का विकास होगा और इसमें पतन के बजाय देश का कल्याण निहित है। किसान मजदूर बन जाए, तो उसका रूढ़िवाद और परम्परागत कुसंस्कारों से पिंड छूटता है और नए आर्थिक सम्बन्ध उसे

अधिक क्रान्तिकारी बना देते हैं। शोषण से मुक्त जिस समाज का वे स्वप्न देखते आए थे, क्रान्तिकारी मजदूर वर्ग की संगठित शक्ति से ही उसका निर्माण होना सम्भव था। युग के इस अटल सत्य को न समझकर उन्होंने मजदूर को हमेशा दया का पात्र और असहाय समझा। 'कर्मभूमि' में मजदूरों को अच्छे मकान दिलाने के लिए जो आन्दोलन चलता है, उसका नेतृत्व सुखदा, डॉ. शान्तिप्रसाद और मध्य वर्ग के दूसरे लोग करते हैं और वे इसी दयाभाव से प्रेरित हुए हैं।

लेकिन प्रेमचन्द यथार्थवादी थे। उन्होंने समाज के भिन्न-भिन्न स्तरों को और उसमें होने वाले परिवर्तनों को भली प्रकार समझ लिया था। इसीलिए वह शोषितों और शोषकों का चरित्र-चित्रण बड़ा ही सच्चा और सही करते हैं। 'रंगभूमि' में जानसेवक नए उद्योगपति वर्ग का प्रतिनिधि है। वह पक्का स्वार्थी और धूर्त्त है। उसके लिए पैसा धर्म, पैसा लोक-लाज और पैसा ही संतान है। वह पैसे के लिए इन सब चीजों का किसी भी क्षण परित्याग कर देने के लिए तैयार रहता है।

'कर्मभूमि' में सुमेर भी इसी वर्ग का एक छोटा-सा प्रतिनिधि है। सुखदा जब म्युनिसिपल बोर्ड से मजदूरों के लिए नए मकान बनाने के लिए हड़ताल का प्रस्ताव रखती है, तो वह बड़ी ही चतुराई और नम्रता से उसका विरोध करता है, क्योंकि भावी हड़ताल में वह अपने स्वार्थ की हानि देखता है। प्रेमचन्द लिखते हैं–

''सुमेर की जूते की दुकान थी। तीन-चार चमार नौकर थे। खुद जूते काट दिया करता था। मजदूर से पूंजीपति बन गया था। घास वालों और साईसों को सूद पर रुपए भी उधार दिया करता था। मोटी ऐनक के पीछे से बिज्जू की तरह ताकता हुआ बोला–'हड़ताल होना तो हमारी बिरादरी में मुश्किल है बहूजी! यों आपका गुलाम हूं और जानता हूं कि आप जो कुछ करेंगी, हमारी भलाई के लिए करेंगी, पर हमारी बिरादरी में हड़ताल होना मुश्किल है। बेचारे दिन-भर घास काटते हैं, सांझ को बेचकर आटा-दाल जुटाते हैं, तब कहीं चूल्हा जलता है। कोई साईस है, कोई कोचवान है। बेचारों की नौकरी जाती रहेगी। अब तो सभी जाति वाले साईसी, कोचवानी करते हैं। उनकी नौकरी दूसरे उठा लें तो बेचारे कहां जाएंगे'।''

इन्दु मियां ने सुमेर का समर्थन किया और सुखदा का प्रस्ताव स्वीकार नहीं हो सका। बात भी ठीक थी क्योंकि साईस, कोचवान, घास वाले और भिश्ती फुटकर मजदूर हैं। वे अपने जीवन-निर्वाह के लिए पुरानी सामन्ती

व्यवस्था से बंधे हुए होते हैं। इसी कारण वे दीन, दुःखी और शोषित होते हुए भी कल-कारखानों में काम करने वाले मजदूरों की तरह क्रान्तिकारी नहीं होते और उनका संगठन भी आसान नहीं है। लेकिन 'कर्मभूमि' के सारे आन्दोलन में वैज्ञानिक दृष्टिकोण का अभाव है। उसका आधार भावुकता पर है। इसी भावुकता के नाते दूसरे दिन हड़ताल होती है, पदाधिकारी झुकते हैं और मजदूरों को मकान मिलते हैं। यहां प्रेमचन्द का अभिप्राय मजदूरों पर दया दर्शाने से कहीं अधिक सुखदा को यह यश दिलाना और उसे त्याग की मूर्ति दिखाना ही अधिक जान पड़ता है।

हमारे राष्ट्रीय आन्दोलन में मांगें मनवाने के लिए केवल दबाव से काम लिया जाता था। हड़ताल भी जहां दबाव का काम देती है, प्रेमचन्द उसका समर्थन करते हैं, लेकिन जहां वह क्रान्ति का पथ ग्रहण करने लगती है, तो वे असमंजस में पड़ जाते हैं और अहिंसावादी दर्शन की आड़ लेकर पीछे हट जाते हैं और प्रायः हड़ताल को संगठित करने में पहले ही से बड़ी सावधानी से काम लेते हैं। अपने हड़ताल के प्रस्ताव को पेश करते समय सुखदा कहती है—"हमें लड़ाई नहीं करनी है, फसाद नहीं करना है। सिर्फ हड़ताल करनी है।"

'डामुल का कैदी' कहानी मिल मजदूरों, उनके शोषण और हड़ताल के बारे में लिखी गई है। इस कहानी में मजदूरों का संघर्ष अपने वास्तव और उग्र रूप में हमारे सामने आता है। हड़ताल सिर्फ दबाव डालने के लिए नहीं की जाती, आर्थिक कारणों से उत्पन्न होती है। यह कहानी 1930 में लिखी गई थी। सेठ खूबचन्द तमाम उद्योगपतियों की तरह धन का लोभी है। उसके जीवन का एकमात्र उद्देश्य धन-संचय और उसकी रक्षा करना है। इसके लिए उसने मन्दिर बनवाया है, पुजारी रखा है, अफसरों को रिश्वत देता है, मजदूरों पर दमन करता है और देश के राष्ट्रीय आन्दोलन में चन्दे देता है। 'स्वदेशी खरीदो' आन्दोलन के कारण उसकी मिल के कपड़े की दर बढ़ गई है और उसने लाखों कमाए हैं। लेकिन अनाज की दर गिर गई है और बेकारी बहुत बढ़ गई है, इसलिए वह पुराने आदमियों को निकालकर सस्ती मजदूरी पर नए आदमी रख लेने की बात सोचकर मजदूरी घटाने की बात करता है।

इसके परिणामस्वरूप हड़ताल होती है। लेकिन मजदूरों का नेता गोपीनाथ एक बार फिर प्रयत्न करता है कि किसी प्रकार सुलह हो जाए और हड़ताली मजदूरी काम पर लौट जाएं। लेकिन लाख मिन्नत-आरजू करने पर भी सेठजी एक नहीं सुनते, उन्होंने मजदूरी घटाने का फैसला कर लिया है। हारकर वह

अपने मजदूर साथियों से कहता है–

"वे मजदूरी घटाने पर तुले हुए हैं, चाहे कोई काम करे या न करे। ...साथियो! प्रण कर लो कि किसी बाहरी आदमी को मिल में नहीं घुसने देंगे, चाहे वह अपने साथ फौज लेकर ही क्यों न आए। कुछ परवाह नहीं, हमारे ऊपर लाठियां बरसें, गोलियां चलें।"

जब तक मजदूरों पर लाठियां और गोलियां चलती हैं, कहानी ठीक ढंग से आगे बढ़ती है, लेकिन जब मजदूर इस अत्याचार का मुंहतोड़ जवाब देने के लिए प्रत्याक्रमण करते हैं, तो गोपीचन्द बीच में पड़कर खुद घायल हो जाता है और कहानी यथार्थवाद को त्यागकर रहस्यवाद में खो जाती है। क्रान्ति से भयभीत आदर्शवादी हमेशा रहस्यवाद की शरण लेता है।

फिर जब प्रेमचन्द फिल्म में गए, तो उन्होंने अपनी पहली फिल्म कहानी 'मिल मजदूर' नाम से लिखी, क्योंकि अब देश की जनता का मजदूर समस्या की ओर अधिक ध्यान आकर्षित होने लगा था। इस फिल्म में भी मिल मालिकों के निर्दयतापूर्ण व्यवहार, मजदूरों की दरिद्रता, लूट-खसोट और उसके कुपरिणामों को भली-भांति दर्शाया गया। लेकिन इस सारी विषमता का एकमात्र हल मिल मालिक और मजदूरों में समझौता बताया गया और इस फिल्म में एक समझौता कमेटी मौजूद थी।

अंग्रेज सरकार ने इसके बावजूद फिल्म को चलने नहीं दिया।

प्रेमचन्द ने देखा कि जिस उद्देश्य से वह फिल्म में आए थे, वह पूरा नहीं होता, इसलिए फिर बनारस लौट आए। वहां उन्होंने अपना सर्वश्रेष्ठ उपन्यास 'गोदान', जो अधूरा पड़ा था, पूरा किया। इस उपन्यास में भी मिल मालिकों की लूट-खसोट, दमन, अत्याचार और विरोध में मजदूरों की हड़ताल का उल्लेख है।

चन्द्रप्रकाश खन्ना की शक्कर की मिल है। गोबर उसी में मजदूरी करता है। प्रेमचन्द लिखते हैं–

"उधर गोबर के कारखाने में भी आए दिन एक-न-एक हंगामा उठता रहता था। अबके बजट में शक्कर पर ड्यूटी लग गई थी। मिल के मालिकों को मजदूरी घटाने का अच्छा अवसर मिल गया। ड्यूटी से अगर पांच की हानि थी तो मजदूरी घटा देने से दस का लाभ था। इधर महीनों से इस मिल में भी यही मसला छिड़ा हुआ था। मजदूरों का संघ हड़ताल करने को तैयार बैठा था। इधर मजदूरी घटी और उधर हड़ताल हुई।

मिस्टर खन्ना मजदूरों की हड़ताल से बौखला उठते हैं–वे अपना वेतन

और नफा बनाए रखना चाहते हैं, बल्कि बेकारी का फायदा उठाकर और ड्यूटी का बहाना करके उसे और बढ़ाना चाहते हैं। इसलिए मजदूरों की हड़ताल को असफल बनाने के लिए मिस्टर मेहता से सलाह लेते हैं। लिखा है–

"उनकी ओर देखकर मेहता ने कहा, 'क्या यह जरूरी था कि ड्यूटी लग जाने से मजदूरों का वेतन घटा दिया जाए? आपको सरकार से शिकायत करनी चाहिए थी। अगर सरकार ने नहीं सुनी तो उसका दंड मजदूरों को क्यों दिया जाए? क्या आपका विचार है कि मजदूरों को इतनी मजदूरी दी जाती है कि उसमें एक चौथाई कम कर देने से उन्हें कष्ट न होगा? आपके मजदूर बिलों में रहते हैं...गन्दे, बदबूदार बिलों में...जहां आप एक मिनट भी रह जाएं, तो आपको कै हो जाए। कपड़े जो पहनते हैं, उनसे आप अपने जूते भी न पोंछेंगे। खाना जो वे खाते हैं, आपका कुत्ता भी न खाएगा'।"

मेहता की यह आवाज प्रेमचन्द की आवाज है। वे शोषण को समाप्त करके मजदूरों की हालत को अच्छा बनाना चाहते थे। 'गोदान' में उनकी दशा को सुधारने के लिए वे समझौते और सुधारवाद का नुस्खा इस्तेमाल नहीं करते। लेकिन यही शोषित मजदूर वर्ग भावी क्रान्ति का अग्रदूत है, यह बात वे देख नहीं पाए थे। गोर्की और प्रेमचन्द में यही अन्तर है। रूस में 1905 की असफल क्रान्ति में सक्रिय भाग लेकर और उसका वैज्ञानिक विश्लेषण करके गोर्की ने देख लिया था कि क्रान्ति अवश्य होगी और उसका नेतृत्व मजदूर करेगा, क्योंकि मजदूर ही इस समाज का सबसे शोषित वर्ग है और उसी को क्रान्ति की सबसे अधिक आवश्यकता है। लेकिन प्रेमचन्द इस ऐतिहासिक सत्य को इसलिए देख नहीं पाए कि हमारे देश में उस समय मजदूरों का नेतृत्व इतना सशक्त नहीं था, जितना रूस में था। यह उनकी मानसिक परिधि थी। अगर उन्हें गोर्की जैसी परिस्थिति मिलती तो उन्होंने हमारे साहित्य को और आगे बढ़ाया होता और शायद विवश और निस्सहाय 'होरी' के स्थान पर किसी क्रान्तिकारी 'पावेल' की रचना की होती।

30. जीवन-संदेश

"अगर हमारा अन्तर प्रेम की ज्योति से प्रकाशित हो और सेवा का आदर्श हमारे सामने हो, तो ऐसी कोई कठिनाई नहीं जिस पर हम विजय न प्राप्त कर सकें।"

—प्रेमचन्द

प्रेमचन्द का सारा जीवन संघर्षो में व्यतीत हुआ। वे डाकखाने के एक मामूली क्लर्क के बेटे थे। अर्थाभाव के कारण मैट्रिक बड़ी मुश्किल से पास किया। इसके उपरान्त उन्हें जीविकोपार्जन में जुट जाना पड़ा। लेकिन उनमें विकास और उन्नति की जो एक भावना थी, आगे बढ़ने की जो एक उत्कट अभिलाषा थी, उसने उन्हें चैन से बैठने नहीं दिया। वे जीवन-पर्यन्त परिस्थितियों से लड़ते और उनसे ऊपर उठने का सतत् प्रयत्न करते रहे। उन्हें आर्थिक और भौतिक सुख भोगना भले ही नसीब न हुआ, लेकिन अपने इस प्रयत्न से वे महान् लेखक बन गए।

यह सफलता संसार के सम्पूर्ण धन और समस्त भौतिक सुखों पर भारी है। ऐसे में संघर्ष को जीवन का मूल मंत्र मानकर चलना स्वाभाविक बात है। यही मूल मन्त्र उनके साहित्य का सन्देश है। उन्होंने 1936 में अध्यक्ष-पद से दिए भाषण में कहा था—"भावोत्तेजक कला का अब जमाना नहीं रहा। अब तो हमें उस कला की आवश्यकता है जिसमें कर्म का सन्देश हो। अब तो हजरते 'इकबाल' के साथ-साथ हम भी कहते हैं—

रमजे हयात जोई, जुज़ दर तपिश नयाबी,
दर कुलजुम आरगीदन नगास्त आबे जूए।
ब आशियां न नशीनम जे लज्जते परवाज,
गहे बशाखे गुलम, गहे बरलबे जूयम।।

अर्थात्—अगर तुझे जीवन के रहस्य की खोज है, तो वह तुझे संघर्ष के सिवा और कहीं नहीं मिलने का—सागर में जाकर विश्राम करना नदी के लिए लज्जा की बात है। आनन्द पाने के लिए मैं घोंसले में कभी बैठता नहीं। कभी फूलों की टहनियों पर, तो कभी नदी-तट पर होता हूं।

ऋषियों, मुनियों, धर्मप्रवर्तकों और राजनीतिज्ञों ने आज तक जीवन-रहस्य की ही खोज की है। बुद्ध यही समझने का प्रयास करते रहे कि इस जीवन में दुःख क्यों है? और इस दुःख से मुक्ति कैसे प्राप्त हो सकती है? सांख्य दर्शन हो या वेदान्त, उनकी खोज भी यही रही कि इस जीवन का सार क्या है? इस जीवन के उपरान्त भी मनुष्य का दूसरा जन्म होता है या नहीं? अदृष्ट क्या है? इस जीवन के निर्माण अथवा विघटन में उसका कितना हाथ है? काण्ट, हीगेल और मार्क्स ने भी इसी रहस्य को समझने-समझाने का प्रयत्न किया है। प्रेमचन्द अपने एक लेख 'कहानी-कला' में लिखते हैं—

"मनुष्य जाति के लिए मनुष्य ही सबसे विकट पहेली है। वह खुद अपनी समझ में नहीं आता—मानव संस्कृति का विकास ही इसलिए हुआ है कि मनुष्य अपने-आपको समझे। अध्यात्म और दर्शन की भांति साहित्य भी इसी खोज में लगा हुआ है। अन्तर इतना ही है कि वह इस उद्योग में रस का मिश्रण करके उसे आनन्दप्रद बना देता है, इसलिए अध्यात्म और दर्शन केवल ज्ञानियों के लिए हैं, साहित्य मनुष्य-मात्र के लिए।" **(कुछ विचार)**

प्रेमचन्द महान् लेखक थे। वे इसी महान् उद्देश्य से साहित्य-सृजन करते थे कि जीवन-रहस्य मनुष्य-मात्र को समझाया जाए ताकि वे भ्रम-जाल से छूटें और उन्नति का मार्ग प्रशस्त हो। फिर लिखा है—

"उन्नति से हमारा तात्पर्य उस स्थिति से है, जिससे हममें दृढ़ता और कर्मशक्ति उत्पन्न हो, जिससे हमें अपनी दुखित अवस्था की अनुभूति हो, हम देखें कि किन अन्तर्बाह्य कारणों से हम इस निर्जीवता और ह्रास की अवस्था को पहुंच गए हैं और उन्हें दूर करने की कोशिश करें।"

(सभापति पद से भाषण)

प्रेमचन्द ने यह कोशिश व्यक्तिगत ढंग से नहीं की। जिस समय उन्होंने साहित्य-सृजन आरम्भ किया, हमारे देश में राष्ट्रोन्नति की भावना सजग हो गई थी और दिन-दिन बढ़ रही थी। मध्य वर्ग की नई पीढ़ी के शिक्षित नौजवान समाज-सुधार और राष्ट्रीय उन्नति के आन्दोलनों में बढ़-चढ़कर भाग ले रहे थे। प्रेमचन्द भी मध्य वर्ग की इसी नई पीढ़ी के प्रतिनिधि थे। वे इन आन्दोलनों से प्रभावित थे। समय का सन्देश यह था कि रूढ़िग्रस्त समाज को

अन्धविश्वास, प्रमाद और पराधीनता से मुक्त करने के लिए जन-सेवक त्यागी और कर्मयोगी बनें। प्रेमचन्द की कहानियां और उपन्यास भी इसी सन्देश से ओत-प्रोत हैं। उनके मुख्य पात्र भी जन-सेवक, कर्मयोगी और त्यागी हैं। जीवन का कोई उच्चादर्श न हो तो जीना व्यर्थ है। 'सेवासदन' का कृष्णचन्द्र कहता है—"व्यर्थ जीने से मर जाना अच्छा है।" वह सिर्फ कहता ही नहीं, उसे अपना जीवन व्यर्थ जान पड़ता है, इसलिए वह गंगा में डूबकर आत्महत्या कर लेता है।

साहित्य समय की आत्मा होता है। प्रेमचन्द के अलावा इस युग के दूसरे बड़े लेखकों ने भी अपने साहित्य द्वारा मनुष्य को कर्मयोगी और संघर्षशील होने का सन्देश दिया है और रूढ़िग्रस्त मान्यताओं से हटकर उन्नति की राह खोजने की प्रेरणा दी है। कविवर टैगोर कहते हैं—Where roads are made, I lose my path.(अर्थात् जहां सड़कें बना दी जाती हैं, वहां मैं अपना मार्ग भूल जाता हूं।)

कवि का नायक स्वतन्त्र चिन्तन की मांग करता है और यही नायक सोने की नौका में बैठकर सत्य की खोज में निकलता है और तूफानों से लड़ता हुआ सतत् आगे बढ़ता है। इकबाल प्रेमचन्द के इसीलिए प्रिय कवि हैं कि उन्होंने भी मनुष्य को कर्मशील होने का सन्देश दिया है। इकबाल लिखते हैं—

अमल से जिन्दगी बनती है जन्नत भी जहन्नुम भी
यह खाकी अपनी फितरत में न नोरी है, न नारी है।

अर्थात्—जीवन का निर्माण कर्म से होता है, स्वर्ग-नरक भी कर्म से बनता हैं। यह मनुष्य स्वभाव से न अच्छा है न बुरा है।

प्रेमचन्द इकबाल से बहुत प्रभावित थे। उन्होंने न सिर्फ उर्दू बल्कि उनके फारसी के कलाम को भी ध्यान से पढ़ा था और उनके जिन शेरों से कर्मशील होने की प्रेरणा मिलती है, उन्हें बहुधा उद्धृत किया है। अध्यक्ष-पद से पढ़े गए एक शेर का हवाला पहले दे चुके हैं; एक और सुनिए—

अज़ दस्ते जनूने मन जिब्रील जबूं सैदे।
यजदां बकमन्द आवर ऐ हिम्मते मरदाना।

अर्थात्—मेरे उन्मत्त हाथों के लिए जिब्रील एक घटिया शिकार है। ऐ हिम्मते मरदाना, क्यों न अपनी कमंद में तू खुदा ही को फांस ला।

प्रेमचन्द ने इसी हिम्मते मरदाना से सारा जीवन व्यतीत किया था और फिर जनसंघर्ष में पड़कर उन्होंने अपने जीवन को राष्ट्रीय जीवन में मिला दिया था। इसलिए वे समस्त राष्ट्र से हिम्मते मरदाना की मांग करते थे। यों तो

उनके सभी मुख्य और आदर्श पात्र कर्मशील हैं और जन्मगत दुर्बलताओं को संघर्ष में पड़कर दूर करने का प्रयत्न करते हैं। 'सूरदास' उनका सबसे बड़ा कर्मयोगी पात्र है। जीवन की कठिनाइयों और बाधाओं का हंसते-हंसते सामना करना, उनसे भागना नहीं, बल्कि इस रण-क्षेत्र में सच्चे योद्धा की नाईं खम ठोककर डट जाना उसका मूल मंत्र है। वह उन्मत भाव से यही राग अलापता सुनाई देता है–

तू रंगभूमि में आया, दिखलाने अपनी माया,
क्यों धर्मनीति को तोड़े, भई क्यों रण से मुंह मोड़े?

सूरदास का जीवन-दर्शन प्रेमचन्द का ही जीवन-दर्शन है। उन्होंने उसे अपने मन के अनुरूप बनाया है। हमने अपनी इस पुस्तक के 'बम्बूक' अध्याय में प्रेमचन्द का एक पत्र उद्धृत किया है जो उन्होंने दयानारायण निगम को उनके पुत्र की मृत्यु पर लिखा था और उसमें दुःख को सहन करने का यह सुझाव दिया था, "दुनिया को एक तमाशगाह या खेल का मैदान समझ लिया जाए। खेल के मैदान में वही शख्स तारीफ का मुस्तहिक होता है, जो जीत में फूलता नहीं और हार में रोता नहीं।" पत्र लम्बा है, लेकिन उसका सारांश यही है। अब देखिए सूरदास के मुख से यही बात यों कहलाई गई है–

"सच्चे खिलाड़ी कभी रोते नहीं, बाजी पर बाजी हारते हैं, चोट पर चोट खाते हैं, धक्के पर धक्के सहते हैं, पर मैदान में डटे रहते हैं। उनकी त्योरियों पर बल नहीं पड़ते। हिम्मत उनका साथ नहीं छोड़ती, दिल पर मालिन्य की छींटें तक भी नहीं आती, न किसी से जलते हैं, न चिढ़ते हैं। खेल में रोना कैसा? खेल हंसने के लिए है, दिल बहलाने के लिए है, रोने के लिए नहीं।"

(रंगभूमि, पृष्ठ 212)

यह निर्विकार कर्मशीलता निरा आदर्शवाद है। प्रेमचन्द को भी, प्रत्येक मध्यवर्गीय युवक की तरह आदर्शवाद विरासत में मिला था। यद्यपि विषम परिस्थितियों ने, जीवन के अनुभव ने उन्हें यथार्थवादी बना दिया, लेकिन गांधी में आदर्शवाद का समर्थक भी मिल गया था। 'यह सच्चा खिलाड़ी' वास्तव में सच्चा सत्याग्रही है जिसकी हार भी जीत होती है और जीत तो जीत है ही, पर उससे वह फूलता नहीं। यही सच्चा खिलाड़ी–सूरदास आगे कहता है–

"खिलाड़ी जीतकर हारने वाले की हंसी नहीं उड़ाता, उससे गले मिलता है और हाथ जोड़कर कहता है–'भैया, अगर हमने खेल में तुमसे कुछ अनुचित बात कही हो तो उसे माफ करना।' इस तरह दोनों खिलाड़ी हंसकर अलग होते हैं,

खेल खत्म होते ही, दोनों मित्र बन जाते हैं, उनमें कोई कपट नहीं रहता।''

(रंगभूमि, पृष्ठ 370)

यह निष्काम कर्म का शताब्दियों पुराना दर्शन है जो मनुष्य से बिना फल की इच्छा के काम करते रहने की मांग करता है। गांधी ने भी इसी दर्शन द्वारा हमारे कर्म और विचार को चर्खे से बांधकर रखा था। हमारा राष्ट्रीय आन्दोलन खेल नहीं था, स्वाधीनता-संग्राम था। हार को जीत समझ लेना एक व्यक्ति का—एक सत्याग्रही का आदर्श हो सकता है, पर सम्पूर्ण राष्ट्र का आदर्श नहीं हो सकता और यह व्यक्ति भी हार को जीत सिद्ध करने के लिए लोकमत की अवहेलना करता है और इच्छाओं के दमन का उपदेश देता है। चक्रधर कहता है—''परोपकार ही अमरत्व प्रदान करता है। काल पर विजय पाने का अर्थ यह नहीं है कि हम कृत्रिम साधनों से भोग-विलास में प्रवृत्त हों, वृद्ध होकर जवान बनने का स्वप्न देखें और अपनी आत्मा को धोखा दें। लोकमत पर विजय पाने का अर्थ है अपने सद्विचारों और सत्कर्मों से जनता में आदर पाना और सम्मान प्राप्त करना। आत्मा पर विजय पाने का आशय निर्लज्जता या विषय-वासना नहीं, बल्कि इच्छाओं का दमन करना और कुवृत्तियों को रोकना है।''

(कायाकल्प)

जो यथार्थवादी है और संघर्ष में विश्वास रखता है, उसे चक्रधर का यह भाषण अनर्गल जान पड़ता है। यह आदर्श महात्मा और महापुरुष के लिए ही उपयुक्त हो सकता है। साधारण मनुष्य तो अपनी हार को हार और जीत को जीत समझता है। वह हारकर दुःखी और जीतकर प्रसन्न होता है। संसार में महात्मा और महापुरुष इक्के-दुक्के हैं और मनुष्य अधिक हैं, इसलिए संसार का यही आचरण है। प्रेमचन्द के पात्रों में भी महात्मा और महापुरुष कम, मनुष्य अधिक हैं। इसलिए वे सांसारिक आचरण के अनुसार सुख-दुःख अनुभव करते हैं। चक्रधर का पिता बज्रधर पुरानी पीढ़ी का होते हुए भी मनुष्य है। स्पष्ट कहता है—''गुणानुवाद करते सारी उम्र बीत गई। उसका यह फल! उस पर कहते हो ईश्वर को दोष न दीजिए। अपने कल्याण के लिए ही तो ईश्वर का भजन किया जाता है या किसी की जीभ खुजलाती है।'' और चक्रधर भी इन्द्रियों का दमन और इच्छाओं के त्याग की बात ही कहता है, त्याग कर नहीं पाता। लिखा है—''संध्या-समय शंखधर अपने पिता से विदा होकर चला। चक्रधर को ऐसा मालूम हो रहा था मानो उनका हृदय वक्षस्थल को तोड़कर शंखधर के साथ चला जा रहा है। जब वह आँखों से ओझल हो गया तो उन्होंने एक लम्बी सांस ली और बालकों की भांति बिलख-बिलखकर रोने लगे।

ऐसा मालूम होता था मानो चारों ओर शून्य है।" और फिर जब वह मनोरमा के लिए नित्य विचित्र पक्षी खोजता फिरता है, तो यह इन्द्रियों के दमन और इच्छाओं के त्याग का कौन-सा रूप है? जिसके अपने जीवन का कोई उद्देश्य न रह गया हो, वह दूसरों के लिए क्या जीवन-सन्देश छोड़ेगा?

यथार्थवाद के सामने आदर्शवाद टिक नहीं पाता। हार को हार कहना ही पड़ता है। अन्त में 'सच्चा खिलाड़ी' सूरदास कहता है—

"बस-बस, अब मुझे क्यों मारते हो, तुम जीते, मैं हारा। यह बाजी तुम्हारे हाथ रही। मुझसे खेलते न बन पड़ा, तुम मंजे हुए खिलाड़ी हो, दम नहीं उखड़ता, खिलाड़ियों को मिलाकर खेलते हो और तुम्हारा उत्साह भी खूब है। हमारा दम उखड़ जाता है और खिलाड़ियों को मिलाकर नहीं खेलते। आपस में झगड़ते हैं, गाली-गलौज, मार-पीट करते हैं, कोई किसी की नहीं मानता। तुम खेलने में निपुण हो, हम अनाड़ी हैं।" **(रंगभूमि)**

चौरा-चौरी की घटना के बाद हमारा राजनैतिक संगठन टुकड़े-टुकड़े हो गया था। आपस के झगड़े, गाली-गलौज और मार-पीट शुरू हो गई थी। कोई किसी की नहीं मानता था। क्या यह राष्ट्र की हार नहीं थी?

कर्म का सन्देश 'पंचतंत्र' का रचयिता भी देता है, लेकिन वह हार को हार और जीत को जीत कहता है और हार के बाद भाग्यवादी बनने के बजाय कर्म का विश्लेषण करके हार के कारणों को समझने का परामर्श देता है। कर्म के साथ विवेचन-बुद्धि का होना जरूरी है। आंखें बन्द करके चलते रहने से मनुष्य अंधेरे में भटक जाता है और अपने साथ हजारों-लाखों को भटका ले जाता है जैसे खुदी को बुलंद करने वाला इकबाल भटक गया। हमारा सारा राष्ट्रीय आन्दोलन भटक गया। निष्काम कर्म का दर्शन दासता युग की शोषण पर टिकी समाज-व्यवस्था का दर्शन है। जो इसे मानता है वह कोल्हू के बैल की तरह एक ही चक्कर में घूमता रहता है और इस चक्कर की तंग परिधि से बाहर नहीं निकल सकता।

प्रेमचन्द ने कर्म के साथ विवेचक बुद्धि भी पाई थी। आदर्शवाद ने उनके मस्तिष्क में जो उलझनें, जो भ्रम उत्पन्न कर रखे थे, 1930-32 की हार ने, वस्तुस्थिति ने, उनके दार्शनिक आधार को छिन्न-भिन्न कर दिया और उन्होंने 'गोदान' में मानव, विशुद्ध मानव की कहानी बयान करते हुए लिखा कि "मन पर जितना गहरा आघात होता है उसकी प्रतिक्रिया भी उतनी ही गहरी होती है।" 'गोदान' के पढ़ने से यह बात भली प्रकार समझ में आ जाती है। इसके शब्द-शब्द में मनुष्य बोलता है, इस शोषण-व्यवस्था में उसकी सदियों की कुचली

हुई आत्मा बोलती है, ''जीवन की दुखद असमर्थता इसके सिवाय क्या है कि आपकी आत्मा जो काम करना नहीं चाहती वही आपको करना पड़े।'' इस बेबसी का अन्त करना ही प्रेमचन्द का जीवन-सन्देश है और वे इस बेबसी का अन्त करने की विधि भी बताते हैं–

''बुद्धि अगर स्वार्थ से मुक्त हो तो हमें उसकी प्रभुता मानने में कोई आपत्ति नहीं। समाजवाद का यही आदर्श है। हम साधु-महात्माओं के आगे इसीलिए सिर झुकाते हैं कि उनमें त्याग का बल है। इसी तरह हम बुद्धि के हाथ में अधिकार भी देना चाहते हैं, सम्मान भी, नेतृत्व भी, लेकिन सम्पत्ति किसी तरह नहीं, बुद्धि का अधिकार और सम्मान व्यक्ति के साथ चला जाता है। लेकिन उसकी सम्पत्ति विष बोने के लिए उसके बाद और भी प्रबल हो जाती है। बुद्धि के बगैर किसी समाज का संचालन नहीं हो सकता, हम केवल इस बिच्छू का डंक तोड़ देना चाहते हैं।'' (गोदान, पृष्ठ 73)

यह शब्द राय साहब अमरपालसिंह ने कहे हैं, लेकिन उसे यह डंक सताता नहीं, सताता तो प्रेमचन्द को था। 'मंगलसूत्र' में वे अपनी ही कहानी लिख रहे थे। यहां तो वे बहुत ही विक्षुब्ध हो उठे थे, यहां तक सोचने लगे थे कि लेखक बनने से तो घास खोद लेना अच्छा है। लिखते हैं–

''इस तरह का आत्म-मन्थन उनके जीवन में पहले कभी न हुआ था। उनकी साहित्यिक बुद्धि ऐसी व्यवस्था में सन्तुष्ट तो हो ही नहीं सकती।''

इस आत्म-मन्थन से उन्होंने जो वरदान पाया था, असल में वही उनका जीवन-सन्देश है। उन्हीं के शब्दों में सुनिए–

''दरिन्दों के बीच में उनसे लड़ने के लिए हथियार बांधना पड़ेगा। उनके पंजों का शिकार बनना देवतापन नहीं, जड़ता है।'' (मंगलसूत्र)

यह उनके हृदय की उत्कृष्ट वाणी है, अनुभूत सत्य है।

31. सांस्कृतिक देन

"हमारी सभ्यता साहित्य पर ही आधारित है। हम जो कुछ हैं, साहित्य के बनाए हैं।"
—प्रेमचन्द

जन-संस्कृति को बनाने और फैलाने में कथा-साहित्य का बड़ा हाथ होता है। कहानी सुनकर ही मनुष्य ने बोलना और दुनिया को समझना सीखा है। और फिर कथा-साहित्य ने न केवल जन-संस्कृति का निर्माण किया है बल्कि उसे सदियों से सुरक्षित भी रखा है। लेकिन कहानी-साहित्य जब केवल मनोरंजन और मन-बहलावे का ही साधन बनने लगता है, तब जनता की उन्नति के स्थान पर अवनति में भी उसका बड़ा हिस्सा होता है। प्रेमचन्द ने जब लिखना शुरू किया तो हमारे देश में कहानी-साहित्य प्रायः मनोरंजन का ही साधन बना हुआ था। तिलस्मी, जासूसी और रोमांटिक चीजें लिखी जाती थीं। अंग्रेज साम्राज्यवादियों ने सामन्ती व्यवस्था को कृत्रिम ढंग से सुरक्षित रखा हुआ था और ऊपर से अपनी एक ऐसी सभ्यता हम पर लाद दी थी, जिसे गुलामी की सभ्यता कहना ही उचित होगा। इससे हमारे साहित्य की स्वस्थ परम्परा और संस्कृति का विकास रुक गया। शासक वर्ग यह भली-भांति जानता था कि यदि देश की जनता सांस्कृतिक क्षेत्र में पिछड़ी रहती है तो उसका स्वतंत्रता-संग्राम में सफल होना सम्भव नहीं है। इसलिए सांस्कृतिक उन्नति राजनीतिक संघर्ष का अभिन्न अंग है। प्रेमचन्द ने इस तथ्य को अनुभव किया और देश की राजनैतिक और सामाजिक समस्याओं का अपनी कहानियों और उपन्यासों में विश्लेषण किया। उन्होंने हमारे जनसाधारण को, नई पीढ़ी के देशभक्त और जनसेवक नौजवानों को, श्रमजीवी किसानों और मजदूरों को,

उत्पीड़ित अछूतों और स्त्रियों को अपनी कहानियों का नायक-नायिका बनाया और इस तरह पराधीनता, अन्याय, शोषण, अत्याचार और रूढ़िवाद के प्रति अपने पाठकों के मन में विद्रोह और विकलता उत्पन्न की और उन्हें देश की आजादी और विचार-स्वातन्त्र्य के लिए लड़ना सिखाया। यही प्रेमचन्द के साहित्य की हमारे समाज को एक सांस्कृतिक अथवा साहित्यिक देन है।

प्रेमचन्द आदर्श को बड़ा महत्त्व देते थे और आदर्श को साहित्य की आत्मा कहते थे। इसलिए उन्होंने अपने साहित्य द्वारा सदा देश-सेवा, त्याग, क्षमा, बलिदान, वीरता और उदारता की उदात्त भावनाओं पर बल दिया। इन्हीं आदर्शों का प्रतिपादन करने के लिए उन्होंने देश के राष्ट्रीय इतिहास के पृष्ठों की छान-बीन की। राजपूत स्त्री-पुरुषों के त्याग, बलिदान और वीरता की कहानियां लिखीं और मुगलों के ह्रासोन्मुख वैभव का दिग्दर्शन कराया। लेकिन उनका ऐतिहासिक दृष्टिकोण स्वस्थ और प्रगतिवादी था। उन्होंने कहीं भी प्राचीन वैभव का गुणगान नहीं किया, आदर्शवादी होते हुए भी वे कभी पुनरुत्थानवादी नहीं बने। इतिहास के बारे में उनका मत स्पष्ट था। लिखते है–

"हमें तारीख से यह सबक न लेना चाहिए कि हम क्या थे, यह भी देखना चाहिए कि हम क्या हो सकते थे। अक्सर हमें तारीख को भूल जाना पड़ता है। भूत हमारे भविष्य का रहबर नहीं बन सकता?"

(कुछ विचार, पृष्ठ 71)

यह देखना कि हम क्या हो सकते थे, तारीख के बारे में स्वस्थ दृष्टिकोण है। हर एक देश की एक सांस्कृतिक परम्परा होती है जो आने वाली पीढ़ियों को पूर्वजों से विरासत में मिलती है। हमारे देश की एक विशेष भौगोलिक स्थिति है। हमारे अपने नदी, मैदान और पहाड़ हैं, जो हमारी गतिविधि, रहन-सहन और विचारधारा पर प्रभाव डालते हैं, जिससे हमारे जातीय चरित्र का निर्माण होता है। हमारे देश की एक विशेष आर्थिक और राजनीतिक परम्परा रही है, उसी परम्परा के अनुसार हमारे पूर्वज जनजीवन को आगे बढ़ाने के लिए परिश्रम और संघर्ष करते रहे हैं। अपने इस सदियों के संघर्ष में उन्होंने सेवा, त्याग, बलिदान और वीरता के उच्चादर्श कायम किए हैं। उन्हीं आदर्शों से हमारा राष्ट्रीय साहित्य और इतिहास ओत-प्रोत है। फिर हमारी अपढ़ जनता, जो युग-युग से शोषित और संघर्षशील है, इन आदर्शों को और हमारी सांस्कृतिक परम्परा को सीने से लगाए हुए है। वह दरिद्र है, लेकिन उसमें त्याग, अतिथि-सेवा, संवेदना और उदारता का अभाव नहीं है। उसका तन क्षीण है,

लेकिन आत्मा विशाल है। प्रेमचन्द राष्ट्रीय इतिहास, साहित्य और दर्शन का अध्ययन तो करते ही थे लेकिन पुस्तकों से कहीं अधिक उन्होंने जनता के यथार्थ जीवन से सीखा और उसके बीच में रहकर उसकी विशाल मनस्विता और महत्ता का साक्षात दर्शन किया था और अपनी 'मंत्र', 'निडर' और 'जलता मजार' आदि कहानियों में हमें भी उसी का दिग्दर्शन कराया है। जिन लोगों ने अंग्रेज शासकों से यह पाठ सीख लिया था कि पूर्व पूर्व है, वे यह भूल जाएं कि उन्हें सब-कुछ पश्चिम से सीखना है, यह लोग भले ही अपने-आपको शिक्षित, सभ्य और संस्कृत समझते रहें और अपनी अंग्रेजियत की धुन में हिन्दी और दूसरी देशीय भाषाओं में बात करना पाप समझते रहें, प्रेमचन्द उन्हें कुछ अधिक आदर और सम्मान से नहीं देखते थे। अपने एक लेख में इन महानुभावों का उल्लेख इन शब्दों में किया है–

"जो लोग इस प्रकार की जिन्दगी बसर करने के शौकीन हैं उनके लिए तो उर्दू, हिन्दी, हिन्दुस्तानी का कोई झगड़ा ही नहीं। वह इतनी बुलन्दी पर पहुंच गए हैं कि नीचे की धूल और गर्मी उन पर कोई असर नहीं कर सकती। वह मुअल्लक हवा में लटके रह सकते हैं। लेकिन हम सब तो हजार कोशिश करने पर भी वहां तक नहीं पहुंच सकते। हमें तो इसी धूल और गर्मी में जीना और मरना है। Intelligentsia में जो कुछ शक्ति और प्रभाव है वह जनता ही से आता है। उससे अलग रहकर वे हाकिम की सूरत में ही रह सकते हैं, खादिम की सूरत में जनता के होकर नहीं रह सकते। उनके अरमान और मनसूबे उनके हैं, जनता के नहीं। उनकी आवाज उनकी है, उसमें जन-समूह की आवाज की गहराई और गरिमा और गम्भीरता नहीं है। वे अपने प्रतिनिधि हैं, जनता के प्रतिनिधि नहीं।" **(कुछ विचार, पृष्ठ 63)**

जनता का प्रतिनिधि वह है, जो जनता को समझने और उससे सीखने का प्रयत्न करता है। अपनी विद्या से उन्हें लूटने के बजाय उनकी मूक भावनाओं को शब्दों में ढालता है, उसे अपने मन की बात कहने के लिए जबान देता है। 'प्रेमाश्रम', 'रंगभूमि' और 'कर्मभूमि' में प्रेमचन्द हमारी इस अपढ़ जनता की जबान बन गए हैं। यहां लेखक की आवाज जनता की आवाज है और जनता की आवाज लेखक की आवाज है। 'गोदान' में तो यह आत्मीयता और गाढ़ी हो गई है। इस महान् कृति में जन-समूह की आवाज की गहराई, गरिमा और गम्भीरता एक साथ मिलती है। इस तरह हम देखते हैं कि यद्यपि प्रेमचन्द सामाजिक विषयों को लेकर लिखते थे, लेकिन उनमें वे जनवाणी का सम्मिश्रण कर देते थे, और उनके द्वारा वे हमारी सांस्कृतिक परम्परा को आगे बढ़ाते

थे, और उन आदर्शों का प्रतिपादन करते थे जो हमारे ऐतिहासिक विकास को आगे बढ़ाने में सहायक हो सकते हैं। इसलिए जिस साहित्य को प्रचार कहा जा सकता था, उसे उत्कृष्ट और शाश्वत साहित्य का स्थान प्राप्त हुआ है। और वे समझते थे कि ऐतिहासिक विषय को लेकर प्राचीन वैभव और गौरव का गुण-गान करते रहने से कुछ लाभ नहीं। उससे संस्कृति तो क्या आगे बढ़ेगी उल्टा आत्म-विडम्बना, रूढ़िवाद और मिथ्या धारणाओं को प्रोत्साहन मिलेगा। लोगों को सामयिक जन-संघर्षों में लड़ते और जूझते दिखाना ही वास्तविक साहित्यिक और सांस्कृतिक सेवा है। वे चाहते थे कि दूसरे लेखक भी इसी परिपाटी का अनुकरण करें। प्राचीन वैभव की स्तुति करना छोड़ वर्तमान और भविष्य की बात सोचें। जब प्रसादजी ने यथार्थवादी सामयिक उपन्यास लिखे तो वे गद्‌गद् हो उठे और उन्होंने जो कहा वह डॉक्टर भटनागर ने अपनी पुस्तक में उद्धृत किया है, हम भी उसे उद्धृत करने का प्रलोभन छोड़ नहीं सकते—

"मुझे अब तक आपसे यह शिकायत थी कि आप क्यों प्राचीन वैभव का राग अलापते हैं, ऐसी चीजें क्यों नहीं लिखते जिनमें वर्तमान समस्याओं और गुत्थियों को सुलझाया गया हो।" (हंस)

वर्तमान समस्याओं और गुत्थियों का भी अतीत से गहरा सम्बन्ध होता है। यदि इस सम्बन्ध की केवल उपेक्षा की जाए तो यह टूटता नहीं बल्कि और जटिल हो जाता है और नतीजा यह निकलता है कि समस्याएं हल होने के बजाय जटिल बन जाती हैं और गुत्थियां सुलझने के बजाय अधिक उलझ जाती हैं। प्रेमचन्द इस बात को समझते थे इसलिए वे अतीत के इस सम्बन्ध की उपेक्षा करने के बजाय उसे स्पष्ट कर देने का प्रयत्न करते थे। उसमें जो कुछ सजीव और स्वस्थ था उसे ग्रहण करने में तत्पर रहते थे और जो निर्जीव और गला-सड़ा था उसे छोड़ देने में जरा भी संकोच नहीं करते थे। मिसाल के तौर पर, जैसा कि हम पहले लिख चुके हैं, वे राजपूत स्त्री-पुरुषों के त्याग, बलिदान और वीरता के प्रशंसक हैं, लेकिन साथ ही उनमें व्यक्तिवाद और अहंवाद की भावना इस सीमा तक बढ़ी थी कि उनकी सारी वीरता और बलिदान को मिट्टी में मिला देती है। 'राजा हरदौल' कहानी में जहां प्रेमचन्द ने हरदौल की अतुल वीरता और महान् त्याग का दिग्दर्शन कराया है वहां बड़े भाई ज़ुझारसिंह के घृणित अहंवाद पर भी भरपूर चोट की है।

यह अहंवाद ज़ुझारसिंह का कोई व्यक्तिगत दोष नहीं बल्कि एक मनोवृत्ति है जो सामन्ती व्यवस्था का अभिन्न अंग है। इसी अहंवाद का विकृत रूप

हमें 'शतरंज के खिलाड़ी' कहानी में मिलता है। नवाबी विलासिता ने शतरंज के इन खिलाड़ियों को सब तरह पंगु बना दिया है, त्याग, वीरता और बलिदान का उनमें एक भी गुण बाकी नहीं है लेकिन यह अहंवाद है जो एक कुंडलिए सांप की तरह कहीं एक कोने में बदस्तूर दुबका बैठा है। "उनमें राजनीतिक भावों का अधःपतन हो गया था—बादशाह के लिए, बादशाहत के लिए क्यों मरें? पर व्यक्तिगत वीरता का अभाव न था। दोनों ने पैंतरे बदले, तलवारें चमकीं, छपाछप की आवाजें आईं" और दोनों वीरों ने इस अहं की रक्षा के लिए जानें दे दीं।

हमारे देश में अब भी सामन्ती सामाजिक व्यवस्था कायम है। इसलिए यह जीवन-दर्शन हमारे सामाजिक सम्बन्धों में तह-दर-तह समाया हुआ है और हम स्वभाववश उसे अपनाए रखते हैं। इससे अपने जीवन को दुःखी और दूषित होता देखते हैं, लेकिन उससे छुटकारा नहीं पा सकते। दूसरे व्यक्ति की राय का आदर न करना, स्त्री को पांव की जूती समझना, बाप का बेटों को पीटना, इस अहंवाद के विभिन्न रूप हैं। प्रेमचन्द ने अपनी कहानियों और उपन्यासों में इस विषैले सांप पर हर पहलू से चोट की है। और इस विषय पर 'बड़े भाई साहब' कहानी बहुत ही सुन्दर है। बड़ा भाई इतना नालायक है कि हर साल फेल होता है, फिर भी वह अपने छोटे भाई को, जो हर साल अव्वल नम्बर पर पास होता है, डांटना-डपटना और उपदेश करना अपना अधिकार समझता है और वह उसे खेलने से रोकता है। यह बड़ेपन का अधिकार (Authoritarianism) उसे सामन्ती व्यवस्था ने दिया है।

साम्प्रदायिकता के जितने भी रूप हमें दिखाई पड़ रहे हैं उन सबका पोषण यह सामन्ती व्यवस्था करती है। प्रेमचन्द को साम्प्रदायिकता से अत्यन्त घृणा थी। उन्होंने इसके प्रत्येक रूप का पग-पग पर विरोध किया है। 1923 में शुद्धि-आन्दोलन के विरुद्ध एक लेख लिख देने से आर्यसमाजी बड़े तिलमिलाये थे, लेकिन उन्होंने इसकी जरा भी परवाह नहीं की। हिन्दी-उर्दू का झगड़ा इसी साम्प्रदायिकता का घृणित रूप है, जो उन्हें दो भाषा बना देने पर उधार खाये बैठा है। लेकिन प्रेमचन्द जीवनपर्यन्त न केवल उन्हें एक भाषा मानते रहे बल्कि अपनी रचनाओं द्वारा उन्हें एक बनाने और सिद्ध करने का प्रयत्न करते रहे।

हर पहलू से चोट करने पर भी यह विषैला सांप मरा नहीं, जीवित है और गाहे-बगाहे फुंकार भी उठता है। इसे मार डालना सहज नहीं है। यदि एक हाथ चोट करता है, तो सौ हाथ रक्षा करते हैं, दूध पिलाते हैं। जब तक यह सामाजिक व्यवस्था रहेगी, यह सांप भी रहेगा। रूढ़िवाद और अंधविश्वास

भी तो इसी सामाजिक व्यवस्था के अंग हैं, इसी सांप के दूसरे रूप हैं जो भोली-भाली जनता की सरलता से लाभ उठाकर उसकी आस्तीन में पलते हैं। उसे काटते हैं और मनमाना खिराज वसूल करते हैं। 'सद्गति' कहानी का नायक दुखी चमार इसी अन्धविश्वास, श्रद्धा और भक्ति की वेदी पर बलिदान होता है। न जाने हमारे इस देश में कितने दुखी, दास और गरीब इस सद्गति को प्राप्त होते हैं?

प्रेमचन्द की 'सभ्यता का रहस्य' कहानी का नायक कहता है—"मेरे मन में एक नया प्रश्न उठ रहा है, और उसका जवाब मुझे कोई नहीं देता। प्रश्न यह है कि सभ्य कौन है और असभ्य कौन? सभ्यता के लक्षण क्या हैं?" और कुछ विचार के बाद यही नायक इस निष्कर्ष पर पहुंचता है—तो यह सिद्ध हुआ कि सभ्यता का "देह से इतना सम्बन्ध नहीं है जितना मन से।" वाकई सभ्यता वह है जिससे हमारे मन का संस्कार हो, जिससे हमारे विचार उत्कृष्ट हों।

प्रेमचन्द उन लोगों को जो ऊंची शिक्षा पाकर उच्च पदाधिकारी बन जाते हैं, बंगलों में रहते और मोटर में घूमते हैं, सभ्य नहीं मानते। वे इस शोषण पर टिकी हुई राजसत्ता के अंग हैं, मनोवृत्तियों के दास और आत्म-सेवी हैं, उनका काम देश की जनता पर रोब गांठना और अंग्रेज के बूट चाटना है। उन्हें सभ्यता और संस्कृति से दूर का भी वास्ता नहीं। वे सिर्फ सभ्यता का स्वांग भरते हैं। 'सभ्यता का रहस्य' नामक उक्त कहानी में प्रेमचन्द ने यही बात सिद्ध की है। राय साहब रतनकिशोर जज हैं। उनकी अदालत में एक मुकदमा पेश होता है जिसमें शहर का एक बहुत बड़ा रईस खून के मामले में फंस गया है। उसे वह हजारों रुपये रिश्वत लेकर छोड़ देते हैं। लेकिन यह राय साहब अपने आपको न्यायशील और नेकनाम सिद्ध करने के लिए उसी दिन अपने नौकर दमड़ी को सिर्फ इसलिए छः महीने की सजा देते हैं कि उसने अपने भूखे बैलों के लिए किसी के खेत से थोड़ा-सा चारा काटा था। बस इतनी बात पर दमड़ी चोर, बदमाश और असभ्य, लेकिन हजारों पर हाथ साफ करने वाले राय साहब सभ्य, सुसंस्कृत और आदरणीय हैं। इसका मतलब यह है कि "सभ्यता केवल हुनर के साथ ऐब करने का नाम है।"

यह हुनर के साथ ऐब करने वाली सभ्यता, अंग्रेजी पढ़े-लिखों में आम पायी जाती है। इसे हम मोटे तौर पर महाजनी सभ्यता भी कह सकते हैं। औपनिवेशिक व्यवस्था के कारण हमारे देश में वैज्ञानिक आविष्कारों का प्रयोग नहीं हो सका। आर्थिक व्यवस्था के दूषित होने के कारण आर्थिक सम्बन्ध भी दूषित रहे और इसी से हमारे देश में इस पूंजीवादी सभ्यता का दूषित रूप

ही मिलता है। पूंजीवादी युग में संसार की जो उन्नति हुई है, हमारा देश उससे वंचित रह गया। जो थोड़ा-बहुत पूंजी का विकास हुआ है वह अंग्रेजों की कृपा-दृष्टि से हुआ, इसलिए हमने पूंजीवादी सभ्यता के प्रायः दोष ही सीखे। 'प्रेमाश्रम' का ज्ञानशंकर इसी महाजनी सभ्यता का दास है। उसे धन-सम्पत्ति पत्नी, पुत्र और अपनी आत्मा से भी प्यारी है। डॉक्टर इर्फान अली भी पैसे के भक्त हैं। अपने एक-एक मिनट को रुपयों में तोलते हैं। घर पर उनकी लड़की हैजे से मर रही है और वह 500 रु. रोज की फीस के लालच में गायत्री रानी की वकालत करने जा रहे है, बीवी उन्हें रोकना चाहती है तो उसे मूर्ख बताते हैं। 'रंगभूमि' के जानसेवक भी इसी महाजनी सभ्यता के प्रतिनिधि हैं। उनके ज्ञानकोश के समस्त उच्च सिद्धान्त स्वार्थ के पर्याय हैं। प्रेमचन्द इस महाजनी सभ्यता से घृणा करते थे जो मनुष्य को पैसे की गुलाम बना देती है, जिसमें दया और मानवता का सर्वथा अन्त हो जाता है। यह लोग मुंह से तो बड़े दयावान, न्यायशील और समाजवादी बनते हैं, लेकिन कर्म से सर्वथा हत्यारे और नीच होते हैं। प्रेमचन्द को इन लोगों से जरा भी सहानुभूति नहीं। वे इनकी स्वार्थ-परायणता और नीचता की खूब कलई खोलते हैं, बल्कि खुद उन्हीं के मुंह से उनके पाप उगलवाते हैं। 'गोदान' का अमरपालसिंह कहता है—"नीच कहने को नीच है और जो ऊंचा है उसका मन तो और भी नीच है।"

प्रेमचन्द ही ने इस सभ्यता को 'महाजनी सभ्यता' का नाम दिया था। और इसी शीर्षक से उन्होंने एक महत्त्वपूर्ण लेख लिखा था जो उनकी मृत्यु के उपरान्त 'हंस' में प्रकाशित हुआ था। इस लेख में उन्होंने महाजनी सभ्यता का बड़ा ही गम्भीर और विद्वतापूर्ण विवेचन करते हुए लिखा है—

"मनुष्य समाज दो भागों में बंट गया है। बड़ा हिस्सा तो मरने और खपने वालों का है और बहुत ही छोटा हिस्सा उन लोगों का, जो अपनी शक्ति और प्रभाव से बड़े समुदाय को अपने बस में किये हुए हैं।"

यह छोटा हिस्सा समाज से अलग रहकर, समाज का शोषण करता है और फिर इसी को समाज में आदर और सम्मान प्राप्त है। यही अपने-आपको सभ्यता और संस्कृति का ठेकेदार समझता है। लेकिन उसकी सभ्यता और संस्कृति का आधार पैसा है। प्रेमचन्द लिखते हैं—

"जिसके पास पैसा है वह देवतास्वरूप है, उसका अन्तःकरण कितना ही काला क्यों न हो। साहित्य, संगीत और कला सभी धन की देहली पर माथा टेकने वालों में हैं। यह हवा इतनी जहरीली हो गई है कि इसमें जीवित

रहना कठिन होता जा रहा है।" तो फिर–

"जिसमें मनुष्यता, आध्यात्मिकता, उच्चता और सौंदर्य-बोध है, वह कभी ऐसी समाज-व्यवस्था की सराहना नहीं कर सकता, जिसकी नींव लोभ, स्वार्थपरता और दुर्बल मनोवृत्ति पर खड़ी हो।"

यह ठीक है कि इस समाज-व्यवस्था की सराहना नहीं की जा सकती और प्रेमचन्द ने कभी इसकी सराहना नहीं की। लेकिन प्रश्न यह है कि फिर वह कौन-सी समाज-व्यवस्था है जिससे मानवता का कल्याण और संस्कृति का विकास सम्भव है? इस प्रश्न का उचित उत्तर वही मनुष्य दे सकता है जिसे जनता की विशाल और महान शक्ति में दृढ़ विश्वास हो और जो जीवन के ऐतिहासिक विकास की दिशा को समझते हुए भूत को भविष्य का रहबर बनाने से इन्कार कर दे। प्रेमचन्द ने जनता को और देश की आत्मा को भली प्रकार समझ लिया था और मनुष्य के शानदार भविष्य में उनका दृढ़ विश्वास था, विषम परिस्थितियों में भी उनका यह विश्वास अडिग रहा। 'कर्मभूमि' में डॉक्टर शान्तिकुमार के मुख से कहलाया है–

"जिसे देखिए स्वार्थ में मग्न है, जो जितना ही महान है, उसका स्वार्थ भी उतना ही महान है। यूरोप की डेढ़ सौ साल तक उपासना करके हमें यही वरदान मिला है; लेकिन यह सब होने पर भी हमारा भविष्य उज्ज्वल है, मुझे इसमें सन्देह नहीं। भारत की आत्मा अभी जीवित है, और मुझे विश्वास है कि वह समय आने में देर नहीं है जब हम सेवा और त्याग के पुराने आदर्श पर लौट जाएंगे, तब धन हमारे जीवन का ध्येय न होगा, तब हमारा मूल्य धन के कांटे पर न तोला जाएगा।" **(कर्मभूमि, पृष्ठ 224)**

इसी विश्वास के कारण प्रेमचन्द ने उस समाज-व्यवस्था का स्वागत खुले दिल से किया, जिसमें धन जीवन का ध्येय नहीं है, जहां मनुष्य का मूल्य धन के कांटे में नहीं तोला जाता। वे अपने 'महाजनी सभ्यता' वाले उक्त लेख में लिखते हैं–

"परन्तु अब एक नई सभ्यता का सूर्य सुदूर पश्चिम से उदय हो रहा है, जिसने इस नाटकीय महाजनवाद या पूंजीवाद की जड़ खोदकर फेंक दी है, जिसका पूरा सिद्धान्त यह है कि प्रत्येक व्यक्ति, जो अपने शरीर या दिमाग से मेहनत करके कुछ पैदा कर सकता है, राज्य और समाज का परम सम्मानित सदस्य हो सकता है।" फिर लिखते हैं–"महाजनी सभ्यता और उसके गुरु अपनी शक्ति-भर उसका विरोध करेंगे, जनसाधारण को बहकाएंगे, उनकी आंखों में धूल झोंकेंगे, पर जो सत्य है, एक न एक दिन उसकी विजय होगी और

अवश्य होगी।"

प्रेमचन्द सत्य की विजय का विश्वास मन में लिये चले गए और अपना यही महान विश्वास हमारे लिये विरासत में छोड़ गए। जब इस विश्वास की विजय होगी तभी सेवा और त्याग का आदर्श मनुष्य का जीवन-मंत्र बनेगा और तभी हमारी महान् संस्कृति का विकास होगा।

जो कुछ पुराना था, रूढ़िगत था, प्रेमचन्द ने सदा उस पर चोट की और जो कुछ नया था, विकासशील था उसे ग्रहण किया और उसका प्रतिपादन किया। इसी से वे हमारी नई और जनवादी संस्कृति के अग्रदूत हैं।

३२. परम्परा और प्रगतिवाद

"साहित्यकार या कलाकार स्वभावतः प्रगतिशील होता है।" —प्रेमचन्द

साहित्य और संस्कृति को आगे बढ़ाने की दृष्टि से देखा जाए तो प्रेमचन्द निस्संदेह प्रगतिशील थे। लेकिन प्रगतिशीलता अथवा प्रगतिवाद वस्तुतः है क्या? स्वीकार करना होगा कि रेल, तार अथवा वायुयान और रेडियो की भांति प्रगतिवाद वर्तमान युग का कोई आविष्कार नहीं है। मनुष्य जब से उत्पन्न हुआ है, वह तभी से प्रगति और उन्नति के पथ पर संघर्षरत है। उसने भयावह और निष्ठुर प्रकृति को, दृश्य और अदृश्य को समझने एवं बदलने का प्रयत्न किया है। उसे पर्याप्त सफलता भी प्राप्त हुई है। वह प्रत्येक युग में आगे बढ़ा है और अब भी नई-नई सफलताएं प्राप्त कर रहा है। इस सफलता का—समाज और मानव के सतत विकास का नाम ही प्रगतिवाद है।

मतलब यह कि विकास एक सतत प्रक्रिया है। कोई भी क्षण परिवर्तन से मुक्त नहीं। लेकिन, प्रतिक्षण होने वाला परिवर्तन जब तक पुरानी स्थिति के भीतर होता है, मात्रात्मक परिवर्तन कहलाता है। धीरे-धीरे एक क्षण ऐसा आता है जब यह परिवर्तन पुरानी सीमाओं को लांघ जाता है। तब स्थिति मूल रूप से बदल जाती है और परिवर्तन अपने नए रूप में गुणात्मक परिवर्तन कहलाता है। इस क्षण से समाज में एक नए युग का आरम्भ होता है। यह नया युग न सिर्फ पुराने समाज के गर्भ से जन्म लेता है, बल्कि उसकी स्वस्थ परम्परा और अनुभव को अपने भीतर संजोये रहता है। इतिहास इसी परिवर्तन, इसीण विकास-प्रक्रिया की कहानी है।

जब हम समाज में किसी परिवर्तन की बात कहते हैं तो उससे हमारा

तात्पर्य गुणात्मक परिवर्तन से होता है। इससे एक नए युग का सूत्रपात होता है और नए युग में मनुष्य के चिंतन का मूलाधार बदल जाता है।

किसी भी सांस्कृतिक और साहित्यिक परिवर्तन को उस वक्त तक पूर्ण रूपेण समझ लेना सम्भव नहीं जब तक कि यह न समझ लिया जाय कि परिवर्तन से पहले चिंतन का मूलाधार कौन-सा सिद्धान्त था और बाद में कौन-सा बना।

हम देख चुके हैं कि अठारहवीं सदी के प्रारम्भ में इतिहास की निरंतर गति से एक नई स्थिति रूपायित हुई, जिसमें पूंजीवाद की स्थापना के साथ साहित्य में यथार्थवाद का सूत्रपात हुआ। यथार्थवाद का सैद्धान्तिक आधार धर्म नहीं, विज्ञान था।

हमारे देश में यह साहित्यिक यथार्थवाद उन्नीसवीं सदी के अंत में आया और इसका सम्बन्ध हमारे राष्ट्रीय मुक्ति आंदोलन से जुड़ गया, जुड़ जाना अनिवार्य था। साहित्यिक यथार्थवाद ने स्वाधीनता आंदोलन को आगे बढ़ाया और स्वाधीनता आंदोलन ने यथार्थवाद को निखारा और सशक्त बनाया, प्रेमचंद के साहित्यिक विकास से यह बात स्पष्ट हो जाती है।

लेकिन पूर्ण स्वाधीनता, मुकम्मल आजादी का प्रस्ताव पास होने तक स्वाधीनता-संग्राम आदर्शवाद की सीमाओं के भीतर चलता रहा, उसका स्वर बहुत हद तक धार्मिक था। इसी प्रकार इस समय तक यथार्थवाद का विकास भी आदर्शवाद की परिधि में सीमित रहा पर 1930 के आस-पास राजनीति में जो नया स्वर उत्पन्न हुआ वह धार्मिक नहीं, आर्थिक और भौतिक था। व्यक्ति और समाज को सुख और स्वच्छंदता की स्थिति में देखने का सवाल इतिहास के एजेंडे पर आ चुका था जिसके दबाव से राजनीति में आदर्शवाद की सीमाएं टूटीं। जब राजनीति में ये सीमाएं टूटीं तो साहित्य में, विचार और चिंतन में इनका बने रहना सम्भव नहीं था। अतएव टैगोर, शरत, इकबाल और प्रेमचन्द चाहे बुनियादी तौर पर आदर्शवादी थे, पर 1930 के आस-पास और उसके बाद उन्होंने जिस साहित्य की रचना की उसमें उन्होंने जाने-अनजाने आदर्शवाद की सीमाओं को तोड़ा।

यह अध्ययन प्रेमचन्द का है और हम देख चुके हैं कि 'रंगभूमि' के बाद उनका आदर्शवाद टूटना शुरू हो गया था, 'गबन', 'कर्मभूमि' और 'गोदान' उपन्यास और 'बासी भात में खुदा का साझा' और 'कफन' इत्यादि कहानियां इनका स्पष्ट प्रमाण हैं। प्रेमचन्द ने अपने अनुभव से देख लिया था कि आदर्शवाद मेहनतकश जनता की समस्याओं का हल नहीं है; इसलिए अपने

अध्यक्ष-पद के भाषण में उन्होंने इस मार्ग को छोड़ देने की बात स्पष्ट शब्दों में कही है–

"बन्धुत्व और समता, सभ्यता तथा प्रेम जीवन में आरम्भ से ही आदर्शवादियों का सुनहला स्वप्न रहे हैं। धर्म-प्रवर्तकों ने धार्मिक, नैतिक और आध्यात्मिक बंधनों से इस स्वप्न को सचाई बनाने का सतत प्रयत्न किया है, किन्तु निष्फल यत्न किया है। महात्मा बुद्ध, हजरत ईसा, हजरत मुहम्मद आदि सभी पैगम्बरों और धर्म-प्रवर्तकों ने नीति की नींव पर इस समता की नींव खड़ी करनी चाही, पर किसी को सफलता न मिली और छोटे-बड़े का भेद जिस निष्ठुर रूप में आज प्रकट हो रहा है; शायद कभी न हुआ था।

'आजमाये को आजमाना मूर्खता है' के अनुसार यदि हम अब भी धर्म और नीति का दामन पकड़कर समानता के ऊंचे लक्ष्य पर पहुंचना चाहें, तो विफलता ही मिलेगी। क्या हम इस सपने को उत्तेजित मस्तिष्क की सृष्टि समझकर भूल जायें? तब तो मनुष्य की उन्नति और पूर्णता के लिए कोई आदर्श ही नहीं बाकी रह जाएगा। इससे कहीं अधिक अच्छा है कि मनुष्य का अस्तित्व ही मिट जाय। जिस आदर्श को हमने सभ्यता के आरम्भ से पाला है...उसे हमें एक अमिट सच्चाई समझकर उन्नति के मैदान में कदम रखना है। हमें एक ऐसे नए संगठन को सर्वांगपूर्ण बनाना है, जहां समानता केवल नैतिक बंधनों पर आश्रित न रहकर अधिक ठोस रूप प्राप्त कर ले। हमारे साहित्य को उसी आदर्श को सामने रखना है।"

बुनियादी बात यही थी कि अब तक हमारा यथार्थवाद आदर्शवाद की सीमाओं में विकसित होता आया था और अब उसका इन सीमाओं में बंद रहना सम्भव नहीं था, प्रेमचन्द खुद भी नहीं रहे। इसलिए उन्होंने धर्म का मार्ग छोड़ देने की जो बात कही है, वह सच्चाई तो है, किन्तु अधूरी सच्चाई है। वे इस निष्कर्ष पर वैज्ञानिक चिंतन द्वारा नहीं, साहित्यिक निष्ठा और मानव संवेदना से पहुंचे थे। अतएव आगे का मार्ग उनके मस्तिष्क में स्पष्ट नहीं था। उन्होंने यह तो बता दिया कि धर्म अर्थात् आदर्शवाद का मार्ग छोड़ा जाय, पर यह बताने में असमर्थ रहे कि आदर्शवाद को छोड़कर कौन-सा जीवन-दर्शन अपनाया जाय।

उनके विचार और चिंतन में यह जो मोड़ आया था, इसे उन्होंने 'कफन' कहानी में कलात्मक ढंग से प्रस्तुत किया है। इस कहानी में प्रेमचन्द ने घीसू और माधो द्वारा धार्मिक मान्यताओं के प्रति उदासीनता और अवज्ञा प्रकट की है—उनकी खिल्ली उड़ाई है। लेकिन उनके ये घीसू और माधो नकारात्मक पात्र

हैं। धर्म क्या, किसी भी सामाजिक मान्यता में उनका विश्वास नहीं रह गया है। भूख ने उन्हें इतना बर्बर और हृदयहीन बना दिया है कि माधो की पत्नी प्रसूति-पीड़ा से मर रही है, वह उसकी खबर तक लेने नहीं जाते। वह मर जाती है तो कफन के पैसों की शराब पीते हैं। यह निष्ठुरता मनुष्य का गुण नहीं, भारी दोष है। प्रेमचन्द जिस नए संगठन के स्वप्न देखते थे, क्या घीसू और माधो उसके लिए सहयोगी या उपयोगी सिद्ध हो सकते हैं? उन्होंने तो मानव-मूल्यों को ही त्याग दिया और एक समाज-विरोधी भावना के कारण वे निठल्लेपन का घृणित जीवन बिताने पर विवश हैं।

यह ठीक है कि अब तक प्रेमचन्द आदर्शोन्मुख यथार्थवादी थे, लेकिन इस कहानी से 'आदर्शोन्मुख' की पख झड़ गई और वे इसमें विशुद्ध रूप से यथार्थवादी हैं। यह यथार्थवाद हमें नए संगठन और उन्नति की ओर नहीं, विघटन और अराजकता की ओर ले जाता है।

प्रेमचन्द का उद्देश्य कदाचित यह नहीं था। वे समाज के विघटन के बजाय उसका एक नया संगठन चाहते थे, जिसमें मनुष्य द्वारा मनुष्य का शोषण न होता हो और जिसमें समानता नैतिकता के बजाय कानून पर आधारित हो। इसका अर्थ यह हुआ कि 'कफन' में समाज-विरोधी भावना अनजाने ही उभरी। कारण यह है कि शोषण-रहित समाज में मजदूर की जो भूमिका है, प्रेमचंद उसे समझ नहीं पाये थे और उन्होंने प्रगति की ऐतिहासिक दिशा को भी नहीं समझा था। अपने 'महाजनी सभ्यता' लेख में उन्होंने समाजवादी व्यवस्था का जो स्वागत किया है उसका आधार ज्ञान और बौद्धिकता कम, भावुकता अधिक है। इस भावुकता में बहकर मध्यम वर्ग का बुद्धिजीवी जब पूंजीवादी व्यवस्था का विरोध करता है तो वह जाने-अनजाने विघटन और अराजकता की भावनाओं को अपनाकर परम्परा-विरोधी और समाज-विरोधी बन जाता है और भूल से इसी को क्रान्ति और प्रगति समझ लेता है।

निस्संदेह प्रेमचन्द स्वभाव से प्रगतिशील थे। हम देख चुके हैं कि उन्होंने हमारे साहित्य और संस्कृति की स्वस्थ परम्परा को विकसित किया और वे आजीवन जनविरोधी और समाज-विरोधी प्रवृत्तियों के विरुद्ध संघर्ष करते रहे। लेकिन उनका यह कहना कि साहित्यकार या कलाकार स्वभावतः प्रगतिशील होता है, यह भी निरी भावुकता है। वरना साहित्यकार प्रगतिशील भी होता है और प्रतिक्रियावादी भी होता है। स्वभाव वर्ग-चरित्र से निर्धारित होता है। प्रतिक्रियावादी लेखक उनसे पहले भी थे, उनके अपने युग में भी थे और जब तक समाज में वर्ग रहेंगे, आगे भी रहेंगे।

वे बहुत बदले, किसी भी मुकाम पर रुके नहीं, कदम-कदम आगे ही बढ़े। अभी उन्हें और आगे बढ़ना था कि अधूरी सच्चाई कहकर चल बसे। उन्होंने यह तो बता दिया कि हमें धर्म का मार्ग छोड़ना है; लेकिन यह नहीं बता पाये कि धर्म का मार्ग यानी आदर्शवाद छोड़कर प्रगतिवाद का आधार हमें द्वंद्वात्मक भौतिकवाद और ऐतिहासिक भौतिकवाद को बनाना है, जो मजदूर का, समस्त श्रमजीवियों का जीवन-दर्शन है और शोषण रहित नए समाज का संगठन भी इसी जीवन-दर्शन के आधार पर होगा।

आधी सच्चाई को मुकम्मल बनाना उनके बाद की पीढ़ी का—उनके उत्तराधिकारियों का काम था। प्रगतिशील साहित्यिक आंदोलन का यही ऐतिहासिक उत्तरदायित्व था। लेकिन हुआ यह कि 'कफन' कहानी को मॉडल बनाकर घीसू और माधो की तरह लम्पट, आवारा, चोर, बदमाश, रंडी, रंडी का दलाल और जेबकतरों आदि नकारात्मक पात्रों को नायक बनाकर परम्परा-विरोधी ओर समाज-विरोधी भावनाओं को उभारा गया। परिणाम यह कि असंगतियां बढ़ीं, गुटबाजी पैदा हुई और आंदोलन ने एक बंद गली में जाकर दम तोड़ दिया। राजनीति में वामवाद, जिसका साहित्यिक रूप प्रगतिवाद था, खंड-खंड हो गया, बिखर गया, जिन समस्याओं का प्रेमचन्द हल चाहते थे, उनमें से एक भी हल नहीं हुई और जिस व्यवस्था को वे बदलना चाहते थे, वह ज्यों की त्यों बनी रही। जैसा कि उन्होंने आशंका व्यक्त की थी, जॉन की जगह गोविंद गद्दी पर बैठ गया, बैठने के बाद राजनीति में जो भ्रष्टाचार फैला उसे हम साहित्य में भी देख रहे हैं। तीस-बत्तीस साल के अनुभव से भी हम कुछ सीख नहीं पाये। अब भी 'कफन' कहानी मॉडल बनी हुई है, घीसू और माधो पैदा किये जा रहे हैं और पीढ़ी-दर-पीढ़ी भ्रष्ट होती चली जा रही है।

पुराने को नए ही से पराजित किया जा सकता है। घीसू और माधो के पास कुछ भी नया नहीं है। अलबत्ता प्रेमचन्द के पास बहुत कुछ नया है—इस कहानी में वे अपनी स्वस्थ परम्परा से हट गये थे। उनमें जो कुछ नया है, उसे समझने, ग्रहण करने और उनकी स्वस्थ परम्परा को आगे बढ़ाने की जरूरत है। तभी उनका स्वप्न साकार होगा।

परिशिष्ट

३३. सूक्तियां

(प्रेमचन्द-साहित्य में सूक्तियां पृष्ठ-पृष्ठ पर बिखरी पड़ी हैं, यदि उन सबको संकलित किया जाए तो एक बृहद् ग्रंथ तैयार हो सकता है और जल्दी में यह काम होने का भी नहीं है। इसके लिए बड़े परिश्रम की आवश्यकता है। हम सिर्फ बानगी के तौर पर उनकी कुछ सूक्तियां दे रहे हैं।)

मनुष्य

यह दो पैरों वाला जीव उसी वक्त आदमी बना, जब उसने बोलना सीखा।

यह दर्जा आदमी को ही हासिल है कि वह अपने मन के भाव और विचार सफाई और बारीकी से बयान करे।

जिसकी आत्मा जितनी ही विशाल है, वह उतना ही महापुरुष है।

जहां मनुष्य अपने मौलिक, यथार्थ, अकृत्रिम रूप में है वहीं आनन्द है।

मनुष्य जाति के लिए मनुष्य ही सबसे विकट पहेली है।

जवानी में मनुष्य इतना नहीं गिरता, उसके चरित्र में गर्व की मात्रा अधिक होती है जो नीच साधनों से घृणा करती है।

नारी-चरित्र में अवस्था के साथ मातृत्व का भाव दृढ़ हो जाता है।

बुढ़ापे में पत्नी का मरना, बरसात में घर का गिरना है।

मानव-चरित्र न बिलकुल श्यामल होता है, न बिलकुल श्वेत। उसमें दोनों ही रंगों का विचित्र सम्मिश्रण होता है।

सीधे मार्ग पर चलने वाला मनुष्य पेचीदी गलियों में पड़ जाने पर अवश्य राह भूल जाता है।

केवल धन से कोई बड़ा थोड़े ही हो जाता है।

सच्चे आदमी को हम धोखा नहीं दे सकते। उसकी सच्चाई हमारे हृदय में उच्च भावों को जाग्रत कर देती है।

बुराइयों का मुख्य उपचार मनुष्य का सद्ज्ञान है, इसके बिना कोई उपाय सफल नहीं हो सकता।

सिद्धान्तवादी मनुष्य हाव-भाव का प्रतिकार करने के लिए अपना दिल मजबूत कर सकता है, वह अपने अन्तःकरण के सामने अपनी दुर्बलता स्वीकार नहीं कर सकता, लेकिन दुराग्रह के मुकाबले में वह निष्क्रिय हो जाता है तब उसकी एक नहीं चलती।

मन एक भीरु शत्रु है, जो सदा ही पीठ के पीछे से वार करता है।

मनुष्य जिस काम को हृदय से बुरा नहीं समझता उसके कुपरिणाम का भय एक गौरवपूर्ण धैर्य की शरण लिया करता है।

जीवन के अनुभवों ने उन्हें बतला दिया था कि सिद्धान्तों की अपेक्षा मनुष्य अधिक आदरणीय वस्तु है।

मनुष्य स्वभावतः न्याय-प्रिय होता है।

सदियों से जंजीर में बंधा हुआ मनुष्य यदि अपनी मनुष्यता से वंचित हो जाए, तो उसका क्या दोष है।

भाषा

जीवित भाषा तो जीवित देह की तरह बराबर बनती रहती है।

समाज की बुनियाद भाषा है।

भाषा सुन्दरी को कोठरी में बन्द करके आप उसका सतीत्व तो बचा सकते हैं, लेकिन उसके जीवन का मूल्य देकर।

कौम की जबान वह है जिसे कौम समझे, जिसमें कौम की आत्मा हो, जिसमें कौम के जजबात हों।

भाषा के विकास में हमारी संस्कृति की छाप होती है, और जहां संस्कृति में भेद होगा, वहां भाषा में भेद होना स्वाभाविक है।

आदर्श व्यापक होने से भाषा अपने-आप सरल हो जाती है।

भाषा साधन है, साध्य नहीं।

साहित्य

सच्चा साहित्य कभी पुराना नहीं होता।

इतिहास जीवन के विभिन्न अंगों की प्रगति का नाम है और जीवन पर

साहित्य से अधिक प्रकाश और कौन वस्तु डाल सकती है, क्योंकि साहित्य अपने देश-काल का प्रतिबिम्ब होता है।

साहित्य वह जादू की लकड़ी है जो पशुओं में, ईंट-पत्थरों में, पेड़-पौधों में विश्व की आत्मा का दर्शन करा सकती है।

साहित्य ही मनोविकारों के रहस्य खोलकर सद्वृत्तियों को जगाता है।

साहित्य बदगुमानियों को मिटाने वाली चीज है।

साहित्य राजनीति के पीछे चलने वाली चीज नहीं, उसके आगे-आगे चलने वाला 'एडवांस गाइड' है।

साहित्य की आत्मा आदर्श है और उसकी देह यथार्थ चित्रण।

जहां सामंजस्य या हम-आहंगी है वहीं सौन्दर्य है, वहीं सत्य है, वहीं हकीकत है।

यथार्थ का यह आशय नहीं कि हम अपनी दृष्टि को अन्धकार की ओर ही केन्द्रित कर दें।

हम हर एक विषय की भांति साहित्य में भी बौद्धिकता की तलाश करते हैं।

साहित्य आदमी-आदमी के आपस के भेद को मिटाकर उनकी मौलिक एकता को व्यक्त करता है।

उसका आधार सत्य-असत्य का संघर्ष है।

लिखते तो वे लोग हैं, जिनके अन्दर कुछ दर्द है, अनुराग है, लगन है, विचार हैं। जिन्होंने धन और भोग-विलास को जीवन का लक्ष्य बना लिया है, वे क्या लिखेंगे?

साहित्य अपने काल का प्रतिबिम्ब होता है। जो भाव और विचार लोगों के हृदयों को स्पन्दित करते हैं वही साहित्य पर भी अपनी छाया डालते हैं।

भावों को लेख-बद्ध करने में हम बहुत कुछ विचारशील हो जाते हैं।

जीवन और कर्म

जीवन नाम है सदैव आगे बढ़ते रहने की लगन का।

शक्ति तो संघर्ष में है।

संसार में रहना है, तो जिन्दों की तरह क्यों न रहें, मुर्दों की तरह जीने से क्या फायदा?

व्यर्थ जीने से व्यर्थ मर जाना अच्छा है।

केवल गुड़ खाकर कौन जी सकता है। जिए भी तो वह सुखी जीवन

नहीं होगा।

जीवन की ट्रेजडी और क्या है कि आप जो काम न करना चाहें वही आपको करना पड़े।

वे शुभ घड़ियां, जिनसे हमारे जीवन में नवयुग का सूत्रपात होता है, हमारी भावनाओं में सहृदयता और विश्वास उत्पन्न करती हैं।

मन पर जितना ही गहरा आघात होता है, उसकी प्रतिक्रिया भी उतनी ही गहरी होती है।

जीवन तो अनुभूतियों का नाम है।

रक्त और अग्नि ही में तो देवता बसते हैं।

जिस बात को मैं अपनी आत्मा के लिए शुभ समझता हूं उसमें मैं किसी से दबना नहीं चाहता। मैं इस गर्व का आनन्द उठाना चाहता हूं कि मैं अपने जीवन का निर्माता हूं।

लोकाचार और हृदय में जमे हुए विचार हमारे जीवन में आकस्मिक परिवर्तन नहीं होने देते।

जीवन की भिन्न-भिन्न अवस्थाओं में भिन्न-भिन्न वासनाओं का प्राबल्य रहता है। बचपन मिठाइयों का समय है, बुढ़ापा लोभ का, यौवन प्रेम और लालसाओं का समय है।

यौवन के पूर्व-काल में हम अपनी कुवासनाओं के प्रदर्शन पर गर्व करते हैं, उत्तर-काल में सद्गुणों के प्रदर्शन पर।

जो मनुष्य कभी पहाड़ पर नहीं चढ़ा है, उसका सिर छोटे-से टीले पर भी चक्कर खाने लगता है।

सिपाही बनकर कोई लड़ने से जी चुराए, यह उसकी कीर्ति नहीं अपमान है।

जीवन में सफलता का सबसे जागता हुआ मंत्र अपना उद्योग है, इसके सिवाय और सब मंत्र झूठे हैं।

प्रेम

जो कभी रो नहीं सकता, वह प्रेम नहीं कर सकता। रुदन और प्रेम दोनों एक ही स्रोत से निकले हैं।

प्रेम जब आत्मसमर्पण का रूप ले लेता है, तभी ब्याह है, उसके पहले ऐयाशी है।

प्रेम ही हमारे जीवन का सत्य है।

औरत को जीवन में प्रेम न मिले तो उसका मर जाना ही अच्छा है।

धन से चाहे आदमी का मन भर जाए, लेकिन प्रेम से नहीं भरता।

इज्जत के बिना प्रेम कलंक का टीका बन जाता है।

प्रेम जितना आशावादी होता है, उतना ही क्षमाशील भी।

जो आदमी प्रेम कर सकता है, वह धर्म, दया आदि सद्‌गुणों से शून्य नहीं हो सकता, प्रेम की ज्योति उसके हृदय को प्रकाशित करती रहती है। लेकिन जो प्राणी प्रेम का स्वांग भरकर उससे अपना कुटिल अर्थ सिद्ध करता है, जो टट्‌टी की आड़ में शिकार खेलता है, उससे ज्यादा नीच-नराधम कोई हो ही नहीं सकता।

प्रेम वसंत-समीर है, द्वेष ग्रीष्म की लू। जिस पुष्प को वसंत-समीर महीनों में खिलाती है उसे लू का एक झोंका जलाकर राख कर देता है।

स्थान के बदलने से प्रेम में कदाचित् नया उत्साह आ जाता है।

प्रेम एक भावनागत विनय है, भावना ही से उसका पोषण होता है, भावना ही से वह जीवित रहता है और भावना ही से लुप्त हो जाता है। वह भौतिक वस्तु नहीं है।

इच्छा और प्रेम में बड़ा भेद है, इच्छा अपनी ओर खींचती है, प्रेम खिंच जाता है।

धर्म

धर्म नाम है उस रोशनी का, जो कतरे को समुद्र में मिल जाने का रास्ता दिखाती है, जो हमारी जात को हया-ओस्त में, हमारी आत्मा को व्यापक सर्वात्मा में मिले होने की अनुभूति या यकीन कराती है।

कानून और धर्म उसका है जिसके पास पैसा है।

जो मोटे हैं उनके लिए ईश्वर दयालु होगा, क्योंकि वे दुनिया को लूटते हैं। हम-जैसों को तो ईश्वर की दया कहीं नजर नहीं आती। हां, भय पग-पग पर खड़ा घूरा करता है।

जिससे दूसरों का भला हो वही सच है, जिससे दूसरों का नुकसान हो वही झूठ है।

आदमी मन में दया बनाए रखे, यही सौ धर्मों का एक धर्म है।

दान निकम्मे, पुरुषार्थहीन और रंगेसियारों का सहारा है।

पूर्वजन्म का किस्सा मन को बहलाने के लिए है। जिस दंड का हमें कारण ही मालूम न हो, उसका महत्त्व ही क्या है?

समाज अपनी मर्यादाओं पर टिका हुआ है। उन मर्यादाओं को तोड़ दो, समाज का अन्त हो जाएगा।

देवता वह है जो न्याय की रक्षा करे और उसके लिए प्राण दे दे।

देवताओं ने ही भाग्य और ईश्वर तथा भक्ति की मिथ्या धारणाएं फैलाकर इस अनीति को अमर बनाया है।

आजकल धर्म तो धूर्तों का अड्डा बना हुआ है। इस निर्मल सागर में एक-से-एक मगरमच्छ पड़े हुए हैं।

धर्मपरायणता का सहिष्णुता से वैर है।

कानून और न्याय

अन्याय, अन्याय है; चाहे कोई एक आदमी करे या सारी जाति करे।

किसी कानून का विरोध करने के लिए उससे अधिक संगठन की आवश्यकता होती है, जितनी उसके जारी करने के लिए।

आत्माभिमान धार्मिक विषयों में लोकमत को जितना तुच्छ समझता है, लौकिक विषयों में लोकमत का उतना ही आदर करता है।

जिस राज्य का अस्तित्व अन्याय पर हो, उसका निशान जितना जल्द मिट जाए उतना ही अच्छा है।

अन्यायपूर्ण शासन शासन नहीं, युद्ध है।

विविध

दरिद्रता में बीमारी कोढ़ की खाज है।

पद या उपाधि या धन से किसी की आत्मा शुद्ध नहीं हो जाती।

जनता के फैसले साक्षी नहीं खोजते। अनुमान ही उसके लिए सबसे बड़ी गवाही है।

रणक्षेत्र में जाने वाला रथ भी तो बिना तेल के नहीं चल सकता।

सत्य की एक चिनगारी असत्य के एक पहाड़ को भस्म कर सकती है।

ईंट का जवाब चाहे पत्थर हो, लेकिन प्रणाम का जवाब तो गाली नहीं।

जब डूबना ही है तो क्या तालाब और क्या गंगा।

जब दूसरे के पांव तले अपनी गरदन दबी हुई हो तो उन पांवों को सहलाने में ही अपना भला है।

हमारे मुंह की रोटी कोई छीन ले तो उसके गले में उंगली डालकर निकाल लेना हमारा धर्म हो जाता है।

आदमी को अपने सगों के मुंह से अपनी भलाई-बुराई सुनने की जितनी इच्छा होती है, उतनी बाहर वालों के मुंह से नहीं।

चरित्र परिस्थितियों के आधीन है।

जिसे हम डेमोक्रेसी कहते हैं वह असल में बड़े-बड़े ताजरों और जमींदारों का राज है। चुनाव में वही बाजी ले जाता है जिसके पास रुपया है।

नीच कहने को नीच है और फिर जो ऊंचा है उसका मन तो और भी नीच है।

यह मोटे रईस हैं, इनके पेट में ऐसे कितने ही वायदे हजम हो जाते हैं।

मनुष्य को धन से जो आदर मिलता है, वह उसका आदर नहीं, धन का आदर है।

अपनी प्रशंसा सुनकर हम इतने फूल जाते हैं कि फिर हमें अच्छा-बुरा समझने का ज्ञान नहीं रहता।

जिस चीज से टक्कर लगने का भय होता है, उससे हम और भी चिपट जाते हैं।

अपमान को चुपचाप सहन कर लेना, नैतिक पतन की पराकाष्ठा है।
दूसरे प्राणियों की तरह दिमाग भी बहाना ढूंढता है।

मन की एक अवस्था ऐसी होती है जब आंखें खुली होती हैं और कुछ दिखाई नहीं देता, जब कान खुले होते हैं और कुछ सुनाई नहीं पड़ता।

अवस्था में भी अभिमान होता है, जो संचित धन के अभिमान से कम नहीं होता।

स्त्रियों में तो वेश्याएं ही शिकारी होती हैं, पुरुषों में तो एक सिरे से सभी शिकारी होते हैं।

बुद्धि जो कुछ करती है नीति पर कसकर करती है।

संसार में जो कुछ सुन्दर है उसी की प्रतिमा को मैं स्त्री कहता हूं।

साधु प्रकृति के सामने छल भी लज्जित हो जाता है।

धन के देवता आत्म-बलिदान लिए बिना प्रसन्न नहीं होते।

ईर्ष्या गुण-ग्राहकता से शून्य है।

चिन्ता की नींद भूखे तन का खेल है, शान्ति-शून्य और आनन्द-रहित।

लड़कों की चोट बदला लेने के साथ ही लुप्त हो जाती है।

हमारा चरित्र कितना ही दृढ़ हो, उस पर संगति का असर अवश्य होता है।

मन में जब एक बार भ्रम का प्रवेश हो जाय तो उसका निकलना कठिन हो जाता है।

डाकुओं से धन की रक्षा की जा सकती है, पर साधुओं से नहीं।

सौन्दर्य की सबसे मनोहर, सबसे मधुर छवि वह है, जब-जब वह सजल शोक से आर्द्र होता है, वही उसका आध्यात्मिक स्वरूप होता है।

कोयल आम न पाकर भी निमकौड़ियों पर नहीं गिरती।

शोक की सीमा कंठावरोध है, पर शुष्क और दाहयुक्त! आनन्द की सीमा भी कंठावरोध है, पर आर्द्र और शीतल।

दूर का सुनहला दृश्य समीप आकर बालू का मैदान हो जाता है।

विचारशीलता स्वाभाविक सौन्दर्य को कितना मधुर बना देती है। विचारोत्कर्ष ही सौन्दर्य का वास्तविक शृंगार है।

निराशा में प्रतीक्षा अंधे की लाठी है।

बिगड़ी हुई जनता वह जल-प्रवाह है जो किसी के रोके नहीं रुकता।

दुरावेश में सौजन्य का नाश हो जाता है।

जनता की दृष्टि में विद्या, बुद्धि और प्रतिभा का उतना मूल्य नहीं होता जितना चरित्र-बल का।

विचारों की स्वतन्त्रता विद्या, संगति और अनुभव पर निर्भर होती है।

उदासीनता वैराग्य का एक सूक्ष्म स्वरूप है, जो थोड़ी देर के लिए मनुष्य को अपने जीवन पर विचार करने की क्षमता प्रदान कर देती है।

अनुचित क्रोध में सोई हुई आत्मा को जगाने का विशेष अनुराग होता है।

निर्बल क्रोध उदार हृदय में करुणा का भाव उत्पन्न कर देता है। किसी भिक्षु के मुंह से गाली खाकर एक सज्जन मनुष्य चुप रहने के सिवा और क्या कर सकता है?

कोई वाद जब विवाद का रूप धारण कर लेता है तो अपने लक्ष्य से दूर हट जाता है।

ऊंट जब तक पहाड़ पर नहीं चढ़ता, यही समझता है, मुझसे ऊंचा कौन होगा?

हमसे कोई एक अंगुल दबे तो हम उससे हाथ-भर दबने को तैयार हैं। जो हमसे जौ-भर तनेगा हम उससे गज-भर तन जाएंगे।

विपत्ति में भी जिस हृदय में सद्ज्ञान न उत्पन्न हो, वह सूखा वृक्ष है, जो पानी पाकर पनपता नहीं बल्कि सड़ जाता है।

द्वेष में दूसरों को धनी समझने की चेष्टा होती है।

क्रोध में आदमी अपने मन की बात नहीं करता, वह केवल दूसरे का दिल दुखाना चाहता है।

जिसे कुल-मर्यादा की परवाह नहीं उससे उदारता की आशा रखना व्यर्थ है।

दासत्व के दारुण निर्दय आघातों से आत्मा का ह्रास हो जाता है।

सीधे का मुंह कुत्ता चाटता है।

सज्जनता केवल नैतिक महत्त्व की वस्तु नहीं, उसका आर्थिक महत्त्व भी कम नहीं है।

स्वार्थ-नीति का जादू निर्बल आत्माओं पर खूब चलता है।

खुशामद अभिमान का सिर नीचा कर देती है।

रोगी अपने रोग को असाध्य देखता है तो पथ्यापथ्य की बेड़ियों को तोड़कर मृत्यु की ओर दौड़ता है।

गीली लकड़ी पहली आंच में रसती है, दूसरी आंच में जलकर भस्म हो जाती है।

सच्ची संवेदना मौन हुआ करती है।

34. साहित्य का उद्देश्य

अध्यक्ष-पद से भाषण

(अखिल भारतीय प्रगतिशील लेखक संघ का पहला अधिवेशन सन् 1936 में लखनऊ में हुआ। प्रेमचन्दजी उसके अध्यक्ष थे और उन्होंने अध्यक्ष-पद से यह भाषण दिया था। इसमें उन्होंने साहित्य का उद्देश्य भली प्रकार स्पष्ट किया है।)

सज्जनो,

यह सम्मेलन हमारे साहित्य के इतिहास में एक स्मरणीय घटना है। हमारे सम्मेलनों और अंजुमनों में अब तक आम तौर पर भाषा और उसके प्रचार पर ही बहस की जाती रही है। यहां तक कि उर्दू और हिन्दी का जो आरम्भिक साहित्य मौजूद है, उसका उद्देश्य विचारों और भावों पर असर डालना नहीं, किन्तु केवल भाषा का निर्माण करना था। वह भी एक बड़े महत्त्व का कार्य था। जब तक भाषा एक स्थायी रूप न प्राप्त कर ले, उसमें विचारों और भावों को व्यक्त करने की शक्ति ही कहां से आएगी? हमारी भाषा के 'पायनियरों' ने—रास्ता साफ करने वालों ने—हिन्दुस्तानी भाषा का निर्माण करके जाति पर जो एहसान किया है, उसके लिए हम उनके कृतज्ञ न हों तो यह हमारी कृतघ्नता होगी।

भाषा साधन है, साध्य नहीं। अब हमारी भाषा ने वह रूप प्राप्त कर लिया है कि हम भाषा से आगे बढ़कर भाव की ओर ध्यान दें और इस पर विचार करें कि जिस उद्देश्य से यह निर्माण-कार्य आरम्भ किया गया था, वह क्योंकर पूरा हो। वही भाषा, जिसमें आरम्भ में 'बागो-बहार' और 'बैताल-पचीसी'

की रचना ही सबसे बड़ी साहित्य-सेवा थी, अब इस योग्य हो गई है कि उसमें शास्त्र और विज्ञान के प्रश्नों की भी विवेचना की जा सके और यह सम्मेलन इस सच्चाई की स्पष्ट स्वीकृति है।

भाषा बोलचाल की भी होती है और लिखने की भी। बोलचाल की भाषा तो मीर अम्मन और लल्लूलाल के जमाने में भी मौजूद थी; पर उन्होंने जिस भाषा की दाग-बेल डाली, वह लिखने की भाषा थी और वही साहित्य है। बोलचाल से हम अपने करीब के लोगों पर अपने विचार प्रकट करते हैं—अपने हर्ष-शोक के भावों का चित्र खींचते हैं। साहित्यकार वही काम लेखनी द्वारा करता है। हां, उसके श्रोताओं की परिधि बहुत विस्तृत होती है, और अगर उसके बयान में सच्चाई है, तो शताब्दियों और युगों तक उसकी रचनाएं हृदयों को प्रभावित करती रहती हैं।

परन्तु मेरा अभिप्राय यह नहीं है कि जो कुछ लिख दिया जाए, वह सब-का-सब साहित्य है। साहित्य उसी रचना को कहेंगे जिसमें कोई सच्चाई प्रकट की गई हो, जिसकी भाषा प्रौढ़, परिमार्जित एवं सुन्दर हो और जिसमें दिल और दिमाग पर असर डालने का गुण हो। और साहित्य में वह गुण पूर्ण रूप से उसी अवस्था में उत्पन्न होता है, जब उसमें जीवन की सच्चाइयां और अनुभूतियां व्यक्त की गई हों। तिलस्माती कहानियों, भूत-प्रेत की कथाओं और प्रेम-वियोग के आख्यानों से किसी जमाने में हम भले ही प्रभावित हुए हों, पर अब उनमें हमारे लिए बहुत कम दिलचस्पी है। इसमें सन्देह नहीं कि मानव-प्रकृति का मर्मज्ञ साहित्यकार राजकुमारों की प्रेम-गाथाओं और तिलस्माती कहानियों में भी जीवन की सच्चाइयां वर्णन कर सकता है, और सौन्दर्य की सृष्टि कर सकता है; परन्तु इससे भी इस सत्य की पुष्टि ही होती है कि साहित्य में प्रभाव उत्पन्न करने के लिए यह आवश्यक है कि वह जीवन की सच्चाइयों का दर्पण हो, फिर आप उसे जिस चौखटे में चाहें लगा सकते हैं—चिड़े की कहानी और गुलोबुलबुल की दास्तान भी उसके लिए उपयुक्त हो सकती है।

साहित्य की बहुत-सी परिभाषाएं की गई हैं; पर मेरे विचार से उसकी सर्वोत्तम परिभाषा 'जीवन की आलोचना' है। चाहे वह निबन्ध के रूप में हो, चाहे कहानियों के, या काव्य के, उसे हमारे जीवन की आलोचना और व्याख्या करनी चाहिए।

हमने जिस युग को अभी पार किया है, उसे जीवन से कोई मतलब न था। हमारे साहित्यकार कल्पना की एक सृष्टि खड़ी करके उसमें मनमाने तिलस्म बांधा करते थे! कहीं फिसानए अजायब की दास्तान थी, कहीं

बोस्ताने-खयाल की और कहीं चन्द्रकान्ता-संतति की। इन आख्यानों का उद्देश्य केवल मनोरंजन था और हमारे अद्‌भुत रस-प्रेम की तृप्ति; साहित्य का जीवन से कोई लगाव है, यह कल्पनातीत था। कहानी कहानी है, जीवन जीवन; दोनों परस्पर-विरोधी वस्तुएं समझी जाती थीं। कवियों पर भी व्यक्तिवाद का रंग चढ़ा हुआ था। प्रेम का आदर्श वासनाओं को तृप्त करना था, और सौन्दर्य का आंखों को। इन्हीं शृंगारिक भावों को प्रकट करने में कवि-मण्डली अपनी प्रतिभा और कल्पना के चमत्कार दिखाया करती थी। पद्य में कोई नई शब्द-योजना, नई कल्पना का होना दाद पाने के लिए काफी था—चाहे वह वस्तुस्थिति से कितनी ही दूर क्यों न हो। आशियाना (घोंसला) और क़फ़स (पिंजरा), बर्क़ (बिजली) और ख़रमन (खलियान) की कल्पनाएं, विरह-दशाओं के वर्णन में निराशा और वेदना की विविध अवस्थाएं, इस खूबी से दिखाई जाती थीं कि सुनने वाले दिल थाम लेते थे। और आज भी इस ढंग की कविता कितनी लोकप्रिय है, इसे हम और आप खूब जानते हैं।

निस्संदेह काव्य और साहित्य का उद्देश्य हमारी अनुभूतियों की तीव्रता को बढ़ाना है; पर मनुष्य का जीवन केवल स्त्री-पुरुष-प्रेम का जीवन नहीं है। क्या वह साहित्य, जिसका विषय शृंगारिक मनोभावों और उनसे उत्पन्न होने वाली विरह-व्यथा, निराशा आदि तक ही सीमित हो—जिसमें दुनिया और दुनिया की कठिनाइयों से दूर भागना ही जीवन की सार्थकता समझी गई हो, हमारी विचार और भाव-सम्बन्धी आवश्यकताओं को पूरा कर सकता है? शृंगारिक मनोभाव मानव-जीवन का एक अंग मात्र है, और जिस साहित्य का अधिकांश इसी से सम्बन्ध रखता हो वह उस जाति और उस युग के लिए गर्व करने की वस्तु नहीं हो सकता और न उसकी सुरुचि का ही प्रमाण हो सकता है।

क्या हिन्दी और क्या उर्दू—कविता में दोनों की एक ही हालत थी। उस समय साहित्य और काव्य के विषय में जो लोकरुचि थी, उसके प्रभाव से अलिप्त रहना सहज न था। सराहना और कद्रदानी की हवस तो हर एक को होती है। कवियों के लिए उनकी रचना ही जीविका का साधन थी। और कविता की कद्रदानी रईसों और अमीरों के सिवा और कौन कर सकता है? हमारे कवियों को साधारण जीवन का सामना करने और उसकी सच्चाइयों से प्रभावित होने के या तो अवसर ही न थे, या हर छोटे-बड़े पर कुछ ऐसी मानसिक गिरावट छाई हुई थी कि मानसिक और बौद्धिक जीवन रह ही नहीं गया था।

हम इसका दोष उस समय के साहित्यकारों पर ही नहीं रख सकते। साहित्य अपने काल का प्रतिबिम्ब होता है। जो भाव और विचार लोगों के

हृदय को स्पन्दित करते हैं, वही साहित्य पर भी अपनी छाया डालते हैं। ऐसे पतन के काल में लोग या तो आशिकी करते हैं या अध्यात्म और वैराग्य में मन रमाते हैं। जब साहित्य पर संसार की नश्वरता का रंग चढ़ा हो, और उसका एक-एक शब्द नैराश्य में डूबा हो, समय की प्रतिकूलता के रोने से भरा हो और शृंगारिक भावों का प्रतिबिम्ब बना हो, तो समझ लीजिए कि जाति जड़ता और ह्रास के पंजे में फंस चुकी है और उसमें उद्योग तथा संघर्ष का बल बाकी नहीं रहा। उसने ऊंचे लक्ष्यों की ओर से आंखें बन्द कर ली हैं और उसमें से दुनिया को देखने-समझने की शक्ति लुप्त हो गई है।

परन्तु हमारी साहित्यिक रुचि बड़ी तेजी से बदल रही है। अब साहित्य केवल मन-बहलाव की चीज नहीं है, मनोरंजन के सिवा उसका और भी कुछ उद्देश्य है। अब वह केवल नायक-नायिका के संयोग-वियोग की कहानी नहीं सुनाता; बल्कि जीवन की समस्याओं पर भी विचार करता है और उन्हें हल करता है। अब वह स्फूर्ति या प्रेरणा के लिए अद्‌भुत आश्चर्यजनक घटनाएं नहीं ढूंढता और न अनुप्रास का अन्वेषण करता है; किन्तु उसे इन प्रश्नों से दिलचस्पी है, जिनसे समाज या व्यक्ति प्रभावित होते हैं। उसकी उत्कृष्टता की वर्तमान कसौटी अनुभूति की वह तीव्रता है, जिससे वह हमारे भावों और विचारों में गति पैदा करता है।

नीति-शास्त्र और साहित्य-शास्त्र का लक्ष्य एक ही है—केवल उपदेश की विधि में अन्तर है। नीति-शास्त्र तर्कों और उपदेशों के द्वारा बुद्धि और मन पर प्रभाव डालने का यत्न करता है, साहित्य ने अपने लिए मानसिक अवस्थाओं और भावों का क्षेत्र चुन लिया है। हम जीवन में जो कुछ देखते हैं या जो कुछ हम पर गुजरती है, वही अनुभव और वही चोटें कल्पना में पहुंचकर साहित्य-सृजन की प्रेरणा करती हैं। कवि या साहित्यकार में अनुभूति की जितनी तीव्रता होती है, उसकी रचना उतनी ही आकर्षक और ऊंचे दर्जे की होती हैं। जिस साहित्य से हमारी सुरुचि न जागे, आध्यात्मिक और मानसिक तृप्ति न मिले, हममें शक्ति और गति न पैदा हो, हमारा सौन्दर्य-प्रेम न जाग्रत हो—जो हममें सच्चा संकल्प और कठिनाइयों पर विजय पाने की सच्ची दृढ़ता न उत्पन्न करे, वह आज हमारे लिए बेकार है, वह साहित्य कहाने का अधिकारी नहीं।

पुराने जमाने में समाज की लगाम मजहब के हाथ में थी, मनुष्य की आध्यात्मिक और नैतिक सभ्यता का आधार धार्मिक आदेश था और वह भय या प्रलोभन से काम लेता था—पुण्य-पाप के मसले उसके साधन थे।

अब साहित्य ने यह काम अपने जिम्मे ले लिया है और उसका साधन

सौन्दर्य-प्रेम है। वह मनुष्य में इसी सौन्दर्य-प्रेम को जगाने का यत्न करता है। ऐसा कोई मनुष्य नहीं जिसमें सौंदर्य की अनुभूति न हो। साहित्यकार में यह वृत्ति जितनी ही जाग्रत और सक्रिय होती है, उसकी रचना उतनी ही प्रभावमयी होती है। प्रकृति-निरीक्षण और अपनी अनुभूति की तीक्ष्णता की बदौलत उसके सौन्दर्य-बोध में इतनी तीव्रता आ जाती है कि जो कुछ असुन्दर है, अभद्र है, मनुष्यता से रहित है, वह उसके लिए असह्य हो जाता है। उस पर वह शब्दों और भावों की सारी शक्ति से वार करता है। तो कहिये कि वह मानवता, दिव्यता और भद्रता का बाना बांधे होता है। जो दलित है, पीड़ित है, वंचित है—चाहे वह व्यक्ति हो या समूह, उसकी हिमायत और वकालत करना उसका फर्ज है। उसकी अदालत समाज है, इसी अदालत के सामने वह अपना इस्तगासा पेश करता है और उसकी न्याय-वृत्ति तथा सौन्दर्य-वृत्ति को जाग्रत करके अपना यत्न सफल समझता है।

पर साधारण वकीलों की तरह साहित्यकार अपने मुवक्किल की ओर से उचित-अनुचित—सब तरह के दावे नहीं पेश करता, अतिरंजना से काम नहीं लेता, अपनी ओर से बातें गढ़ता नहीं। वह जानता है कि इन युक्तियों से वह समाज की अदालत पर असर नहीं डाल सकता। उस अदालत का हृदय परिवर्तन तभी सम्भव है, जब आप सत्य से तनिक भी विमुख न हों, नहीं तो अदालत की धारणा आपकी ओर से खराब हो जाएगी और वह आपके खिलाफ फैसला सुना देगी। वह कहानी लिखता है, पर वास्तविकता का ध्यान रखते हुए; मूर्ति बनाता है, पर ऐसी कि उसमें सजीवता हो और भावव्यंजकता भी—वह मानव-प्रकृति का सूक्ष्म दृष्टि से अवलोकन करता है, मनोविज्ञान का अध्ययन करता है और इसका यत्न करता है कि उसके पात्र हर हालत में और हर मौके पर इस तरह आचरण करें, जैसे. रक्त-मांस का बना हुआ मनुष्य करता है; अपनी सहज सहानुभूति और सौन्दर्य-प्रेम के कारण वह जीवन के उन सूक्ष्म स्थानों तक जा पहुंचता है, जहां मनुष्य अपनी मनुष्यता के कारण पहुंचने में असमर्थ होता है।

आधुनिक साहित्य में वस्तुस्थिति-चित्रण की प्रवृत्ति इतनी बढ़ रही है कि आज की कहानी यथासम्भव प्रत्यक्ष अनुभवों की सीमा के बाहर नहीं जाती। हमें केवल इतना सोचने से ही सन्तोष नहीं होता कि मनोविज्ञान की दृष्टि से सभी पात्र मनुष्यों से मिलते-जुलते हैं; बल्कि हम यह इत्मीनान चाहते हैं कि वे सचमुच मनुष्य हैं और लेखक ने यथासम्भव उनका जीवन-चरित्र ही लिखा है; क्योंकि कल्पना के गढ़े हुए आदमियों में हमारा विश्वास नहीं है;

उनके कार्यों और विचारों से हम प्रभावित नहीं होते। हमें इसका निश्चय हो जाना चाहिए कि लेखक ने जो सृष्टि की है, वह प्रत्यक्ष अनुभवों के आधार पर की गई है अथवा अपने पात्रों की जबान से वह खुद बोल रहा है।

इसलिए साहित्य को कुछ समालोचकों ने लेखक का मनोवैज्ञानिक जीवन-चरित्र कहा है।

एक ही घटना या स्थिति से सभी मनुष्य समान रूप में प्रभावित नहीं होते। हर आदमी की मनोवृत्ति और दृष्टिकोण अलग है। रचना-कौशल इसी में है कि लेखक जिस मनोवृत्ति या दृष्टिकोण से किसी बात को देखे, पाठक भी उसमें उससे सहमत हो जाए। यही उसकी सफलता है। इसके साथ ही हम साहित्यकार से यह भी आशा रखते हैं कि वह अपनी बहुज्ञता और अपने विचारों की विस्तृति से हमें जाग्रत करे, हमारी दृष्टि तथा मानसिक परिधि को विस्तृत करे—उसकी दृष्टि इतनी सूक्ष्म, इतनी गहरी और इतनी विस्तृत हो कि उसकी रचना से हमें आध्यात्मिक आनन्द और बल मिले।

सुधार की जिस अवस्था में वह हो, उससे अच्छी अवस्था में जाने की प्रेरणा हर आदमी में मौजूद रहती है। हममें जो कमजोरियां हैं, वह मर्ज की तरह हमसे चिपटी हुई हैं। जैसे शारीरिक स्वास्थ्य एक प्राकृतिक बात है और रोग उसका उलटा, उसी तरह नैतिक और मानसिक स्वास्थ्य भी प्राकृतिक बात है और हम मानसिक तथा नैतिक गिरावट से उसी तरह सन्तुष्ट नहीं रहते, जैसे कोई रोगी अपने रोग से सन्तुष्ट नहीं रहता। जैसे वह सदा किसी चिकित्सक की तलाश में रहता है, उसी तरह हम भी इस फिक्र में रहते हैं कि किसी तरह अपनी कमजोरियों को परे फेंककर अधिक अच्छे मनुष्य बनें। इसलिए साधु-फकीरों की खोज में रहते हैं, पूजा-पाठ करते हैं, बड़े-बूढ़ों के पास बैठते हैं, विद्वानों के व्याख्यान सुनते हैं और साहित्य का अध्ययन करते हैं।

और हमारी सारी कमजोरियों की जिम्मेदारी हमारी कुरुचि और प्रेम-भाव से वंचित होने पर है। जहां सच्चा सौन्दर्य-प्रेम है, जहां प्रेम की विस्तृति है, वहां कमजोरियां कहां रह सकती हैं? प्रेम ही तो आध्यात्मिक भोजन है और सारी कमजोरियां इसी भोजन के न मिलने अथवा दूषित भोजन के मिलने से पैदा होती हैं। कलाकार इसमें सौन्दर्य की अनुभूति उत्पन्न करता है और प्रेम की उष्णता। उसका एक वाक्य, एक शब्द, एक संकेत इस तरह हमारे अन्दर जा बैठता है कि हमारा अन्तःकरण प्रकाशित हो जाता है। पर जब तक कलाकार खुद सौन्दर्य-प्रेम से छककर मस्त न हो और उसकी आत्मा स्वयं इस ज्योति से प्रकाशित न हो, वह हमें यह प्रकाश क्योंकर दे सकता है?

प्रश्न यह है कि सौन्दर्य है क्या वस्तु? प्रकटतः यह प्रश्न निरर्थक-सा मालूम होता है; क्योंकि सौन्दर्य के विषय में हमारे मन में कोई शंका या सन्देह नहीं। हमने सूरज का उगना और डूबना देखा है, उषा और संध्या की लालिमा देखी है, सुन्दर सुगन्धि-भरे फूल देखे हैं, मीठी बोलियां बोलने वाली चिड़ियां देखी हैं, कल-कल-निनादिनी नदियां देखी हैं, नाचते हुए झरने देखे हैं—यही सौन्दर्य है।

इन दृश्यों को देखकर हमारा अन्तःकरण क्यों खिल उठता है? इसलिए कि इनमें रंग या ध्वनि का सामंजस्य है। बाजों का स्वर-साम्य अथवा मेल ही संगीत की मोहकता का कारण है। हमारी रचना ही तत्त्वों के समानुपात के संयोग से हुई है; इसलिए हमारी आत्मा सदा उस साम्य तथा सामंजस्य की खोज में रहती है। साहित्य कलाकार के आध्यात्मिक सामंजस्य का व्यक्त रूप है और सामंजस्य सौन्दर्य की सृष्टि करता है, नाश नहीं। वह इसमें वजादारी, सच्चाई, सहानुभूति, न्यायप्रियता और ममता के भावों की पुष्टि करता है। जहां ये भाव हैं, वहीं दृढ़ता है और जीवन है; जहां इनका अभाव है वहीं फूट, विरोध, स्वार्थपरता है—द्वेष, शत्रुता और मृत्यु है। यह विलगाव-विरोध, प्रकृति-विरुद्ध जीवन के लक्षण हैं, जैसे रोग प्रकृति-विरुद्ध आहार-विहार का चिह्न है। जहां प्रकृति से अनुकूलता और साम्य है, वहां संकीर्णता और स्वार्थ का अस्तित्व कैसे सम्भव होगा? जब हमारी आत्मा प्रकृति के मुक्त वायुमण्डल में पालित-पोषित होती है, तो नीचता-दुष्टता के कीड़े अपने-आप हवा और रोशनी से मर जाते हैं। प्रकृति से अलग होकर अपने को सीमित कर लेने से ही यह सारी मानसिक और भावमय बीमारियां पैदा होती हैं! साहित्य हमारे जीवन को स्वाभाविक और स्वाधीन बनाता है; दूसरे शब्दों में, उसी की बदौलत मन का संस्कार होता है। यही उसका मुख्य उद्देश्य है।

'प्रगतिशील लेखक संघ' यह नाम ही मेरे विचार से गलत है। साहित्यकार या कलाकार स्वभावतः प्रगतिशील होता है; अगर यह उसका स्वभाव न होता, तो शायद वह साहित्यकार ही न होता। उसे अपने अन्दर भी एक कमी महसूस होती है और बाहर भी। इसी कमी को पूरा करने के लिए उसकी आत्मा बेचैन रहती है। अपनी कल्पना में वह व्यक्ति और समाज को सुख और स्वच्छन्दता की जिस अवस्था में देखना चाहता है, वह उसे दिखाई नहीं देती। इसलिए, वर्तमान मानसिक और सामाजिक अवस्थाओं से उसका दिल कुढ़ता रहता है। वह इन अप्रिय अवस्थाओं का अन्त कर देना चाहता है, जिससे दुनिया में जीने और मरने के लिए इससे अधिक अच्छा स्थान हो जाए। यही वेदना और

यही भाव उसके हृदय और मस्तिष्क को सक्रिय बनाए रखता है। उसका दर्द से भरा हृदय इसे सहन नहीं कर सकता कि एक समुदाय क्यों सामाजिक नियमों और रूढ़ियों के बन्धन में पड़कर कष्ट भोगता रहे। क्यों न ऐसे सामान इकट्ठा किए जाएं कि वह गुलामी और गरीबी से छुटकारा पा जाए। वह इस वेदना को जितनी बेचैनी के साथ अनुभव करता है, उतना ही उसकी रचना में जोर और सच्चाई पैदा होती है। अपनी अनुभूतियों को वह जिस क्रमानुपात में व्यक्त करता है, वही उसकी कला-कुशलता का रहस्य है; पर शायद इस विशेषता पर जोर देने की जरूरत इसलिए पड़ी कि प्रगति या उन्नति से प्रत्येक लेखक या ग्रन्थकार एक ही अर्थ नहीं ग्रहण करता। जिन अवस्थाओं को एक समुदाय उन्नति समझ सकता है, दूसरा समुदाय असंदिग्ध अवनति मान सकता है; इसलिए साहित्यकार अपनी कला को किसी उद्देश्य के अधीन नहीं करना चाहता। उसके विचारों में कला केवल मनोभावों के व्यक्तीकरण का नाम है, चाहे उन भावों से व्यक्ति या समाज पर कैसा ही असर क्यों न पड़े।

उन्नति से हमारा तात्पर्य उस स्थिति से है, जिससे हममें दृढ़ता और कर्म-शक्ति उत्पन्न हो, जिससे हमें अपनी दुःखावस्था की अनुभूति हो, हम देखें कि किन अन्तर्बाह्य कारणों से हम इस निर्जीवता और ह्रास की अवस्था को पहुंच गए और उन्हें दूर करने की कोशिश करें।

हमारे लिए कविता के वे भाव निरर्थक हैं, जिनसे संसार की नश्वरता का आधिपत्य हमारे हृदय पर और दृढ़ हो जाए, जिनसे हमारे हृदयों में नैराश्य छा जाए। वे प्रेम-कहानियां, जिनसे हमारे मासिक पत्रों के पृष्ठ भरे रहते हैं, हमारे लिए अर्थहीन हैं, अगर वे हममें हरकत और गरमी नहीं पैदा करतीं। अगर हमने दो नवयुवकों की प्रेम-कहानी कह डाली, पर उससे हमारे सौन्दर्य-प्रेम पर कोई असर न पड़ा और पड़ा भी तो केवल इतना ही कि हम उनकी विरह-व्यथा पर रोयें, तो इससे हममें कौन-सी मानसिक या रुचि-सम्बन्धी गति पैदा हुई? इन बातों से किसी जमाने में हमें भावावेश हो जाता रहा हो, पर आज के लिए वे बेकार हैं। इस भावोत्तेजक कला का अब जमाना नहीं रहा। अब तो हमें उस कला की आवश्यकता है, जिसमें कर्म का सन्देश हो। अब तो हजरते इकबाल के साथ हम भी कहते हैं—

रमजे हयात जोई, जुज़ दर तपिश नयाबी,
दर कुलजुम आरमीदन नगास्त्ल आबे जूए।
ब आशियां न नशीनम जे लज्जते परवाज,
गहे बशाखे गुलम, गहे बरलबे जूयम।

(अर्थात्—अगर तुझे जीवन के रहस्य की खोज है, तो वह तुझे संघर्ष के सिवा और कहीं नहीं मिलने का—सागर में जाकर विश्राम करना नदी के लिए लज्जा की बात है। आनन्द पाने के लिए मैं घोंसले में कभी बैठता नहीं—कभी फूलों की टहनियों पर, तो कभी नदी-तट पर होता हूं।)

अतः हमारे पंथ में अहंवाद अथवा अपने व्यक्तिगत दृष्टिकोण को प्रधानता देना वह वस्तु है, जो हमें जड़ता, पतन और लापरवाही की ओर ले जाती है और ऐसी कला हमारे लिए न व्यक्ति-रूप में उपयोगी है और न समुदाय-रूप में।

मुझे यह कहने में हिचक नहीं कि मैं और चीजों की तरह कला को भी उपयोगिता की तुला पर तोलता हूं। निस्संदेह कला का उद्देश्य सौन्दर्य-वृत्ति की पुष्टि करता है और वह हमारे आध्यात्मिक आनन्द की कुंजी है; पर ऐसा कोई रुचिगत मानसिक तथा आध्यात्मिक आनन्द नहीं, जो अपनी उपयोगिता का पहलू न रखता हो। आनन्द स्वतः एक उपयोगितायुक्त वस्तु है और उपयोगिता की दृष्टि से एक ही वस्तु से हमें सुख भी होता है और दुःख भी। आसमान पर छाई लालिमा निस्सन्देह बड़ा सुन्दर दृश्य है; परन्तु आषाढ़ में अगर आकाश पर वैसी लालिमा छा जाए, तो वह हमें प्रसन्नता देने वाली नहीं हो सकती। उस समय तो हम आसमान पर काली-काली घटाएं देखकर ही आनन्दित होते हैं। फूलों को देखकर हमें इसलिए आनन्द होता है कि उनसे फूलों की आशा होती है, प्रकृति से अपने जीवन का सुर मिलाकर रहने में हमें इसीलिए आध्यात्मिक सुख मिलता है कि उससे हमारा जीवन विकसित और पुष्ट होता है। प्रकृति का विधान वृद्धि और विकास है और जिन भावों, अनुभूतियों और विचारों से हमें आनन्द मिलता है, वे इसी वृद्धि और विकास के सहायक हैं। कलाकार अपनी कला से सौन्दर्य की सृष्टि करके परिस्थिति को विकास के लिए उपयोगी बनाता है।

परन्तु सौन्दर्य भी और पदार्थों की तरह स्वरूपस्थ और निरपेक्ष नहीं, उसकी स्थिति भी सापेक्ष है। एक रईस के लिए जो वस्तु सुख का साधन है, वही दूसरे के लिए दुःख का कारण हो सकती है। एक रईस अपने सुरभित सुरम्य उद्यान में बैठकर जब चिड़ियों का कल-गान सुनता है, तो उसे स्वर्गीय सुख की प्राप्ति होती है; परन्तु एक दूसरा सज्ञान मनुष्य वैभव की इस सामग्री को घृणास्पद वस्तु समझता है।

बन्धुत्व और समता, सभ्यता तथा प्रेम सामाजिक जीवन के आरम्भ से ही आदर्शवादियों का सुनहला स्वप्न रहे हैं। धर्म-प्रवर्तकों ने धार्मिक, नैतिक

और आध्यात्मिक बन्धनों से इस स्वप्न को सच्चाई बनाने का सतत किन्तु निष्फल प्रयत्न किया है। महात्मा बुद्ध, हजरत ईसा, हजरत मुहम्मद आदि सभी पैगम्बरों और धर्म-प्रवर्तकों ने नैतिकता की नींव पर इस समता की इमारत खड़ी करनी चाही; पर किसी को सफलता न मिली और आज छोटे-बड़े का भेद जिस निष्ठुर रूप में प्रकट हो रहा है, शायद कभी न हुआ था।

'आजमाए को आजमाना मूर्खता है' इस कहावत के अनुसार यदि अब भी धर्म और नैतिकता का दामन पकड़कर नैतिकता के ऊंचे लक्ष्य पर पहुंचना चाहें, तो विफलता ही मिलेगी। क्या हम इस सपने को उत्तेजित मस्तिष्क की सृष्टि समझकर भूल जाएं? तब तो मनुष्य की उन्नति और पूर्णता के लिए कोई आदर्श ही बाकी न रह जाएगा। इससे कहीं अच्छा है कि मनुष्य का अस्तित्व ही मिट जाए। जिस आदर्श को हमने सभ्यता के आरम्भ से पाला है, जिसके लिए मनुष्य ने, ईश्वर जाने कितनी कुर्बानियां की हैं, जिसकी पूर्ति के लिए धर्मों का आविर्भाव हुआ, मानव-समाज का इतिहास जिस आदर्श की प्राप्ति का इतिहास है, उसे सर्वमान्य समझकर, एक अमिट सच्चाई समझकर, हमें उन्नति के मैदान में कदम रखना है। हमें एक ऐसे नये संगठन को सर्वांगपूर्ण बनाना है, जहां समानता केवल नैतिक बन्धनों पर आश्रित न रहकर अधिक ठोस रूप प्राप्त कर ले, हमारे साहित्य को उसी आदर्श को अपने सामने रखना है।

हमें सुंदरता की कसौटी बदलनी होगी। अभी तक यह कसौटी अमीरी और विलासिता के ढंग की थी। हमारा कलाकार अमीरों का पल्ला पकड़े रहना चाहता था, उन्हीं की कद्रदानी पर उसका अस्तित्व अवलम्बित था और उन्हीं के सुख-दुःख, आशा-निराशा, प्रतियोगिता और प्रतिद्वन्द्विता की व्याख्या कला का उद्देश्य था। उसकी निगाह अन्तःपुर और बंगलों की ओर उठती थी। झोंपड़े और खंडहर उसके ध्यान के अधिकारी न थे। उन्हें वह मनुष्यता की परिधि के बाहर समझता था। कभी इसकी चर्चा करता भी था, तो इसका मजाक उड़ाने के लिए। ग्रामवासी की देहाती वेश-भूषा और तौर-तरीके पर हंसने के लिए, उसका शीन-काफ दुरुस्त न होना या मुहावरों का गलत उपयोग उसके व्यंग्य-विद्रूप की स्थायी सामग्री थी। वह भी मनुष्य है, उसका भी हृदय है और उसमें भी आकांक्षाएं हैं—यह कला की कल्पना के बाहर की बात थी।

कला नाम था, और अब भी है, संकुचित रूप-पूजा का, शब्द-योजना का, भाव-निबन्धन का। उसके लिए कोई आदर्श नहीं है, जीवन का कोई ऊंचा उद्देश्य नहीं है—भक्ति, वैराग्य, अध्यात्म और दुनिया से किनाराकशी उसकी

सबसे ऊंची कल्पनाएं हैं। हमारे उस कलाकार के विचार से जीवन का चरम लक्ष्य यही है। उसकी दृष्टि अभी इतनी व्यापक नहीं कि जीवन-संग्राम में सौन्दर्य का परमोत्कर्ष देखे। उपवास और नग्नता में भी सौन्दर्य का अस्तित्व सम्भव है, इसे कदाचित् वह स्वीकार नहीं करता। उसके लिए सौन्दर्य सुन्दर स्त्री है—उस बच्चों वाली गरीब रूप-रहित स्त्री में नहीं, जो बच्चे को खेत की मेंड़ पर सुलाए पसीना बहा रही है; उसने निश्चय कर लिया है कि रंगे होंठों, कपोलों और भौंहों में निस्सन्देह सुन्दरता का वास है—उसके उलझे हुए बालों, पपड़ियां पड़े हुए होंठों और कुम्हलाए हुए गालों में सौन्दर्य का प्रवेश कहां?

पर यह संकीर्ण दृष्टि का दोष है। अगर उसकी सौन्दर्य देखने वाली दृष्टि में विस्तृति आ जाए तो वह देखेगा कि रंगे होंठों और कपोलों की आड़ में अगर रूप-गर्व और निष्ठुरता छिपी है तो इन मुरझाए हुए होंठों और कुम्हलाए हुए गालों के आंसुओं में त्याग, श्रद्धा और कष्ट-सहिष्णुता है। हां, उसमें नफासत नहीं, दिखावा नहीं, सुकुमारता नहीं।

हमारी कला यौवन के प्रेम में पागल है और यही नहीं जानती कि जवानी छाती पर हाथ रखकर कविता पढ़ने, नायिका की निष्ठुरता का रोना रोने या उसके रूप-गर्व और चोंचलों पर सिर धुनने में नहीं है। जवानी नाम है आदर्शवाद का, हिम्मत का, कठिनाइयों से मिलने की इच्छा का, आत्म-त्याग का। उसे तो इकबाल के साथ कहना होगा—

अज़ दस्ते, जनूने मन जिब्रील जबूं सैदे,
यजदां बकमन्द आवर ऐ हिम्मते मरदाना।

(अर्थात्—मेरे उन्मत्त हाथों के लिए जिब्रील एक घटिया शिकार है। ऐ हिम्मते मरदाना, क्यों न अपनी कमन्द में तू खुदा को ही फांस ला?)

अथवा

चूं मौज साजे बजूदम जे सैल बेपरवास्त,
गुमां मबर कि दरीं बहर साहिले जोयम।

(अर्थात्—तरंग की भांति मेरे जीवन की तरी भी प्रवाह की ओर से बेपरवाह है, यह न सोचो कि इस समुद्र में मैं किनारा ढूंढ रहा हूं।)

और यह अवस्था उस समय पैदा होगी, जब हमारा सौन्दर्य व्यापक हो जाएगा, जब सारी सृष्टि उसकी परिधि में आ जाएगी। वह किसी विशेष श्रेणी तक ही सीमित न होगा, उसकी उड़ान के लिए केवल बाग की चहारदीवारी न होगी, किन्तु वह वायुमण्डल होगा जो सारे भूमण्डल को घेरे हुए है। तब कुरुचि हमारे लिए सह्य न होगी, तब हम उसकी जड़ खोदने के लिए कमर

कसकर तैयार हो जाएंगे। जब हम ऐसी व्यवस्था को सहन न कर सकेंगे कि हजारों आदमी कुछ अत्याचारियों की गुलामी करें, तभी हम केवल कागज के पृष्ठों पर सृष्टि करके ही सन्तुष्ट न हो जाएंगे, किन्तु उस विधान की सृष्टि करेंगे, जो सौन्दर्य, सुरुचि, आत्म-सम्मान और मनुष्यता का विरोधी न हो।

साहित्यकार का लक्ष्य केवल महफिल सजाना और मनोरंजन का सामान जुटाना नहीं है—उसका दरजा इतना न गिराइए। वह देशभक्ति और राजनीति के पीछे चलने वाली सच्चाई भी नहीं, बल्कि उसके आगे मशाल दिखाती हुई चलने वाली सच्चाई है।

हमें अक्सर यह शिकायत होती है कि साहित्यकारों के लिए समाज में कोई स्थान नहीं—अर्थात् भारत के साहित्यकारों के लिए। सभ्य देशों में तो साहित्यकार समाज का सम्मानित सदस्य है और बड़े-बड़े अमीर और मंत्रिमण्डल के सदस्य उससे मिलने में अपना गौरव समझते हैं; परन्तु हिन्दुस्तान तो अभी मध्य-युग की अवस्था में पड़ा हुआ है। यदि साहित्य ने अमीरों के याचक बनने को जीवन का सहारा बना लिया हो और उन आन्दोलनों, हलचलों और क्रान्तियों से बेखबर हो जो समाज में हो रही हैं—अपनी ही दुनिया बनाकर उसमें रोता और हंसता हो, तो इस दुनिया में उसके लिए जगह न होने में कोई अन्याय नहीं है। जब साहित्यकार बनने के लिए अनुकूल रुचि के सिवा और कोई कैद नहीं रही—जैसे महात्मा बनने के लिए किसी प्रकार की शिक्षा की आवश्यकता नहीं—आध्यात्मिक उच्चता ही काफी है, तो महात्मा लोग दर-दर फिरने लगे, उसी तरह साहित्यकार भी लाखों निकल आए।

इसमें शक नहीं कि साहित्यकार पैदा होता है, बनाया नहीं जाता; पर यदि हम शिक्षा और जिज्ञासा से प्रकृति की इस देन को बढ़ा सकें, तो निश्चय ही हम साहित्य की अधिक सेवा कर करेंगे। अरस्तू ने और दूसरे विद्वानों ने भी साहित्यकार बनने वालों के लिए कड़ी शर्तें लगाई हैं; और उसकी मानसिक, नैतिक, आध्यात्मिक और भावगत सभ्यता तथा शिक्षा के लिए सिद्धान्त और विधियां निश्चित कर दी गई हैं; मगर आज तो हिन्दी में साहित्यकार के लिए प्रवृत्ति मात्र काफी समझी जाती है और किसी प्रकार की तैयारी की उसके लिए आवश्यकता नहीं। वह राजनीति, समाजशास्त्र या मनोविज्ञान से सर्वथा अपरिचित हो, फिर भी वह साहित्यकार है।

साहित्यकार के सामने आजकल जो आदर्श रखा गया है, उसके अनुसार ये सभी विद्याएं उसके विशेष अंग बन गई हैं और साहित्य की प्रवृत्ति अहंवाद या व्यक्तिवाद तक परिमित नहीं रही, बल्कि वह मनोवैज्ञानिक और सामाजिक

होता जाता है। अब वह व्यक्ति को समाज से अलग नहीं देखता, किन्तु उसे समाज के एक अंग के रूप में देखता है। इसलिए नहीं कि वह समाज पर हुकूमत करे, उसे अपने स्वार्थ-साधन का औजार बनाए—मानो उसमें और समाज में सनातन शत्रुता है, बल्कि इसलिए कि समाज के अस्तित्व के साथ उसका अस्तित्व कायम है और समाज से अलग होकर उसका मूल्य शून्य के बराबर हो जाता है।

हममें से जिन्हें सर्वोत्तम शिक्षा और सर्वोत्तम मानसिक शक्तियां मिली हैं, उन पर समाज के प्रति उतनी ही जिम्मेदारी भी है। हम उस मानसिक पूंजीपति को पूजा के योग्य न समझेंगे, जो समाज के पैसे से ऊंची शिक्षा प्राप्त कर उसे स्वार्थ-साधन में लगाता है। समाज से निजी लाभ उठाना ऐसा काम है, जिसे कोई साहित्यकार कभी पसन्द न करेगा। उस मानसिक पूंजीपति का कर्त्तव्य है कि वह समाज के लाभ को अपने निजी लाभ से अधिक ध्यान देने योग्य समझे—अपनी विद्या और योग्यता से समाज को अधिक-से-अधिक लाभ पहुंचाने की कोशिश करे। वह साहित्य के किसी भी विभाग में प्रवेश क्यों न करे—उसे उस विभाग से विशेषतः, और सब विभागों से सामान्यतः परिचय हो।

अगर हम अन्तर्राष्ट्रीय साहित्यकार-सम्मेलनों की रिपोर्ट पढ़ें, तो हम देखेंगे कि ऐसा कोई शास्त्रीय, सामाजिक, ऐतिहासिक और मनोवैज्ञानिक प्रश्न नहीं है, जिस पर उनमें विचार-विनिमय न होता हो। इसके विरुद्ध, हम अपनी ज्ञान-सीमा को देखते हैं तो हमें अपने अज्ञान पर लज्जा आती है। हमने समझ रखा है कि साहित्य-रचना के लिए आशुबुद्धि और तेज कलम काफी है; पर यही विचार हमारी साहित्यिक अवनति का कारण है। हमें अपने साहित्य का मानदण्ड ऊंचा करना होगा जिसमें वह समाज की अधिक मूल्यवान सेवा कर सके, जिसमें समाज में उसे वह पद मिले जिसका वह अधिकारी है, जिसमें वह जीवन के प्रत्येक विभाग की आलोचना-विवेचना कर सके और हम दूसरी भाषाओं तथा साहित्यों का जूठा खाकर ही सन्तोष न करें, किन्तु खुद भी उस पूंजी को बढ़ाएं।

हमें अपनी रुचि और प्रवृत्ति के अनुकूल विषय चुन लेना चाहिए और विषय पर पूर्ण अधिकार प्राप्त करना चाहिए। हम जिस आर्थिक अवस्था में जिन्दगी बिता रहे हैं, उसमें यह काम कठिन अवश्य है, पर हमारा आदर्श ऊंचा रहना चाहिए। हम पहाड़ की चोटी तक न पहुंच सकेंगे, तो कमर तक तो पहुंच ही जाएंगे, जो जमीन पर पड़े रहने से कहीं अच्छा है। अगर हमारा अन्तर

प्रेम की ज्योति से प्रकाशित हो और सेवा का आदर्श हमारे सामने हो, तो ऐसी कोई कठिनाई नहीं जिस पर हम विजय न प्राप्त कर सकें।

जिन्हें धन-वैभव प्यारा है, साहित्य-मन्दिर में उनके लिए स्थान नहीं है। यहां तो उन उपासकों की आवश्यकता है, जिन्होंने सेवा ही अपने जीवन की सार्थकता मान ली हो, जिनके दिल में दर्द की तड़प हो और मुहब्बत का जोश हो। अपनी इज्जत तो अपने हाथ है। अगर हम सच्चे दिल से समाज की सेवा करेंगे तो मान-प्रतिष्ठा और प्रसिद्धि सभी हमारे पांव चूमेंगी। फिर मान-प्रतिष्ठा की चिन्ता हमें क्यों सताए? और उसके न मिलने से हम निराश क्यों हों? सेवा में जो आध्यात्मिक आनन्द है, वही हमारा पुरस्कार है—हमें समाज पर अपना बड़प्पन जताने, उस पर रोब जमाने की हवस क्यों हो? दूसरों से ज्यादा आराम के साथ रहने की इच्छा भी हमें क्यों सताए? हम अमीरों की श्रेणी में अपनी गिनती क्यों कराएं? हम तो समाज के झण्डा लेकर चलने वाले सिपाही हैं और सादी जिन्दगी के साथ ऊंची निगाह हमारे जीवन का लक्ष्य है। जो आदमी सच्चा कलाकार है, वह स्वार्थमय जीवन का प्रेमी नहीं हो सकता। उसे अपनी मनस्तुष्टि के लिए दिखावे की आवश्यकता नहीं—उससे तो उसे घृणा होती है। वह तो इकबाल के साथ कहता है:—

मर्दम आजादम आंगूना गयूरम कि मरा,
मी तवां कुश्त व यक जामे जुलाले दीगरां।

(अर्थात्—मैं आजाद हूं और इतना हयादार हूं कि मुझे दूसरों के निथरे हुए पानी के एक प्याले से मारा जा सकता है।)

हमारी परिषद् ने कुछ इसी प्रकार के सिद्धान्तों के साथ कर्म-क्षेत्र में प्रवेश किया है। साहित्य का शराब-कबाब और राग-रंग का मुखापेक्षी बना रहना उसे पसन्द नहीं। वह उसे उद्योग और कर्म का सन्देश-वाहक बनाने का दावेदार है। उसे भाषा से बहस नहीं। आदर्श व्यापक होने से भाषा अपने-आप सरल हो जाती है। भाव-सौन्दर्य बनाव-सिंगार से बेपरवाई ही दिखा सकता है। जो साहित्यकार अमीरों का मुंह जोहने वाला है, वह रईसी रचना-शैली स्वीकार करता है; जो जनसाधारण का है, जनसाधारण की भाषा में लिखता है। हमारा उद्देश्य देश में ऐसा वायुमण्डल उत्पन्न कर देना है, जिसमें अभीष्ट प्रकार का साहित्य उत्पन्न हो सके और पनप सके। हम चाहते हैं कि साहित्य-केन्द्रों में हमारी परिषदें स्थापित हों और वहां साहित्य की रचनात्मक प्रवृत्तियों पर नियमपूर्वक चर्चा हो, निबन्ध पढ़े जाएं, बहस हो, आलोचना-प्रत्यालोचना हो। तभी वह वायुमण्डल तैयार होगा। तभी साहित्य में नये युग का आविर्भाव होगा।

हम हर एक सूबे में, हर एक जबान में, ऐसी परिषदें स्थापित करना चाहतें हैं, जिनमें हर एक भाषा में अपना सन्देश पहुंचा सकें। यह समझना भूल होगी कि यह हमारी कोई नयी कल्पना है। नहीं; देश के साहित्य-सेवियों के हृदयों में सामुदायिक भावनाएं विद्यमान हैं। भारत की हर एक भाषा में इस विचार के बीज प्रकृति और परिस्थिति ने पहले से बो रखे हैं, जगह-जगह पर उसके अंखुए भी निकलने लगे हैं। उनको सींचना एवं उनके लक्ष्य को पुष्ट करना हमारा उद्देश्य है।

हम साहित्यकारों में कर्मशक्ति का अभाव है। यह एक कटु सत्य है; पर हम उसकी ओर से आंखें नहीं बन्द कर सकते। अभी तक हमने साहित्य का जो आदर्श अपने सामने रखा था, उसके लिए कर्म की आवश्यकता न थी। कर्माभाव ही उसका गुण था; क्योंकि अक्सर कर्म अपने साथ पक्षपात और संकीर्णता को भी लाता है। अगर कोई आदमी धार्मिक होकर अपनी धार्मिकता पर गर्व करे, तो इससे कहीं अच्छा है कि वह धार्मिक न होकर 'खाओ-पिओ, मौज करो' का कायल हो। ऐसा स्वच्छन्दाचारी तो ईश्वर की दया का अधिकारी हो भी सकता है; पर धार्मिकता का अभिमान रखने वाले के लिए इसकी सम्भावना नहीं।

जो हो, जब तक साहित्य का काम केवल मन-बहलाव का सामान जुटाना, केवल लोरियां गा-गाकर सुलाना, केवल आंसू बहाकर जी को हल्का करना था, तब तक इसके लिए कर्म की आवश्यकता न थी। वह एक दीवाना था जिसका गम दूसरे खाते थे; मगर हम साहित्य को केवल मनोरंजन और विलासिता की वस्तु नहीं समझते। हमारी कसौटी पर वही साहित्य खरा उतरेगा, जिसमें उच्च चिन्तन हो, स्वाधीनता का भाव हो, सौन्दर्य का सार हो, सृजन की आत्मा हो, जीवन की सच्चाइयों का प्रकाश हो---जो हममें गति, संघर्ष और बेचैनी पैदा करे, सुलाए नहीं, क्योंकि अब और ज्यादा सोना मृत्यु का लक्षण है।

35. मैं कहानी कैसे लिखता हूं?

(एक बार सम्पादक 'नैरंगे खपाल' उर्दू लाहौर ने देश के प्रसिद्ध कहानीकारों से प्रश्न किया था कि आप कहानी कैसे लिखते हैं? इसके उत्तर में प्रेमचन्दजी ने यह लेख लिखा था। मैं इसे उर्दू से अनुवाद करके यहां संकलित कर रहा हूं।)

मेरे किस्से प्रायः किसी-न-किसी प्रेरणा अथवा अनुभव पर आधारित होते हैं, उसमें मैं नाटक का रंग भरने की कोशिश करता हूं। मगर घटना-मात्र का वर्णन करने के लिए मैं कहानियां नहीं लिखता। मैं उसमें किसी दार्शनिक और भावनात्मक सत्य को प्रकट करना चाहता हूं। जब तक इस प्रकार का कोई आधार नहीं मिलता, मेरी कलम ही नहीं उठती। आधार मिल जाने पर मैं पात्रों का निर्माण करता हूं। कई बार इतिहास के अध्ययन से भी प्लाट मिल जाते हैं। लेकिन कोई घटना कहानी नहीं होती, जब तक कि वह किसी मनोवैज्ञानिक सत्य को व्यक्त न करे।

मैं जब तक कोई कहानी आदि से अन्त तक जेहन में न जमा लूं, लिखने नहीं बैठता। पात्रों का निर्माण इस दृष्टि से करता हूं कि वे उस कहानी के अनुकूल हों। मैं इसकी जरूरत नहीं समझता कि कहानी का आधार किसी रोचक घटना को बनाऊं, अगर किसी कहानी में मनोवैज्ञानिक पराकाष्ठा (Climax) हो, और चाहे वह किसी भी घटना से सम्बन्धित हो, मैं इसकी परवाह नहीं करता। अभी मैंने हिन्दी में एक कहानी लिखी है, जिसका नाम है 'दिल की रानी'। मैंने मुस्लिम इतिहास में तैमूर के जीवन की एक घटना पढ़ी थी, जिसमें हमीदा बेगम से उसके विवाह का उल्लेख था। मुझे तुरन्

इस ऐतिहासिक घटना के नाटकीय पहलू का खयाल आया। इतिहास में क्लाइमेक्स कैसे उत्पन्न हो, इसकी चिन्ता हुई। हमीदा बेगम ने बचपन में अपने पिता से शस्त्रविद्या सीखी थी और रणभूमि में कुछ अनुभव भी प्राप्त किए थे। तैमूर ने हजारों तुर्कों का वध किया था। ऐसे प्रतिपक्षी पर एक तुर्क स्त्री किस प्रकार अनुरक्त हुई, इस समस्या का हल होने से क्लाइमेक्स निकल आता था। तैमूर रूपवान न था, इसलिए जरूरत हुई कि उसमें ऐसे नैतिक और भावनात्मक गुण उत्पन्न किए जाएं जो एक श्रेष्ठ स्त्री को उसकी ओर खींच सकें। इस प्रकार वह कहानी तैयार हो गई।

कभी-कभी सुनी-सुनाई घटनाएं ऐसी होती हैं कि उन पर आसानी से कहानी की नींव रखी जा सकती है। कोई घटना, महज सुन्दर और चुस्त शब्दावली और शैली का चमत्कार दिखाकर ही कहानी नहीं बन जाती; मैं उसमें क्लाइमेक्स लाजिमी चीज समझता हूं; और वह भी मनोवैज्ञानिक। यह भी जरूरी है कि कहानी इस क्रम से आगे चले कि क्लाइमेक्स निकटतम आता जाए। जब कोई ऐसा अवसर आ जाता है जहां तबीयत पर जोर डालकर साहित्यिक और कवितामय रंग उत्पन्न किया जा सकता है, तो मैं उस अवसर से अवश्य लाभ उठाने का प्रयत्न करता हूं। यही रंग कहानी की जान है।

मैं कम भी लिखता हूं। महीने-भर में शायद मैंने कभी दो कहानियों से अधिक नहीं लिखीं। कई बार तो महीनों कोई कहानी नहीं लिखता। घटना और पात्र तो मिल जाते हैं; लेकिन मनोवैज्ञानिक आधार कठिनता से मिलता है। यह समस्या हल हो जाने के बाद कहानी लिखने में देर नहीं लगती। मगर इन थोड़ी-सी पंक्तियों में कहानी-कला के तत्त्व वर्णन नहीं कर सकता। यह एक मानसिक वस्तु है। सीखने से भी लोग कहानीकार बन जाते हैं, लेकिन कविता की तरह इसके लिए भी, और साहित्य के प्रत्येक विषय के लिए, कुछ प्राकृतिक लगाव आवश्यक है। प्रकृति आपसे-आप प्लाट बनाती है, नाटकीय रंग पैदा करती है, ओज लाती है, साहित्यिक गुण जुटाती है, अनजाने आप ही आप सब-कुछ होता रहता है। हां, कहानी समाप्त हो जाने के बाद मैं खुद उसे पढ़ता हूं। अगर उसमें मुझे नयापन, बुद्धि का कुछ चमत्कार, कुछ यथार्थ की ताजगी, कुछ गति उत्पन्न करने की शक्ति का एहसास होता है तो मैं उसे सफल कहानी समझता हूं, वरना समझता हूं, फेल हो गया। फेल और पास दोनों कहानियां छप जाती हैं और प्रायः ऐसा होता है कि जिस कहानी को मैंने फेल समझा था, उसे मित्रों ने बहुत सराहा। इसलिए मैं अपनी परख पर अधिक विश्वास नहीं करता।

३६. मृत्यु के पीछे

(प्रेमचन्द ने अपनी इस कहानी में यह अटल विश्वास प्रकट किया है कि मेरे आदर्श मेरे बाद भी जीवित रहेंगे। इसलिए हम यह कहानी यहां उद्धृत कर रहे हैं।)

(1)

बाबू ईश्वरचन्द्र को समाचारपत्रों में लेख लिखने की चाट उन्हीं दिनों पड़ी जब वे विद्याभ्यास कर रहे थे। नित्य नये विषयों की चिन्ता में लीन रहते। पत्रों में अपना नाम देखकर उन्हें उससे कहीं ज्यादा खुशी होती थी जितनी परीक्षाओं में उत्तीर्ण होने या कक्षा में उच्च स्थान प्राप्त करने से हो सकती थी। वह अपने कॉलेज के 'गर्म दल' के नेता थे। सचाचारपत्रों में परीक्षापत्रों की जटिलता या अध्यापकों के अनुचित व्यवहार की शिकायत का भार उन्हीं के सिर था। इससे उन्हें कॉलेज में प्रतिनिधित्व का काम मिल गया। प्रतिरोध के प्रत्येक अवसर पर उन्हीं के नाम नेतृत्व की गोटी पड़ जाती थी। उन्हें विश्वास हो गया था कि मैं इस परिमित क्षेत्र से निकलकर संसार के विस्तृत क्षेत्र में अधिक सफल हो सकता हूं। सार्वजनिक जीवन को वह अपना भाग्य समझ बैठे थे। कुछ ऐसा संयोग हुआ कि अभी एम. ए. के परीक्षार्थियों में उनका नाम निकलने भी न पाया था कि 'गौरव' के सम्पादक महोदय ने वानप्रस्थ लेने की ठानी और पत्रिका का भार ईश्वरचन्द्रदत्त के सिर पर रखने का निश्चय किया। बाबूजी को यह समाचार मिला तो उछल पड़े। धन्य भाग्य कि मैं इस सम्मान-पद के योग्य समझा गया। इसमें सन्देह नहीं कि वह इस दायित्व के गुरुत्व से भली-भांति परिचित थे, लेकिन कीर्तिलाभ के प्रेम ने उन्हें बाधक परिस्थितियों का सामना करने पर उद्यत कर दिया। वह इस व्यवसाय में स्वातन्त्र्य, आत्मगौरव, अनुशीलन और दायित्व की मात्रा को बढ़ाना चाहते

थे। भारतीय पत्रों को पश्चिम के आदर्श पर चलाने के इच्छुक थे। इन इरादों को पूरा करने का सुअवसर हाथ आया। वह प्रेमोल्लास से उत्तेजित होकर नदी में कूद पड़े।

(2)

ईश्वरचन्द्र की पत्नी एक ऊंचे और धनाढ्य कुल की लड़की थी और वह ऐसे कुलों की मर्यादाप्रियता तथा मिथ्या गौरवप्रेम से सम्पन्न थी। यह समाचार पाकर डरी कि पति महाशय कहीं इस झंझट में फंसकर कानून से मुंह न मोड़ लें। लेकिन जब बाबू साहब ने आश्वासन दिया कि यह कार्य उनके कानून के अभ्यास में बाधक न होगा, तो कुछ न बोली।

लेकिन ईश्वरचन्द्र को बहुत जल्द मालूम हो गया कि पत्र-सम्पादन एक बहुत ही ईर्ष्यायुक्त कार्य है, जो चित्त की समग्र वृत्तियों का अपहरण कर लेता है। उन्होंने इसे मनोरंजन का एक साधन और ख्यातिलाभ का एक यन्त्र समझा था। उसके द्वारा जाति की सेवा करना चाहते थे। उससे द्रव्योपार्जन का विचार तक न किया था। लेकिन नौका में बैठकर उन्हें अनुभव हुआ कि यात्रा इतनी सुखद नहीं है जितनी समझी जाती थी। लेखों के संशोधन, परिवर्धन और परिवर्तन, लेखकगण से पत्रव्यवहार और चित्ताकर्षक विषयों की खोज और सहयोगियों से आगे बढ़ जाने की चिन्ता में उन्हें कानून का अध्ययन करने का अवकाश ही न मिलता था। सुबह को किताबें खोलकर बैठते कि 100 पृष्ठ समाप्त किए बिना कदापि न उठूंगा, किन्तु ज्यों ही डाक का पुलिन्दा आ जाता, वे अधीर होकर उस पर टूट पड़ते, किताब खुली की खुली रह जाती थी। बार-बार संकल्प करते कि अब नियमित रूप से पुस्तकावलोकन करूंगा और एक निर्दिष्ट समय से अधिक सम्पादन कार्य में न लगाऊंगा। लेकिन पत्रिकाओं का बंडल सामने आते ही दिल काबू के बाहर हो जाता। पत्रों की नोक-झोंक, पत्रिकाओं के तर्क-वितर्क, आलोचना-प्रत्यालोचना, कवियों के काव्य-चमत्कार, लेखकों का रचनाकौशल इत्यादि सभी बातें उन पर जादू का काम करतीं। इस पर छपाई की कठिनाइयां, ग्राहक संख्या बढ़ाने की चिन्ता और पत्रिका को सर्वांग-सुन्दर बनाने की आकांक्षा और भी प्राणों को संकट में डाले रहती थी। कभी-कभी उन्हें खेद होता कि व्यर्थ ही इस झमेले में पड़ा। यहां तक कि परीक्षा के दिन सिर पर आ गए और वे इसके लिए बिलकुल तैयार न थे। वे उसमें सम्मिलित न हुए। मन को समझाया कि अभी इस

काम का श्रीगणेश है, इसी कारण यह सब बाधाएं उपस्थित होती हैं। अगले वर्ष यह काम एक सुव्यवस्थित रूप में आ जाएगा और तब मैं निश्चिन्त होकर परीक्षा में बैठूंगा। पास कर लेना क्या कठिन है। ऐसे बुद्धू पास हो जाते हैं जो एक सीधा-सा लेख भी नहीं लिख सकते, तो क्या मैं ही रह जाऊंगा? मानकी ने उनकी बात सुनी तो खूब दिल के फफोले फोड़े--"मैं तो जानती थी कि यह धुन तुम्हें मटियामेट कर देगी। इसलिए बार-बार रोकती थी; लेकिन तुमने एक न सुनी। आप तो डूबे ही, मुझे भी ले डूबे।" उनके पूज्य पिता भी बिगड़े, हितैषियों ने भी समझाया--"अभी इस काम को कुछ दिनों के लिए स्थगित कर दो, कानून में उत्तीर्ण होकर निर्द्वन्द्व देशोद्धार में प्रवृत्त हो जाना।" लेकिन ईश्वरचन्द्र एक बार मैदान में आकर पीछे हटना निन्द्य समझते थे। हां, उन्होंने दृढ़ प्रतिज्ञा की कि दूसरे साल परीक्षा के लिए तन-मन से तैयारी करूंगा।

अतएव नये वर्ष के पदार्पण करते ही उन्होंने कानून की पुस्तकें संग्रह कीं, पाठ्यक्रम निश्चित किया, रोजनामचा लिखने लगे और अपने चंचल और बहानेबाज चित्त को चारों ओर से जकड़ा; मगर चटपटे पदार्थों का आस्वादन करने के बाद सरल भोजन कब रुचिकर होता है! कानून में वे घातें कहां, वह उन्माद कहां, वे चोटें कहां, वह उत्तेजना कहां, वह हलचल कहां! बाबू साहब अब नित्य एक खोई हुई दशा में रहते। जब तक अपनी इच्छानुकूल काम करते थे, चौबीस घण्टों में घण्टे-दो घण्टे कानून भी देख लिया करते थे। इस नशे ने मानसिक शक्तियों को शिथिल कर दिया। स्नायु निर्जीव हो गए। उन्हें ज्ञात होने लगा कि अब मैं कानून के लायक नहीं रहा और इस ज्ञान ने कानून के प्रति उदासीनता का रूप धारण किया। मन में सन्तोषवृत्ति का प्रादुर्भाव हुआ। प्रारब्ध और पूर्वसंस्कार के सिद्धान्तों की शरण लेने लगे।

एक दिन मानकी ने कहा--"यह क्या बात है? क्या कानून से फिर जी उचाट हुआ?"

ईश्वरचन्द्र ने दुस्साहसपूर्ण भाव से उत्तर दिया--"हां भई, मेरा जी उससे भागता है।"

मानकी ने व्यंग्य से कहा--"बहुत कठिन है?"

ईश्वरचन्द्र--"कठिन नहीं है, और कठिन भी होता तो मैं उससे डरने वाला न था; लेकिन मुझे वकालत का पेशा ही पतित प्रतीत होता है। ज्यों-ज्यों वकीलों की आन्तरिक दशा का ज्ञान होता है, मुझे उस पेशे से घृणा होती जाती है।

इसी शहर में सैकड़ों वकील और बैरिस्टर पड़े हुए हैं, लेकिन एक व्यक्ति भी ऐसा नहीं जिसके हृदय में दया हो, जो स्वार्थपरता के हाथों बिक न गया हो। छल और धूर्तता इस पेशे का मूल तत्त्व है। इसके बिना किसी तरह निर्वाह नहीं। अगर कोई महाशय जातीय आन्दोलन में शरीक भी होते हैं, तो स्वार्थ-सिद्धि करने के लिए, अपना ढोल पीटने के लिए। हम लोगों का समग्र जीवन वासना-भक्ति पर अर्पित हो जाता है। दुर्भाग्य से हमारे देश का शिक्षित समुदाय इसी दर्गाह का मुजावर होता जाता है और यही कारण है कि हमारी जातीय संस्थाओं की शीघ्र वृद्धि नहीं होती। जिस काम में हमारा दिल न हो; हम केवल ख्याति और स्वार्थ-लाभ के लिए उसके कर्णधार बने हुए हों, वह कभी नहीं हो सकता। वर्तमान सामाजिक व्यवस्था का अन्याय है जिसने इस पेशे को इतना उच्च स्थान प्रदान कर दिया है। यह विदेशी सभ्यता का निकृष्टतम स्वरूप है कि देश का बुद्धिबल स्वयं धनोपार्जन न करके दूसरों की पैदा की हुई दौलत पर चैन करना, शहद की मक्खी न बनकर चींटी बनना ही अपने जीवन का लक्ष्य समझता है।"

मानकी चिढ़कर बोली–"पहले तो तुम वकीलों की इतनी निन्दा न करते थे!"

ईश्वरचन्द्र ने उत्तर दिया–"तब अनुभव न था। बाहरी टीमटाम ने वशीकरण कर दिया था।"

मानकी---"क्या जाने तुम्हें पत्रों से क्यों इतना प्रेम है। मैं तो जिसे देखती हूं, अपनी कठिनाइयों का रोना रोते हुए पाती हूं। कोई अपने ग्राहकों से नये ग्राहक बनाने का अनुरोध करता है, कोई चन्दा न वसूल होने की शिकायत करता है। बता दो कि कोई उच्च शिक्षाप्राप्त मनुष्य कभी इस पेशे में आया है। जिसे कुछ नहीं सूझता, जिसके पास न कोई सनद है, न कोई डिग्री, वही पत्र निकाल बैठता है और भूखों मरने की अपेक्षा रूखी रोटियों पर ही सन्तोष करता है। लोग विलायत जाते हैं, वहां कोई पढ़ता है डॉक्टरी, कोई इंजीनियरी, कोई सिविल सर्विस; लेकिन आज तक न सुना कि कोई एडीटरी का काम सीखने गया। क्यों सीखे? किसी को क्या पड़ी है कि जीवन की महत्त्वाकांक्षाओं को खाक में मिलाकर त्याग और विराग में उम्र काटे? हां, जिनको सनक सवार हो गई हो, उनकी बात निराली है।"

ईश्वरचन्द्र–"जीवन का उद्देश्य केवल धन-संचय करना ही नहीं है।"

मानकी–"अभी तुमने वकीलों की निन्दा करते हुए कहा, यह लोग दूसरों

की कमाई खाकर मोटे होते हैं। पत्र चलाने वाले भी तो दूसरों की ही कमाई खाते हैं।''

ईश्वरचन्द्र ने बगलें झांकते हुए कहा—''हम लोग दूसरों की कमाई खाते हैं, तो दूसरों पर जान भी देते हैं। वकीलों की भांति किसी को लूटते नहीं।''

मानकी—''यह तुम्हारी हठधर्मी है। वकील भी तो अपने मुवक्किलों के लिए जान लड़ा देते हैं। उनकी कमाई भी उतनी ही हलाल है, जितनी पत्र वालों की। अन्तर केवल इतना है कि एक की कमाई पहाड़ी सोता है, दूसरे की बरसाती नाला। एक में नित्य जलप्रवाह होता है, दूसरे में नित्य धूल उड़ा करती है। बहुत हुआ तो बरसात में घड़ी-दो घड़ी के लिए पानी आ गया।''

ईश्वरचन्द्र—''पहले तो मैं यही नहीं मानता कि वकीलों की कमाई हलाल है, और यह मान भी लूं तो यह किसी तरह नहीं मान सकता कि सभी वकील फूलों की सेज पर सोते हैं। अपना-अपना भाग्य सभी जगह है। कितने ही वकील हैं जो झूठी गवाहियां देकर पेट पालते हैं। इस देश में समाचारपत्रों का प्रचार अभी बहुत कम है, इसी कारण पत्र-संचालकों की आर्थिक दशा अच्छी नहीं है। यूरोप और अमरीका में पत्र चलाकर लोग करोड़पति हो गए हैं। इस समय संसार के सभी समुन्नत देशों के सूत्रधार या तो समाचारपत्रों के सम्पादक और लेखक हैं या पत्रों के स्वामी। ऐसे कितने ही अरबपति हैं, जिन्होंने अपनी सम्पत्ति की नींव पत्रों पर ही खड़ी की थी...।''

ईश्वरचन्द्र सिद्ध करना चाहते थे कि धन, ख्याति और सम्मान प्राप्त करने का पत्र-संचालन से उत्तम और कोई साधन नहीं है और सबसे बड़ी बात तो यह है कि इस जीवन में सत्य और न्याय की रक्षा करने के सच्चे अवसर मिलते हैं, परन्तु मानकी पर इस वक्तृता का जरा भी असर न हुआ। स्थूल दृष्टि को दूर की चीजें साफ नहीं दीखतीं। मानकी के सामने सफल सम्पादक का कोई उदाहरण न था।

(3)

16 वर्ष गुजर गये। ईश्वरचन्द्र ने सम्पादकीय जगत में खूब नाम पैदा किया, जातीय आन्दोलनों में अग्रसर हुए, पुस्तकें लिखीं, एक दैनिक पत्र निकाला, अधिकारियों के भी सम्मानपात्र हुए। बड़ा लड़का बी. ए. में जा पहुंचा, छोटे लड़के नीचे दरजों में थे। एक लड़की का विवाह भी एक धन-सम्पन्न कुल में किया। विदित यही होता था कि उनका जीवन बड़ा ही सुखमय है,

मगर उनकी आर्थिक दशा अब भी संतोषजनक न थी। खर्च आमदनी से बढ़ा हुआ था। घर की कई हजार की जायदाद हाथ से निकल गई, इस पर भी बैंक का कुछ-न-कुछ देना सिर पर सवार रहता था। बाजार में भी उनकी साख न थी। कभी-कभी तो यहां तक नौबत आ जाती कि उन्हें बाजार का रास्ता छोड़ना पड़ता। अब वह अक्सर अपनी युवावस्था की अदूरदर्शिता पर अफसोस करते थे। जातीय सेवा का भाव अब भी उनके हृदय में तरंगें मारता था, लेकिन वह देखते थे कि काम तो मैं तय करता हूं और यश वकीलों और सेठों के हिस्से में आ जाता था। उनकी गिनती अभी तक छुटभैयों में थी। यद्यपि सारा नगर जानता था कि यहां के सार्वजनिक जीवन के प्राण वही हैं, पर यह भाव कभी व्यक्त न होता था। इन्हीं कारणों से ईश्वरचन्द्र को अब सम्पादन-कार्य से अरुचि होती थी। दिनों-दिन उत्साह क्षीण होता जाता था; लेकिन इस जाल से निकलने का कोई उपाय न सूझता था। उनकी रचना में अब सजीवता न थी, न लेखनी में शक्ति। उनके पत्र और पत्रिका दोनों ही से उदासीनता का भाव छलकता था। उन्होंने सारा भार सहायकों पर छोड़ दिया था, खुद बहुत कम काम करते थे। हां, दोनों पत्रों की जड़ जम चुकी थी, इसलिए ग्राहक-संख्या कम न होने पाती थी। वे अपने नाम पर चलते थे।

लेकिन इस संघर्ष और संग्राम के काल में उदासीनता का निर्वाह कहां! 'गौरव' के प्रतियोगी खड़े कर दिए, जिनके नवीन उत्साह ने 'गौरव' से बाजी मार ली। उसका बाजार ठंडा होने लगा। नये प्रतियोगियों का जनता ने बड़े हर्ष से स्वागत किया। उनकी उन्नति होने लगी। यद्यपि उनके सिद्धान्त भी वही, लेखक भी वही, विषय भी वही थे, लेकिन आगन्तुकों ने उन्हीं पुरानी बातों में नई जान डाल दी। उनका उत्साह देख ईश्वरचन्द्र को भी जोश आया कि एक बार फिर अपनी रुकी हुई गाड़ी में जोर लगाएं, लेकिन न अपने मन में सामर्थ्य थी, न कोई हाथ बटाने वाला नजर आता था। इधर-उधर निराश नेत्रों से देखकर हतोत्साह हो जाते थे। हा! मैंने अपना सारा जीवन सार्वजनिक कार्यों में व्यतीत किया, खेत को बोया, सींचा, दिन को दिन और रात को रात न समझा, धूप में जला, पानी में भीगा और इतने परिश्रम के बाद जब फसल काटने के दिन आए तो मुझमें हंसिया पकड़ने का भी बूता नहीं। दूसरे लोग जिनका उस समय कहीं पता न था, अनाज काट-काटकर खलिहान भरे लेते हैं, और मैं खड़ा मुंह ताकता हूं। उन्हें पूरा विश्वास था कि अगर कोई उत्साहशील युवक मेरा शरीक हो जाता तो 'गौरव' अब भी अपने प्रतिद्वन्द्वियों

को परास्त कर सकता। सभ्य समाज में उनकी धाक जमी हुई थी, परिस्थिति उनके अनुकूल थी। जरूरत केवल ताजे खून की थी। उन्हें अपने बड़े लड़के से ज्यादा उपयुक्त इस काम के लिए और कोई न दीखता था। उसकी रुचि भी इस काम की ओर थी, पर मानकी के भय से वह इस विचार को जबान पर न ला सके थे। इसी चिन्ता में दो साल गुजर गए और यहां तक नौबत पहुंची कि या तो 'गौरव' का टाट उलट दिया जाए या इसे पुनः अपने स्थान पर पहुंचाने के लिए कटिबद्ध हुआ जाए। ईश्वरचन्द्र ने इसके पुनरुद्धार के लिए अंतिम उद्योग करने का दृढ़ निश्चय कर लिया। इसके सिवा और कोई उपाय न था। यह पत्रिका उनके जीवन का सर्वस्व थी। इससे उनके जीवन और मृत्यु का सम्बन्ध था। इसको बन्द करने की वह कल्पना भी न कर सकते थे। यद्यपि उनका स्वास्थ्य अच्छा न था, पर प्राणरक्षा की स्वाभाविक इच्छा ने उन्हें अपना सब-कुछ अपनी पत्रिका पर न्योछावर करने को उद्यत कर दिया। फिर दिन-के-दिन लिखने-पढ़ने में रत रहने लगे। एक क्षण के लिए भी सिर न उठाते। 'गौरव' के लेखों में फिर सजीवता का उद्भव हुआ, विद्वज्जनों में फिर उसकी चर्चा होने लगी, सहयोगियों ने फिर उसके लेखों को उद्धृत करना शुरू किया, पत्रिकाओं में फिर उसकी प्रशंसासूचक आलोचनाएं निकलने लगीं। पुराने उस्ताद की ललकार फिर अखाड़े में गूंजने लगी।

लेकिन पत्रिका के पुनः संस्कार के साथ उनका शरीर और भी जर्जर होने लगा। हृदय रोग के लक्षण दिखाई देने लगे। रक्त की न्यूनता से मुख पर पीलापना छा गया। ऐसी दशा में वह सुबह से शाम तक अपने काम में तल्लीन रहते। देश में धन और श्रम का संग्राम छिड़ा हुआ था। ईश्वरचन्द्र की सदय प्रकृति ने उन्हें श्रम का सपक्षी बना दिया था। धनवादियों का खण्डन और प्रतिवाद करते हुए उनके खून में गरमी आ जाती थी, शब्दों से चिन्गारियां निकलने लगती थीं, यद्यपि यह चिन्गारियां केन्द्रस्थ गरमी को छिन्न किए देती थीं।

एक दिन रात के दस बज गए थे। सरदी खूब पड़ रही थी। मानकी दबे पैर उनके कमरे में आयी। दीपक की ज्योति में उनके मुख का पीलापन और भी स्पष्ट हो गया था। वह हाथ में कलम लिए किसी विचार में मग्न थे। मानकी के आने की उन्हें जरा भी आहट न मिली। मानकी एक क्षण तक उन्हें वेदनायुक्त नेत्रों से ताकती रही। तब बोली—"अब तो यह पोथा बन्द करो। आधी रात होने को आई। खाना पानी हुआ जाता है।"

ईश्वरचन्द्र ने चौंककर सिर उठाया और बोले–"क्यों, क्या आधी रात हो गई? नहीं, अभी मुश्किल से दस बजे होंगे। मुझे अभी जरा भी भूख नहीं है।"

मानकी–"कुछ थोड़ा-सा खा लो न।"

ईश्वरचन्द्र–"एक ग्रास भी नहीं। मुझे इसी समय अपना लेख समाप्त करना है।"

मानकी–"मैं देखती हूं, तुम्हारी दशा दिन-दिन बिगड़ती जाती है। दवा क्यों नहीं करते? जान खपाकर थोड़े ही काम किया जाता है?"

ईश्वरचन्द्र–"अपनी जान को देखूं या इस घोर संग्राम को देखूं, जिसने समस्त देश में हलचल मचा रखी है। हजारों-लाखों जानों की हिमायत में एक जान न भी रहे तो क्या चिन्ता?"

मानकी–"कोई सुयोग्य सहायक क्यों नहीं रख लेते?"

ईश्वरचन्द्र ने ठंडी सांस लेकर कहा–"बहुत खोजता हूं, पर कोई नहीं मिलता। एक विचार कई दिनों से मेरे मन में उठ रहा है, अगर तुम धैर्य से सुनना चाहो, तो कहूं।"

मानकी–"कहो, सुनूंगी। मानने लायक होगी, तो मानूंगी क्यों नहीं!"

ईश्वरचन्द्र–"मैं चाहता हूं कि कृष्णचन्द्र को अपने काम में शरीक कर लूं। अब तो वह एम. ए. भी हो गया। इस पेशे से उसे रुचि भी है, मालूम होता है कि ईश्वर ने उसे इसी काम के लिए बनाया है।"

मानकी ने अवहेलना-भाव से कहा–"क्या अपने साथ उसे भी ले डूबने का इरादा है? घर की सेवा करने वाला भी कोई चाहिए कि सब देश की ही सेवा करेंगे?"

ईश्वरचन्द्र–"कृष्णचन्द्र यहां किसी से बुरा न रहेगा।'

मानकी–"क्षमा कीजिए। बाज आयी। वह कोई दूसरा काम करेगा, जहां चार पैसे मिलें। घर-फूंक काम आप ही को मुबारक रहे।"

ईश्वरचन्द्र–"वकालत में भेजोगी, पर देख लेना कि पछताना पड़ेगा। कृष्णचन्द्र उस पेशे के लिए सर्वथा अयोग्य है।"

मानकी–"वह चाहे मजूरी करे, पर इस काम में न डालूंगी।"

ईश्वरचन्द्र–"तुमने मुझे देखकर समझ लिया कि इस काम में घाटा-ही-घाटा है। पर इसी देश में ऐसे भाग्यवान लोग मौजूद हैं जो पत्रों की बदौलत धन और कीर्ति से मालामाल हो रहे हैं।"

मानकी—"इस काम में तो अगर कंचन भी बरसे, तो मैं उसे न आने दूं। सारा जीवन वैराग्य में कट गया। अब कुछ दिन भोग भी करना चाहती हूं।"

यह जाति का सच्चा सेवक अन्त को जातीय कष्टों के साथ रोग के कष्टों को न सह सका। इस वार्त्तालाप के बाद मुश्किल से नौ महीने गुजरे थे कि ईश्वरचन्द्र ने संसार से प्रस्थान किया। उनका सारा जीवन सत्य के पोषण, न्याय की रक्षा और प्रजा-कष्टों के विरोध में कटा था। अपने सिद्धान्तों के पालन में उन्हें कितनी ही बार अधिकारियों की तीव्र दृष्टि का भाजन बनना पड़ा था, कितनी ही बार जनता का अविश्वास, यहां तक कि मित्रों की अवहेलना भी सहनी पड़ी थी, पर उन्होंने अपनी आत्मा का कभी हनन नहीं किया। आत्मा के गौरव के सामने धन को कुछ न समझा।

इस शोक-समाचार के फैलते ही सारे शहर में कुहराम मच गया। बाजार बन्द हो गए, शोक के जलसे होने लगे, सहयोगी पत्रों ने प्रतिद्वन्द्विता के भाव को त्याग दिया, चारों ओर से एक ध्वनि आती थी कि देश से एक स्वतन्त्र, सत्यवादी और विचारशील सम्पादक तथा एक निर्भीक, त्यागी, देशभक्त उठ गया और उसका स्थान चिरकाल तक खाली रहेगा। ईश्वरचन्द्र इतने बहुजनप्रिय हैं, इसका उनके घरवालों को ध्यान भी न था। उनका शव निकला तो सारा शहर, गण्य-अगण्य, अर्थी के साथ था। उनके स्मारक बनने लगे। कहीं छात्रवृत्तियां दी गईं, कहीं उनके चित्र बनवाए गये, पर सबसे अधिक महत्त्वशील वह मूर्ति थी जो श्रमजीवियों की ओर से प्रतिष्ठित हुई थी।

मानकी को अपने पतिदेव का लोकसम्मान देखकर सुखमय कुतूहल होता था। उसे अब खेद होता था कि मैंने उनके दिव्य गुणों को न पहचाना, उनके पवित्र भावों और उच्च विचारों की कद्र न की। सारा नगर उनके लिए शोक मना रहा है। उनकी लेखनी ने अवश्य इनके ऐसे उपकार किए हैं, जिन्हें ये भूल नहीं सकते; और मैं अन्त तक उनके मार्ग का कंटक बनी रही, सदैव तृष्णा के वश उनका दिल दुखाती रही। उन्होंने मुझे सोने में मढ़ दिया होता, एक भव्य भवन बनवाया होता, या कोई जायदाद पैदा कर ली होती तो मैं खुश होती, अपना धन्यभाग्य समझती। लेकिन तब देश में कौन उनके लिए आंसू बहाता, कौन उनका यश गाता? यहां एक-से-एक धनिक पुरुष पड़े हुए हैं। वे दुनिया से चले जाते हैं और किसी को खबर भी नहीं होती। सुनती हूं, पतिदेव के नाम से छात्रों को वृत्ति दी जाएगी। जो लड़के वृत्ति पाकर

विद्या-लाभ करेंगे वे मरते दम तक उनकी आत्मा को आशीर्वाद देंगे। शोक! मैंने उनके आत्मत्याग का मर्म न जाना। स्वार्थ ने मेरी आंखों पर पर्दा डाल दिया था।

मानकी के हृदय में ज्यों-ज्यों ये भावनाएं जाग्रत होती थीं, उसे पति में श्रद्धा बढ़ती जाती थी। वह गौरवशाली स्त्री थी। इस कीर्तिगान और जनसम्मान से उसका मस्तक ऊंचा हो जाता था। इसके उपरान्त अब उसकी आर्थिक दशा पहले की-सी चिन्ताजनक न थी। कृष्णचन्द्र के असाधारण अध्यवसाय और बुद्धिबल ने उसकी वकालत को चमका दिया था। वह जातीय कामों में अवश्य भाग लेते थे, पत्रों में यथाशक्ति लेख भी लिखते थे, इस काम से उन्हें विशेष प्रेम था। लेकिन मानकी उन्हें हमेशा इन कामों से दूर रखने की चेष्टा करती रहती थी। कृष्णचन्द्र अपने ऊपर जब्र करते थे। मां का दिल दुखाना उन्हें मंजूर न था।

ईश्वरचन्द्र की पहली बरसी थी। शाम को ब्रह्मभोज हुआ। आधी रात तक गरीबों को खाना दिया गया। प्रातःकाल मानकी अपनी सेजगाड़ी पर बैठकर गंगा नहाने गई। यह उसकी चिरसंचित अभिलाषा थी, जो अब पुत्र की मातृभक्ति ने पूरी कर दी थी। वह उधर से लौट रही थी कि उसके कानों में बैंड की आवाज आई और एक क्षण के बाद एक जुलूस सामने आता हुआ दिखाई दिया। पहले कोतल घोड़ों की माला थी, उसके बाद अश्वारोही स्वयंसेवकों की सेना। उसके पीछे सैकड़ों सवारी गाड़ियां थीं। सबके पीछे एक सजे हुए रथ पर किसी देवता की मूर्ति थी। कितने ही आदमी इस विमान को खींच रहे थे। मानकी सोचने लगी—'यह किस देवता का विमान है? न तो रामलीला के ही दिन हैं, न रथयात्रा के!' सहसा उसका दिल जोर से उछल पड़ा। यह ईश्वरचन्द्र की मूर्ति थी जो श्रमजीवियों की ओर से बनवाई गई थी और लोग उसे बड़े मैदान में स्थापित करने के लिए लिये जाते थे। वही स्वरूप था, वही वस्त्र, वही मुखाकृति। मूर्तिकार ने विलक्षण कौशल दिखाया था। मानकी का हृदय बांसों उछलने लगा। उत्कण्ठा हुई कि परदे से निकलकर इस जुलूस के सम्मुख पति के चरणों पर गिर पड़ूं। पत्थर की मूर्ति मानव-शरीर से अधिक श्रद्धास्पद होती है। किन्तु कौन मुंह लेकर मूर्ति के सामने जाऊं। उसकी आत्मा ने कभी उसका इतना तिरस्कार न किया था। मेरी धनलिप्सा उनके पैरों की बेड़ी न बनती तो वह जाने किस सम्मानपद पर पहुंचते। मेरे कारण उन्हें कितना क्षोभ हुआ! घरवालों की सहानुभूति बाहर वालों के सम्मान

से कहीं उत्साहजनक होती है। मैं इन्हें क्या कुछ न बना सकती थी, पर कभी उभरने न दिया। स्वामीजी, मुझे क्षमा करो, मैं तुम्हारी अपराधिनी हूं, मैंने तुम्हारे पवित्र भावों की हत्या की है, मैंने तुम्हारी आत्मा को दुखी किया है। मैंने बाज को पिंजरे में बन्द करके रखा था। शोक!

सारे दिन मानकी को यही पश्चाताप होता रहा। शाम को उससे न रहा गया। वह अपनी कहारिन को लेकर पैदल उस देवता के दर्शन को चली जिसकी आत्मा को उसने दुःख पहुंचाया था।

संध्या का समय था। आकाश पर लालिमा छाई थी। अस्ताचल की ओर कुछ बादल भी हो आए थे। सूर्यदेव कभी मेघपट में छिप जाते थे, कभी बाहर निकल आते थे। इस धूप-छांह में ईश्वरचन्द्र की मूर्ति दूर से कभी प्रभात की भांति प्रसन्नमुख और कभी संध्या की भांति मलिन दीख पड़ती थी। मानकी उसके निकट गई, पर उसके मुख की ओर न देख सकी। उन आंखों में करुण वेदना थी। मानकी को ऐसा मालूम हुआ, मानो वह उसकी ओर तिरस्कारपूर्ण भाव से देख रही है। उसकी आंखों से ग्लानि और लज्जा के आंसू बहने लगे। वह मूर्ति के चरणों पर गिर पड़ी और मुंह ढांपकर रोने लगी। मन के भाव द्रवित हो गए।

वह घर आई तो नौ बज गए थे। कृष्णचन्द्र उसे देखकर बोले–"अम्मां, आज आप इस वक्त कहां गई थीं?"

मानकी ने हर्ष से कहा–"गई थी तुम्हारे बाबूजी की प्रतिमा के दर्शन करने। ऐसा मालूम होता है, वही साक्षात् खड़े हैं।"

कृष्णचन्द्र–"जयपुर से बनकर आई है।"

मानकी–"पहले तो लोग उनका इतना आदर न करते थे?"

कृष्णचन्द्र–"उनका सारा जीवन सत्य और न्याय की वकालत में गुजरा है। ऐसे ही महात्माओं की पूजा होती है।"

मानकी–"लेकिन उन्होंने वकालत कब की?"

कृष्णचन्द्र–"हां, वह वकालत नहीं की जो मैं और मेरे हजारों भाई कर रहे हैं, जिससे न्याय और धर्म का खून हो रहा है। उनकी वकालत उच्च कोटि की थी।"

मानकी–"अगर ऐसा है तो तुम भी वही वकालत क्यों नहीं करते?"

कृष्णचन्द्र–"बहुत कठिन है। दुनिया का जंजाल अपने सिर लीजिए, दूसरों के लिए रोइए, दीनों की रक्षा के लिए लट्ठ लिये फिरिए, और इस कष्ट,

अपमान और यंत्रणा का पुरस्कार क्या है? अपनी जीवनाभिलाषाओं की हत्या।"

मानकी—"लेकिन यश तो होता है?"

कृष्णचन्द्र—"हां, यश होता है, लोग आशीर्वाद देते हैं।"

मानकी—"जब इतना यश मिलता है तो तुम भी वही काम करो। हम लोग उस पवित्र आत्मा की और कुछ सेवा नहीं कर सकते तो उसी वाटिका को चलाते जाएं, जो उन्होंने अपने जीवन में इतने उत्सर्ग और भक्ति से लगाई। इससे उनकी आत्मा को शान्ति होगी।"

कृष्णचन्द्र ने माता को श्रद्धामय नेत्रों से देखकर कहा—"करूं तो, मगर सम्भव है, तब यह टीमटाम न निभ सके। शायद फिर वही पहले की-सी दशा हो जाए।"

मानकी—"कोई हर्ज नहीं। संसार में यश तो होगा। आज तो अगर धन की देवी भी सामने आए, तो मैं आंखें नीची न करूं।"

□□